D0307256

DEUTSCHLAND UND DIE WELT NACH 1945

Von Jürgen Weber
unter Mitarbeit von Harald Focke,
Klaus Dieter Hein-Mooren und Volker Herrmann

BUCHNERS KOLLEG. THEMEN GESCHICHTE

Buchners Kolleg. Themen Geschichte

Deutschland und die Welt nach 1945

Bearbeiter:

Jürgen Weber	Seiten	7–194 und 203–223
Harald Focke	Seiten	256–259
Klaus Dieter Hein-Mooren	Seiten	195–202, 230–231 und 235–237
Volker Herrmann	Seiten	246–255

unter Mitarbeit der Verlagsredaktion

Dieses Werk folgt der reformierten Rechtschreibung und Zeichensetzung. Ausnahmen bilden Texte, bei denen künstlerische, philologische oder lizenzrechtliche Gründe einer Änderung entgegenstehen.

3. Auflage 3 4 3 2 2012 11 10 09
Die letzte Zahl bedeutet das Jahr dieses Druckes.
Alle Drucke dieser Auflage sind, weil untereinander unverändert, nebeneinander benutzbar.

www.ccbuchner.de

Herstellung: Artbox Grafik & Satz GmbH, Bremen
Druck: creo Druck & Medienservice GmbH, Bamberg
Bindearbeiten: Stürtz GmbH, Würzburg

ISBN 978-3-7661-**4685**-4

Inhalt

1 Der Ost-West-Konflikt und die Teilung Deutschlands

2 Politische und gesellschaftliche Entwicklungen im geteilten Deutschland

5 Weltpolitik: von der Bipolarität zur Multipolarität

So gekennzeichnete Arbeitsaufträge sind besonders geeignet, die Methodenkompetenz zu trainieren.

1 Der Ost-West-Konflikt und die Teilung Deutschlands

1.1 Die USA und die Sowjetunion als Weltmächte

▶ *Roman Cieslewicz, „CCCP USA", 1968. Die kyrillische Buchstabenfolge „CCCP" ist die russische Abkürzung für „UdSSR" („Union der Sozialistischen Sowjetrepubliken").*

1945–1948
Ostmitteleuropa wird sowjetische Einflusszone

25. Juni 1945
Die Vereinten Nationen werden gegründet

6. August 1945
Die USA werfen die erste Atombombe auf Hiroshima ab

Dezember 1945
Korea wird in ein südliches, von den USA besetztes und ein nördliches, von der UdSSR besetztes Gebiet geteilt

M1

Aus der Charta der Vereinten Nationen

Die Charta (Satzung) trat am 24. Oktober 1945 in Kraft, nachdem die fünf Großmächte China, Frankreich, Großbritannien, UdSSR und USA sowie die Mehrheit der übrigen Unterzeichnerstaaten die Ratifikationsurkunden[1] bei der US-Regierung hinterlegt hatten.

Artikel 1

Die Vereinten Nationen setzen sich folgende Ziele:
1. den Weltfrieden und die internationale Sicherheit zu wahren und zu diesem Zweck wirksame Kollektivmaßnahmen zu treffen, um Bedrohungen des Friedens zu verhüten und zu beseitigen, Angriffshandlungen und andere Friedensbrüche zu unterdrücken und internationale Streitigkeiten oder Situationen, die zu einem Friedensbruch führen könnten, durch friedliche Mittel nach den Grundsätzen der Gerechtigkeit und des Völkerrechts zu bereinigen oder beizulegen;
2. freundschaftliche, auf der Achtung vor dem Grundsatz der Gleichberechtigung und Selbstbestimmung der Völker beruhende Beziehungen zwischen den Nationen zu entwickeln und andere geeignete Maßnahmen zur Festigung des Weltfriedens zu treffen;
3. eine internationale Zusammenarbeit herbeizuführen, um internationale Probleme wirtschaftlicher, sozialer, kultureller und humanitärer Art zu lösen und die Achtung vor den Menschenrechten und Grundfreiheiten für alle ohne Unterschied der Rasse, des Geschlechts, der Sprache oder der Religion zu fördern und zu festigen.

Artikel 2

[...] 3. Alle Mitglieder legen ihre internationalen Streitigkeiten durch friedliche Mittel so bei, dass der Weltfriede, die internationale Sicherheit und die Gerechtigkeit nicht gefährdet werden.
4. Alle Mitglieder unterlassen in ihren internationalen Beziehungen jede gegen die territoriale Unversehrtheit oder die politische Unabhängigkeit eines Staates gerichtete oder sonst mit den Zielen der Vereinten Nationen unvereinbare Androhung oder Anwendung von Gewalt. [...]
7. Aus dieser Charta kann eine Befugnis der Vereinten Nationen zum Eingreifen in Angelegenheiten, die ihrem Wesen nach zur inneren Zuständigkeit eines Staates gehören, [...] nicht abgeleitet werden [...].

Artikel 41

Der Sicherheitsrat kann [...] die vollständige oder teilweise Unterbrechung der Wirtschaftsbeziehungen [...] und den Abbruch der diplomatischen Beziehungen beschließen.

Artikel 42

Ist der Sicherheitsrat der Auffassung, dass die in Artikel 41 vorgesehenen Maßnahmen unzulänglich sein würden oder sich als unzulänglich erwiesen haben, so kann er mit Luft-, See- oder Landstreitkräften die zur Wahrung oder Wiederherstellung des Weltfriedens und der internationalen Sicherheit erforderlichen Maßnahmen durchführen. Sie können Demonstrationen, Blockaden und sonstige Einsätze der Luft-, See- oder Landstreitkräfte von Mitgliedern der Vereinten Nationen einschließen.

Artikel 43

1. Alle Mitglieder der Vereinten Nationen verpflichten sich, zur Wahrung des Weltfriedens und der internationalen Sicherheit dadurch beizutragen, dass sie nach Maßgabe eines oder mehrerer Sonderabkommen dem Sicherheitsrat auf sein Ersuchen Streitkräfte zur Verfügung stellen, Beistand leisten und Erleichterungen einschließlich des Durchmarschrechts gewähren, soweit dies zur Wahrung des Weltfriedens und der internationalen Sicherheit erforderlich ist. [...]

Peter J. Opitz und Volker Rittberger (Hrsg.), Forum der Welt. 40 Jahre Vereinte Nationen, Bonn 1986, S. 318 ff.

1. *Benennen Sie die in der Charta aufgezählten Möglichkeiten zur Durchsetzung ihrer Ziele.*
2. *Vergleichen Sie Artikel 1 Absatz 2 der Charta mit den Informationen des Darstellungstextes zur Struktur der Vereinten Nationen (vgl. S. 13) und beurteilen Sie die Umsetzung des Gleichberechtigungsgrundsatzes.*

➧ *Hinweise zum Umgang mit schriftlichen Quellen erhalten Sie auf S. 256.*

[1] *Ratifikation: Bestätigung eines von einer Regierung abgeschlossenen Vertrages durch das Parlament*

M2

Ein Gespräch mit Stalin über die weltpolitische Lage im April 1945

Einer der maßgeblichen Mitbegründer des kommunistischen Jugoslawiens war Milovan Djilas (1911–1995). Er war Partisanengeneral im Kampf gegen die deutschen Besatzer. Seit Anfang der 1950er-Jahre entwickelte er sich von einem überzeugten Anhänger zu einem scharfen Kritiker des Kommunismus. Von seinen Gesprächen mit dem Führer der Sowjetunion, Josef W. Stalin, in Moskau berichtet er rückblickend, hier über ein Treffen am 11. April 1945 anlässlich der Unterzeichnung eines Beistandspaktes zwischen Jugoslawien und der Sowjetunion.

Stalin legte dar, wie er über die besondere Art des Krieges dachte, den wir zur Zeit führen: „Dieser Krieg ist nicht wie in der Vergangenheit; wer immer ein Gebiet besetzt, erlegt ihm auch sein eigenes gesellschaftliches System auf. Jeder führt sein eigenes System ein, so weit seine Armee vordringen kann. Es kann gar nicht anders sein."
Er erklärte auch, ohne sich auf lange Erklärungen einzulassen, den Sinn seiner panslawistischen Politik. „Wenn die Slawen zusammenbleiben und Solidarität wahren, wird in Zukunft niemand mehr einen Finger rühren können. Nicht einen Finger!", wiederholte er, indem er mit dem Zeigefinger durch die Luft fuhr.
Jemand gab seinem Zweifel daran Ausdruck, dass die Deutschen fähig sein würden, sich innerhalb von fünfzig Jahren wieder zu erholen. Aber Stalin war anderer Meinung. „Nein, sie werden sich wieder erholen, und zwar sehr rasch. Sie sind eine hochentwickelte Industrienation mit einer äußerst qualifizierten und zahlreichen Arbeiterklasse und einer technischen Intelligenz. Gebt ihnen zwölf oder fünfzehn Jahre Zeit, und sie werden wieder auf den Beinen stehen. Und deshalb ist die Einheit der Slawen so wichtig. Aber ganz davon abgesehen – wenn die Einheit der Slawen Tatsache ist, wird niemand wagen, auch nur einen Finger zu rühren."

Milovan Djilas, Gespräche mit Stalin, Frankfurt/Main 1962, S. 146 f.

1. *Nennen Sie die politischen Ziele Stalins. Berücksichtigen Sie bei der Bewertung der Aussage auch die Situation Djilas' zur Entstehungszeit des Textes.*
2. *Informieren Sie sich in einem Lexikon über die Bedeutung des Begriffs „Panslawismus". Vergleichen Sie Ihr Ergebnis mit der im Text benutzten Begriffsbedeutung.*

▼ *Ausdehnung des sowjetischen Herrschaftsbereichs in Europa.*
Hinweise zum Umgang mit Karten erhalten Sie auf S. 257.

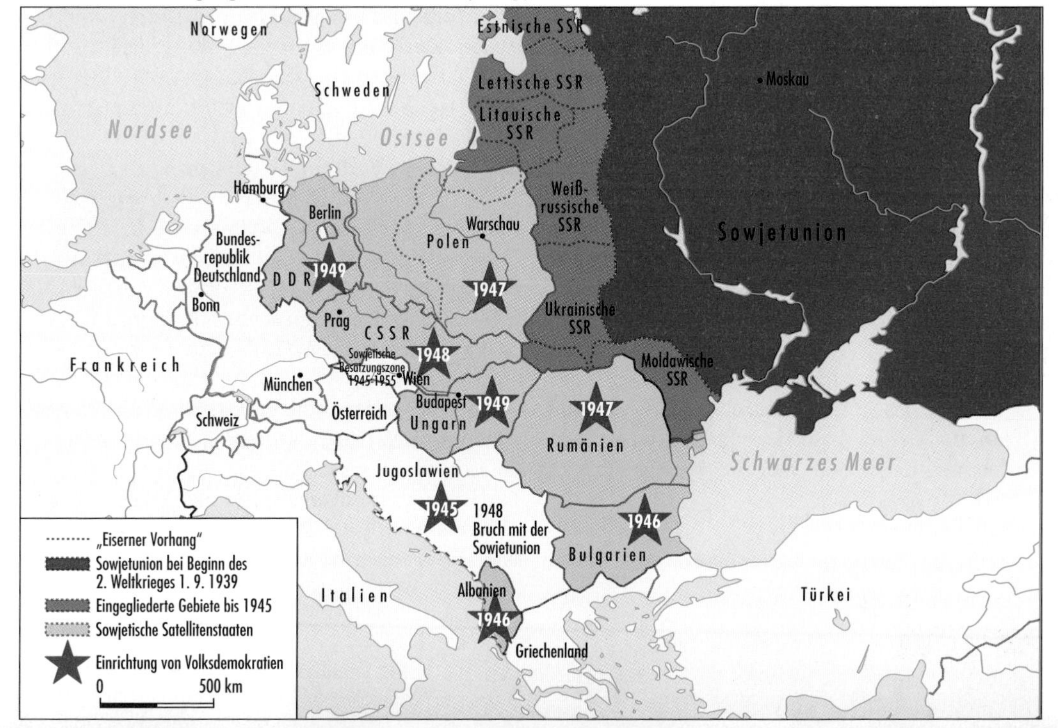

M3
„Drahtbericht aus Moskau"

Am 22. Februar 1946 skizziert der damalige Berater des US-amerikanischen Botschafters in Moskau, George F. Kennan, in einem 13-seitigen Telegramm nach Washington wesentliche Grundsätze der späteren amerikanischen Außenpolitik.

Die UdSSR lebt immer noch inmitten feindseliger „kapitalistischer Einkreisung", mit der es auf die Dauer keine friedliche Koexistenz geben kann. [...] Die Erfordernisse ihrer eigenen vergangenen und 5 gegenwärtigen Position sind es, die die sowjetische Führung dazu zwingen, ein Dogma zu verkünden, nach dem die Außenwelt böse, feindselig und drohend, aber zugleich von einer schleichenden Krankheit befallen und dazu verurteilt ist, von immer 10 stärker werdenden inneren Kämpfen zerrissen zu werden, bis sie schließlich von der erstarkenden Macht des Sozialismus den Gnadenstoß erhält und einer neuen und besseren Welt weicht. [...]
Wo es angezeigt und Erfolg versprechend scheint, 15 wird man versuchen, die äußeren Grenzen der Sowjetmacht zu erweitern. Im Augenblick beschränken diese Bemühungen sich auf gewisse Punkte in der Nachbarschaft, die man hier für strategisch notwendig hält [...].
20 Die Russen werden sich offiziell an solchen internationalen Organisationen beteiligen, die ihnen Gelegenheit geben, sowjetische Macht auszuweiten und die Macht der anderen auszuschalten oder zu verwässern. Moskau sieht die UNO nicht als einen 25 Mechanismus für eine stabile Weltgemeinschaft, die auf gemeinsamen Zielen und Interessen aller Nationen aufgebaut ist, sondern als eine Arena, in der man die eigenen Ziele mit Aussicht auf Erfolg verfolgen kann. [...].
30 Alles in allem haben wir es mit einer politischen Kraft zu tun, die sich fanatisch zu dem Glauben bekennt, dass es mit Amerika keinen dauernden Modus Vivendi[1] geben kann, dass es wünschenswert und notwendig ist, die innere Harmonie unserer 35 Gesellschaft, unsere traditionellen Lebensgewohnheiten und das internationale Ansehen unseres Staates zu zerstören, um der Sowjetmacht Sicherheit zu verschaffen [...]. Aber ich möchte meiner Überzeugung Ausdruck geben, dass es in unserer 40 Macht steht, das Problem zu lösen, und zwar ohne uns in einen großen militärischen Konflikt zu flüchten. [...]
Sie [die Sowjetunion] arbeitet nicht nach festgelegten Plänen. Sie geht keine unnötigen Risiken ein. 45 Der Logik der Vernunft unzugänglich, ist sie der Logik der Macht in hohem Maße zugänglich. Daher kann sie sich ohne weiteres zurückziehen – und tut das im Allgemeinen –, wenn sie irgendwo auf starken Widerstand stößt. Wenn also dem Gegner 50 genügend Hilfsmittel zur Verfügung stehen und er die Bereitschaft zu erkennen gibt, sie auch einzusetzen, wird er das selten tun müssen. Wenn die Situation richtig gehandhabt wird, braucht es zu keiner das Prestige verletzenden Kraftprobe zu 55 kommen. [...]
Viel hängt von der Gesundheit und Kraft unserer eigenen Gesellschaft ab. Der Weltkommunismus ist wie ein bösartiger Parasit, der sich nur von erkranktem Gewebe nährt. Das ist der Punkt, in dem 60 Innen- und Außenpolitik einander begegnen.

George F. Kennan, Memoiren eines Diplomaten, Stuttgart 1968, 4. Auflage, S. 553 ff.

1. *Vergleichen Sie die im Text skizzierten Bilder, die die UdSSR und die USA jeweils voneinander haben.*
2. *Nennen Sie mögliche außenpolitische Konsequenzen der amerikanischen Regierung aus Kennans Analyse.*

[1] *(lat.): Zustand erträglichen Zusammenlebens*

M4
Der „Eiserne Vorhang" in Europa

In Gegenwart und nach Absprache mit US-Präsident Truman redet Winston Churchill am 5. März 1946 in Fulton (Missouri) über die sowjetische Politik in Osteuropa. Churchill ist zu diesem Zeitpunkt Oppositionsführer im britischen Unterhaus.

Ein Schatten ist auf die Erde gefallen, die erst vor kurzem durch den Sieg der Alliierten hell erleuchtet worden ist. Niemand weiß, was Sowjetrussland und die kommunistische internationale Organisa- 5 tion in der nächsten Zukunft zu tun gedenken oder was für Grenzen ihren expansionistischen und Be-

▲ *„Churchill und seine Vorläufer", Karikatur aus der sowjetischen Zeitschrift „Krokodil" vom März 1946. Auf den Flaggen steht: „Eiserner Vorhang über Europa" und „Die Angelsachsen sollten die Welt beherrschen".*

● *Identifizieren Sie die beiden Personen in Churchills Schatten. Bewerten Sie die sowjetische Reaktion auf die Churchill-Rede.*

➧ *Hinweise zum Umgang mit Karikaturen erhalten Sie auf S. 258.*

kehrungstendenzen gesetzt sind, wenn ihnen überhaupt Grenzen gesetzt sind. [...] Von Stettin an der Ostsee bis hinunter nach Triest an der Adria ist ein „Eiserner Vorhang" über den Kontinent gezogen. [...] Die kommunistischen Parteien, die in allen diesen östlichen Staaten Europas bisher sehr klein waren, sind überall großgezogen worden, sie sind zu unverhältnismäßig hoher Macht gelangt und suchen jetzt überall die totalitäre Kontrolle an sich zu reißen. [...] Welches auch die Schlussfolgerungen sind, die aus diesen Tatsachen gezogen werden können, eines steht fest, das ist sicher nicht das befreite Europa, für dessen Aufbau wir gekämpft haben. Es ist nicht ein Europa, das die unerlässlichen Elemente eines dauernden Friedens enthält.
Ich glaube nicht, dass Sowjetrussland den Krieg will. Was es will, das sind die Früchte des Krieges und die unbeschränkte Ausdehnung seiner Macht und die Verbreitung seiner Doktrin. Was wir aber heute, solange noch Zeit vorhanden ist, in Erwägung ziehen müssen, das sind die Mittel zur dauernden Verhütung des Krieges und zur Schaffung von Freiheit und Demokratie in allen Ländern.

Keesings Archiv der Gegenwart 1946, S. 669 f.

1. *Wie bewertet Churchill die internationale Lage? Welche Kurskorrekturen werden angesprochen?*
2. *Inwieweit werden bei Churchill traditionelle Positionen der britischen Außenpolitik deutlich?*

M5
Die Truman-Doktrin

In seiner Rede vor dem amerikanischen Kongress am 12. März 1947 fordert Präsident Truman die Bereitstellung von 400 Millionen Dollar zur Unterstützung Griechenlands und der Türkei. Dadurch soll verhindert werden, dass kommunistische Kräfte im griechischen Bürgerkrieg die Macht an sich reißen. Die bislang eher zahlungsunwillige republikanische Kongressmehrheit hatte Trumans Haushaltsplan, darunter auch die vorgesehenen Militärausgaben, kurz zuvor spürbar gekürzt. Nach der Rede bewilligte der Kongress sofort die geforderten Gelder.

Eins der ersten Ziele der Außenpolitik der Vereinigten Staaten ist es, Bedingungen zu schaffen, unter denen wir und andere Nationen uns ein Leben aufbauen können, das frei von Zwang ist. Das war ein grundlegender Faktor im Krieg gegen Deutschland und Japan. Wir überwanden mit unserem Sieg Länder, die anderen Ländern ihren Willen und ihre Lebensweise aufzwingen wollten. [...]
In einer Anzahl von Ländern waren den Völkern kürzlich gegen ihren Willen totalitäre Regimes aufgezwungen worden. Die Regierung der Vereinigten Staaten hat mehrfach gegen Zwang und Einschüchterung bei der Verletzung des Jalta-Abkommens in Polen, Rumänien und Bulgarien protestiert. Und weiter muss ich feststellen, dass in einer Anzahl anderer Staaten ähnliche Entwicklungen stattgefunden haben. Im gegenwärtigen Abschnitt der Weltgeschichte muss fast jede Nation ihre Wahl in Bezug auf ihre Lebensweise treffen. Nur allzu oft ist es keine freie Wahl. Die eine Lebensweise gründet sich auf den Willen der Mehrheit und zeichnet sich durch freie Einrichtungen, freie Wahlen, Garantie der individuellen Freiheit, Rede- und Religionsfreiheit und Freiheit vor politischer Unterdrückung aus. Die zweite Lebensweise gründet sich auf den Willen einer Minderheit, der der Mehrheit aufgezwungen wird. Terror und Unterdrückung, kontrollierte Presse und Rundfunk, fingierte Wahlen

und Unterdrückung der persönlichen Freiheiten sind ihre Kennzeichen.
Ich bin der Ansicht, dass es die Politik der Vereinigten Staaten sein muss, die freien Völker zu unterstützen, die sich der Unterwerfung durch bewaffnete Minderheiten oder durch Druck von außen widersetzen. Ich glaube, dass wir den freien Völkern helfen müssen, sich ihr eigenes Geschick nach ihrer eigenen Art zu gestalten. [...]
Die Saat der totalitären Regimes gedeiht in Elend und Mangel. Sie verbreitet sich und wächst in dem schlechten Boden von Armut und Kampf. Sie wächst sich vollends aus, wenn in einem Volk die Hoffnung auf ein besseres Leben ganz erstirbt. Wir müssen diese Hoffnung am Leben erhalten. Die freien Völker der Erde blicken auf uns und erwarten, dass wir sie in der Erhaltung der Freiheit unterstützen.

Herbert Michaelis u.a. (Hrsg.), Ursachen und Folgen. Vom deutschen Zusammenbruch 1918 und 1945 bis zur staatlichen Neuordnung in der Gegenwart, Band 25, Berlin o. J., S. 148 ff.

Inwiefern signalisiert die Rede Trumans eine fundamentale Neuorientierung der amerikanischen Außenpolitik?

M6
Die Welt ist in zwei Lager geteilt

Der sowjetische Delegierte Shdanow entwickelt auf Veranlassung Stalins bei der Gründung des Kommunistischen Informationsbüros (Kominform) am 30. September 1947 in Warschau die folgende Theorie.

Die Sowjetunion und die demokratischen Länder betrachteten als Hauptziele des Krieges die Wiederherstellung und Festigung der demokratischen Systeme in Europa, die Liquidierung[1] des Faschismus, Verhütung der Möglichkeit einer neuen Aggression Deutschlands und allseitige dauernde Zusammenarbeit der Völker Europas. Die USA, und in Übereinstimmung mit ihnen Großbritannien, setzten sich im Krieg ein anderes Ziel: Beseitigung ihrer Konkurrenten auf dem Weltmarkt (Deutschland und Japan) und Festigung ihrer eigenen Vormachtstellung. Die Meinungsverschiedenheiten in der Zielsetzung des Krieges und der Aufgaben der Nachkriegsgestaltung haben sich in der Nachkriegszeit vertieft. Es bildeten sich zwei einander entgegengesetzte politische Richtungen heraus: auf dem einen Pol die Politik der UdSSR und der demokratischen Länder, die auf Untergrabung des Imperialismus und Festigung der Demokratie gerichtet ist, auf dem anderen die Politik der USA und Großbritanniens, die auf Stärkung des Imperialismus und Drosselung der Demokratie abzielt. Da die UdSSR und die Länder der neuen Demokratie ein Hindernis bei der Durchführung der imperialistischen Pläne des Kampfes um die Weltherrschaft und der Zerschlagung der demokratischen Bewegung sind, wurde ein Kreuzzug gegen die UdSSR und die Länder der neuen Demokratie proklamiert, der auch durch Drohungen mit einem neuen Krieg vonseiten der besonders eifrigen imperialistischen Politiker der USA und Englands bestärkt wird. Auf diese Weise entstanden zwei Lager: das imperialistische, antidemokratische Lager, dessen Hauptziel die Weltherrschaft des amerikanischen Imperialismus und die Zerschlagung der Demokratie ist, und das antiimperialistische und demokratische Lager, dessen Hauptziel die Untergrabung des Imperialismus, die Festigung der Demokratie und die Liquidierung der Überreste des Faschismus ist.

Keesings Archiv der Gegenwart 1947, S. 1207 f.

1. *Welche Länder zählt die Sowjetunion zu den demokratischen Ländern? Erläutern Sie den sowjetischen Demokratiebegriff.*
2. *Inwiefern sind die Ausführungen des sowjetischen Delegierten Shdanow eine Antwort auf Truman-Doktrin und Marshall-Plan?*
3. *Beurteilen Sie die Bedeutung der sogenannten Zwei-Lager-Theorie für das Verhältnis zwischen Moskau und den kommunistischen Parteien Osteuropas.*

[1] Beseitigung

Ausgangssituation für eine neue Weltordnung: die Gründung der Vereinten Nationen

Bereits zum Ende des Zweiten Weltkrieges zeichnete sich ab, dass die Weltpolitik in Zukunft vor allem von den beiden Haupt-Siegermächten bestimmt werden würde: den Vereinigten Staaten von Amerika und der Sowjetunion. Beiden Staaten brachte der Krieg – trotz gewaltiger Verluste der Sowjetunion – einen enormen Machtzuwachs gegenüber den traditionellen, durch den Krieg geschwächten oder niedergeworfenen großen Mächten wie Frankreich, Großbritannien und Deutschland.
Schon vor dem Eintritt der Vereinigten Staaten in den Krieg hatten sich der amerikanische Präsident *Franklin D. Roosevelt* und der britische Premierminister *Winston S. Churchill* über eine neue Weltorganisation zur Sicherung des Friedens verständigt. Vor allem die Amerikaner wollten ihre freiheitlichen Ideale in einer künftigen, von den Großmächten gemeinsam kontrollierten „One World" verwirklicht sehen. Auf der *Konferenz von Jalta* im Februar 1945 stimmte die UdSSR der Gründung der *Vereinten Nationen* zu, nachdem sie ein absolutes Vetorecht (Einspruchsrecht) der Großmächte durchgesetzt hatte.
Am 26. Juni 1945 unterzeichneten in San Francisco 51 Staaten die Charta der *United Nations Organization* (▸ M 1). Während in Europa der Krieg beendet war, dauerte er in Asien zu diesem Zeitpunkt noch an. Feindstaaten der Alliierten und Neutrale waren in San Francisco nicht vertreten. Sitz der Vereinten Nationen wurde New York. Ziel dieser globalen Einrichtung war und ist die weltweite Ächtung des Krieges als Mittel der Politik. Die UNO sollte den gescheiterten *Völkerbund*[1] ersetzen. Wichtigstes Organ ist bis heute der *Sicherheitsrat*. Er besteht aus fünf ständigen Mitgliedern, den Großmächten USA, Russland (bis 1990 UdSSR), Großbritannien, Frankreich und der Volksrepublik China (seit 1971; vorher war Taiwan in der Generalversammlung und im Sicherheitsrat der Vereinten Nationen vertreten) sowie zehn jeweils auf zwei Jahre gewählten Mitgliedern. Die ständigen Mitglieder können mit ihrem Vetorecht jeden Beschluss des Sicherheitsrates verhindern.
Die *Vollversammlung aller Mitglieder* (2003: 191) tagt einmal im Jahr. Außer bei wichtigen Fragen (Wahl der Mitglieder des Sicherheitsrates), bei denen eine Zweidrittelmehrheit notwendig ist, genügt für Beschlüsse die einfache Mehrheit. Diese Mehrheitsentscheidungen sind allerdings für die Mitglieder nicht bindend.

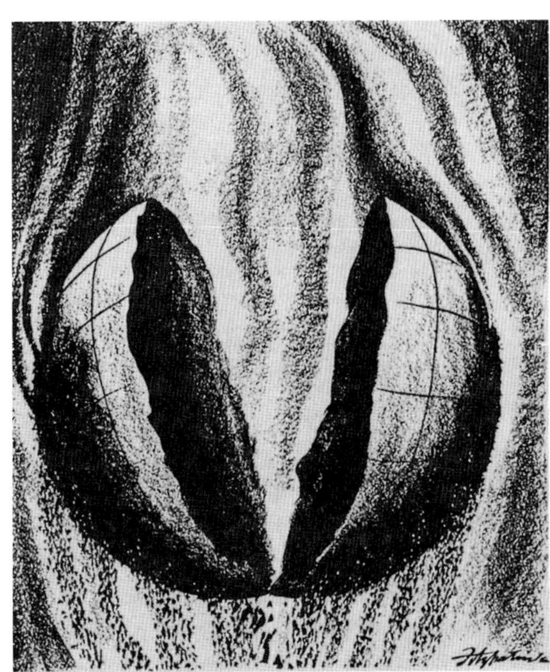

▲ *Karikatur aus dem „St. Louis Post-Dispatch" vom 12. März 1946.*

Zentrales Verwaltungsorgan ist das Sekretariat mit seinem von der Vollversammlung auf fünf Jahre bestellten *Generalsekretär* an der Spitze. Für Streitigkeiten der Mitglieder untereinander ist der *Internationale Gerichtshof* in Den Haag zuständig.

[1] *Der Völkerbund wurde auf Initiative des amerikanischen Präsidenten Wilson 1919 mit Sitz in Genf gegründet und sollte die Zusammenarbeit aller Staaten fördern sowie den Frieden sichern. Die fehlende Mitgliedschaft der USA sowie die Unfähigkeit des Völkerbundes, den Zweiten Weltkrieg zu verhindern, führten zu seiner Auflösung.*

Von der Anti-Hitler-Koalition zum Kalten Krieg

Trotz der Einigung über eine neue Weltorganisation konnten sich die beiden neuen Großmächte nicht über eine einvernehmliche Regelung der weltpolitischen Ordnungsprobleme der Nachkriegszeit verständigen. Die Gründe lagen vor allem in ihren widerstreitenden macht- und sicherheitspolitischen Interessen (▶ M 2 und M 3). Die sowjetische Diktatur konnte nur überleben, wenn sie sich gegen die demokratischen Prinzipien der freien Wahlen, der Rechtsstaatlichkeit und der Freiheit des Einzelnen sowie der Marktwirtschaft abschirmte. Die USA dagegen konnten sich eine friedliche Welt ohne freie Märkte und freie Gesellschaftsordnungen nicht vorstellen. Damit war der weltpolitische Konflikt zwischen der Sowjetunion und den USA *(Bipolarität)* vorprogrammiert. Der ideologisch motivierte *Systemgegensatz* mündete in einen Wettkampf um die weltpolitische Vorrangstellung.
Im Fernen Osten versuchte der sowjetische Staats- und Parteichef, *Josef W. Stalin*, nach der Kapitulation *Japans* (2. September 1945) erfolglos, Einfluss auf die Besetzung und Kontrolle des Landes zu gewinnen. In Korea kam es im Dezember 1945 zur Teilung in einen russisch beherrschten Nordteil und einen amerikanisch beherrschten Südteil. In *China*, das die USA traditionell zu ihren Verbündeten zählten, flammte 1946 der Bürgerkrieg zwischen den chinesischen Kommunisten unter *Mao Zedong* und der chinesischen Nationalregierung unter *Chiang Kai-shek* wieder auf. Er endete mit der Flucht Chiang Kai-sheks nach Taiwan und der Proklamation der Volksrepublik China durch Mao Zedong (1. Oktober 1949).
In *Vorderasien* weigerte sich die Sowjetunion zunächst, ihre Truppen vereinbarungsgemäß aus dem Iran zurückzuziehen. Außerdem forderte sie Küstengebiete der Türkei sowie die türkischen Meerengen, was die USA mit der demonstrativen Entsendung ihrer Flotte ins Mittelmeer beantworteten.
Auch die britische Regierung sah ihre Sicherheitsinteressen bedroht: In Griechenland, Ägypten, in der gesamten arabischen Welt, in Indien und in den fernöstlichen Kolonien unterstützte die Sowjetunion „nationale Befreiungsbewegungen". Ebenso wurde die Unterstützung der kommunistischen Parteien in Frankreich und Italien in London als Beleg dafür gewertet, dass Stalin das Nachkriegschaos für seine Zwecke nutzen wollte.

Die Sowjetisierung Osteuropas

Entscheidend für das immer schlechter werdende Verhältnis zwischen den Siegermächten war jedoch die *Sowjetisierung der ostmitteleuropäischen Staaten*. Im Gegensatz zu den Abmachungen von Jalta ließ die Rote Armee in Polen, Rumänien, Ungarn und Bulgarien keine liberal-demokratische Entwicklung zu. Durch Unterdrückung und Einschüchterung der Bevölkerung, durch Schauprozesse und Wahlterror sowie die Zwangsvereinigung der sozialdemokratischen mit den kommunistischen Parteien festigten die Kommunisten in diesen Ländern ihre Alleinherrschaft. Die Kollektivierung der Landwirtschaft sowie die Einbeziehung der zentral geplanten Volkswirtschaften nach Moskauer Muster in den sowjetischen Wirtschaftsbereich folgten auf dem Fuß. Die Gefolgsleute Stalins sorgten durch parteiinterne Säuberungsaktionen dafür, dass der Machtanspruch Moskaus in Ostmitteleuropa nicht durch nationalkommunistische „Abweichler" infrage gestellt wurde.
Vor dem Krieg waren die kommunistischen Parteien in jenen Ländern bedeutungslose Splitterparteien gewesen, nach 1945 entwickelten sie sich zu Massenparteien in der Hand einer kleinen Gruppe kommunistischer Politiker. Deren bedingungslose Unterord-

nung unter den Willen Stalins war die Voraussetzung für ihr politisches Überleben. Sowjetische Hegemonie und totalitäre kommunistische Parteiherrschaft bedingten einander. Als letztes Land wurde im Frühjahr 1948 die Tschechoslowakei durch einen kommunistischen Staatsstreich mit sowjetischer Unterstützung in das politisch-ökonomische Herrschaftssystem Moskaus einbezogen. Nur das Jugoslawien *Titos* konnte sich der sowjetischen Oberhoheit entziehen.

Beginn der amerikanischen Eindämmungspolitik

Die ergebnislose Außenministerkonferenz in Paris Mitte 1946 sowie die wachsende Erkenntnis, schnellstens auf die wirtschaftliche, politische und militärische Stabilisierung der nicht unter sowjetische Herrschaft geratenen Regionen zu setzen, beschleunigten den neuen außenpolitischen Kurs des neuen amerikanischen Präsidenten *Harry S. Truman*, der dem verstorbenen Roosevelt im Amt nachgefolgt war. In seiner Botschaft an den Kongress am 12. März 1947 erklärte Präsident Truman schließlich die *„Eindämmung" (containment)* des Kommunismus und der Sowjetunion zum Grundprinzip der amerikanischen Außenpolitik (*Truman-Doktrin*; ➧ M 4 und M 5).
Als Antwort darauf gründete Stalin Ende September 1947 das *Kommunistische Informationsbüro (Kominform)*, das die weltweite Steuerung der kommunistischen Parteien unter Führung der *Kommunistischen Partei der Sowjetunion (KPdSU)* zur Aufgabe hatte (➧ M 6).

Grundbegriff: Weltmacht ··⁝ Der Begriff „Weltmacht" trat seit der Mitte des 19. Jahrhunderts neben den Begriff „Großmacht". Großmachtstaaten waren durch ihre politische, wirtschaftliche und militärische Stärke gekennzeichnet. Bestimmend für die europäische Außenpolitik war bis dahin die von England entwickelte Idee der *balance of power* (Gleichgewicht der Kräfte), nach der die Vormachtstellung *(Hegemonie)* einer Macht auf dem europäischen Kontinent verhindert werden sollte.
Mit dem neuen Begriff „Weltmacht" geht eine Bedeutungsverschiebung einher: Als zusätzliches Merkmal einer Großmacht galt im Zeitalter des Imperialismus das Bemühen, eine weltumspannende Kolonialherrschaft zu errichten.
Gegen Ende des 19. Jahrhunderts hatte sich ein System der Weltmächte herausgebildet. Maßstab für den Rang einer Weltmacht war das britische Kolonialreich, dem Russland, die Vereinigten Staaten von Amerika, das Deutsche Reich und Frankreich nacheiferten.
Nach den Erfahrungen der beiden Weltkriege gilt ein Staat als Weltmacht, wenn er aufgrund seiner politischen, militärischen, technologischen und/oder wirtschaftlichen Potenziale weltpolitische Entwicklungen bestimmt. Ideologische Momente spielen seit der Oktober-Revolution von 1917 eine zentrale Rolle. Im Verlauf des Zweiten Weltkriegs, besonders jedoch unter den Bedingungen des Ost-West-Konflikts und der Entwicklung von Kernwaffen, gewann nach den USA auch die UdSSR eine Position als Weltmacht. Dabei standen diese beiden „Supermächte" jeweils als Vertreter der Weltanschauungen Liberalismus/Kapitalismus versus Kommunismus.
Während nach dem Zweiten Weltkrieg die kommunistische Volksrepublik China stark an Einfluss gewann, verloren Großbritannien und Frankreich ihre Stellung als Weltmächte. Aufgrund ihrer wirtschaftlichen Kraft nehmen seit den 1960er-Jahren auch die EG (jetzt: EU) und Japan eine wichtige weltpolitische Rolle ein. Dagegen verhinderte Russlands wirtschaftliche Schwäche, dass es nach dem Zusammenbruch des Ostblocks 1991 die Nachfolge der UdSSR als Weltmacht antreten konnte.
Gegenwärtig verändert sich das internationale Staatensystem im Zuge der *Globalisierung* sehr stark. Ökonomische und politische Entwicklungen in einem Teil der Welt nehmen zunehmend Einfluss auf Politik und Wirtschaft in anderen Teilen. Dabei wird die Politik der Nationalstaaten künftig nicht vollständig von einer grenzüberschreitenden „neuen Weltordnungspolitik" *(„Global Governance")* abgelöst. Da viele globale Probleme z. B. in den Bereichen Wirtschaft, Kultur, Ökologie, Technologie, Kommunikation und Migration jedoch nur noch auf dem Weg internationaler Zusammenarbeit zu regeln sind, wird an neuen Modellen für die internationale Politik gearbeitet.

1.2 Die Situation am Kriegsende

▲ *Hiob, Gemälde von Otto Dix, 1946.*

• *Informieren Sie sich über die Figur des Hiob im Alten Testament. Inwiefern bezieht Dix diese Figur auf die Situation der Deutschen nach 1945?*

➧ *Hinweise zum Umgang mit Gemälden erhalten Sie auf S. 259.*

8./9. Mai 1945
Das Oberkommando der deutschen Wehrmacht unterzeichnet die bedingungslose Kapitulation: Damit endet in Europa der Zweite Weltkrieg

17. Juli – 2. August 1945
Potsdamer Konferenz: Die drei Siegermächte legen die Grundsätze der Behandlung Deutschlands fest

M1

Gute Stimmung in Ruinen?

Der Schriftsteller Alfred Döblin (1878–1957, Autor des Romans „Berlin Alexanderplatz") kehrt nach Jahren der Emigration als französischer Besatzungsoffizier nach Deutschland zurück. Er berichtet über die Lage in Südwestdeutschland Ende 1945.

Ein Haupteindruck im Lande, und er löst Ende 1945 bei dem, der hereinkommt, das größte Staunen aus, ist, dass die Menschen hier wie Ameisen in einem zerstörten Haufen hin- und herrennen, erregt und 5 arbeitswütig zwischen den Ruinen, und ihr ehrlicher Kummer ist, dass sie nicht sofort zugreifen können, mangels Material, mangels Direktiven.
Die Zerstörung wirkt auf sie nicht deprimierend, sondern als intensiver Reiz zur Arbeit. Ich bin 10 überzeugt: Wenn sie die Mittel hätten, die ihnen fehlen, sie würden morgen jubeln, nur jubeln, dass man ihre alten, überalterten, schlecht angelegten Ortschaften niedergelegt hat und ihnen Gelegenheit gab, nun etwas Erstklassiges, ganz Zeitge- 15 mäßes hinzustellen.
Das Menschengewimmel in einer volksreichen Stadt wie Stuttgart. Durch Zuwanderung von Flüchtlingen aus anderen Städten und Gegenden noch mehr geworden, bewegten sich hier die Men- 20 schen, auf der Straße zwischen den fürchterlichen Ruinen, wahrhaftig, als wenn nichts geschehen wäre und als wenn die Stadt immer so aussah. Auf sie jedenfalls wirkt der Anblick der zerbrochenen Häuser nicht.
25 Und wenn einer glaubt oder früher geglaubt hat, das Malheur im eigenen Lande und der Anblick einer solchen Verwüstung würde die Menschen zum Denken bringen und würde politisch erzieherisch auf sie wirken, – so kann er sich davon überzeu- 30 gen: Er hat sich geirrt. Man sagt mir und zeigt mir bestimmte Häusergruppen und konstatiert: Das war dies Bombardement und das war jenes, und man schließt gewisse Episoden an. Und das ist alles. Es erfolgen darauf keine besonderen Mitteilun- 35 gen, und bestimmt werden keine weiteren Überlegungen angestellt. Man geht an seine Arbeit, steht Schlange hier wie überall nach Lebensmitteln.
Schon gibt es da und dort Theater, Konzerte und Kinos und ich höre, alle sind stark besucht. Die 40 Elektrischen fahren, grauenhaft voll wie überall. Man ist praktisch und hilft sich. Man kümmert sich um das Heute und Morgen in einer Weise, die den Nachdenklichen schon beunruhigt. […]
Fast überall aber hat man schon die brauchbaren 45 Ziegelsteine ausrangiert und sauber an den Hauswänden aufgestapelt. Sie warten auf neue Verwendung. Denn wie ich schon sagte, hier lebt unverändert ein arbeitsames, ein ordentliches Volk. Sie haben, wie immer, einer Regierung, so zuletzt dem 50 Hitler pariert, und verstehen im Großen und Ganzen nicht, warum Gehorchen diesmal schlecht gewesen sein soll. Es wird viel leichter sein, ihre Städte wieder aufzubauen als sie dazu zu bringen zu erfahren, was sie erfahren haben und zu verstehen, wie es kam.

Hans Magnus Enzensberger (Hrsg.), Europa in Trümmern. Augenzeugenberichte aus den Jahren 1944–1948, Frankfurt/Main 1990, S. 188 f.

1. *Erläutern Sie die Mentalität, mit der die Deutschen nach Meinung Döblins auf das Chaos der Kriegshinterlassenschaft reagieren.*
2. *Diskutieren Sie die Bewertungen des Autors. Bedenken Sie, dass er zuvor mehrere Jahre im Ausland war und dass er seine Aufzeichnungen erst 1949 veröffentlicht hat.*

M2

Die Lage der Frauen in der Nachkriegszeit

Aus der ersten empirisch-soziologischen Erhebung über Berliner Familien in den Jahren 1946/47:

Die meisten von uns wissen aus eigener Erfahrung, welche Zeit und Kraft das Herbeischaffen von Nahrung, von Holz, oft auch von Kohle beansprucht. Lange Fahrten mit der S-Bahn und daran an- 5 schließende Fußmärsche sind für zahlreiche Frauen aus dem Stadtinnern notwendig, um mehrmals in der Woche Brennholz aus den umliegenden Wäldern heranzuschleppen. Man sieht Scharen solcher schwer bepackter Frauen (auch Männer und Ju- 10 gendliche) täglich in den Abteilen der S-Bahn und weiß, dass derartige Expeditionen einen halben oder ganzen Vormittag kosten. Hinzu kommt das oft stundenlange Warten der Frauen auf den Ämtern, um dort Ausweise, Bezugsscheine, Atteste, Er- 15 laubnisscheine zu erlangen. Unzählige dringliche Beschaffungen für Gesunde und Kranke sind an

▲ *„Trümmerfrauen" in Berlin, Foto um 1946. Durch zahlreiche Abbildungen hat sich das Bild der „Trümmerfrauen" ins Bewusstsein eingegraben, obwohl es nur einen kleinen Ausschnitt aus der Lebenswirklichkeit der Frauen im Nachkriegsdeutschland zeigt.*

- *Vergleichen Sie das Foto mit den in M 2 beschriebenen Alltagsbelastungen der Frauen.*

Hinweise zum Umgang mit Fotos erhalten Sie auf S. 258.

derartige Scheine gebunden und erfordern Fahrten und lange Wartezeiten.
Aufmerksam beobachtende Ärzte haben diesen 20 „Leerlauf", der im alltäglichen Leben der Familien eine erhebliche Rolle spielt, als „zermürbend" bezeichnet, weil hier unentwegt Energien verbraucht werden, die der wirklichen Arbeitsleistung entzogen, sozusagen im leeren Raum verpuffen. Da dieser 25 Leerlauf oft von nagendem Hunger begleitet wird, kann er, besonders in der kalten Jahreszeit, empfindlich reagierende Menschen erheblich schwächen. Zeitraubendes Hin- und Herlaufen erfordern auch die unzähligen Tauschgeschäfte, in die fast alle 30 Hausfrauen verstrickt sind, sei es, um eine Rolle Näh- oder Stopfgarn zu erzielen, oder um einige Nähnadeln, ein Paar alte Schuhsohlen, Nägel und was immer im Augenblick nötig gebraucht wird, durch einfachen oder durch Kettentausch schließlich 35 zu erwerben. Rechnet man die tatsächliche tägliche Arbeitsleistung der Hausfrauen hinzu, das immer mühseliger werdende Flicken der abgenutzten Wäsche, das Stopfen der Strümpfe, die Umänderung alter Kleider für heranwachsende Kinder, so 40 begreift man, dass alle diese Arbeiten allein schon den Tag einer Familienmutter ausfüllen, ja häufig überfüllen. Dort, wo der Mann fehlt und die Kinder noch zu jung sind, werden die Sonntage von den Müttern häufig zu Hamsterfahrten benutzt, um von 45 Fremden oder Verwandten aus der ländlichen Umgegend zusätzliche Nahrung heranzuholen. Im Winter erschwert das Zusammengedrängtsein in einem Raum die Haushaltsführung, weil in allzu großer

Beengtheit ein ständiger Kampf geführt wird, um das Mindestmaß von Sauberkeit, Ordnung und Zufriedenstellung der einzelnen Familienmitglieder zu erreichen. [...] Die zusätzlichen Arbeitsleistungen, die der Winter 1946/47 durch das Einfrieren der Wasserleitungen, der Toiletten usw. brachte, werden durch die Familienberichte deutlich. [...] Um die Verknappung an brauchbarer und wärmender Kleidung, an Strümpfen und Schuhen irgendwie zu überwinden, tauschen Mütter oft genug ihre rationierten Lebensmittel in dringend benötigte Gebrauchsgegenstände um, z.B. ein Brot gegen ein Paar abgetragene Hausschuhe für den 14-jährigen Sohn. [...] Viele Mütter sparen sich etwa die Hälfte von dem Eigelbpulver monatlich auf, um dafür Wäschestücke, Strümpfe usw. für ihre Kinder einzutauschen. Auch das Milchpulver der Kinder oder die monatliche Zuckerration wandert öfter diesen Weg. Oder es wird Zucker gegen Brot getauscht (200 g Zucker = 1500 g Brot), oder auch Zucker gegen Geld (1 Pfund Zucker = 80 RM), um dafür Winterkleidung zu erwerben. Die meisten Frauen tun das nicht gedankenlos. Sie wägen ab, ob es ratsamer sei, dass ein Kind besser ernährt werde oder sich die Füße erfriere. Auch sich selbst entziehen Mütter Lebensmittel, um dafür den Kindern wärmende Kleidung oder Schuhe zu beschaffen.

Merith Niehuss/Ulrike Lindner (Hrsg.), Besatzungszeit, Bundesrepublik und DDR 1945-1969, Stuttgart 1998, S. 98 ff.

1. *Klären Sie die Begriffe „Kettentausch" und „Hamsterfahrt".*
2. *Recherchieren Sie die damalige Situation der Landbevölkerung. Wie sahen deren Reaktionen auf die im Text beschriebenen Hamsterfahrten der Stadtbevölkerung aus?*
3. *Informieren Sie sich über die Lebensbedingungen in Ihrem Heimatort in den Jahren 1945-1949. Führen Sie Gespräche mit Zeitzeugen und prüfen Sie die Aussage des Textes. Dokumentieren Sie Ihre Ergebnisse und schreiben Sie einen Einführungstext dazu.*

M3
Der Ruf nach Warenlöhnen

Aus der Hamburger Volkszeitung vom 23. Juli 1947:

Eine der gefährlichsten Zeiterscheinungen ist die Legalisierung des schwarzen Marktes durch die Schaffung von sogenannten Kompensationsgeschäften. Der Handel auf dem schwarzen Markt sowohl wie auch die Kompensation von Gütern von Erzeugern zu Erzeugern bei Übergehen des Verbrauchers ist ein Diebstahl an den bewirtschafteten Gütern zu Lasten des Volkes. Kompensationsgeschäfte zum Gesetz erheben, bedeutet nicht nur dem allgemeinen Verbrauch die Güter entziehen, sondern darüber hinaus dem Preisanstieg Vorschub leisten. Schon ist ein Zustand erreicht worden, wo die Arbeiter kaum die bewirtschafteten, geschweige denn die schwarzgehandelten Waren kaufen können. Dies ist die Überzeugung der meisten Betriebsräte. Umso mehr muss ein Rundschreiben in Erstaunen setzen, das in diesen Tagen von dem Betriebsrat der Sunlicht-AG durch die Betriebe gesandt wird. Dieses Rundschreiben propagiert die Kompensationsgeschäfte und fordert, die Geldlöhne durch Warenlöhne zu ersetzen. Es stellt fest, dass Kompensationsgeschäfte in verschiedenen Betrieben im stillschweigenden Einverständnis zwischen Betriebsleitung und Belegschaft durchgeführt werden. Es hat keinen Zweck, noch länger zu verschweigen oder zu beschönigen, dass wir heute alle, Arbeitgeber und Arbeitnehmer, täglich zu strafbaren Handlungen gezwungen sind, wenn wir leben und arbeiten wollen.

Christoph Kleßmann (Hrsg.), Die doppelte Staatsgründung. Deutsche Geschichte 1945-1955, 5. Auflage, Bonn 1991, S. 364

1. *Erklären Sie die Begriffe „Kompensationsgeschäft", „Geldlohn" und „Warenlohn".*
2. *Begründen Sie, warum die Kompensationsgeschäfte zwar für den Einzelnen überlebensnotwendig, für den Aufbau einer funktionierenden Nachkriegswirtschaft jedoch hemmend waren.*

Die Konferenz von Potsdam

Die politischen, territorialen und ökonomischen Probleme, die der Zweite Weltkrieg in Europa hinterlassen hatte, sollten auf der *Potsdamer Konferenz* gelöst werden, zu der sich die *„Großen Drei“*, Harry S. Truman, Winston Churchill, der am 28. Juli von *Clement R. Attlee* abgelöst wurde, und Josef W. Stalin, mit ihren Beraterstäben vom 17. Juli bis zum 2. August 1945 im Schloss Cecilienhof einfanden.

Über die politischen Grundsätze der zukünftigen Behandlung Deutschlands bestand zwischen den Alliierten seit der Konferenz von Jalta äußerliche Einigkeit: *Entwaffnung* und *Entmilitarisierung*, *Entnazifizierung*, *Demokratisierung* des politischen Lebens, *Dezentralisierung* der staatlichen Ordnung und der Wirtschaft sowie Wiederaufbau der *lokalen Selbstverwaltung* „nach demokratischen Grundsätzen“. Tatsächlich verbanden die Westmächte und die Sowjetunion mit den gefundenen „Formelkompromissen“ unterschiedliche Inhalte.

Neben der Frage der endgültigen Festlegung der polnischen Westgrenze stritt man im Verlauf der Konferenz am heftigsten über die *Reparationen*, die Deutschland auferlegt werden sollten. Schließlich kam man überein, dass jede Besatzungsmacht ihre Reparationsansprüche im Wesentlichen aus ihrer eigenen Zone befriedigen sollte. Damit war Deutschland in vier Reparationsgebiete geteilt, obwohl man sich im Kommuniqué vom 2. August 1945 darauf geeinigt hatte, dass Deutschland während der Besatzungszeit als eine „wirtschaftliche Einheit“ zu behandeln sei (siehe S. 32 f.).

In der polnischen Grenzfrage akzeptierten beide Westmächte die Oder-Neiße-Linie „bis zur endgültigen Festlegung“ durch einen Friedensvertrag. Dieser Vorbehalt hatte nur Alibifunktion, weil gleichzeitig die „Umsiedlung“ der deutschen Bevölkerung aus allen sowjetisch und polnisch besetzten Gebieten sowie aus Ungarn und der Tschechoslowakei protokolliert wurde.

Zusammenbruch

Der Zusammenbruch des staatlichen und gesellschaftlichen Lebens in Deutschland bei Kriegsende war zugleich auch die Stunde der Befreiung von einem menschenverachtenden Regime. 750 000 Häftlinge in den Konzentrationslagern waren gerettet. Millionen von Menschen fühlten sich von einem Alpdruck befreit, viele wussten nicht, wie es weitergehen sollte. Erleichterung und Bedrückung, Apathie und ein Hochgefühl der Freiheit vermischten sich zu einer verschwommenen Stimmungslage, die häufig mit dem Begriff der „Stunde Null“ umschrieben wurde. Dieser Begriff enthält sowohl die Vorstellung vom totalen Zusammenbruch als auch die Hoffnung auf einen radikalen Neubeginn. Er darf aber nicht darüber hinwegtäuschen, dass auch nach 1945 viele politische und gesellschaftliche Kontinuitäten wirksam blieben (➧ M 1).

Zahllose Familien waren zerrissen, Frauen suchten ihre Männer, Eltern ihre Kinder, Ausgebombte ein Dach über dem Kopf, viele waren auf der Flucht. Jeder zweite Deutsche war damals unterwegs. Hinzu kamen etwa acht bis zehn Millionen ausländische Kriegsgefangene und Zwangsarbeiter (*Displaced Persons*, „DP's“), von denen die meisten schnell in ihre Heimat zurückkehren wollten.

Auf der anderen Seite waren etwa elf Millionen deutsche Soldaten in alliierte Gefangenschaft geraten. Die Westmächte entließen die meisten von ihnen bald nach Kriegsende, die letzten von ihnen 1948. Von den drei Millionen Gefangenen in sowjetischer Hand verloren über eine Million ihr Leben, die anderen mussten jahrelang Schwerarbeit unter harten äußeren Bedingungen leisten. Erst 1955 entließ die sowjetische Regierung die letzten Gefangenen aus den Straflagern.

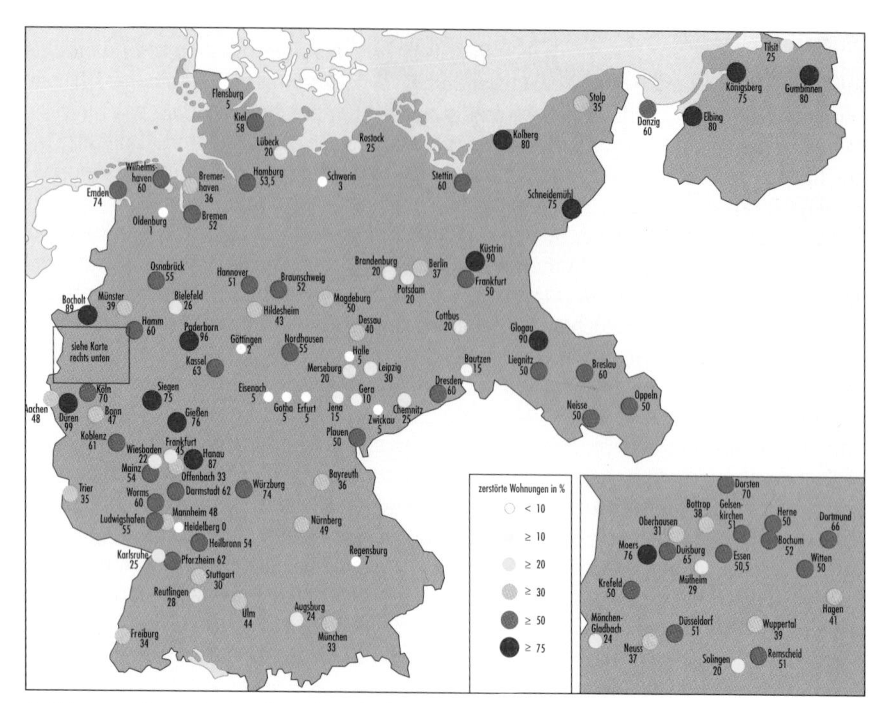

▲ *Kriegszerstörung in den deutschen Städten. Nach: Adolf Birke, Nation ohne Haus. Deutschland 1945–1961, Berlin 1994, S. 24*

Zerstörte Infrastruktur

Weite Teile Europas lagen in Trümmern. Not und Hunger gehörten zum Alltag der Überlebenden. Deutschland schien im Mai 1945 ein in Auflösung befindliches Land zu sein. Viele Städte waren nahezu entvölkert, weil die Menschen versucht hatten, sich durch die Flucht aufs Land vor den Luftangriffen zu schützen. So hausten in dem schwer getroffenen Köln bei Kriegsende von ursprünglich 770 000 Einwohnern noch ganze 40 000 in den Trümmern. Mehr als drei Viertel der Wohnungen waren vernichtet. In den Städten fehlte es für Millionen Menschen an Gas, Wasser, Strom; Post und Telefonverkehr waren zusammengebrochen.

Die Wohnungsnot der Obdachlosen wurde noch durch die Millionen von Flüchtlingen aus dem Osten verschärft, die nach einer Behausung suchten, aber auch durch die Besatzungstruppen, die Häuser und Wohnungen für ihren Bedarf requirierten. Ein Zimmer diente häufig als Wohnraum für ganze Familien. Keller, Dachböden, Viehställe, stillgelegte Fabriken, primitive Baracken wurden zu Notunterkünften umgestaltet, in denen die Menschen auf engstem Raum, häufig ohne ausreichende Heizung und unter schlechten hygienischen Bedingungen leben mussten.

Schlimm war die Verkehrssituation: Ganze 650 Kilometer des Schienennetzes waren noch intakt, die meisten Lokomotiven und Güterwaggons unbrauchbar geworden. Straßen, Schienen und Flüsse mussten erst wieder passierbar gemacht werden. Weniger zerstört war die industrielle Kapazität (20%), die annähernd dem Stand von 1936 entsprach. Der Krieg hatte die Substanz der deutschen Wirtschaft nicht vernichtet, weil sich die alliierten Bombenangriffe vor allem gegen Eisenbahngleise, Brücken und Wohnhäuser gerichtet hatten.

Hunger

Zeitweilig katastrophale Ausmaße nahm in der ersten Nachkriegszeit die völlig unzureichende Lebensmittelversorgung der Bevölkerung in den Städten an. Während der durchschnittliche Kalorienverbrauch einer Person kurz vor Kriegsende bereits von 3 000 auf immer noch über 2 000 Kalorien abgesunken war, halbierte er sich bis Mitte 1946 noch einmal. Für einen „Normalverbraucher“ hieß dies beispielsweise, dass er täglich mit zwei Scheiben Brot, etwas Margarine, einem Löffel Milchsuppe und zwei Kartoffeln auskommen musste. Aber die Menschen litten nicht nur an Hunger, es fehlte auch an Brennstoffen, an Kleidung und Hausrat (➧ M 2). Krankheiten wie Typhus, Diphtherie und Keuchhusten grassierten. Ein Teil der produzierten Waren kam auch deshalb bei den Verbrauchern nicht an, weil sie als Tauschgegenstände auf dem florierenden *Schwarzmarkt* (➧ M 3) benötigt wurden.

Ohne die Einfuhr von Nahrungsmitteln und Kohle durch die Besatzungsmächte wäre die Situation noch schlimmer geworden. Mit „Schulspeisungen“ bemühten sich die amerikanische und die britische Militärregierung, die Ernährungssituation von Kindern zwischen sechs und achtzehn Jahren zu verbessern. Karitative Organisationen, vor allem in Amerika, schickten Lebensmittelpakete, „Care-Pakete“ *(CARE: Cooperative for American Remittances to Europe, später: to Everywhere)* nach Westberlin und Westdeutschland, um die schlimmste Not zu mildern. Amerikanische und kanadische Bürger finanzierten für Westdeutschland bis 1960 insgesamt 9,5 Millionen Pakete in einem Gesamtwert von 177 Millionen Euro.

◀ *Von 1946 bis 1960 wurden fast 10 Millionen Care-Pakete in die Bundesrepublik geschickt. Das Foto zeigt eine Bonner Familie 1957.*

• *Diskutieren Sie die Wirkungsabsicht der Fotografie.*

1.3 Flucht und Vertreibung

▲ *Flüchtlingszug in Berlin, 1945.*

1945–1948
Rund 20 Millionen Menschen in Ost- und Mitteleuropa verlieren ihre Heimat, davon sind ca. 12 Millionen Deutsche in den östlichen Gebieten des Deutschen Reiches (Ostpreußen, Pommern, Brandenburg und Schlesien) sowie in den deutschen Siedlungsgebieten in Ost- und Südosteuropa betroffen

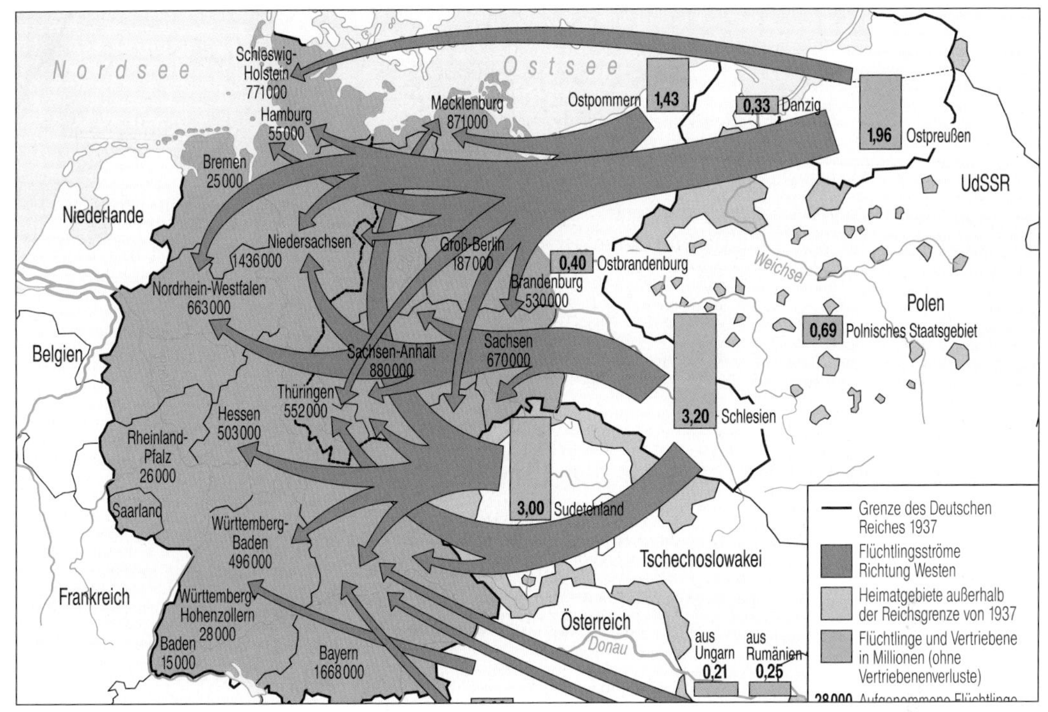

▲ *Flucht und Vertreibung aus den Ostgebieten.*

M1

Vertreibung aus Ostpreußen

In einem Brief vom 28. November 1946 an einen Freund schildert Hermann Fischer aus Horn, Kreis Mohrungen (Ostpreußen) die Umstände seiner Vertreibung:

Dann kam der 11. November, ein Sonntag, und damit unsere Ausweisung und Abtransport aus der Heimat. Nachdem die Polen eine Inventuraufnahme gemacht hatten und uns am Sonnabend 5 noch alles Brauchbare an Kleidungsstücken geraubt hatten, gingen wir mit je 20 Pfund Handgepäck zur Sammelstelle, wurden registriert und unter bewaffneter Begleitung nach Sonnenborn gebracht, wo unser polnisches Amt ansässig war. Dort mussten 10 wir zwei Tage bleiben und nach Durchsuchung und nochmaliger Beraubung nach Mohrungen zum Bahnhof marschieren. Bei völliger Dunkelheit und zum Tode ermattet kamen wir in Mohrungen an. Die Stadt ist fast vollständig in Asche. Nach- 15 dem die Polen von ringsum uns überall anfielen und raubten, kamen wir zum Transportzuge (ca. 45 Viehwagen für 4500 Personen). In meinem Wagen waren 116 Menschen. Es war weder zu stehen noch zu sitzen die Möglichkeit. Einer saß auf dem an- 20 dern. Nachdem die Polen nochmals gründlich geräubert hatten, setzte sich der Zug in Bewegung, um aber nach einiger Zeit wieder stehenzubleiben, irgendwo auf freier Strecke oder dem toten Gleis eines Bahnhofs, bei steter Beraubung 11 Tage lang. 25 [...] In unserem Abteil gab es fast alle Tage 2–3 Tote. Da kamen wir von Posen nach Frankfurt/O. Da kam ein neuer Schlag für uns. Auf der letzten Station vor Frankfurt holten die Polen-Soldaten unsere jüngste und letzte Tochter Gerda 30 gewaltsam heraus. Alles Bitten und Bemühen war umsonst. Also nun war alles aus, jede Hoffnung verloren. Dann starben die Menschen wie Fliegen; das ging so in Luckenwalde, in Brahlsdorf und überall. Von 4500 sind ca. 1500 gestorben. Krause- 35 Eckersdorf, Krokowski-Horn, Wehrau-Kranthau, Lingner-Kranthau usw.

Endlich, am 4. Januar, kamen wir aus dem Lager Brahlsdorf, Mecklenburg, nach Haar, bei Neuhaus a.d. Elbe, zu einer Familie Dr. Panz ins Quartier. [...] 40 Inzwischen hatten wir durch unsere Schwiegertochter aus Württemberg die ersten freudigen Nachrichten erhalten [...]. Die älteste Tochter Elfriede hat die jüngste verlorene Schwester aus der russischen

Zone geholt. Sie wurde in Württemberg neu eingekleidet, ging bis Ostern zur Schule und ist dort konfirmiert. Ihre Erlebnisse waren schaurig, denn sie war ohne Nahrungsmittel, und halbnackend, ohne Geld. Gott hatte sie dennoch sicher hindurchgeführt, und heute sind wir wieder mit ihr zusammen.

Wolfgang Benz (Hrsg.), Die Vertreibung der Deutschen aus dem Osten. Ursachen, Ereignisse, Folgen, Frankfurt/Main 1985, S. 99 f.

1. *Finden Sie eine mögliche Erklärung für die Brutalität, mit der die Vertreibung der Deutschen teilweise durchgeführt wurde.*
2. *Flüchtlinge (Asylbewerber, Bürgerkriegsflüchtlinge) gibt es auch heute. Informieren Sie sich über spezielle Probleme und die Einstellung der Bevölkerung.*

M2

Zunahme (+) und Abnahme (–) der Bevölkerung in Prozent

	Abnahme der einheimischen Stammbevölkerung gegenüber der Wohnbevölkerung 1939	Zuzug seit 1939 auf 100 der Stammbevölkerung	Zunahme (+) bzw. Abnahme (–) der Wohnbevölkerung in % der Bevölkerung		
	1939–1946	1939–1946	1939–1946	1946–1950	1939–1950
Bundesrepublik Deutschland					
Schleswig-Holstein	– 9,6	+ 80,4	+ 63,0	+ 0,8	+ 63,3
Hamburg	– 25,3	+ 11,1	– 17,2	+ 14,4	– 6,2
Niedersachsen	– 9,0	+ 52,4	+ 38,3	+ 9,1	+ 49,7
Nordrhein-Westfalen	– 10,5	+ 9,8	– 1,8	+ 13,0	+ 10,6
Bremen	– 24,2	+ 14,6	– 13,8	+ 15,3	– 0,8
Hessen	– 9,0	+ 26,2	+ 14,8	+ 8,8	+ 24,3
Rheinland-Pfalz	– 12,3	+ 6,0	– 7,0	+ 9,6	+ 1,5
Bayern	– 6,4	+ 33,4	+ 24,9	+ 4,5	+ 29,6
Württemberg-Baden	– 9,9	+ 24,4	+ 12,1	+ 9,1	+ 21,5
Baden	– 10,5	+ 8,2	– 3,2	+ 13,2	+ 8,9
Württemberg-Hohenzollern	– 8,3	+ 12,4	+ 3,1	+ 12,5	+ 15,0
West-Berlin	–	–	– 26,7	+ 6,7	– 21,9
Groß-Berlin	– 31,0	+ 6,4	– 26,4	–	–
Bundesgebiet	–	–	+ 9,2	+ 9,2	+ 21,2
Deutsche Demokratische Republik					
Sachsen	– 13,0	+ 16,9	+ 1,7	+ 3,1	+ 4,0
Sachsen-Anhalt	– 13,0	+ 38,9	+ 20,9	– 1,3	+ 18,6
Thüringen	– 11,0	+ 35,3	+ 20,4	– 2,4	+ 16,8
Brandenburg	– 25,6	+ 40,8	+ 4,7	+ 1,3	+ 5,9
Mecklenburg	– 19,0	+ 87,8	+ 52,2	– 3,0	+ 45,6
Ost-Berlin	–	–	– 26,0	+ 1,2	– 25,1
DDR	–	–	+ 10,4	+ 0,2	+ 9,8

Nach: Merith Niehuss/Ulrike Lindner (Hrsg.), Besatzungszeit, Bundesrepublik und DDR 1945-1969, Stuttgart 1998, S. 104 f.

Vergleichen Sie die Zahlen der Großstädte Hamburg, Bremen und Berlin mit denen eines Flächenstaates wie Mecklenburg oder Baden-Württemberg. Wie lassen sich die Wellen der Zu- bzw. Abwanderung erklären?

➧ *Hinweise zum Umgang mit Statistiken erhalten Sie auf S. 257.*

M3

Charta der deutschen Heimatvertriebenen

Die Charta wurde am 5. August 1950 auf einer Großkundgebung in Stuttgart in Gegenwart von Mitgliedern der Bundesregierung, der Kirchen und der Parlamente verkündet. Sie trägt die Unterschriften der Sprecher der Landsmannschaften der Vertriebenen sowie der Vorsitzenden des Zentralverbandes der vertriebenen Deutschen und seiner Landesverbände.

Im Bewusstsein ihrer Verantwortung vor Gott und den Menschen,
im Bewusstsein ihrer Zugehörigkeit zum christlich-abendländischen Kulturkreis,
5 im Bewusstsein ihres deutschen Volkstums und in der Erkenntnis der gemeinsamen Aufgabe aller europäischen Völker,
haben die erwählten Vertreter von Millionen Heimatvertriebenen nach reiflicher Überlegung und 10 nach Prüfung ihres Gewissens beschlossen, dem deutschen Volk und der Weltöffentlichkeit gegenüber eine feierliche Erklärung abzugeben, die die Pflichten und Rechte festlegt, welche die deutschen Heimatvertriebenen als ihr Grundgesetz und als 15 unumgängliche Voraussetzung für die Herbeiführung eines freien und geeinten Europas ansehen.

1. Wir Heimatvertriebenen verzichten auf Rache und Vergeltung. Dieser Entschluss ist uns ernst und heilig im Gedenken an das unendliche Leid, 20 welches im Besonderen das letzte Jahrzehnt über die Menschheit gebracht hat.
2. Wir werden jedes Beginnen mit allen Kräften unterstützen, das auf die Schaffung eines geeinten Europas gerichtet ist, in dem die Völker ohne Furcht 25 und Zwang leben können.
3. Wir werden durch harte, unermüdliche Arbeit teilnehmen am Wiederaufbau Deutschlands und Europas.

Wir haben unsere Heimat verloren. Heimatlose 30 sind Fremdlinge auf dieser Erde. Gott hat die Menschen in ihre Heimat hineingestellt. Den Menschen mit Zwang von seiner Heimat zu trennen, bedeutet, ihn im Geiste zu töten.
Wir haben dieses Schicksal erlitten und erlebt. Da- 35 her fühlen wir uns berufen zu verlangen, dass das Recht auf die Heimat als eines der von Gott geschenkten Grundrechte der Menschheit anerkannt und verwirklicht wird.
Solange dieses Recht für uns nicht verwirklicht ist, 40 wollen wir aber nicht zur Untätigkeit verurteilt beiseite stehen, sondern in neuen, geläuterten Formen verständnisvollen und brüderlichen Zusammenlebens mit allen Gliedern unseres Volkes schaffen und wirken.
45 Darum fordern und verlangen wir heute wie gestern:

1. Gleiches Recht als Staatsbürger nicht nur vor dem Gesetz, sondern auch in der Wirklichkeit des Alltags.
2. Gerechte und sinnvolle Verteilung der Lasten des 50 letzten Krieges auf das ganze deutsche Volk und eine ehrliche Durchführung dieses Grundsatzes.
3. Sinnvollen Einbau aller Berufsgruppen der Heimatvertriebenen in das Leben des deutschen Volkes.
55 4. Tätige Einschaltung der deutschen Heimatvertriebenen in den Wiederaufbau Europas.

Die Völker der Welt sollen ihre Mitverantwortung am Schicksal der deutschen Heimatvertriebenen als der vom Leid dieser Zeit am schwersten Betroffe- 60 nen empfinden.
Die Völker sollen handeln, wie es ihren christlichen Pflichten und ihrem Gewissen entspricht.
Die Völker müssen erkennen, dass das Schicksal der deutschen Heimatvertriebenen wie aller Flücht- 65 linge ein Weltproblem ist, dessen Lösung höchste sittliche Verantwortung und Verpflichtung zu gewaltiger Leistung fordert.
Wir rufen Völker und Menschen auf, die guten Willens sind, Hand anzulegen ans Werk, damit aus 70 Schuld, Unglück, Leid, Armut und Elend für uns alle der Weg in eine bessere Zukunft gefunden wird.

Alexander von Plato / Almut Leh (Hrsg.), „Ein unglaublicher Frühling“. Erfahrene Geschichte im Nachkriegsdeutschland 1945–1948, Bonn 1997, S. 30

1. *Welche Forderungen der Vertriebenen dienten dem Integrationsprozess, welche standen ihm eher entgegen?*
2. *Vergleichen Sie die in der Präambel genannten Ziele mit denen des Grundgesetzes.*

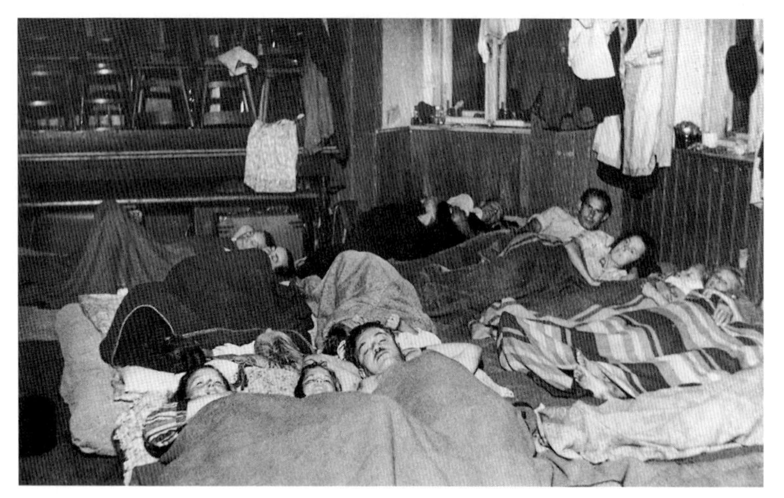

◀ *Flüchtlingslager in Kiel 1945. Der große Zustrom von Flüchtlingen und Vertriebenen verschärfte die bestehenden Wohnungs-, Versorgungs- und Arbeitsmarktprobleme in den Besatzungszonen. Zunächst wurden die meisten Flüchtlinge in Notunterkünften untergebracht, bevor sie eigenen Wohnraum – meist als Untermieter – zugewiesen bekamen.*

M4
Vertreibung als Ausdruck der Rache

Aus Anlass des Besuches des deutschen Bundespräsidenten Richard von Weizsäcker in Prag hält der tschechoslowakische Staatspräsident Václav Havel am 15. März 1990 eine Ansprache, in der er auch auf die Vertreibung der Deutschen aus seinem Land eingeht. Erstmals bekennt sich ein führender Politiker der Tschechoslowakei zu der Verantwortung für das mit der Vertreibung begangene Unrecht.

Sechs Jahre nazistischen Wütens haben [...] ausgereicht, dass wir uns vom Bazillus des Bösen anstecken ließen, dass wir uns gegenseitig während des Krieges und danach denunzierten, dass wir – in 5 gerechter, aber auch übertriebener Empörung – uns das Prinzip der Kollektivschuld zu eigen machten. Anstatt ordentlich all die zu richten, die ihren Staat verraten haben, verjagten wir sie aus dem Land und belegten sie mit einer Strafe, die unsere 10 Rechtsordnung nicht kannte. Das war keine Strafe, das war Rache. Darüber hinaus verjagten wir sie nicht auf Grundlage erwiesener individueller Schuld, sondern einfach als Angehörige einer bestimmten Nation.

15 Und so haben wir in der Annahme, der historischen Gerechtigkeit den Weg zu bahnen, vielen unschuldigen Menschen, hauptsächlich Frauen und Kindern, Leid angetan.

Und wie es in der Geschichte zu sein pflegt, wir ha- 20 ben nicht nur ihnen Leid getan, sondern mehr noch uns selbst: Wir haben mit der Totalität so abgerechnet, dass wir ihren Keim in das eigene Handeln aufgenommen haben und so auch in die eigene Seele, was uns kurz darauf grausam zurückgezahlt 25 wurde in Form unserer Unfähigkeit, einer anderen und von anderswoher importierten Totalität entgegenzutreten. Ja noch mehr: Manche von uns haben ihr aktiv auf die Welt geholfen. [...]

Die Opfer, die eine Wiedergutmachung verlangt, 30 werden also – unter anderem – auch der Preis für die Irrtümer und Sünden unserer Väter sein.

Wir können die Geschichte nicht umkehren, und so bleibt uns neben der freien Erforschung der Wahrheit nur das Eine: Immer wieder freundschaft- 35 lich die zu begrüßen, die mit Frieden in der Seele hierher kommen, um sich vor den Gräbern ihrer Vorfahren zu verneigen oder anzusehen, was von den Dörfern übriggeblieben ist, in denen sie geboren wurden.

Presse- und Informationsamt der Bundesregierung (Hrsg.), Bulletin Nr. 36, 17. März 1990, S. 278

1. *Benennen Sie den Unterschied zwischen Strafe und Rache.*
2. *Erläutern Sie die Argumentation, mit der Havel die Vertreibung der Deutschen ein Unrecht nennt.*
3. *Bewerten Sie die Schlussfolgerung, die Havel für das Verhältnis der Tschechen zu den Deutschen zieht.*

Gewaltsame Vertreibung

Zu den einschneidendsten Folgen des Zweiten Weltkrieges wurde für etwa 20 Millionen Menschen in Europa der Verlust ihrer Heimat. Er traf Polen, Tschechen, Slowaken, Ukrainer, Weißrussen, Litauer, Ungarn und vor allem Deutsche. Etwa vierzehn Millionen Deutsche aus Ostpreußen, Pommern, Brandenburg und Schlesien sowie den deutschen Siedlungsgebieten in Ost- und Südosteuropa mussten ihre Heimatorte verlassen. Nach neueren Untersuchungen kamen dabei zwischen 0,6 und zwei Millionen Menschen ums Leben.

Anfang 1945 flohen über fünf Millionen Menschen aus den deutschen Ostgebieten vor der anrückenden Roten Armee. Zu Rache und Vergeltung aufgerufene Sowjetsoldaten töteten zahllose Zivilisten. Misshandlungen, Vergewaltigungen, Plünderungen und Verschleppungen waren an der Tagesordnung. Im Juni 1945 begann die brutalste Phase der gezielten Vertreibung von rund 300 000 Deutschen östlich der Oder-Neiße-Linie (➧ M 1). Aus der Tschechoslowakei wurden gleichzeitig etwa 800 000 meist ältere Menschen, Frauen und Kinder vertrieben.

Obwohl auf der Potsdamer Konferenz eine „Ausweisung Deutscher aus Polen, der Tschechoslowakei und Ungarn" in „ordnungsgemäßer und humaner Weise" beschlossen worden war, blieb der Rachegedanke zunächst vorherrschendes Motiv für die gewaltsame und verlustreiche Vertreibung, die erst nach 1947 in eine „geordnete Umsiedlung" mündete (➧ M 4).

Die Vertriebenen und Flüchtlinge besaßen meist nur noch das, was sie auf dem Leib trugen oder mit eigener Kraft mitschleppen konnten. Für die sowjetische, britische und amerikanische Besatzungszone (die französische Besatzungsmacht weigerte sich bis 1948 Flüchtlinge aufzunehmen) bedeutete dieser Zustrom eine Verschärfung der an und für sich schon katastrophalen Ernährungs- und Wohnsituation (➧ M 2). Zur materiellen Not kam hinzu, dass die Einheimischen die Flüchtlinge selten mit offenen Armen empfingen, mussten sie doch selbst Wohnraum abgeben und das wenige, was sie zum Essen hatten, teilen.

Integration

Bis 1950 wurden knapp acht Millionen Vertriebene in Westdeutschland, 4,4 Millionen auf dem Gebiet der späteren DDR aufgenommen. Besonders groß waren die Probleme bei der Wohnungs- und Beschäftigungssituation: Millionen Flüchtlinge mussten viele Jahre lang in Lagern leben, 3,4 Millionen Vertriebene im Westen Deutschlands bis 1963 noch einmal ihren Wohnsitz wechseln. Von den Vertriebenen, die zunächst in die *Sowjetische Besatzungszone (SBZ)* bzw. DDR gekommen waren, flüchteten über zwei Millionen ein zweites Mal und verließen die DDR. Von den 10% Arbeitslosen, die es 1950 in Westdeutschland gab, war jeder Dritte ein Vertriebener.

Die Bundesrepublik legte mit grundlegenden Gesetzen unter dem Schlagwort „Lastenausgleich" (*Lastenausgleichsgesetz* 1952, *Bundesvertriebenengesetz* 1953) die Basis für die soziale Integration der Heimatvertriebenen. Durch individuelle Entschädigung und Beihilfen zum Aufbau einer neuen Existenz erhielten die Betroffenen einen Rechtsanspruch auf staatliche Hilfe. Bis 1999 wurden so insgesamt 63 Milliarden Euro aufgebracht. Die enorme Verbesserung der Beschäftigungssituation – 1960 war nahezu Vollbeschäftigung erreicht – war ein zweiter wichtiger Grund für die gelungene Integration. Mit ihrer „Energie der Verzweiflung" trugen die Vertriebenen ihrerseits zum wirtschaftlichen Aufstieg der Bundesrepublik bei.

Auch politisch verschafften sich die Vertriebenen Gehör. Zunächst erhielten ihre Interessenverbände und die Flüchtlingspartei *Block der Heimatvertriebenen und Entrechteten*

(BHE) großen Zulauf in den besonders von Flüchtlingen bewohnten Bundesländern Schleswig-Holstein, Bayern und Niedersachsen. Der zunehmende Bedeutungsverlust dieser Partei seit Ende der 1950er-Jahre ist ein Indiz für die weitgehende Eingliederung der Vertriebenen und Flüchtlinge in die westdeutsche Gesellschaft.
Zum politischen Sprengstoff wurden die Heimatvertriebenen in der Bundesrepublik nicht, weil sich ihre Vertretungen *(Landsmannschaften)* früh für eine gewaltfreie, demokratische Politik entschieden hatten (▶ M 3). In der DDR durften die Vertriebenen nicht auf ihr Schicksal aufmerksam machen; ab 1950 wurden alle landsmannschaftlichen Gruppierungen verboten. Etwa 350 000 Vertriebene, die offiziell „Umsiedler" genannt wurden, erhielten im Zuge der Bodenreform (vgl. S. 49) Land zugewiesen. Vergleichbare Entschädigungen wie in der Bundesrepublik gab es in der DDR nicht. Erst nach der Wiedervereinigung 1990 erhielten rund eine Million ehemaliger Vertriebener aus den neuen Bundesländern eine einmalige Zuwendung von 2 050 Euro (*Vertriebenenzuwendungsgesetz* von 1994).

Integration der Heimatvertriebenen

Der Soziologe Michael von Engelhardt hat 1992/93 die Lebensgeschichte und Einstellung zur Integration einer repräsentativen Gruppe von Heimatvertriebenen untersucht.

Soziokulturelle Integration in der unmittelbaren Nachkriegszeit

Lebensphase bei Kriegsbeginn	Integration durch Assimilation an die Aufnahmegesellschaft	Integration auf der Grundlage der Herkunftskultur	Abgrenzung durch Konzentration auf die Herkunftskultur	Summe in Prozent
Erwachsenenalter (22–45 J.)	16	47	37	100
Junge Erwachsene (18–21 J.)	47	32	21	100
Jugendalter (14–17 J.)	33	40	27	100

Einstellung zum Heimatverlust in den 1990er-Jahren

Lebensphase bei Kriegsende	Heimatverlust wird ausdrücklich akzeptiert	Heimatverlust ist unwichtig geworden, wird hingenommen	Heimatverlust soll offiziell als Unrecht anerkannt werden	Summe in Prozent
Erwachsenenalter (22–45 J.)	32	36	32	100
Junge Erwachsene (18–21 J.)	44	28	28	100

Michael von Engelhardt, Bewältigung von Flucht und Vertreibung im Generationenvergleich, in: Dierk Hoffmann u.a. (Hrsg.), Vertriebene in Deutschland, München 2000, S. 345 und 354

1.4 Prinzipien und Wendepunkte der Besatzungspolitik in den Westzonen

Jahrgang 1, Nummer 17
Erstes Augustheft 1946

Preis 60 Pfennig
Auswärts 70 Pfennig

ULENSPIEGEL

LITERATUR · KUNST · SATIRE

HERAUSGEGEBEN VON HERBERT SANDBERG UND GÜNTHER WEISENBORN

DAS DEUTSCHE GEBÄUDE

Zeichnung von Herbert Sandberg

Da baut nun jeder seine Ecke. Wie soll das mal unter ein Dach?

▲ *Titelblatt des „Ulenspiegel" vom August 1946. Die Zeitschrift „Ulenspiegel" wurde von Herbert Sandberg und Günther Weisenborn von 1945 bis 1950 in Berlin herausgegeben. Mit Mitteln der Kunst und Satire wollte sie einen Beitrag zur demokratischen Erneuerung Deutschlands leisten.*

● *Vergleichen Sie die Karikatur mit den Zielen der Potsdamer Konferenz (M 1, S. 32 f.). Wie beurteilt der Künstler die gemeinsame Umsetzung durch die Besatzungsmächte?*

Herbst 1945
Die ersten Länder werden in der US-Besatzungszone gegründet

20. November 1945
Der Nürnberger Prozess beginnt

Anfang 1946
Die ersten demokratischen Wahlen seit 1933 finden in Deutschland statt

1. Januar 1947
Amerikaner und Briten schließen ihre Besatzungszonen zur Bizone zusammen: als gemeinsames Organ der Gesetzgebung fungiert ab Juni der Frankfurter Wirtschaftsrat

M1

Besatzungsziele der Siegermächte

Gemäß dem Kommuniqué über die Potsdamer Konferenz vom 2. August 1945 einigen sich die drei Siegermächte auf folgende Formulierungen zur Behandlung Deutschlands. Die endgültige Festlegung der Westgrenze Polens wird darin einer künftigen Friedenskonferenz vorbehalten.

III. Deutschland

[...] Es ist nicht die Absicht der Alliierten, das deutsche Volk zu vernichten oder zu versklaven. Die Alliierten wollen dem deutschen Volk die Möglichkeit geben sich vorzubereiten, sein Leben auf einer neuen demokratischen und friedlichen Grundlage von Neuem wieder aufzubauen. [...]

A. Politische Grundsätze

[...] 3. Die Ziele der Besetzung Deutschlands, durch welche der Kontrollrat sich leiten lassen soll, sind:

(I) Völlige Abrüstung und Entmilitarisierung Deutschlands und die Ausschaltung der gesamten deutschen Industrie, welche für eine Kriegsproduktion benutzt werden kann oder deren Überwachung. [...]

(II) Das deutsche Volk muss überzeugt werden, dass es eine totale militärische Niederlage erlitten hat, und dass es sich nicht der Verantwortung entziehen kann für das, was es auf sich geladen hat, dass seine eigene mitleidlose Kriegsführung und der fanatische Widerstand der Nazis die deutsche Wirtschaft zerstört und Chaos und Elend unvermeidlich gemacht haben.

(III) Die nationalsozialistische Partei mit ihren angeschlossenen Gliederungen und Unterorganisationen ist zu vernichten [...].

(IV) Die endgültige Umgestaltung des deutschen politischen Lebens auf demokratischer Grundlage und eine eventuelle friedliche Mitarbeit Deutschlands am internationalen Leben sind vorzubereiten.

4. Alle nazistischen Gesetze [...] müssen abgeschafft werden.

5. Kriegsverbrecher [...] sind zu verhaften und dem Gericht zu übergeben. [...]

6. Alle Mitglieder der nazistischen Partei, welche mehr als nominell an ihrer Tätigkeit teilgenommen haben, und alle anderen Personen, die den alliierten Zielen feindlich gegenüberstehen, sind aus den öffentlichen oder halböffentlichen Ämtern und von den verantwortlichen Posten in wichtigen Privatunternehmungen zu entfernen. [...]

7. Das Erziehungswesen in Deutschland muss so überwacht werden, dass die nazistischen und militärischen Lehrsätze völlig entfernt werden und eine erfolgreiche Entwicklung der demokratischen Ideen möglich gemacht wird.

8. Das Gerichtswesen wird entsprechend den Grundsätzen der Demokratie und der Gerechtigkeit auf der Grundlage der Gesetzlichkeit und der Gleichheit aller Bürger vor dem Gesetz ohne Unterschied der Rasse, der Nationalität und der Religion reorganisiert werden.

9. Die Verwaltung Deutschlands muss in Richtung auf eine Dezentralisation der politischen Struktur und der Entwicklung einer örtlichen Selbstverantwortung durchgeführt werden. Zu diesem Zwecke:

(I) Die lokale Selbstverwaltung wird in ganz Deutschland nach demokratischen Grundsätzen [...] wiederhergestellt.

(II) In ganz Deutschland sind alle demokratischen politischen Parteien zu erlauben und zu fördern [...].

(IV) Bis auf weiteres wird keine zentrale deutsche Regierung errichtet werden. [...]

10. Unter Berücksichtigung der Notwendigkeit zur Erhaltung der militärischen Sicherheit wird die Freiheit der Rede, der Presse und der Religion gewährt. Die religiösen Einrichtungen sollen respektiert werden. Die Schaffung freier Gewerkschaften, gleichfalls unter Berücksichtigung der Notwendigkeit zur Erhaltung der militärischen Sicherheit, wird gestattet werden.

B. Wirtschaftliche Grundsätze

11. Mit dem Ziel der Vernichtung des deutschen Kriegspotenzials ist die Produktion von Waffen, Kriegsausrüstung und Kriegsmitteln, ebenso die Herstellung aller Typen von Flugzeugen und Seeschiffen zu verbieten und zu unterbinden. Die Herstellung von Metallen und Chemikalien, der Maschinenbau und die Herstellung anderer Gegenstände, die unmittelbar für die Kriegswirtschaft notwendig sind, ist streng zu überwachen und zu beschränken, entsprechend dem genehmigten Stand der friedlichen Nachkriegsbedürfnisse Deutschlands [...].

12. In praktisch kürzester Frist ist das deutsche Wirtschaftsleben zu dezentralisieren mit dem Ziel

der Vernichtung der bestehenden übermäßigen Konzentration der Wirtschaftskraft [...].
90 Bei der Organisation des deutschen Wirtschaftslebens ist das Hauptgewicht auf die Entwicklung der Landwirtschaft und der Friedensindustrie für den inneren Bedarf (Verbrauch) zu richten.
14. Während der Besatzungszeit ist Deutschland als 95 eine wirtschaftliche Einheit zu betrachten. [...]
15. Es ist eine alliierte Kontrolle über das deutsche Wirtschaftsleben zu errichten, jedoch nur in den Grenzen, die notwendig sind [...].
19. Die Bezahlung der Reparationen soll dem deut- 100 schen Volke genügend Mittel belassen, um ohne eine Hilfe von außen zu existieren. [...]

IV. Reparationen aus Deutschland

[...] 3. Die Reparationsansprüche der Vereinigten Staaten, des Vereinigten Königreiches und der 105 anderen zu Reparationsforderungen berechtigten Länder werden aus den westlichen Zonen und den entsprechenden deutschen Auslandsguthaben befriedigt werden.
4. In Ergänzung der Reparationen, die die UdSSR 110 aus ihrer eigenen Besatzungszone erhält, wird die UdSSR zusätzlich aus den westlichen Zonen erhalten:
a) 15% [der westlichen Reparationsgüter] im Austausch für einen entsprechenden Wert an Nah- 115 rungsmitteln, Kohle, Kali, Pottasche, Zink, Holz, Tonprodukten, Petroleumprodukten und solchen anderen Waren, nach Vereinbarung,
b) 10% [der westlichen Reparationsgüter] ohne Bezahlung oder Gegenleistungen irgendwelcher Art.

Herbert Michaelis u.a. (Hrsg.), Ursachen und Folgen. Vom deutschen Zusammenbruch 1918 und 1945 bis zur staatlichen Neuordnung in der Gegenwart, Band 24, Berlin o.J., S. 447 ff.

1. *Arbeiten Sie die gemeinsamen Besatzungsziele heraus.*
2. *In welchen Formulierungen sind unterschiedliche Interpretationen und zukünftiger Streit angelegt? Begründen Sie Ihre Meinung.*
3. *Arbeiten Sie die Widersprüche zwischen den politischen und wirtschaftlichen Zielen des Kommuniqués heraus.*

M2

Potsdam – eine Illusion?

Skeptisch beurteilt der amerikanische Geschäftsträger in Moskau, George F. Kennan, das Ergebnis der Potsdamer Konferenz. Im Sommer 1945 verfasst er eine Stellungnahme, über die er in seinen Erinnerungen berichtet.

Die Idee, Deutschland gemeinsam mit den Russen regieren zu wollen, ist ein Wahn. Ein ebensolcher Wahn ist es zu glauben, die Russen und wir könnten uns eines schönen Tages höflich zurückziehen, 5 und aus dem Vakuum werde ein gesundes und friedliches, stabiles und freundliches Deutschland steigen. Wir haben keine andere Wahl, als unseren Teil von Deutschland [...] zu einer Form von Unabhängigkeit zu führen, die so befriedigend, so ge- 10 sichert, so überlegen ist, dass der Osten sie nicht gefährden kann. Das ist eine gewaltige Aufgabe für Amerikaner. Aber sie lässt sich nicht umgehen; und hierüber, nicht über undurchführbare Pläne für eine gemeinsame Militärregierung, sollten wir uns 15 Gedanken machen. Zugegeben, dass das Zerstückelung bedeutet. Aber die Zerstückelung ist bereits Tatsache, wegen der Oder-Neiße-Linie. Ob das Stück Sowjetzone wieder mit Deutschland verbunden wird oder nicht, ist jetzt nicht wichtig. Bes- 20 ser ein zerstückeltes Deutschland, von dem wenigstens der westliche Teil als Prellbock für die Kräfte des Totalitarismus wirkt, als ein geeintes Deutschland, das diese Kräfte wieder bis an die Nordsee vorlässt. [...] Wenn wir auch unsere bereits über- 25 nommenen Verpflichtungen bei der Kontrollkommission loyal erfüllen sollten, so dürfen wir uns doch über die Möglichkeiten einer Dreimächtekontrolle keine Illusionen machen. [...] Im Grunde sind wir in Deutschland Konkurrenten der Russen. Wo 30 es in unserer Zone um wirklich wichtige Dinge geht, sollten wir in der Kontrollkommission keinerlei Zugeständnisse machen.

George F. Kennan, Memoiren eines Diplomaten, 4. Auflage, Stuttgart 1968, S. 262 f.

1. *Wie begründet Kennan seine Skepsis gegenüber der Sowjetunion? Nehmen Sie dazu Stellung.*
2. *Nennen Sie die Passagen des Potsdamer Kommuniqués, die aus der Sicht Kennans besonders fragwürdig sind.*

In Nürnberg und anderswo

▲ „Er hat's mir doch befohlen!"; Karikatur von 1946. Erörtern Sie die Aussagen der Karikatur.

M3

Über die Schuldfrage nach dem Zusammenbruch der Diktatur

In Leserbriefen nehmen Zeitgenossen zum Problem der „Entnazifizierung" Stellung.

Hören wir doch jeden Pg.[1] – er ist unschuldig. Noch sehe ich das Plakat, das wir in amerikanischer Gefangenschaft herausbrachten. Ein SA-Mann: Ich folgte meinem verführten Herzen, ich 5 bin unschuldig. Ein SS-Mann: Ich folgte nur dem Führer, ich bin unschuldig. Ein Pg.: Ich war nur Mitglied der Partei, ich bin unschuldig. Ein Wehrmachtsoffizier: Ich folgte nur den Befehlen meiner Vorgesetzten, ich bin unschuldig. Darunter, eine 10 Frau mit einem Kind auf den Armen, auf Trümmern sitzend: „Sollen das die Schuldigen sein?" – Lassen wir endlich die verfluchte Weichheit. Schuldig sind alle, der eine mehr, der andere weniger.

R. A. aus Erkrath-Unterbach, in: Freiheit vom 8. 11. 1946, zit. nach: Pädagogisches Institut der Landeshauptstadt Düsseldorf (Hrsg.), Dokumentation zur Geschichte der Stadt Düsseldorf. Nach dem Zweiten Weltkrieg 1945–1949, Düsseldorf 1981, S. 221

Jede Beurteilung nach einem Schema ist misslich. Das Milieu – nicht nur das allgemeine historische, sondern auch das persönliche und lokale Milieu – die Motive, die Nötigung zur Handlung spielen 5 eine Rolle. [...] Die Frage nach der Gesinnung ist zunächst nicht eine Frage der Vergangenheit, sondern der Gegenwart. Es kommt darauf an, wie der ehemalige Pg. heute gesinnt ist und nicht, wie er früher gesinnt war. Der Pg. kann aber seine politi- 10 sche Ansicht – früher oder später – durchaus geändert haben, vielleicht gerade aufgrund der Erfahrungen, die er als Parteigenosse mit der Partei gemacht hat. Es ist sogar denkbar, dass aus einem Saulus ein Paulus, aus einem großen Nazianhänger 15 ein überzeugter Anhänger und Wegbereiter der Demokratie geworden ist. Entscheidend für die Beurteilung müsste deshalb an sich das Verhalten und die politische Überzeugung des Pg. in der Jetztzeit sein. Dies einwandfrei festzustellen, würde 20 allerdings eine recht schwierige und höchst individuelle Aufgabe sein, die eine genaue Kenntnis der Einzelpersönlichkeit und gute Menschenkenntnis voraussetzt (der äußere Schein kann trügen). Für ein öffentlich-rechtliches Verfahren ist diese Me- 25 thode wenig geeignet. Daher wird man andere, handgreiflichere Methoden hinzuzuziehen suchen. Und als solche bietet sich eben am einfachsten das Verhalten in der Vergangenheit, aus dem man mit einer gewissen Wahrscheinlichkeit auf Gesinnung 30 und Verhalten in der Gegenwart und Zukunft schließen kann.

Dr. W. B. aus Düsseldorf, in: Die Gegenwart, Nr. 9/10 vom 31.5.1947, S. 11, zit. nach: Dokumentation zur Geschichte der Stadt Düsseldorf, a.a.O., S. 222

1. *Arbeiten Sie die Argumente der Leserbriefschreiber heraus.*
2. *Gibt es Ihrer Meinung nach ein „Recht" auf politischen Irrtum unter den Bedingungen der Diktatur? Wo würden Sie die Grenzen ziehen?*
3. *Übertragen Sie die Argumente der beiden Briefschreiber auf die Debatte über die Aufarbeitung der DDR-Vergangenheit.*

[1] *im „Dritten Reich" übliche Abkürzung für „Parteigenosse"*

▲ *Zwei Plakate zu den Landtagswahlen von 1946/47.*

• *Erklären Sie, welche Zielgruppen auf den beiden Plakaten warum angesprochen werden.*

➧ *Hinweise zum Umgang mit Plakaten erhalten Sie auf S. 258.*

M4
Landtagswahlen

In den Ländern der Westzonen treten 1946/47 die neu formierten Parteien zu Landtagswahlen an.

	Wahlbeteiligung in %	CDU/CSU Mandate	% d. gült. Stimmen	SPD Mandate	% d. gült. Stimmen	KPD Mandate	% d. gült. Stimmen	FDP Mandate	% d. gült. Stimmen	Sonstige Mandate	% d. gült. Stimmen
Baden	67,8	34	55,9	13	22,4	4	14,3	9	7,4	–	–
Bayern	75,7	104	52,3	54	28,6	–	6,1	9	5,6	13	7,4
Bremen	67,8	24	22,0	46	41,7	10	8,8	15	13,9	5	13,6
Hamburg	79,0	16	26,7	83	43,1	4	10,4	7	18,2	–	1,6
Hessen	73,2	28	30,9	38	42,7	10	10,7	14	15,7	–	–
Niedersachsen	65,1	30	19,9	65	43,4	8	5,6	13	8,8	33	22,3
Nordrhein-Westfalen	67,3	92	37,5	64	32	28	14	12	5,9	20	10,6
Rheinland-Pfalz	77,9	48	47,2	34	34,3	8	8,7	11	9,82	–	–
Schleswig-Holstein	69,8	21	34,0	43	43,8	–	4,7	–	5,0	6	12,5
Württemberg-Baden	71,7	39	38,4	32	31,9	10	10,2	19	19,53	–	–
Württ.-Hohenzollern	66,4	32	54,2	12	20,8	5	7,3	11	17,73	–	–

Statistisches Amt des Vereinigten Wirtschaftsgebietes (Hrsg.), Statistische Berichte, Arb. Nr. II/3 vom 27. Mai 1949, Bonn o. J.

Vergleichen Sie die nach 1945 entstehende Parteienlandschaft mit der in der Weimarer Republik. Lassen sich Kontinuitäten oder Brüche feststellen?

▲ *Plakat um 1946/47, von der französischen Militärregierung in Baden-Baden herausgegeben.*

Besatzungszonen

Schon auf der Konferenz von Jalta im Februar 1945 hatten die Vereinigten Staaten, die Sowjetunion und Großbritannien vereinbart, Deutschland zum Zwecke der Besatzung in drei Zonen zu teilen. Nach der Kapitulation Deutschlands erhielt dann auch Frankreich aus der amerikanischen und britischen Verfügungsmasse eine eigene Besatzungszone zugewiesen. Die vier Zonen waren nur als rein militärische Abgrenzungen gedacht, denn nach wie vor sollte Deutschland von den Siegermächten gemeinsam verwaltet werden (➧ M 1).

In Berlin wurde der *Alliierte Kontrollrat* als eine Art Regierung der vier Militärgouverneure eingerichtet. Gemeinsam sollten die alliierten Befehlshaber die Besatzungsziele festlegen und dann in jeweils eigener Verantwortung in den einzelnen Besatzungszonen durchführen. Da im Kontrollrat jedoch das *Einstimmigkeitsprinzip* galt, führten Meinungsverschiedenheiten zwischen den Alliierten bald zu seiner Handlungsunfähigkeit.

Politische Konzepte der Besatzungsmächte

Pragmatisch, von den Gegebenheiten vor Ort geleitet, waren die alliierten Besatzungstruppen bemüht, die Verwaltung ihrer Gebiete in Gang zu bringen, damit die lebensnotwendigen Einrichtungen funktionieren konnten. Sie setzten Bürgermeister, Landräte und andere Verwaltungsfachleute ein, die unter der strengen Kontrolle der Besatzungsoffiziere tätig werden durften. Von Anfang an wirkte sich die besondere Interessenlage jeder der vier Siegermächte in den einzelnen Zonen aus.

1. Die *amerikanische Deutschlandpolitik* hielt bis 1946 an einer primär moralisch begründeten Politik der Bestrafung und Umerziehung *(Reeducation)* der Deutschen fest. Es gab aber in Washington bereits damals einflussreiche Kräfte, die zur Sicherung Westeuropas gegenüber der Sowjetunion den Zusammenschluss und den raschen Wiederaufbau der westlichen Besatzungszonen forderten (➧ M 2).

2. *Großbritannien* war aus dem Krieg militärisch als Sieger, aber wirtschaftlich nahezu ruiniert hervorgegangen. Aus dem ehedem größten Kreditgeber der Welt war der größte Schuldner (gegenüber der USA) geworden. Die Briten wollten deshalb die deutsche Volkswirtschaft rasch wieder in Gang setzen, um sie von eigenen Hilfslieferungen unabhängig zu machen. Vor allem aber setzte die britische Regierung auf eine politische Stabilisierung Westdeutschlands, um eine Ausweitung des kommunistischen Einflusses dorthin zu verhindern.
3. *Frankreich* war primär an einem politisch und ökonomisch zerstückelten Deutschland interessiert. Ein Wiederaufleben der deutschen Gefahr sollte dauerhaft verhindert werden. Entsprechend blockierte die französische Regierung bis 1947/48 alle Versuche der Briten und Amerikaner, gemeinsam die wirtschaftliche und politische Krise in Deutschland zu steuern, und schottete die eigene Besatzungszone von den übrigen ab.
4. Stalin wollte sich die Option zur Einflussnahme auf ganz Deutschland offenhalten, weil er umfangreiche Reparationslieferungen für sein zerstörtes Land benötigte. Zumindest ging es der *Sowjetunion* aber um die Sicherung ihres Einflusses in der Sowjetischen Besatzungszone (SBZ), in der grundlegende Strukturreformen ein kommunistisches Herrschafts- und Gesellschaftssystem mit Vorbildcharakter für Gesamtdeutschland vorbereiten sollten.

Nürnberger Prozess – Bestrafung der Hauptkriegsverbrecher

Am 20. November 1945 eröffnete der aus Vertretern der Siegermächte zusammengesetzte *Internationale Militärgerichtshof* in Nürnberg, der Stadt der Reichsparteitage, den Strafprozess gegen die noch lebenden inhaftierten Vertreter der NS-Führung. Angeklagt waren außerdem *NSDAP, Gestapo* und *Sicherheitsdienst, SS, SA, Reichsregierung* und *Oberkommando der Wehrmacht*. Die vier Anklagepunkte lauteten:
1. Verschwörung gegen den Frieden (Vorbereitung eines Angriffskrieges);
2. Verbrechen gegen den Frieden (Führen eines Angriffskrieges);
3. Kriegsverbrechen (Verletzung der Haager Landkriegsordnung von 1907 durch Tötung und Misshandlung von Kriegsgefangenen, Hinrichtung von Geiseln, Misshandlung der Zivilbevölkerung, Verschleppung zur Zwangsarbeit);
4. Verbrechen gegen die Menschlichkeit (Völkermord).

Nach einjähriger Verhandlung wurden zwölf der 22 Angeklagten zum Tode verurteilt, sieben erhielten lange Haftstrafen, drei wurden freigesprochen. Von den angeklagten Organisationen wurden die NSDAP, die SS, die Gestapo und der SD zu verbrecherischen Organisationen erklärt; die Strafverfolgung ihrer Mitglieder wurde jedoch von einer nachweislichen persönlichen Schuld abhängig gemacht.
Durch den Nürnberger Prozess wurde ein wichtiges Kapitel für die Aufhellung der Geschichte des NS-Regimes in Deutschland geschrieben. Eine nachträgliche Bemäntelung und Beschönigung der nationalsozialistischen Verbrechen ist angesichts der Beweiskraft der vielen tausend Dokumente und Zeugenaussagen unmöglich.
Dass der Einzelne für seine Taten haftet und sich nicht hinter seinem Amt oder seiner Funktion verstecken kann, ist eines der wichtigsten Ergebnisse dieses Prozesses. Allerdings hatte dieser Prozess für viele Deutsche auch eine Entlastungsfunktion: Sie verdrängten die Frage nach ihrer Mitverantwortung für das, was zwischen 1933 und 1945 geschehen war.

▲ *Auf der Anklagebank des Nürnberger Prozesses, Foto von 1945/46 (Ausschnitt). Hinter der Absperrung sitzen in der ersten Reihe (von links): Hermann Göring (Reichsminister für Luftfahrt), Rudolf Heß (stellvertretender Parteiführer der NSDAP bis 1941), Joachim von Ribbentrop (Reichsminister des Auswärtigen), Wilhelm Keitel (Chef des Oberkommandos der Wehrmacht), Ernst Kaltenbrunner (ab 1943 Chef des Reichssicherheitshauptamtes), Alfred Rosenberg (ab 1941 Reichsminister für die besetzten Ostgebiete), Hans Frank (Generalgouverneur von Polen), Wilhelm Frick (1933–1943 Reichsinnenminister, ab 1943 Reichsprotektor in Böhmen und Mähren), Walter Funk (ab 1938 Reichswirtschaftsminister), Julius Streicher (1924–1940 Gauleiter der NSDAP in Franken und Herausgeber des „Stürmer") und Hjalmar Schacht (1935–1937 Reichswirtschaftsminister). Vor den Angeklagten sitzen ihre Verteidiger.*

Nachfolgeprozesse

In allen vier Besatzungszonen fanden zwischen 1945 und 1949 zahlreiche weitere Prozesse gegen NS-Täter statt. Von besonderer Bedeutung waren die zwölf großen Verfahren vor amerikanischen Militärgerichten in Nürnberg gegen SS-Ärzte, Juristen, Leiter von Einsatzgruppen der Sicherheitspolizei, Industrielle, hohe Offiziere, SS-Führer, leitende Beamte des Auswärtigen Amtes, KZ-Verwalter. Insgesamt verurteilten die westlichen Besatzungsmächte 5 025 Angeklagte, 486 wurden hingerichtet. Vor westdeutschen Gerichten wurden bis 1951 weitere 5487 Personen wegen NS-Verbrechen verurteilt. Danach fanden nur noch wenige Prozesse gegen NS-Täter statt. Die systematische Erforschung und Verfolgung von NS-Gewaltverbrechen begann erst seit 1958 mit der Gründung der *Zentralen Stelle der Landesjustizverwaltungen zur Aufklärung nationalsozialistischer Gewaltverbrechen* in Ludwigsburg. Eine breite Öffentlichkeit nahm Anteil an Großverfahren wie dem *Auschwitz-Prozess* in Frankfurt (1963–1965) und dem Majdanek-Prozess in Düsseldorf (1975–1981). In einem der letzten großen NS-Prozesse wurde 1992 in Stuttgart der ehemalige SS-Lagerkommandant von Przemysl (Polen), *Josef Schwammberger*, zu lebenslanger Haft verurteilt. Noch im April 2001 verurteilte das Landgericht Ravensburg den ehemaligen SS-Offizier *Julius Viel* wegen der Ermordung von Zwangsarbeitern im Frühjahr 1945 zu zwölf Jahren Freiheitsstrafe.

Entnazifizierung

Neben der Aburteilung der Kriegsverbrecher gehörte zum Entnazifizierungskonzept der Alliierten auch eine umfassende politische Säuberung im besetzten Deutschland. Im Gegensatz zu Briten und Franzosen betrieben die Amerikaner die Entnazifizierung mit großer Strenge und einem gewaltigen bürokratischen Aufwand. Von 18 000 Volksschullehrern in Bayern verloren 10 000 ihre Stellen. In Hessen wurde jeder zweite Beamte und jeder dritte Angestellte entlassen. Ausnahmen wurden jedoch immer gemacht, wenn es um Experten ging. In allen drei Westzonen wurden 182 000 NS-Aktivisten in Internierungslager („automatischer Arrest") gebracht, die meisten von ihnen aber bald wieder entlassen – die letzten 1948.

Im März 1946 übertrugen die Amerikaner den Vollzug der Entnazifizierung in deutsche Hände. Jeder Deutsche über 18 Jahre musste einen Fragebogen mit 131 Fragen über seine berufliche und politische Vergangenheit ausfüllen. Spruchkammern stuften in einem prozessähnlichen Verfahren die erfassten Personen in fünf Kategorien – Hauptschuldige, Belastete, Minderbelastete, Mitläufer und Entlastete – ein und verhängten die vorgesehenen Strafen (zur Entnazifierung in der SBZ vgl. S. 47).

Bei 13 Millionen Fragebögen in der US-Zone fielen 3,6 Millionen Personen unter die Entnazifizierung, zehn Prozent von ihnen wurden verurteilt, aber nur knapp ein Prozent auch wirklich bestraft. Es war die Zeit der „Persilscheine"[1], die man sich wechselseitig ausstellte, aber auch der Denunziation und der Korruption.

Viele empfanden es als ungerecht, dass die harmloseren Fälle zuerst und mit Strenge, die wirklichen Nazis aber erst später und dann meistens milde behandelt wurden. Außerdem gelang es zahlreichen schwer belasteten NS-Tätern durch Tarnung und geschickte Anpassung an die neuen Verhältnisse durch die Maschen des Gesetzes zu schlüpfen – eine Hypothek, die später noch schwer auf der jungen Bundesrepublik lasten sollte (➧ M 3).

Staatlicher und politischer Neuaufbau in den Zonen der Westalliierten

Schon Ende Mai 1945 setzten die Amerikaner in Bayern eine erste provisorische Regierung ein. Im Herbst 1945 wurden die Länder Bayern (ohne die Pfalz), Großhessen und Württemberg-Baden gegründet; Bremen folgte 1947 nach. Koalitionsregierungen aller wieder zugelassenen Parteien wurden unter Aufsicht der Militärregierung tätig. Da die amerikanische Militärregierung ihre Zone möglichst rasch aufbauen wollte, veranlasste *General Clay* schon im Oktober 1945 in Stuttgart die Gründung eines *Länderrates*, eine Art ständiger Konferenz der Ministerpräsidenten der US-Zone, zur Bewältigung gemeinsamer Probleme.

---

[1] *So hießen im Volksmund die Bestätigungen, dass jemand Gegner oder wenigstens kein Sympathisant des Nationalsozialismus war.*

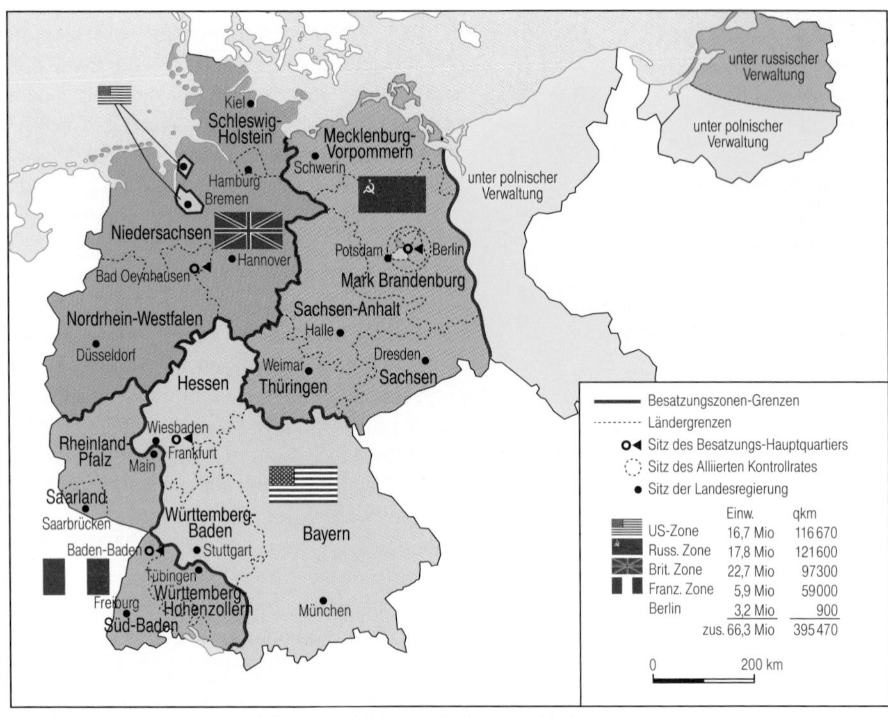

▲ *Die Besatzungszonen und die neugebildeten Länder (1946/47).*
Quelle: British Zone Review, Vol. 1, Nr. 40 vom 29. März 1947.

Die Amerikaner ließen Anfang 1946 auch als Erste wieder demokratische Wahlen in Gemeinden und Kreisen zu. Im Sommer 1946 entwarfen verfassunggebende Versammlungen die zukünftigen Länderverfassungen, die nach Genehmigung durch die Besatzungsmacht im November/Dezember 1946 durch *Volksabstimmung* in den drei Ländern der US-Zone in Kraft gesetzt wurden. Erstmals nach 13 Jahren wählten die Bürger in demokratischen Wahlen ihre Landtage, aus denen demokratisch legitimierte Regierungen hervorgingen (➧ M 4). Die Besatzungsbehörden verlegten sich nunmehr auf die Kontrolle der deutschen Behörden, und in der Praxis erweiterten die Regierungschefs der Länder rasch ihre politischen Gestaltungsmöglichkeiten.
In der britischen Zone zog sich der Prozess der Länderneugründung länger hin. Aus den Bruchstücken Preußens entstanden Nordrhein-Westfalen (August 1946), Schleswig-Holstein (August 1946) und Niedersachsen (November 1946). Erste Wahlen erfolgten hier erst Ende 1946/47.
In der französischen Besatzungszone zögerte die Besatzungsmacht den staatlichen Neuaufbau in den 1946 geschaffenen Ländern Rheinland-Pfalz, Württemberg-Hohenzollern und Süd-Baden noch bis Mitte 1947 hinaus, verhängte eine scharfe Zensur in allen politisch-gesellschaftlichen Bereichen und verbot zunächst den neugegründeten Parteien, das Wort „deutsch“ im Parteinamen zu verwenden.

Neugründung von politischen Parteien in den Westzonen

Die Demokratisierung der staatlichen Einrichtungen setzte die Existenz von Parteien voraus, deren Zulassung im „Potsdamer Abkommen" vorgesehen war. Im August/September 1945 lizenzierten die Vereinigten Staaten und Großbritannien die bislang illegal tätigen Gruppierungen – darunter das *„Büro Dr. Schumacher"* in Hannover als Zentralstelle der wiederbelebten *Sozialdemokratischen Partei Deutschlands (SPD)* und die in Köln von verschiedenen Politikern des ehemaligen *Zentrums* und christlichen Gewerkschaften gegründete *Christlich-Demokratische Union (CDU)*.

Die CDU war das parteipolitische Novum der Nachkriegszeit. Die Überwindung der konfessionellen Spaltung zwischen evangelischen und katholischen Wählern sowie die Einbeziehung konservativ-bürgerlicher Schichten und der christlichen Gewerkschaften sollten mit dem Begriff „Union" zum Ausdruck gebracht werden. Kennzeichnend für die Gründungsphase der CDU ist der antikapitalistische Zug ihrer Programmatik, die Forderung nach der Vergesellschaftung bestimmter Grundstoffindustrien sowie nach Mitbestimmung der Arbeitnehmer *(Ahlener Programm von 1947)*. Vorsitzender der CDU der britischen Zone wurde im März 1946 *Konrad Adenauer*. 1950 schlossen sich die CDU-Verbände unter seiner Führung zur Bundespartei zusammen. Die bayerische *CSU (Christlich-Soziale Union)* verweigerte sich 1946 dem bundesweiten Zusammenschluss der CDU.

Die SPD knüpfte organisatorisch, programmatisch und personell an ihre Weimarer Traditionen an. In den weitgehend von *Kurt Schumacher* formulierten „Politischen Leitsätzen" wurde die sofortige Sozialisierung der Bodenschätze und Grundstoffindustrien gefordert. Mitbestimmung der Arbeitnehmer und eine volkswirtschaftliche Gesamtplanung zur Koordinierung der vergesellschafteten Betriebe waren weitere Leitziele der SPD, die es Ende 1947 bereits wieder auf 875 000 Mitglieder brachte.

Die *liberalen Parteien* betonten stärker als die anderen das Recht auf Privateigentum und die Bedeutung der freien Initiative für die Wirtschaft. Ende 1948 schlossen sich konservativ-liberale und liberal-demokratische Politiker zur *Freien Demokratischen Partei (FDP)* zusammen. *Theodor Heuss* wurde ihr erster Vorsitzender.

Obwohl das Parteiprogramm der *Kommunistischen Partei Deutschlands (KPD)* wesentlich gemäßigter war als das der SPD – es war weder von Sozialisierung noch von Mitbestimmung die Rede – blieb die KPD in den Westzonen ohne größere Wahlerfolge.

Reparationen und Wiederaufbau in Westdeutschland

Nach zähen Verhandlungen einigten sich die vier Mächte Ende März 1946 im Alliierten Kontrollrat auf die drastische Absenkung der gesamten industriellen Tätigkeit in Deutschland. Doch die Westmächte beließen es bei einem Abbau von 668 Werken, was zu einem Kapazitätsverlust von ca. 5 Prozent führte. 1951 beendeten sie die Demontagen ganz. Demgegenüber demontierten die Sowjets in ihrer Zone bis 1948 etwa 3 000 Betriebe, was einer Kapazitätsminderung von schätzungsweise 30 Prozent gegenüber 1936 entsprach. Alles in allem beliefen sich die Reparationsleistungen Ostdeutschlands an die Sowjetunion auf etwa 14 Mrd. Dollar. Das war deutlich mehr als Stalin ursprünglich von *ganz* Deutschland gefordert hatte.

Die Sowjetunion weigerte sich bald, die in Potsdam vereinbarten Gegenleistungen aus ihrer Zone (vor allem Nahrungsmittel) für ihren Anteil an den in den Westzonen demontierten Industrieausrüstungen zu liefern. Im Mai 1946 stoppte deshalb General Clay die

amerikanischen Reparationslieferungen in die UdSSR. In den anglo-amerikanischen Zonen wurde von nun an die Rücksicht auf den alliierten Partner dem Ziel einer raschen Krisenbewältigung untergeordnet. Das Kriegsbündnis war zerbrochen.
Im Zuge dieser Politik wurden die Westzonen auch in das umfassende Wiederaufbauprogramm der US-Regierung *(Marshall-Plan)* (▶ S. 53 f.) für Europa einbezogen. Insgesamt erhielt Westdeutschland ca. 1,4 Milliarden Dollar. Der wirtschaftliche Wiederaufbau wurde dadurch wesentlich verstärkt und beschleunigt.
Außerdem war eine wichtige Vorentscheidung für die Einbindung dieses Teils von Deutschland in die westliche Gemeinschaft gefallen. Anders als nach dem Ersten Weltkrieg wurde der ehemalige Feind als künftiger Partner gesehen.

Die Bizone – Wende in der britisch-amerikanischen Besatzungspolitik

Seit 1946 warnte die britische Regierung nachdrücklich vor der „russischen Gefahr" und drängte auf die Schaffung eines separaten Westdeutschland. Nachdem auf der *Pariser Außenministerkonferenz* von April bis Juli 1946 die Sowjetunion alle amerikanischen Vorschläge blockiert hatte, schlug die US-Regierung im Alliierten Kontrollrat die sofortige Verschmelzung der eigenen mit einer oder mehreren Besatzungszonen vor. Die Sowjets und die Franzosen lehnten ab, die Briten stimmten einer Fusion zu. Den damit eingeleiteten amerikanischen Kurswechsel verdeutlichte US-Außenminister *Byrnes* am 6. September 1946 in Stuttgart. Seine Rede wurde von den Zeitgenossen als die lang erwartete Wende in der amerikanischen Deutschlandpolitik verstanden (vgl. S. 51 ff.).
Am 1. Januar 1947 trat das britisch-amerikanische Abkommen über die Bildung des *Vereinigten Wirtschaftsgebietes (Bizone)* in Kraft. Die weitere Entwicklung zeigte, dass mit der Gründung der Bizone, der sich 1949 auch die französische Besatzungszone anschloss, das Fundament für den späteren westdeutschen Staat gelegt worden war.

Der Frankfurter Wirtschaftsrat – Parlament in einer Zeit des Übergangs

Die wichtigste Neuerung in der anglo-amerikanischen Zone war die Schaffung eines *Wirtschaftsrates* im Juni 1947, des ersten deutschen Nachkriegsparlaments, dessen Beschlüsse über ein Land hinausreichten. Die Abgeordneten des Wirtschaftsrates wurden von den Landtagen der acht Länder der Bizone gewählt. Im *Exekutivrat* (dem Vorläufer des späteren Bundesrates) saßen Vertreter der acht Länder, die zusammen mit dem Wirtschaftsrat die fünf Verwaltungsdirektoren – praktisch im Range von Ministern – ernannten und kontrollierten. Nach wie vor standen aber alle gesetzgeberischen und exekutiven Befugnisse des Wirtschaftsrats für das Vereinigte Wirtschaftsgebiet unter dem uneingeschränkten *Genehmigungsvorbehalt* der Amerikaner und Briten.
Im Frankfurter Wirtschaftsrat waren SPD und CDU/CSU gleich stark, doch konnte die Unions-Fraktion auf die Unterstützung liberaler Abgeordneter rechnen. Als die SPD ihren Anspruch auf das Amt des Wirtschaftsdirektors nicht durchsetzen konnte, verzichtete sie auf die Besetzung der anderen Verwaltungen und übernahm gezielt die Rolle der Opposition. Seitdem bestimmte eine wachsende Polarisierung das Verhältnis der beiden großen Parteien zueinander.

1.5 Entwicklungen in der sowjetischen Zone

10. Juni 1945
Die Sowjetische Militäradministration in Deutschland lässt Parteien und Gewerkschaften in der Sowjetischen Besatzungszone zu

21./22. April 1946
Durch Zusammenschluss von KPD und SPD wird die SED gegründet

▲ *Fotomontage zum Vereinigungsparteitag von KPD und SPD am 21./22. April 1946.*
Abgebildet sind Wilhelm Pieck (KPD, links) und Otto Grotewohl (SPD, rechts).

● *Beschreiben Sie die verschiedenen Bildelemente und ihre jeweilige Funktion.*

M1
Kurzer Prozess

In der Sowjetischen Besatzungszone (SBZ) wurden in die Straflager des sowjetischen Geheimdienstes (NKWD) nicht nur Funktionsträger des NS-Staates eingeliefert, sondern auch „Klassenfeinde" aus Bürgertum und Sozialdemokratie. Die folgenden beiden Berichte des Historikers Heiner Wember beruhen auf Interviews mit Angehörigen der Internierten im Jahre 1990.

Der Bauer Richard Glanz aus Platkow im Oderbruch war nach Angaben seiner Tochter bis 1944 Amtsvorsteher und Bürgermeister. Er bewirtschaftete zwei Höfe mit insgesamt 50 Hektar Land. 1944 5 sei er seiner Ämter enthoben worden, weil eine seiner Töchter ein Verhältnis mit einem polnischen Fremdarbeiter eingegangen sei. Nach Kriegsende konnte Glanz seinen Betrieb zunächst weiterführen. Im September 1945 erhielt er jedoch, weil er nicht 10 den Vorschriften entsprechend genug Korn abgeliefert hatte, eine Vorladung auf die sowjetische Kommandantur, von der er nicht mehr zurückkehrte. Die Behörden teilten der Familie weder die Verhaftung noch den Tod von Glanz ein Jahr später mit. 15 Erst von einem ehemaligen Mithäftling erfuhr sie, dass Glanz sehr unter der Isolierung gelitten habe und an einer Blutvergiftung gestorben sei.
Kurt Reinke war nach Angaben seines Sohnes einfacher Parteigenosse gewesen. 1946 habe er be- 20 obachtet, wie Bauern einen Wald abholzten. Er habe sich dahingehend geäußert, dass dies Raubbau am deutschen Wald sei und die ganze Bodenreform nichts tauge. Diese Aussagen wurden von einem Spitzel an sowjetische Stellen weitergeleitet. 25 Daraufhin wurde Reinke wegen „Verächtlichmachung der Sowjetunion" zu 15 Jahren Haft verurteilt. Er saß in verschiedenen Lagern in der DDR und der Sowjetunion ein, unter anderem in Sachsenhausen. 1954 wurde er entlassen.

Heiner Wember, Umerziehung im Lager, Essen 1991, S. 43

Benennen Sie anhand der Fallbeispiele die Zielsetzungen der sowjetischen Besatzungsmacht bei ihrem Vorgehen.

M2
Mit Zwang zur SED

Am 21./22. April 1946 schließen sich KPD und SPD auf einem „Vereinigungsparteitag" zur Sozialistischen Einheitspartei Deutschlands (SED) zusammen. Das britische Außenministerium analysiert die politische Situation in der SBZ unmittelbar zuvor.

Die SPD-Zeitungen wurden rigoroser Zensur unterworfen, SPD-Organisationen in den Provinzen nur noch dann Zusammenkünfte gestattet, wenn diese gemeinsam mit der KPD abgehalten wurden. 5 Betriebsgruppen wurden vorgeladen, um Resolutionen zu einer sofortigen Vereinigung zu verabschieden. Die russischen Militärkommandeure begannen darauf zu bestehen, nur noch solche SPD-Mitglieder für führende Parteiposten auf Orts-, Bezirks- 10 und Landesebene zu nominieren, die für die Vereinigung waren [...]. [Der SPD-Vorstand informierte am 15. Januar alle Landes- und Berzirksvorstände,] dass gemäß den gemeinsamen Beschlüssen von KPD und SPD vom 20. und 21. Dezember eine 15 Vereinigung auf lokaler Ebene nicht erlaubt sei und die Parteien-Vereinigung lediglich von einer Parteiversammlung auf Reichsebene beschlossen werden könne. Die russische Militärbehörde verbot die Veröffentlichung dieser Instruktion. Verstöße gegen 20 das Verbot resultierten in Redeverboten für Sprecher auf Versammlungen und in Festnahmen. Partei-Sekretäre, die der Vereinigung widerstrebend gegenüberstanden, [...] wurden entfernt, andere mit Arrest bedroht oder verhaftet und nach Oranien- 25 burg und Sachsenhausen verbracht [...].

Reiner Pommerin, Die Zwangsvereinigung von KPD und SPD zur SED. Eine britische Analyse vom April 1946, in: Vierteljahrshefte für Zeitgeschichte, 36. Jg. 1988, Heft 2, S. 328 f.

1. *Erläutern Sie die Ziele, die die sowjetischen Besatzungsbehörden verfolgten.*
2. *Bewerten Sie die demokratische Legitimation der Parteien-Vereinigung.*
3. *Im April 2001 entschuldigte sich die Führung der PDS (Partei des Demokratischen Sozialismus, Rechtsnachfolgerin der SED) für die Form, in der 1946 die Vereinigung von KPD und SPD vollzogen wurde. Diskutieren Sie die politische Bedeutung einer solchen Erklärung.*

M3

Die (Landtags-)Wahlen in Berlin und in der Sowjetischen Besatzungszone vom 20.10.1946

Stadtverordnetenwahl in Berlin Wahlberechtigte 2,307 Mio. Wahlbeteiligung 92,3% Gesamtzahl d. gült. Stimmen 2,085 Mio.	Wahlbeteiligung %	SPD Anz. der Mandate	SPD in % der gültigen Stimmen	SED Anz. der Mandate	SED in % der gültigen Stimmen	CDU Anz. der Mandate	CDU in % der gültigen Stimmen	LDPD Anz. der Mandate	LDPD in % der gültigen Stimmen
Berlin	92,3	63	48,7	26	19,8	29	22,2	12	9,3
Sowjetischer Sektor	93,8		43,6		29,9		18,7		7,8
Amerikanischer Sektor	91,8		51,9		12,7		24,8		10,6
Britischer Sektor	90,3		50,8		10,4		27,0		11,8
Französischer Sektor	91,9		52,6		21,2		19,0		7,2

Hauptamt für Statistik von Groß-Berlin (Hrsg.), Berliner Statistik, Sonderheft 4, Jahrgang 1947

	Sachsen		Sachsen-Anhalt		Thüringen		Brandenburg		Mecklenburg		Gesamtergebnis	
Wahlberechtigte	3,803 Mio.		2,696 Mio.		1,912 Mio.		1,656 Mio.		1,301 Mio.		11,368 Mio.	
Wahlbeteiligung	92,5%		91,6%		90,7%		91,5%		90,1%		91,6%	
Gesamtzahl der gültigen Stimmen	3,252 Mio.		2,324 Mio.		1,657 Mio.		1,459 Mio.		1,107 Mio.		9,799 Mio.	
	Anz. d. Mand.	in % der gült. St.	Anz. d. Mand.	in % der gült. St.	Anz. d. Mand.	in % der gült. St.	Anz. d. Mand.	in % der gült. St.	Anz. d. Mand.	in % der gült. St.	Anz. d. Mand.	in % der gült. St.
SED	59	49,1	51	45,8	50	49,3	44	43,5	45	49,5	249	47,5
CDU	28	23,3	24	21,9	19	18,9	31	30,3	31	34,1	133	24,5
LDPD	30	24,8	33	29,9	28	28,5	20	20,5	11	12,5	122	24,6
Massenorganisationen	3	2,8	2	2,4	3	3,3	5	5,7	3	3,9	16	3,4

Bundesministerium für gesamtdeutsche Fragen (Hrsg.), Die Wahlen in der Sowjetzone. Dokumente und Materialien, 1956, zit. nach Jürgen Weber (Hrsg.), Geschichte der Bundesrepublik Deutschland, Band 1, München 1994, S. 185

1. *Nennen Sie mögliche Gründe für die hohe Wahlbeteiligung.*
2. *Bewerten Sie das Wahlergebnis in den Ländern der SBZ. Welche Möglichkeiten der Regierungsbildung lassen diese erwarten?*
3. *Vergleichen Sie die Ergebnisse mit den Landtagswahlen in den Ländern der Westzonen (➧ S. 35). Welche Unterschiede/Gemeinsamkeiten fallen auf, wie lassen sich diese erklären?*

◀ *Nach dem Vorbild des Bergarbeiters Adolf Hennecke sollte durch verstärkte Anstrengungen der Werktätigen bei der Planerfüllung der wirtschaftliche Aufschwung in der SBZ/DDR erreicht werden.*

M4

Zwangswirtschaft in der Sowjetischen Besatzungszone

Der Wirtschaftshistoriker und Journalist Wolfgang Zank beschreibt die Kennzeichen der Wirtschaftsordnung in der Sowjetischen Besatzungszone.

Eine der fundamentalen Schwächen der neuen Wirtschaftsordnung bestand in der niedrigen Arbeitsmoral, denn für den Einzelnen bestand nur ein geringer Zusammenhang zwischen eigener Leistung und Lebenslage. Durch die Ausbreitung der Leistungslöhne konnte der Einzelne zwar sein Geldeinkommen erhöhen, dieses hatte aber angesichts der Warenknappheit nur eine vergleichsweise geringe Bedeutung. Außerdem war das klassische kapitalistische Druckmittel der Arbeitslosigkeit entfallen. Die Betriebe hatten wegen der strikten Menschenplanung ein Interesse, so viel Personen wie möglich einzustellen. Höhere Lohnkosten stellten kein Hindernis dar, Geld hatte auch für Betriebe nur eine untergeordnete Funktion. Ein VEB[1] konnte nicht Pleite gehen. Hier, und nicht etwa in geglückter Planung, ist die Hauptursache für einen der größten Erfolge der neuen Ordnung zu sehen: der raschen Überwindung der offenen Arbeitslosigkeit. Es ist bezeichnend, dass die SED auf das strukturelle Problem der niedrigen Arbeitsanreize, sieht man von den wenig wirksamen Leistungslöhnen ab, nur mit Appellen, Wettbewerben u.ä. zu antworten wusste, für die der Hauer Adolf Hennecke, der am 13. Oktober 1948 seine Norm nach gezielter Vorbereitung mit 387 Prozent erfüllt hatte, das bekannteste Beispiel ist. [...]
Die SED-Führung betrachtete die augenfälligen Schwächen der SBZ-Realität nicht als Folge eigener Fehler, sondern vornehmlich als „Erblast" der neuen Ordnung. Außerdem wurden die auftretenden Schwierigkeiten als das Ergebnis bewusster Sabotage durch feindliche Elemente erklärt. Zentralisierung, Kontrolle und Repression waren die entsprechenden Antworten. Dass gerade die neue Ordnung massive Probleme selbst erzeugt hatte, wurde von der SED-Führung verdrängt. Längst hatte sie auch die im Juni 1945 formulierte Einsicht preisgegeben, dass es falsch wäre, Deutschland das Sowjetsystem aufzuzwingen.

Wolfgang Zank, Die Gesellschaftspolitik der KPD/SED 1945–1949, in: Aus Politik und Zeitgeschichte, B 11/1990, S. 61 f.

1. *Erläutern Sie die wichtigsten Merkmale der Wirtschaftsordnung der SBZ und bewerten Sie diese.*
2. *Aus welchen Gründen organisierte die SED Wettbewerbe in den Betrieben?*

➧ *Hinweise zum Umgang mit Sekundärliteratur erhalten Sie auf S. 256.*

[1] Volkseigener Betrieb

Neubeginn unter sowjetischer Besatzung

Während die westlichen Besatzungstruppen zunächst viel improvisierten, um das Leben in halbwegs geordnete Bahnen zu lenken, ging die sowjetische Besatzungsmacht gezielter ans Werk. Schon Anfang Mai 1945 war eine Gruppe deutscher Exilkommunisten in die Sowjetische Besatzungszone eingeflogen worden. An ihrer Spitze stand der ehemalige kommunistische Reichstagsabgeordnete *Walter Ulbricht*, der seit 1938 in Moskau gelebt hatte. Er und weitere Spitzenfunktionäre der KPD hatten seit langem präzise Pläne für eine wirtschaftlich-soziale Umwälzung und die Beseitigung des politischen Einflusses von Sozialdemokratie und sogenannten bürgerlichen Kräften in der Gesellschaft entworfen.
Dabei lautete die Anweisung Ulbrichts im Mai 1945: „Es muss demokratisch aussehen, aber wir müssen alles in der Hand haben.“[1]
In den im Juli 1945 errichteten (1952 wieder aufgelösten) Landesverwaltungen in Brandenburg, Mecklenburg-Vorpommern, Sachsen, Sachsen-Anhalt und Thüringen wurden auch Sozialdemokraten, Zentrumsmitglieder sowie Liberale und Parteilose eingesetzt. Die Schlüsselpositionen besetzten jedoch KPD-Funktionäre. Dies galt erst recht für die ebenfalls im Juli 1945 geschaffenen und wesentlich wichtigeren elf *Zentralverwaltungen* (für Verkehr, Finanzen, Justiz etc.). Die Zentralverwaltungen waren unmittelbar der sowjetischen Militärregierung zugeordnet und hatten deren Befehle zu vollziehen.

▲ *Filmplakat von „Die Mörder sind unter uns“, 1946. Dieser erste deutsche Nachkriegsfilm, hergestellt von der sowjetisch lizenzierten DEFA (Deutsche Film AG), erzählt die Geschichte eines ins zerstörte Berlin zurückkehrenden Arztes. Dieser begegnet jenem Offizier wieder, der in Polen unschuldige Geiseln erschießen ließ und inzwischen als angesehener Fabrikant den Wiederaufbau Deutschlands vorantreibt.*
➧ Hinweise zum Umgang mit Filmen erhalten Sie auf S. 259.

Entnazifizierung in der SBZ

Die Entnazifizierung in der Sowjetischen Besatzungszone betraf über eine halbe Million ehemaliger Nationalsozialisten in Verwaltung und Industrie. Sowjetische Militärtribunale haben schätzungsweise 45 000 Personen verurteilt und etwa ein Drittel von ihnen in Zwangsarbeitslager deportiert. Dabei wurden nicht nur NS-Täter, sondern generell auch Gegner des Kommunismus verurteilt (➧ M 1). Dagegen wurden bereits frühzeitig die ehemaligen kleinen Parteigenossen von einer Bestrafung ausgenommen, um sie möglichst rasch in die neuen Verhältnisse zu integrieren. Neben der personellen Säuberung wurde gleichzeitig eine „strukturelle Entnazifizierung“ durchgeführt mit *Bodenreform*, Enteignung und Verstaatlichung der großen Industriebetriebe.

---

[1] *Dieses Zitat überliefert Wolfgang Leonhard in seiner 1955 erschienenen Biografie „Die Revolution entlässt ihre Kinder“. Leonhard war Mitglied der „Gruppe Ulbricht“, wandte sich jedoch 1949 vom Kommunismus ab und kam Ende der 1950er-Jahre in die Bundesrepublik.*

Politische Parteien

Die Sowjets gestatteten noch vor Beginn der Potsdamer Konferenz als Erste in ihrem Machtbereich die (Wieder-)Gründung politischer Parteien (10. Juni 1945). KPD, SPD, CDU und *LDPD (Liberal-Demokratische Partei Deutschlands)* schlossen sich dann bereits einen Monat später zur *Einheitsfront der antifaschistisch-demokratischen Parteien (Antifa-Block)* zusammen.

Die *Sowjetische Militäradministration in Deutschland (SMAD)* revidierte bald ihr Entgegenkommen gegenüber allen Parteigruppierungen und förderte einseitig die Kommunistische Partei. Die wegen ihrer offensichtlichen Unterstützung der Besatzungsmacht in der Bevölkerung unbeliebte KPD betrieb erst nach katastrophalen Wahlergebnissen der Kommunisten in Österreich und Ungarn den Zusammenschluss mit der SPD, um damit ihren vermeintlich schärfsten Konkurrenten auszuschalten.

Kurt Schumacher warnte vor der Fusion, und auch die SPD in der sowjetischen Zone wollte anfangs über eine Verschmelzung nur auf einem gesamtdeutschen Parteitag entscheiden. Infolge von Drohungen, Redeverboten und Verhaftungen durch die Besatzungsmacht, aber auch durch Überredung der führenden Sozialdemokraten der sowjetischen Zone stimmten *Otto Grotewohl* und die Spitze der Ost-SPD schließlich auf dem „Vereinigungsparteitag" in Berlin am 21./22. April 1946 geschlossen für die Vereinigung der beiden Arbeiterparteien zur *Sozialistischen Einheitspartei Deutschlands (SED)* (➧ M 2).

Obwohl die sowjetische Militärregierung CDU und LDPD in der Folgezeit massiv benachteiligte, erhielten die bürgerlichen Parteien bei den Kreis- und Landtagswahlen vom 20. Oktober 1946 mehr als die Hälfte der Stimmen. In Berlin, wo die SPD noch kandidieren durfte, wurde die SED mit 19,8 % der Stimmen nur drittstärkste Partei (➧ M 3). Die Sowjets verstärkten daraufhin ihren Druck auf alle zugelassenen Parteien.

Vor dem Hintergrund einer sich zuspitzenden außenpolitischen Situation verwarf die Kommunistische Partei der Sowjetunion (KPdSU) alle nationalen Sonderwege. Die SED musste zu einer *„Partei neuen Typs"* nach leninistischem Modell umgebildet werden, sie wurde von oppositionellen Kräften „gesäubert". Etwa 6 000 Sozialdemokraten wurden von sowjetischen Militärgerichten als „Agenten" verurteilt und in Arbeitslager gebracht. Rund 100 000 Sozialdemokraten flohen in den Westen. Mit der I. Parteikonferenz im Januar 1949 wurde der „demokratische Zentralismus" eingeführt, also die Unterwerfung aller Parteiinstitutionen unter die Parteiführung.

Anfänge der Zwangswirtschaft

Bei der Umgestaltung der SBZ erwiesen sich die Demontagen in ihrer Wirkung schlimmer als die unmittelbaren Kriegszerstörungen. Zur Befriedigung der sowjetischen Forderungen nach Gütern aus der laufenden Produktion gingen zusätzlich ganze Industriezweige in das Eigentum der Siegermacht über *(„Sowjetische Aktiengesellschaften", SAG)* und fielen damit für den wirtschaftlichen Wiederaufbau in ihrer Zone aus. Auf Befehl der sowjetischen Besatzungsmacht wurden von 1945 an in Etappen insgesamt 75 Prozent des Industrievermögens, etwa 9 000 Firmen einschließlich aller Banken und Versicherungen, entschädigungslos enteignet und verstaatlicht *(„Volkseigene Betriebe", VEB)* (➧ M 4). Die ehemaligen Besitzer wurden pauschal als Nazis und Kriegsverbrecher abqualifiziert. In einer Volksabstimmung in Sachsen stimmten über 77 Prozent der Befragten diesen Maßnahmen zu.

▲ *Foto vom September 1945. Nach der Aufteilung des Besitzes hält die Dorfbevölkerung von Pappritz (bei Dresden) symbolischen Einzug durch das Tor des ehemaligen „Königlichen Rittergutes Helfenberg".*

Die *Bodenreform* ging ebenfalls auf einen sowjetischen Befehl zurück. Unter der Parole *„Junkerland in Bauernhand"* wurde 7 000 Großgrundbesitzern ihr Land entschädigungslos entzogen und zum größten Teil an 500 000 Landarbeiter, landlose Bauern, Flüchtlinge und Vertriebene verteilt; ein Drittel blieb im öffentlichen Besitz *(„Volkseigene Güter")*. Im Zuge einer mit staatlichem Druck betriebenen Kollektivierung schlossen sich diese Bauern seit 1952 in *Landwirtschaftlichen Produktionsgenossenschaften (LPG)* zusammen. Gegen den Widerstand von CDU und LDPD hatten die meisten Höfe so wenig Land zugewiesen bekommen, dass keine funktionsfähigen Familienbetriebe entstehen konnten.

1.6 Die ersten Folgen des Kalten Krieges

▲ *Plakat des Freien Deutschen Gewerkschaftsbundes (FDGB), Leipzig, Herbst 1948.*
Während an westdeutschen Baustellen Plakate auf die Hilfe durch den Marshall-Plan hinwiesen, durfte in der sowjetischen Besatzungszone keine amerikanische Hilfe angenommen werden.

● *Analysieren Sie, mit welchen Mitteln auf dem Plakat gegen den Marshall-Plan Stellung bezogen wird.*

12. März 1947
US-Präsident Truman verkündet die Eindämmungs- („Containment")-Doktrin

September 1947
Die Zwei-Lager-Theorie wird formuliert

1948–1952
Mit dem Marshall-Plan stellen die USA Aufbauhilfe für Westeuropa zur Verfügung

4. April 1949
Die USA, Kanada und zehn westeuropäische Staaten unterzeichnen den NATO-Vertrag

M1

Die Wende in der amerikanischen Deutschlandpolitik

Am 6. September 1946 hält US-Außenminister James F. Byrnes in Stuttgart vor den Ministerpräsidenten der drei süddeutschen Länder eine Rede, die in Deutschland unter der Bezeichnung „Rede der Hoffnung" populär wurde. Der Text wurde weitgehend von General Lucius D. Clay, Militärgouverneur der US-Besatzungszone, verfasst, der sowohl den Franzosen als auch den Russen vorwarf, die Einheit Deutschlands zu verhindern.

Es liegt weder im Interesse des deutschen Volkes noch im Interesse des Weltfriedens, dass Deutschland eine Schachfigur oder ein Teilnehmer in einem militärischen Machtkampf zwischen dem Osten 5 und dem Westen wird. [...]
Die Vereinigten Staaten sind der festen Überzeugung, dass Deutschland als Wirtschaftseinheit verwaltet werden muss und dass die Zonenschranken, soweit sie das Wirtschaftsleben und die wirtschaft- 10 liche Betätigung in Deutschland betreffen, vollständig fallen müssen. [...]
Wir treten für die wirtschaftliche Vereinigung Deutschlands ein. Wenn eine völlige Vereinigung nicht erreicht werden kann, werden wir alles tun, 15 was in unseren Kräften steht, um eine größtmögliche Vereinigung zu sichern. [...]
Der Hauptzweck der militärischen Besetzung war und ist, Deutschland zu entmilitarisieren und entnazifizieren, nicht aber den Bestrebungen des deut- 20 schen Volkes hinsichtlich einer Wiederaufnahme seiner Friedenswirtschaft künstliche Schranken zu setzen. [...]
Die Potsdamer Beschlüsse sahen nicht vor, dass Deutschland niemals eine zentrale Regierung haben 25 sollte. Sie bestimmten lediglich, dass es einstweilen noch keine zentrale deutsche Regierung geben sollte. Dies war nur so zu verstehen, dass keine deutsche Regierung gebildet werden sollte, ehe eine gewisse Form von Demokratie in Deutschland 30 Wurzeln gefasst und sich ein örtliches Verantwortungsbewusstsein entwickelt hätte. [...]
Die Vereinigten Staaten treten für die baldige Bildung einer vorläufigen deutschen Regierung ein. [...]
35 Während wir darauf bestehen werden, dass Deutschland die Grundsätze des Friedens, der gutnachbarlichen Beziehungen und der Menschlichkeit befolgt, wollen wir nicht, dass es der Vasall irgendeiner Macht oder irgendwelcher Mächte wird oder 40 unter einer in- oder ausländischen Diktatur lebt. Das amerikanische Volk hofft, ein friedliches und demokratisches Deutschland zu sehen, das seine Freiheit und seine Unabhängigkeit erlangt und behält. [...]
45 Die Vereinigten Staaten können Deutschland die Leiden nicht abnehmen, die ihm der von seinen Führern angefangene Krieg zugefügt hat. Aber die Vereinigten Staaten haben nicht den Wunsch, diese Leiden zu vermehren oder dem deutschen Volk die 50 Gelegenheit zu verweigern, sich aus diesen Nöten herauszuarbeiten, solange es menschliche Freiheit achtet und vom Wege des Friedens nicht abweicht. Das amerikanische Volk wünscht, dem deutschen Volk die Regierung Deutschlands zurückzugeben. 55 Das amerikanische Volk will dem deutschen Volk helfen, seinen Weg zurückzufinden zu einem ehrenvollen Platz unter den freien und friedliebenden Nationen der Welt.

Helmut Krause und Karlheinz Reif (Bearb.), Die Welt seit 1945 (Geschichte in Quellen), München 1980, S. 91 ff.

1. *Arbeiten Sie heraus, warum die Westdeutschen die Rede des amerikanischen Außenministers als eine Wende empfinden konnten.*
2. *Erörtern Sie, wie die Rede von Byrnes auf die sowjetische beziehungsweise französische Regierung wirken musste.*

▲ *Ostdeutsches Plakat von 1947.*

M2

Amerikanische Hilfe für die europäischen Länder

Am 5. Juni 1947 spricht der amerikanische Außenminister George Marshall vor Studenten der Harvard-Universität. General Marshall war im Zweiten Weltkrieg Generalstabschef der US-Armee und von 1947 bis 1949 US-Außenminister.

In Wahrheit liegt die Sache so, dass Europas Bedarf an ausländischen Nahrungsmitteln und anderen wichtigen Gütern – hauptsächlich aus Amerika – während der nächsten drei oder vier Jahre um so viel höher liegt als seine gegenwärtige Zahlungsfähigkeit, dass beträchtliche zusätzliche Hilfsleistungen notwendig sind, wenn es nicht in einen wirtschaftlichen, sozialen und politischen Verfall sehr ernster Art geraten soll. [...] Abgesehen von der demoralisierenden Wirkung auf die ganze Welt und von der Möglichkeit, dass aus der Verzweiflung der betroffenen Völker sich Unruheherde ergeben könnten, dürfte es auch offensichtlich sein, welche Folgen dieser Zustand auf die Wirtschaft der Vereinigten Staaten haben muss. Es ist nur logisch, dass die Vereinigten Staaten alles tun, was in ihrer Macht steht, um die Wiederherstellung gesunder wirtschaftlicher Verhältnisse in der Welt zu fördern, ohne die es keine politische Stabilität und keinen sicheren Frieden geben kann. Unsere Politik richtet sich nicht gegen irgendein Land oder irgendeine Doktrin, sondern gegen Hunger, Armut, Verzweiflung und Chaos. Ihr Zweck ist die Wiederbelebung einer funktionierenden Weltwirtschaft, damit die Entstehung politischer und sozialer Bedingungen ermöglicht wird, unter denen freie Institutionen existieren können. [...]

Jeder Regierung, die bereit ist, beim Wiederaufbau zu helfen, wird die volle Unterstützung der Regierung der Vereinigten Staaten gewährt werden, [...]. Aber eine Regierung, die durch Machenschaften versucht, die Gesundung der anderen Länder zu hemmen, kann von uns keine Hilfe erwarten.

Herbert Michaelis u.a. (Hrsg.), Ursachen und Folgen. Vom deutschen Zusammenbruch 1918 und 1945 bis zur staatlichen Neuordnung in der Gegenwart, Band 24, Berlin o. J., S. 208 ff.

1. *Welchen Zusammenhang sieht Marshall zwischen ökonomischer und politischer Stabilisierung Europas?*
2. *An welche Bedingungen ist die Marshall-Plan-Hilfe geknüpft?*
3. *Erörtern Sie die psychologisch-politische Bedeutung der Ankündigung des amerikanischen Außenministers. Worin bestand dabei das Interesse der USA?*

M3

Marshall-Plan-Hilfe von 1948–1952

Angaben in Milliarden Dollar	
Großbritannien	3,44
Frankreich	2,81
Italien	1,52
Drei Westzonen/Bundesrepublik	1,41
Die übrigen 13 Staaten erhielten	4,73
Insgesamt	**13,91**

Nach: Bundesminister für den Marshall-Plan (Hrsg.), Wiederaufbau im Zeichen des Marshall-Planes 1948–52, Bonn 1953, S. 158

Vergleichen Sie die Marshall-Plan-Hilfen und bewerten Sie die wirtschaftliche Bedeutung der Unterstützung.

Der Marshall-Plan

▲ *Westdeutsches Plakat von 1947.*

Seit Kriegsende hatten die USA erhebliche Wirtschaftshilfe in Form von Krediten, Lebensmitteln und Rohstoffen für zahlreiche europäische Länder geleistet: Über elf Milliarden Dollar waren bis Ende 1947 nach Europa geflossen. Vor allem Großbritannien und Frankreich, aber auch zahlreiche osteuropäische Regierungen profitierten davon, ohne dadurch den allgemeinen wirtschaftlichen Niedergang bremsen zu können.
Um die drohende ökonomische Zerrüttung und politische Destabilisierung in Europa zu verhindern und einem wachsenden politischen Druck der Sowjetunion entgegenzuarbeiten, entwickelte die Truman-Administration ein umfassendes europäisches Wiederaufbauprogramm *(Marshall-Plan)*. Der wegweisende und völlig neue Gedanke dieses Hilfsprogramms war die amerikanische Forderung nach zwischenstaatlicher Zusammenarbeit der Empfänger. Formal auch an die Sowjetunion und ihre Satellitenstaaten gerichtet, versprach dieses Programm allen Ländern Europas großzügige amerikanische Finanzhilfe bei ihrem wirtschaftlichen Wiederaufbau (➧ M 2).
Da man in Washington inzwischen davon überzeugt war, dass die ökonomische Dauerkrise Westeuropas wegen der engen Verflechtung der deutschen mit der europäischen Wirtschaft ohne die Gesundung Deutschlands nicht zu überwinden sei (➧ M 1), sollte der Marshall-Plan unter anderem den hartnäckigen Widerstand Frankreichs gegen eine Stabilisierung der westlichen Besatzungszonen auflösen helfen.

Wirtschaftliche und politische Bedeutung des Marshall-Plans

16 europäische Länder schlossen sich 1948 zur *OEEC (Organization for European Economic Cooperation)* zusammen – eine gemeinsame Organisation, die über die Verteilung und Verwendung der amerikanischen Gelder zu wachen hatte. Alles in allem belief sich die amerikanische Marshall-Plan-Hilfe bis 1952 auf rund 14 Milliarden Dollar. Westdeutschland erhielt rund zehn Prozent davon (➧ M 3).
Selbstverständlich diente das Wiederaufbauprogramm auch dem Nutzen der amerikanischen Wirtschaft, die einen funktionierenden westeuropäischen Absatzmarkt benötigte. Doch mindestens gleichrangig war das Interesse der USA an der Stabilisierung der liberal-demokratischen Gesellschaftsordnungen in Westeuropa.
Wie erwartet lehnte die sowjetische Regierung die amerikanische Hilfe mit dem Hinweis auf die dadurch untergrabene Souveränität der europäischen Staaten ab und verbot zugleich allen osteuropäischen Ländern und der eigenen Besatzungszone die Annahme des amerikanischen Angebots. Stattdessen reagierte Stalin zunächst mit zweiseitigen

Handelsabkommen, schließlich 1949 mit der Gründung des *Rates für gegenseitige Wirtschaftshilfe (RGW)*. Darin lenkte die Sowjetunion die Volkswirtschaften der ostmitteleuropäischen Verbündeten auf die Moskauer Bedürfnisse hin. Die Spaltung Europas in zwei Blöcke war offenkundig geworden.

Amerikanisches Engagement in Europa

Wegen des eindeutigen militärischen Übergewichts der Sowjetunion an Landstreitkräften in Europa gaben die britische und französische Regierung den Anstoß zu einem längerfristigen militärischen Engagement der USA in Europa. Nur ein gemeinsames Verteidigungssystem unter Mitwirkung der USA schien der Bedrohung Westeuropas durch die Sowjetunion standhalten zu können. Die *Berlin-Blockade* von 1948/49 (vgl. S. 61f.) verstärkte das Gefühl des Bedrohtseins im Westen noch weiter.

Am 4. April 1949 gründeten zehn europäische Staaten (Belgien, Dänemark, Frankreich, Großbritannien, Italien, Island, Luxemburg, Niederlande, Norwegen, Portugal) sowie die USA und Kanada die *NATO (North Atlantic Treaty Organization)*. Die Hauptaufgabe der Atlantischen Allianz sollte der Schutz sämtlicher Bündnismitglieder gegen einen bewaffneten Angriff sein. Der noch heute in Kraft befindliche Vertrag verpflichtet aber nicht zu einem automatischen militärischen Beistand, sondern stellt die Anwendung erforderlicher Maßnahmen in das Ermessen jedes Partners.

◀ *Plakat für die in die NATO integrierte Bundeswehr. Herausgeber: Presse- und Informationsamt der Bundesregierung Bundesrepublik Deutschland, um 1956.*

1.7 Die doppelte Staatsgründung

▲ *„Ja, der hat's gut, der lebt unter einem besseren Himmel". Karikatur von Karl Holtz, veröffentlicht im „Ulenspiegel" vom 2. November 1946.*

- *Erklären Sie die Bildunterschrift der Karikatur.*

20. Juni 1948
In den Westzonen wird die Währungsreform durchgeführt

Juni 1948 – Mai 1949
Die Sowjetunion blockiert den freien Zugang nach Berlin

23. Mai 1949
Mit der Unterzeichnung des Grundgesetzes wird die Bundesrepublik Deutschland gegründet

14. August 1949
Wahlen zum ersten Deutschen Bundestag

7. Oktober 1949
Die DDR wird mit In-Kraft-Treten der Verfassung und durch die Bildung der Provisorischen Volkskammer gegründet, die ersten Wahlen zur Volkskammer werden auf den Herbst 1950 verschoben

M1
Planwirtschaft – Marktwirtschaft

Auf einer Sitzung des Zonenausschusses der CDU der britischen Zone erläutert Ludwig Erhard am 25. Februar 1949 in Königswinter den fundamentalen Unterschied beider Ordnungsmodelle.

Es ist eine völlige Illusion, etwa zu glauben, dass die Planwirtschaft sich von sozialen Aspekten leiten ließe und dass dieses Prädikat „sozial" der Marktwirtschaft nicht zukomme. Gerade das Gegenteil ist der 5 Fall, und die Wahrheit beruht im Gegenteil. Die Planwirtschaft ist das Unsozialste, was es überhaupt gibt, und nur die Marktwirtschaft ist sozial. Abgesehen davon, dass die Dinge sich rechnerisch feststellen lassen, dass der Nachweis erbracht werden kann, 10 dass der Anteil von Lohn und Gehalt am Fertigprodukt in der Marktwirtschaft immer höher ist als in der Planwirtschaft und dass die Planwirtschaft der Diktatur und Sklaverei immer mehr abnimmt an Volkseinkommen, ist diese Wahrheit auch noch an- 15 ders zu begründen. Jede Planwirtschaft beruht auf der Vorstellung, dass irgendeine Behörde so weise sein kann und dass sie einen so großen Apparat hat mit Statistiken usw., dass es möglich ist, besser als das Volk selbst zu entscheiden, was dem Volke 20 frommt. Aufgrund solcher Überlegungen muss dann notwendigerweise ein vorgefasster Produktionsplan entstehen. Der Produktionsplan kann nur so entstehen, dass die Behörde sich einbildet, annehmen zu können, der durchschnittliche Mensch will 25 soundsoviel sparen und soundsoviel verbrauchen, und für den Normalverbraucher wird gewissermaßen eine optimale Verbrauchsregelung konstruiert. Und diese wird mit 45 Millionen multipliziert, und dann bildet sich die Planwirtschaft ein, dass das 30 der Verbrauch eines Volkes wäre und dass diese Methode die Harmonie der Gesellschaft verbürgen würde.

Was da herauskommt, das ist nicht der soziale Verbrauch eines Volkes, sondern das ist vollendeter 35 Unfug im wirtschaftlichen Sinne. Und was auf der soziologischen Ebene herauskommt, ist nicht die Harmonie, sondern das ist das Chaos und die Tyrannei. Wohl oder übel muss die Planwirtschaft sehr bald zur Aufhebung jeder menschlichen Frei- 40 zügigkeit kommen. […]

So schafft man keinen organischen und gesunden Staat, so schafft man zwischen Staat und Volk einen Riss, so reißt man eine Kluft auf, die unüberbrückbar ist. Damit ist der Staat nicht mehr der in- 45 karnierte Wille des Volkes, sondern er wird zur Zuchtrute des Volkes.

Peter Bucher (Hrsg.), Nachkriegsdeutschland 1945–1949, Darmstadt 1990, S. 469

1. *Arbeiten Sie das wirtschaftspolitische und weltanschauliche Grundkonzept Erhards heraus.*
2. *Warum lehnten die Gewerkschaften und die SPD damals Erhards Programm entschieden ab? Nehmen Sie dazu Stellung.*

M2
Die Lage in Berlin

Am 29. Juni 1948 wenden sich der Berliner Magistrat (Stadtverwaltung; vertreten durch Louise Schröder, SPD und Ferdinand Friedensburg, CDU) und die Berliner Stadtverordnetenversammlung (Parlament; vertreten durch Otto Suhr, SPD) mit einem Hilfsappell an die Vereinten Nationen.

Die […] Krisis der Berliner Wirtschaft und Verwaltung hat nun in der letzten Zeit eine unheilvolle Verschärfung dadurch erfahren, dass der Verkehr zwischen Berlin und dem übrigen Deutschland 5 durch Maßnahmen der sowjetischen Besatzungsmacht auf den meisten Gebieten zum Stillstand gebracht worden ist. Wie bei den geografischen Bedingungen nicht anders zu erwarten, ist die Versorgung der Berliner Bevölkerung mit den 10 wichtigsten Verbrauchsgütern so gut wie vollständig auf die Zufuhr von außen angewiesen. Die gesamte Kohle, etwa ein Drittel der verbrauchten elektrischen Energie und etwa 99% des Nahrungsbedarfs werden aus dem übrigen Deutschland und 15 aus dem Ausland bezogen. Bis zur Kapitulation Deutschlands konnte Berlin diese Leistungen mit […] den Erträgen seiner Industrie und seines sonstigen Gewerbes bezahlen; […] da Industrie und Gewerbe durch Bombenschäden, durch die Vor- 20 gänge bei der Eroberung der Stadt im Frühjahr 1945 und durch Demontagen mehr als zwei Drittel ihrer früheren Leistungsfähigkeit eingebüßt haben, ist Berlins Versorgung zum großen Teil nicht mehr aus eigener Kraft möglich.

Die neuen Erschwerungen betreffen also eine Bevölkerung, die ohnedies unter sehr harten Umständen lebt und arbeitet. Nunmehr ist seit Mitte Januar 1948 der Versand von Berliner Gütern und der Kraftwagenverkehr zwischen Berlin und der sowjetischen Besatzungszone weitgehend eingeschränkt worden. [...] Am 7. Mai 1948 wurde der Eisenbahngüterverkehr zwischen Berlin und dem Westen völlig unterbrochen. Einen vorläufigen Höhepunkt erreichten diese Maßnahmen im Zusammenhang mit der Einführung getrennter Währungen Mitte Juni: Am 24. Juni erfolgte die vollständige Sperrung der einzigen dem Verkehr zwischen dem Westen und Berlin dienenden Bahnstrecke Berlin-Helmstedt unter ausdrücklicher Ablehnung etwaiger Umleitungen. Am gleichen Tage wurde die Lieferung von elektrischem Strom aus dem sowjetischen Besatzungssektor von Groß-Berlin nach den Westsektoren eingestellt und der Austausch von Lebensmitteln zwischen den Sektoren von Groß-Berlin verboten.
Die Wirkung der vorstehend nur im Wichtigsten aufgezählten Sperrmaßnahmen erstreckt sich im Wesentlichen auf die Bewohner der drei westlichen Sektoren. Die gesamte Berliner Bevölkerung wird nach Erschöpfung der noch in der Stadt vorhandenen Kohlenvorräte, das heißt nach Ablauf einer nur wenige Wochen betragenden Frist, vor dem Erliegen der Gas-, Elektrizitäts- und auch der Wasserversorgung stehen, wobei der der sowjetischen Besatzung unterstehende Ostsektor bei der Fortführung der Elektrizitätslieferung aus der Ostzone und vielleicht auch in anderer Hinsicht weniger betroffen wird. Für die Bewohner der drei anderen Sektoren dagegen muss das vollständige Aufhören aller drei Versorgungsarten etwa ab Anfang August zu noch schwer ausdenkbaren Folgen auf allen Gebieten des öffentlichen, wirtschaftlichen und privaten Lebens, insbesondere auch auf gesundheitlichem Gebiete führen. Etwa um die gleiche Zeit wird auch die Möglichkeit der geordneten Ernährung für die Bevölkerung dieser drei Sektoren aufhören, da die jetzt vorhandenen Vorräte durchschnittlich nur bis zu dieser Zeit reichen und da ins Gewicht fallende andere Zufuhrmöglichkeiten nicht bestehen. Gegenwärtig ist die Stromversorgung für die drei Westsektoren bis auf wenige Stunden eingestellt worden; ebenso hat bereits die Frischmilchversorgung der Säuglinge und Kleinstkinder in den Westsektoren aufgehört. Beide Tatsachen schaffen schon jetzt eine überaus gefahrvolle Lage für die Gesundheit der Bevölkerung. In fortschreitender Entwicklung wäre die gesamte, 2,1 Millionen zählende Bevölkerung der Westsektoren zum regelrechten physischen Untergang verurteilt, wenn nicht mit größter Beschleunigung Abhilfe geschaffen würde.

Helmut Krause und Karlheinz Reif (Bearb.), Die Welt seit 1945 (Geschichte in Quellen), München 1980, S. 134 ff.

1. *Rekonstruieren Sie die Maßnahmen der sowjetischen Besatzungsbehörde.*
2. *Nennen Sie mögliche Gründe, die für ein Eingreifen der westlichen Alliierten sprechen.*

M3
Besatzungsstatut

Die Militärgouverneure der französischen, amerikanischen und britischen Zone erlassen am 10. April 1949 das „Besatzungsstatut zur Abgrenzung der Befugnisse und Verantwortlichkeiten zwischen der zukünftigen deutschen Regierung und der Alliierten Kontrollbehörde". Es galt vom 21. September 1949 bis zum 4. Mai 1955.

(1) Die Regierungen Frankreichs, der Vereinigten Staaten und des Vereinigten Königreiches wünschen und beabsichtigen, dass das deutsche Volk während des Zeitraumes, in dem die Fortsetzung der Besetzung notwendig ist, das größtmögliche Maß an Selbstregulierung genießt, das mit einer solchen Besetzung vereinbar ist. Abgesehen von den in diesem Statut enthaltenen Beschränkungen besitzen der Bund und die ihm angehörenden Länder volle gesetzgebende, vollziehende und richterliche Gewalt gemäß dem Grundgesetz und ihren Verfassungen.
(2) Um die Verwirklichung der Grundziele der Besetzung sicherzustellen, bleiben die Befugnisse [...] auf folgenden Gebieten ausdrücklich vorbehalten:
a) Abrüstung und Entmilitarisierung, einschließlich der damit zusammenhängenden wissenschaftlichen Forschungsgebiete, der Verbote und Beschränkungen der Industrie und der Zivilluftfahrt;
b) Kontrollmaßnahmen hinsichtlich der Ruhr[1], Restitutionen[2], Reparationen, Dekartellierung[3],

Entflechtung, Handelsdiskriminierungen, ausländische Vermögenswerte in Deutschland und Ansprüche gegen Deutschland;
c) auswärtige Angelegenheiten, einschließlich der
25 von Deutschland oder in seinem Namen abgeschlossenen internationalen Abkommen;
d) Displaced Persons und die Zulassung von Flüchtlingen;
e) Schutz, Ansehen und Sicherheit der alliierten
30 Streitkräfte, Familienangehörigen, Angestellten und Vertreter, ihre Immunitätsrechte sowie die Deckung der Besatzungskosten und ihrer sonstigen Bedürfnisse;
f) die Beachtung des Grundgesetzes und der Län-
35 derverfassungen;
g) die Kontrolle über den Außenhandel und den Devisenverkehr;
h) die Kontrolle über innere Maßnahmen nur in dem Mindestumfang, der erforderlich ist, um die
40 Verwendung von Geldern, Nahrungsmitteln und anderen Gütern in der Weise zu gewährleisten, dass der Bedarf an ausländischen Hilfeleistungen für Deutschland auf ein Mindestmaß herabgesetzt wird;
45 i) die Kontrolle der Verwaltung und Behandlung derjenigen Personen in deutschen Gefängnissen, die vor den Gerichten oder Tribunalen der Besatzungsmächte oder Besatzungsbehörden angeklagt oder von diesen verurteilt worden sind, sowie die
50 Kontrolle über die Vollstreckung der gegen sie verhängten Strafen [...].
(3) [...] Die Besatzungsbehörden behalten sich jedoch das Recht vor, auf Weisung ihrer Regierungen die Ausübung der vollen Gewalt ganz oder
55 teilweise wieder zu übernehmen, wenn sie dies als wesentlich erachten für ihre Sicherheit oder zur Aufrechterhaltung der demokratischen Regierungsform in Deutschland [...].
(4) Die deutsche Bundesregierung und die Regie-
60 rungen der Länder haben die Befugnis, nach ordnungsgemäßer Benachrichtigung der Besatzungsbehörden auf den diesen Behörden vorbehaltenen Gebieten Gesetze zu erlassen und Maßnahmen zu treffen, es sei denn, dass die Besatzungsbehörden
65 ausdrücklich etwas anderes bestimmen oder dass solche Gesetze oder Maßnahmen mit den eigenen Entscheidungen oder Maßnahmen der Besatzungsbehörden unvereinbar sind.
(5) Jede Änderung des Grundgesetzes bedarf vor
70 ihrem Inkrafttreten der ausdrücklichen Genehmigung der Besatzungsbehörden.

Christoph Kleßmann, Die doppelte Staatsgründung. Deutsche Geschichte 1945-1955, 5. Auflage, Bonn 1991, S. 459 f.

Erläutern Sie den politischen Rahmen, den das Besatzungsstatut der Bundesrepublik gibt.

M4
Die Zukunft der Einheit Deutschlands

Der Verfassungsentwurf der DDR sah in Anlehnung an die Weimarer Verfassung eine parlamentarische Republik mit Mehrparteiensystem und Verhältniswahlrecht vor. Auf einer Vorstandssitzung des Parteivorstandes (später Politbüro) der SED am 4. Oktober 1949 wird die Frage nach dem Zeitpunkt und dem Verfahren zukünftiger Parlamentswahlen in der DDR diskutiert. Ende September 1948 war eine Gruppe kommunistischer Funktionäre um Wilhelm Pieck und Walter Ulbricht zu Beratungen mit der Führung der KPdSU nach Moskau gereist. Die Ergebnisse dieser Gespräche zeigten Einfluss auf die Besprechungen. Das Sitzungsprotokoll vom 4. Oktober 1949, aus dem der folgende Auszug stammt, wurde erst 1989 zugänglich.

Gerhart Eisler[4] (Berlin): (empfiehlt die Durchführung einer gewaltigen Kundgebung anlässlich der Bildung einer provisorischen Regierung).
So wird sich die provisorische Regierung weithin

[1] *Das Ruhrgebiet galt aufgrund seiner Industrieansammlung als deutsche „Waffenschmiede". Unter den Siegermächten war seine Stellung in der Nachkriegsordnung umstritten. Nachdem es zunächst Teil der britischen Zone war, wurde von 1949 bis 1951 eine Internationale Ruhrbehörde eingesetzt, die die Produktion des Ruhrgebietes an Kohle, Koks und Stahl kontrollieren und eine wirtschaftliche Konzentration verhindern sollte.*
[2] *Zurückerstattungen*
[3] *Auflösung von Kartellen, d. h. von Unternehmensvereinigungen in der Industrie*
[4] *Gerhart Eisler (1897–1968), Propagandachef der SED-Führung, Bruder des Komponisten Hanns Eisler*

sichtbar in der ganzen Zone von vornherein auf eine ständig anschwellende Bewegung der Massen stützen. Das sollten wir diskutieren und dann durchführen; denn als Marxisten müssen wir wissen: Wenn wir eine Regierung gründen, geben wir sie niemals wieder auf, weder durch Wahlen noch andere Methoden.
(Walter Ulbricht: Das haben einige noch nicht verstanden!) – Daher müssen wir ihnen zeigen, dass die Massen bei uns sind, wenn wir eine Regierung bilden, jene Massen, die wollen, dass sie an der Regierung sind, und die sehr ungehalten gegen jene Leute sind, die das verhindern wollen. (Beifall)

Auf einer Parteivorstandssitzung in Nürnberg entwickelt der Vorsitzende der SPD in Westdeutschland, Kurt Schumacher, 1947 seine Vision zur Wiederherstellung der Einheit Deutschlands:

Die Prosperität der Westzonen, die sich auf der Grundlage der Konzentrierung der bizonalen Wirtschaftspolitik erreichen lässt, kann den Westen zum ökonomischen Magneten machen. Es ist realpolitisch vom deutschen Gesichtspunkt aus kein anderer Weg zur Erringung der deutschen Einheit möglich als diese ökonomische Magnetisierung des Westens, die ihre Anziehungskraft auf den Osten so stark ausüben muss, dass auf die Dauer die bloße Innehabung des Machtapparates dagegen kein sicheres Mittel ist.

Erster Text: Siegfried Suckut, Die Entscheidung zur Gründung der DDR, in: Vierteljahrshefte für Zeitgeschichte, 39. Jahrgang 1991, Heft 1, S. 161
Zweiter Text: Wolfgang Benz (Hrsg.), Die Geschichte der BRD-Politik, Frankfurt/Main 1989, S. 34

Vergleichen Sie beide Texte und analysieren Sie die Rolle, die der Wille des Volkes darin jeweils spielt.

M5
Wahlen zum 3. Deutschen Volkskongress

Am 15. und 16. Mai 1949 fanden in der SBZ Wahlen zum 3. Deutschen Volkskongress statt. Als abzusehen war, dass die Ergebnisse nicht den Erwartungen der SED entsprechen würden, griffen in der Nacht die Innenminister der Länder der SBZ ein. Bei den nächsten Wahlen im Herbst 1950 gab es die Möglichkeit der „Nein"-Stimme nicht mehr.

Der Innenminister des Landes Mecklenburg gab wegen „bestehender Unklarheiten" am 16. Mai den Kreisräten und Stadtverwaltungen zur Weitergabe an die Gemeinden und Wahlbezirke die folgende Anweisung:
„Blitzfernschreiben – sofort auf den Tisch!
1. Aus den Stimmzetteln muss der Wille des Wählers erkenntlich sein.
2. Alle weiß abgegebenen Stimmzettel sind gültig und als Ja-Stimmen zu zählen.
3. Stimmzettel, auf denen Kandidaten angestrichen oder Wahlzettel durchgestrichen sind, gelten als Ja-Stimmen, wenn sie im Ja-Feld angekreuzt sind.
4. Stimmzettel, die nicht durchkreuzt sind, sondern lediglich beschrieben sind, gelten nur dann als ungültig, wenn sie eine demokratisch-feindliche Gesinnung erkennen lassen.
5. Alle ungültigen Stimmzettel von gestern und die der heutigen Abgabe sind nach obigen Richtlinien durch die Wahlkommission nochmals zu überprüfen."

Gesamtdeutsches Institut Bonn (Hrsg.), SBZ 1945–1949. Politik und Alltag in der Sowjetischen Besatzungszone, Bonn 1987, S. 100 f.

1. *Welche Tatsache umschreibt die Formulierung „bestehende Unklarheiten"?*
2. *Gegen welche Wahlrechtsgrundsätze verstoßen die oben aufgeführten Anweisungen (vgl. dazu Artikel 38 des Grundgesetzes)?*

◀ *Plakat zur ersten Volkskammerwahl in der DDR am 15. Oktober 1950.*
Eine Liste der „Nationalen Front", die alle Parteien und Massenorganisationen vereinte und die Kandidaten festlegte, sicherte der SED die Macht.

M6

Im Schlepptau der Siegermächte

Zur Gründung der DDR hält Ministerpräsident Otto Grotewohl am 12. Oktober 1949 eine Rede:

Der westdeutsche Sonderstaat ist nicht in Bonn, sondern in London entstanden. Bonn hat nur die Londoner Empfehlungen, die in Wahrheit Befehle der westlichen Alliierten waren, ausgeführt. [...]
5 Statt der im Potsdamer Abkommen vorgesehenen Demokratisierung, Entmilitarisierung und Entnazifizierung Deutschlands sind sie [die Westmächte] bestrebt, die von ihnen besetzten Teile Deutschlands in eine Kolonie zu verwandeln, die mit den
10 traditionellen Methoden imperialistischer Kolonialherrschaft regiert und ausgebeutet wird. Von Demokratisierung, Entmilitarisierung und Entnazifizierung ist keine Rede. Die von Anfang an sorgfältig konservierten Kräfte der deutschen Re-
15 aktion [...] haben mit aktiver Unterstützung der Besatzungsmächte die alten Machtpositionen wieder eingenommen. [...]
Wir wissen, dass wir in unserem Kampf um die Einheit Deutschlands, der ein Bestandteil des
20 Kampfes um den Frieden ist, nicht allein stehen. Wir haben das Glück, uns in diesem Kampf auf das große Lager des Friedens in der Welt stützen zu können, dessen ständig zunehmende Stärke die imperialistischen Kriegsinteressen Schritt um
25 Schritt zurückdrängt. Diese Kräfte des Friedens in der ganzen Welt werden geführt von der Sowjetunion, die eine andere Politik als die Politik des Friedens weder kennt noch kennen kann.

Am 15. Oktober 1949 antwortet Kurt Schumacher im Deutschen Bundestag auf die Rede Grotewohls:

Man kann erfolgreich bestreiten, dass der neue Oststaat überhaupt ein Staat ist. Dazu fehlt ihm auch der Ansatz zur Bildung einer eigenen Souveränität, er ist eine Äußerungsform der russischen
5 Außenpolitik. [...]
Jetzt ist der Oststaat ein Versuch, die magnetischen Kräfte des Westens mithilfe staatlicher Machtmittel und eines scheinbaren Willens der deutschen Bevölkerung dieser Zone abzuwehren. Er bedeutet
10 die Anerkennung der Tatsache, dass bis auf weiteres das große russische Unternehmen, ganz Deutschland in die politischen, gesellschaftlichen, wirtschaftlichen und kulturellen Formen der Sowjets hineinzuzwingen, gescheitert ist. Die Los-
15 lösung der Ostzone durch die Russen, wie sie 1945 radikal und erfolgreich eingeleitet wurde, bedeutet das Hinausdrängen der westalliierten Einflüsse und der internationalen Kritik. Es war aber zur gleichen Zeit das Ende jeder demokratischen Freiheit der
20 Deutschen in dieser Zone. Die westlichen Alliierten tragen an dieser Entwicklung viel Schuld. [...]
Das darf nicht darüber hinwegtäuschen, dass die Etablierung dieses sogenannten Oststaates eine Erschwerung der deutschen Einheit ist. Die Verhin-
25 derung dieser Einheit aber kann dieses Provisorium im Osten nicht bedeuten, weil das deutsche Volk und besonders die Bevölkerung der Ostzone Gebilde russischer Machtpolitik auf deutschem Boden ablehnt.

Text a: Otto Grotewohl, Im Kampf um die einige Deutsche Demokratische Republik. Reden und Aufsätze, Band 1, Berlin 1959, S. 489 ff.
Text b: Wolfgang Benz, Die Gründung der Bundesrepublik. Von der Bizone bis zum souveränen Staat, München 1984, S. 160 f.

1. *Weisen Sie nach, wie bestimmte Begriffe unterschiedliche inhaltliche Bedeutung gewinnen, je nachdem, ob sie im Osten oder im Westen verwendet werden.*
2. *Was versteht Schumacher unter den „magnetischen Kräften" des Westens?*
3. *Diskutieren Sie Schumachers Aussage über die „Schuld der Westmächte".*

Währungsreform und Entscheidung für die Soziale Marktwirtschaft

Anfang 1948 setzte der neugewählte parteilose Wirtschaftsdirektor *Ludwig Erhard* im Frankfurter Wirtschaftsrat gegen den heftigen Widerstand der sozialdemokratischen Fraktion eine Neuorientierung im Sinne einer *Sozialen Markwirtschaft* durch. Das System der staatlichen Befehlswirtschaft – die Produktion, Verteilung und Preise aller Güter wurden staatlich festgelegt – sollte aufgehoben und eine allmähliche Belebung der Marktkräfte in Gang gesetzt werden (▶ M 1).

Die Neuorientierung der Wirtschaftspolitik bedurfte jedoch erst einer umfassenden Reform des zerrütteten Geldwesens. Der inflatorische Geldüberhang, dem keine ausreichenden Sachwerte gegenüberstanden, war die verspätete Rechnung für die über die Notenpresse finanzierte Rüstungspolitik *Hitlers*.

Während die von Erhard propagierte Wirtschaftsreform von den Deutschen ausging, war die *Währungsreform* – eines der einschneidendsten und zukunftsweisenden Ereignisse der Nachkriegszeit – eine Sache der Westalliierten, vor allem der Amerikaner. Die deutschen Banknoten wurden in den USA gedruckt und nach Bremerhaven gebracht. An einem Freitag, dem 18. Juni 1948, erfuhren die Deutschen, dass am 20. Juni die allseits erwartete Währungsreform stattfinden würde. Jeder Bewohner der drei westlichen Zonen erhielt zunächst 40 „Deutsche Mark" als „Kopfgeld" (später noch einmal 20 DM)[1]. Löhne, Gehälter, Pensionen und Mieten wurden im Verhältnis 1 zu 1, Schulden auf ein Zehntel in DM-Beträgen umgewertet; vor allem aber wurden alle Sparer mit einem Schlag nahezu enteignet, denn die Reichsmark-Guthaben konnten nur zu einem Bruchteil umgewandelt werden.

Der schmerzhafte Währungsschnitt hatte auch etwas Befreiendes. Man konnte für sein Geld wieder etwas kaufen. Mit einem Schlag waren die Schaufenster mit all den Waren gefüllt, die man lange vermisst hatte. Der Handel hatte Waren gehortet und bot diese nun an. Gleichzeitig mit der Währungsreform beschloss der Frankfurter Wirtschaftsrat auf Betreiben Erhards im sogenannten *Leitsätze-Gesetz* die Aufhebung der Bewirtschaftung aller Produkte mit Ausnahme der Hauptnahrungsmittel und wichtiger Rohstoffe sowie die Freigabe der Preise. Wettbewerb und Verbrauch sollten künftig die wirtschaftliche Produktion steuern, nicht mehr der Staat. Die SPD war dagegen, CDU/CSU und die Liberalen unterstützten Erhard. Die Währungs- und Wirtschaftsreform setzte in kurzer Zeit ungeheure Kräfte frei, die zur baldigen wirtschaftlichen Erholung Westdeutschlands beitrugen.

Die Berlin-Blockade 1948/49

Die Antwort Stalins auf die Währungsreform in den Westzonen war die *Berliner Blockade*. Sie war sein Versuch, die in der amerikanischen Eindämmungspolitik angelegte Schaffung eines antikommunistischen westdeutschen Staates in letzter Minute zu verhindern.

Nachdem Verhandlungen der vier Siegermächte über die Einführung der D-Mark in Berlin geplatzt waren, verbot am 19. Juni 1948 der Chef der sowjetischen Militärverwaltung *Sokolowski* die Einführung des neuen Geldes in ganz Berlin. Vier Tage später wurde für die Ostzone eine eigene Währungsreform angeordnet unter ausdrücklicher Einbeziehung ganz Berlins. Gegen die Einbeziehung ihrer drei Sektoren erhoben die Westmächte

---

[1] *Dies entspricht einer Summe von 20,45 bzw. 10,23 Euro.*

▲ *„Gefährliche Passage“, Karikatur aus der „New York Sun“, wieder abgedruckt in „Der Spiegel“ vom 18.9.1948. Die Sowjets versuchten von vornherein nicht, die drei Luftkorridore nach Berlin zu sperren – wohl in der Annahme, die Versorgung einer Millionenbevölkerung aus der Luft sei unmöglich. Tatsächlich aber gelang es den Westmächten, die Versorgung der Westberliner Bevölkerung sicherzustellen. Nie zuvor hatte es ein vergleichbares Transportunternehmen aus der Luft gegeben.*

sofort Einspruch und dehnten ihrerseits den Geltungsbereich der neuen D-Mark auf Westberlin aus. In der Nacht vom 23. zum 24. Juni 1948 wurde daraufhin die Elektrizitätsversorgung Westberlins unterbrochen; es begann die Sperrung des Personen- und Güterverkehrs sowie der Lebensmittellieferungen. Mit der Blockade zu Lande und zu Wasser wollte die Sowjetunion die 2,2 Millionen Westberliner aushungern und in einer Art Geiselnahme die Westmächte zwingen, ihre Weststaatspläne aufzugeben und ganz Berlin den Sowjets zu überlassen. Den USA und ihren Verbündeten blieb zur Versorgung der eigenen Truppen sowie der Westberliner Bevölkerung nur noch der Luftweg (▶ M 2). Im Rahmen des als „Berliner Luftbrücke“ bekannt gewordenen Unternehmens wurden 2,34 Millionen Tonnen Lebensmittel, Kohle und Maschinen nach Westberlin gebracht. Erst am 4. Mai 1949 beschlossen die vier Siegermächte in New York das Ende der Blockade. Am 12. Mai, nach 322 Tagen, wurde sie aufgehoben.
Für die Sowjetunion erwies sich die Blockade Westberlins als schwerer Fehler: Stalin hatte keines seiner Ziele erreicht, stattdessen im In- und Ausland viel Ansehen verloren. Zusätzlich verstanden Deutsche und Westalliierte sich zum ersten Mal nach dem Krieg als Verbündete. Während der Blockade war Berlin zu einer gespaltenen Stadt geworden, der Ost- und der Westteil hatten eigene Oberbürgermeister und getrennte Verwaltungen eingesetzt. Erst 1990 wurde dieser Zustand der Teilung aufgehoben.

Auf dem Weg zur Bundesrepublik

Seit Ende 1947 waren Amerikaner und Briten entschlossen, ihre Besatzungszonen in einen westdeutschen Teilstaat umzuwandeln. Die Franzosen zögerten in dieser Frage zunächst. Doch am 1. Juli 1948 beauftragten die drei westlichen Militärgouverneure die Ministerpräsidenten der elf westdeutschen Länder, die Verfassungsberatungen zur Gründung eines westdeutschen Staates aufzunehmen. Die Einzelheiten waren in den sogenannten *Frankfurter Dokumenten* festgelegt: Eine einberufene *Verfassunggebende Versammlung* sollte eine demokratische Verfassung für einen föderalistischen Staat erarbeiten, der die Grund- und Menschenrechte garantierte. In einer Volksabstimmung sollte dann die Verfassung in Kraft gesetzt werden. Die Ministerpräsidenten stimmten diesem Angebot einer beschränkten Selbstverwaltung zu, nachdem sie durch einige Korrekturen den *provisorischen Charakter* des geplanten politischen Gebildes verstärken konnten: Um die Möglichkeit eines vereinigten deutschen Staates offenzuhalten, sollte nicht von einer Verfassunggebenden Versammlung, sondern von einem *Parlamentarischen Rat*, nicht von einer Verfassung, sondern von einem *Grundgesetz* die Rede sein.

▲ *Die „Mütter des Grundgesetzes", Foto von 1949.*
V. l. n. r.: Helene Wessel (Zentrum), Helene Weber (CDU), Friederike Nadig und Elisabeth Selbert (beide SPD) während ihrer Beratungen im Parlamentarischen Rat. Dem Engagement dieser vier Frauen ist es zu verdanken, dass der Gleichberechtigungs-Artikel (Art. 3) in das Grundgesetz aufgenommen wurde, obwohl er zunächst im Parlamentarischen Rat mehrheitlich abgelehnt worden war.

Die Beratungen des Grundgesetzes im Parlamentarischen Rat

Die 65 Abgeordneten des in Bonn tagenden Parlamentarischen Rates waren von den Länderparlamenten im August 1948 gewählt worden. Mit jeweils 27 Abgeordneten waren SPD und CDU/CSU gleich stark vertreten. Zum Präsidenten wurde der 72-jährige Parteivorsitzende der CDU in der britischen Zone, Konrad Adenauer, gewählt, während der einflussreiche Vorsitz im Hauptausschuss, in dem die wichtigsten Verfassungsberatungen stattfanden, an Professor *Carlo Schmid* (SPD) ging.
Viele Verfassungsfragen wurden vor dem Hintergrund der Erfahrungen der Weimarer Republik und der nationalsozialistischen Diktatur rasch und einvernehmlich gelöst. Die Geltungskraft der Grundrechte, die starke Stellung des Kanzlers, das konstruktive Misstrauensvotum, die reduzierten Funktionen des Bundespräsidenten, die Ablehnung des Plebiszits und die Konstruktion eines rein parlamentarisch-repräsentativen Regierungssystems gehörten dazu.
Die heftigste Kontroverse im Parlamentarischen Rat betraf die Ausgestaltung der bundesstaatlichen Ordnung. Die SPD forderte eine starke Bundesgewalt, die CDU – und noch mehr die CSU – wollte das politische Gewicht der Länder sichern. In der Frage der Ländermitwirkung und damit der Ausgestaltung der Zweiten Kammer kam es schließlich zu einem Mehrparteienkompromiss, den die süddeutschen Föderalisten zu ihren Gunsten prägen konnten (Bundesratslösung), während die Regelung der Finanz- und Steuerfragen stärker die Handschrift der SPD trug (starke Bundesfinanzverwaltung, umfassende Steuererhebungskompetenzen des Bundes, Finanzausgleich zwischen den Ländern).

Die Gründung der Bundesrepublik

Am 8. Mai 1949, genau vier Jahre nach der deutschen Kapitulation, stimmten 53 Abgeordnete des Parlamentarischen Rates für und zwölf gegen das Grundgesetz (darunter sechs Abgeordnete der CSU sowie die Abgeordneten der KPD, des Zentrums und der DP). Nachdem die Militärgouverneure das Grundgesetz am 12. Mai 1949 genehmigt hatten, wurde es in allen Ländern der westlichen Besatzungszonen mit Ausnahme Bayerns ratifiziert.[1] Am 23. Mai 1949 unterzeichneten die Ministerpräsidenten der Länder und die Landtagspräsidenten in einem feierlichen Akt in Bonn das Grundgesetz. Damit war die Bundesrepublik Deutschland gegründet.

Aus den Wahlen zum ersten Deutschen Bundestag am 14. August 1949 ging die CDU/CSU mit 31 Prozent als Gewinner hervor, gefolgt von der SPD mit 29,2 Prozent, der FDP mit 11,9 Prozent und der KPD mit 5,7 Prozent (vgl. die Ergebnisse der Bundestagswahlen 1949–2002 am Buchende). Weitere sechs Parteien einschließlich einiger Parteiloser blieben unter fünf Prozent der Stimmen, waren aber im ersten Bundestag vertreten. Gegen einflussreiche Fürsprecher in den eigenen Reihen für eine große Koalition mit der SPD setzte Adenauer eine kleine Koalition mit der FDP und der DP durch. Am 7. September 1949 trat der Bundestag zum ersten Mal in der Bundeshauptstadt Bonn zusammen und wählte am 15. September Konrad Adenauer mit einer Stimme Mehrheit zum *ersten Bundeskanzler der Bundesrepublik Deutschland*. Theodor Heuss, der Kandidat der FDP, war bereits am 12. September von der Bundesversammlung zum *Bundespräsidenten* gewählt worden. Kurt Schumacher (SPD) fiel die Rolle des Oppositionsführers zu. Aus den westlichen Besatzungszonen war ein Staat unter alliierter Aufsicht geworden (▶ M 3).

Die Gründung der DDR

Seit Ende 1947 propagierte die SED mit Rückendeckung Stalins in Gestalt der *Volkskongressbewegung* die Einheit Deutschlands. In Wirklichkeit ging es ihren Spitzenfunktionären jedoch um die Schaffung eines kommunistischen Teilstaates (▶ M 4). Die kommunistischen Kräfte beanspruchten die Führungsrolle der Volkskongressbewegung. Im Mai 1949 sicherte sich die SED durch Wahlen mit einer Einheitsliste (vgl. M 2, S. 119) die Mehrheit im Volkskongress und in dem daraus hervorgehenden Deutschen Volksrat (▶ M 5).

Die sowjetische Regierung wartete mit der Staatsgründung in der eigenen Besatzungszone, bis die westdeutsche Bundesregierung sich konstituiert hatte. Erst nach einer erneuten Besprechung führender SED-Funktionäre mit Stalin Ende September 1949 erklärte die sowjetische Regierung Anfang Oktober 1949 in einer Note an die drei Westmächte, dass mit der „Bildung der volksfeindlichen Separatregierung in Bonn [...] jetzt in Deutschland eine neue Lage entstanden“ sei. Am 7. Oktober 1949 nahm der nach den Wahlergebnissen im Mai zusammengesetzte *Deutsche Volksrat* einen 1948 ausgearbeiteten Verfassungsentwurf an und erklärte sich selbst zur *Provisorischen Volkskammer*. Damit war die *Deutsche Demokratische Republik (DDR)* gegründet. Wenige Tage später wurde *Otto Grotewohl* (SED) zum Regierungschef, *Wilhelm Pieck* (SED) zum Präsidenten der DDR gewählt (▶ M 6). Obwohl in der neuen Regierung alle Parteien vertreten waren, besetzte die SED die wichtigsten Ministerien und war entschlossen, die Macht nicht mehr aus der Hand zu geben.

---

1) *Das bayerische „Nein“ vom 20. Mai 1949 blieb ohne Konsequenzen, weil der bayerische Landtag gleichzeitig beschloss, das Grundgesetz anzunehmen, wenn zwei Drittel der Länder ihre Zustimmung gegeben hatten.*

Grundbegriff: Soziale Marktwirtschaft ···⁝ Während in einer *Planwirtschaft* alle wesentlichen ökonomischen Entscheidungen durch den Staat gelenkt werden, treffen in der *Marktwirtschaft* die am Wirtschaftsleben beteiligten Personen und Unternehmen ihre Entscheidungen relativ frei und unabhängig. Die Theorie der Markwirtschaft ist eng verbunden mit der Gesellschaftslehre des Liberalismus: Sie betont die Selbstbestimmungsfähigkeit des Menschen und die Selbstregulierung der Wirtschaft durch das freie Spiel von Angebot und Nachfrage.
Die negativen Erfahrungen mit der sozialistischen Zentralverwaltungswirtschaft der Sowjetunion, die Weltwirtschaftskrise von 1929 sowie die Folgen des Zweiten Weltkrieges lösten die Suche nach Alternativen zu den bestehenden Wirtschaftsordnungen aus. Das Ergebnis war in der Bundesrepublik die Soziale Marktwirtschaft (vgl. S. 88).
Das Konzept wurde nach 1945 von *Ludwig Erhard* politisch durchgesetzt, der Begriff selbst von dem Wirtschaftswissenschaftler *Alfred Müller-Armack* geprägt. Die Soziale Markwirtschaft verbindet das Prinzip des freien Marktes mit der Idee des sozialen Ausgleichs. Grundelemente sind die Wettbewerbs- und Konsumfreiheit sowie die soziale Gerechtigkeit und Sicherheit. Der Staat übernimmt dabei die Aufgabe, die Rahmenbedingungen z.B. durch Subventionen, Steuergesetzgebung, Sozialhilfeleistungen etc. zu gestalten. Angestrebt werden ein stabiles Preisniveau, geringe Arbeitslosigkeit, ein außenwirtschaftliches Gleichgewicht und ein stetiges Wirtschaftswachstum. Es hat sich jedoch als schwierig erwiesen, alle Ziele gleichzeitig und konfliktfrei zu erreichen.
War die Soziale Marktwirtschaft als Leitbild in der unmittelbaren Nachkriegszeit noch umstritten (vor allem mit Blick auf ein hohes Preisniveau bei niedrigen Löhnen und hoher Arbeitslosigkeit), so bestand 1990 bei der Schaffung einer Währungs-, Wirtschafts- und Sozialunion zwischen DDR und Bundesrepublik kein Zweifel mehr über die Soziale Marktwirtschaft als gemeinsame Wirtschaftsform. Allerdings ist die Soziale Marktwirtschaft kein geschlossenes wirtschaftspolitisches Konzept, das die Lösung aller ökonomischen Probleme garantiert. Sie versteht sich vielmehr als offenes System. Innerhalb der Sozialen Marktwirtschaft sind Fragen nach einer sozial verträglichen Einkommensverteilung, einer lebenswerten Umwelt oder einer gerechten Verteilung der vorhandenen Arbeit jeweils neu zu beantworten.

1.8 Die Deutsche Frage entsteht

▲ *A. R. Penck, Weltbild I, 1961. Penck lebte als Maler, Grafiker und Bildhauer in Dresden, bevor er 1980 in die Bundesrepublik übersiedelte.*

- *Versuchen Sie, die Bildsprache unter Berücksichtigung des Titels zu entschlüsseln.*

1945
Nach dem Potsdamer Abkommen sollen Gebietsfragen erst im Zusammenhang mit einem zukünftigen Friedensvertrag zwischen Deutschland und den Siegermächten geregelt werden

1949
Beide deutsche Regierungen beanspruchen allein das deutsche Volk rechtmäßig zu vertreten

März 1952
Stalin unterbreitet ein Angebot zur deutschen Wiedervereinigung

26. Mai 1952
Mit der Unterzeichnung des Deutschland-Vertrags wird das Besatzungsstatut abgelöst

17. Juni 1953
Der Aufstand gegen die SED-Führung wird mit sowjetischer Hilfe niedergeschlagen

1958–1961
Die zweite Berlin-Krise führt zur faktischen Anerkennung des sowjetischen Machtbereiches in Deutschland

13. August 1961
Die DDR beginnt mit dem Bau der Mauer

M1

Die Stalin-Note vom 10. März 1952

Die Sowjetregierung unterbreitet mit diesem diplomatischen Schriftstück (Note) den drei Westmächten den Entwurf eines Friedensvertrages mit Deutschland.

Politische Leitsätze

1. Deutschland wird als einheitlicher Staat wiederhergestellt. Damit wird der Spaltung Deutschlands ein Ende gemacht, und das geeinte Deutschland 5 gewinnt die Möglichkeit, sich als unabhängiger, demokratischer, friedliebender Staat zu entwickeln.
2. Sämtliche Streitkräfte der Besatzungsmächte müssen spätestens ein Jahr nach Inkrafttreten des Friedensvertrages aus Deutschland abgezogen wer-10 den. Gleichzeitig werden sämtliche ausländische Militärstützpunkte auf dem Territorium Deutschlands liquidiert.
3. Dem deutschen Volk müssen die demokratischen Rechte gewährleistet sein, […] einschließlich 15 der Redefreiheit, der Pressefreiheit, des Rechts der freien Religionsausübung, der Freiheit der politischen Überzeugung und der Versammlungsfreiheit.
4. In Deutschland muss den demokratischen Parteien und Organisationen freie Betätigung gewähr-20 leistet sein […].
5. Auf dem Territorium Deutschlands dürfen Organisationen, die der Demokratie und der Sache der Erhaltung des Friedens feindlich sind, nicht bestehen.
6. 25 Allen ehemaligen Angehörigen der deutschen Armee, einschließlich der Offiziere und Generale, allen ehemaligen Nazis, mit Ausnahme derer, die nach Gerichtsurteil eine Strafe für von ihnen begangene Verbrechen verbüßen, müssen die glei-30 chen bürgerlichen und politischen Rechte wie allen anderen deutschen Bürgern gewährt werden zur Teilnahme am Aufbau eines friedliebenden, demokratischen Deutschland.
7. Deutschland verpflichtet sich, keinerlei Koalitio-35 nen oder Militärbündnisse einzugehen, die sich gegen irgendeinen Staat richten, der mit seinen Streitkräften am Krieg gegen Deutschland teilgenommen hat.

Das Territorium

40 Das Territorium Deutschlands ist durch die Grenzen bestimmt, die durch die Beschlüsse der Potsdamer Konferenz der Großmächte festgelegt wurden. […]

Militärische Leitsätze

1. 45 Es wird Deutschland gestattet sein, eigene nationale Streitkräfte (Land-, Luft- und Seestreitkräfte) zu besitzen, die für die Verteidigung des Landes notwendig sind.
2. Deutschland wird die Erzeugung von Kriegsma-50 terial und -ausrüstung gestattet werden, deren Menge oder Typen nicht über die Grenzen dessen hinausgehen dürfen, was für die Streitkräfte erforderlich ist, die für Deutschland durch den Friedensvertrag festgesetzt sind.

Helmut Krause und Karlheinz Reif (Bearb.), Die Welt seit 1945 (Geschichte in Quellen), München 1980, S. 391 f.

1. *Nennen und erläutern Sie die wichtigsten Aussagen dieser diplomatischen Note. Zeigen Sie die Vieldeutigkeit mancher Formulierungen.*
2. *Adenauer sah in der Note Stalins die Gefahr einer Rückkehr zum System von Potsdam angelegt, also einer Einigung der vier Siegermächte über Deutschland ohne dessen Mitwirkung. Zeigen Sie, worauf sich diese Interpretation bezog.*

◀ *Karikatur aus „Der deutsche Eisenbahner" vom 20. Mai 1952.*

M2

Die Stalin-Note aus heutiger Sicht

Die Stalin-Note geht auf einen wesentlich umfangreicheren Entwurf des sowjetischen Außenministeriums von 1951 zurück, in dem noch die Übernahme der politisch-wirtschaftlichen Ordnung der DDR in einem künftigen Gesamtdeutschland vorgesehen war. Auf Anregung des stellvertretenden Außenministers Gromyko wurde in Absprache mit Stalin die endgültige Fassung von solchen eindeutigen Formulierungen gereinigt, weil sie in den Worten Gromykos nicht „zweckmäßig" waren. Der Historiker Gerhard Wettig konnte 1993 erstmals Aktenbestände des ehemaligen Ministeriums einsehen. Er kommt zu folgenden Ergebnissen:

Bei den Gesprächen [zwischen SED-Führung und Stalin Anfang April 1952] bestand zwischen den Beteiligten Übereinstimmung darüber, dass die DDR als gegen die Bundesrepublik gerichteter Staat ausgebaut werden sollte. Der März-Note wurde in diesem Zusammenhang bescheinigt, „eine große Bewegung der Massen ausgelöst" zu haben, „durch die die Westmächte und ihre Adenauer-Regierung in harte Bedrängnis geraten" seien. Die „Frage der Wahlen, ohne UN-Kommission", sollte „als Massenkampf zum Sturz der Adenauer-Regierung" gestaltet werden. […] Konkrete Aktionen – von Konferenzvorhaben bis hin zu Proteststreiks, Demonstrationen und einer Unterschriftensammlung – zur Erreichung der gesetzten Ziele wurden ins Auge gefasst.
Gleichzeitig war […] die Rede vom Aufbau nationaler Streitkräfte in der DDR, von der Sicherung der Grenzen gegen Westdeutschland, von dort durchzuführenden Absperrmaßnahmen, von Schritten der forcierten kommunistischen Umgestaltung des Landes […], von einer weiteren Entwicklung der SED zur „Partei neuen Typs" und von weiteren Absagen an den Restbestand bisheriger Gemeinsamkeiten mit Westdeutschland. […]

Fazit

[…] In der damaligen sowjetischen Deutschland-Politik lässt sich kein Wille zur Verständigung mit der westlichen Seite erkennen. […] Es ging ihnen [Stalin und seiner Führungsmannschaft] um einen Krieg mit anderen als militärischen Mitteln, d.h. um eine Mobilisierung der Deutschen gegen die westdeutsche Regierung und die Westmächte.
Als geeignetes Mittel zur Erreichung des antiwestlichen Zweckes wurde der Appell an das nationale Interesse der Deutschen eingesetzt, die seit dem Ende des Zweiten Weltkrieges eingetretene Spaltung des Landes zu beseitigen. Die sowjetischen Akteure überschätzten dabei die Stärke des nationalen Motivs in der deutschen Bevölkerung und übersahen zugleich, wie stark – nicht zuletzt angesichts der in der SBZ/DDR nach 1945 betriebenen Politik – die antisowjetischen und antikommunistischen Tendenzen im deutschen Volk waren. […]
Ein dritter wichtiger Befund ist das enorme Ausmaß der Abhängigkeit, in der sich die SED-Führung 1951/52 von der sowjetischen Seite befand. Die Führer des ostdeutschen Staates mussten für jeden Schritt gegenüber einer westlichen Seite die Genehmigung aus Moskau einholen. Darüber hinaus erhielten sie, zumindest wenn die Angelegenheit von einiger Bedeutung war, von ihren sowjetischen Herren die zu verwendenden Texte wortwörtlich vorgeschrieben.

Gerhard Wettig, Die Deutschland-Note vom 10. März 1952 auf der Basis der diplomatischen Akten des russischen Außenministeriums, in: Deutschland-Archiv, 26. Jahrgang 1993, Heft 7, S. 802 ff.

1. *Arbeiten Sie die zentralen Argumente heraus, mit denen der Autor sein Urteil begründet.*
2. *Auch heute wird noch die These vertreten, dass der Westen im Jahr 1952 die Gelegenheit für eine Wiedervereinigung beider deutscher Staaten hat verstreichen lassen. Wägen Sie diese These gegenüber den Befunden des Historikers Gerhard Wettig ab.*

Alleinvertretungsanspruch der Bundesrepublik oder sozialistisches Gesamtdeutschland?

Bereits in seiner ersten Regierungserklärung vom Oktober 1949 hatte Bundeskanzler Adenauer das Prinzip formuliert, das der Deutschlandpolitik aller Bundesregierungen bis 1969 zugrunde lag: „Die Bundesrepublik Deutschland ist allein befugt, für das deutsche Volk zu sprechen." Der von sämtlichen demokratischen Parteien geteilte *Alleinvertretungsanspruch* und die strikte Nichtanerkennung des nicht frei gewählten DDR-Regimes bestimmten und begrenzten die Beziehungen Bonns zu Ostberlin zwei Jahrzehnte lang.
Ihre Haltung verdichtete die Bundesregierung zu dem außenpolitischen Grundsatz, dass die Bundesrepublik keine Beziehungen zu Staaten unterhalte, die durch Aufnahme diplomatischer Beziehungen die DDR anerkannten *(Hallstein-Doktrin, 1955)*. Bis zum Ende der 1960er-Jahre konnte die Bundesregierung auf diese Weise die internationale Anerkennung der DDR verhindern, weil sie ihre wirtschaftliche Hilfe an Länder der Dritten Welt von der Respektierung der Doktrin abhängig machte. Im Falle der Sowjetunion hatte die Bundesrepublik allerdings eine wichtige Ausnahme zulassen müssen.
Auf der anderen Seite nahm die SED für sich in Anspruch, mit der DDR den „Grundstein für ein einheitliches, demokratisches und friedliebendes Deutschland" (Stalin 1949) gelegt und ein Modell für ein zukünftiges Gesamtdeutschland unter kommunistischer Führung geschaffen zu haben. In der Praxis überwog allerdings von Ulbricht bis *Honecker* stets das Ziel der Absicherung der eigenen Herrschaft durch Abgrenzung gegenüber der Bundesrepublik. Schließlich strich die SED unter Honecker alle Hinweise auf die Einheit Deutschlands aus der Verfassung und führte den Begriff einer „sozialistischen Nation" ein.

Stalins Wiedervereinigungsangebot von 1952

In mehreren Noten vom März und April 1952 unterbreitete Stalin den Entwurf eines *Friedensvertrages mit Deutschland*, das als *einheitlicher Staat* wiederhergestellt werden und über *nationale Streitkräfte* verfügen sollte unter der Voraussetzung seiner *Neutralisierung* (➧ M 1). Die Sowjetunion erklärte sich sogar dazu bereit, über gesamtdeutsche Wahlen zu verhandeln, nicht aber, sie unter Aufsicht der UNO zuzulassen. Über die Ernsthaftigkeit dieses Angebotes wurde viel spekuliert.
Adenauer sah in der sowjetischen Initiative schon deshalb keinen Fortschritt, weil er eine nationalstaatliche Lösung der deutschen Frage ablehnte. Er hatte die Westorientierung der Bundesrepublik zum Pfeiler seiner Außenpolitik gemacht und wollte zukünftige Generationen vor den Fehlern einer Schaukelpolitik zwischen Ost und West bewahren. Die Ernsthaftigkeit des Stalinschen Angebotes wird heute noch kontrovers beurteilt, da immer noch nicht alle relevanten Quellen aus sowjetischen Archiven ausgewertet werden konnten (➧ M 2).

Der Aufstand vom 17. Juni 1953

Ein einschneidendes Ereignis für beide deutsche Seiten war der vor allem von Arbeitern getragene *Aufstand in der DDR* vom 16./17. Juni 1953 (vgl. S. 134f.). Ausgelöst wurde er durch eine zehnprozentige Erhöhung der Arbeitsnormen. Der Protest der insgesamt landesweit ca. 400 000 Demonstranten und Streikenden erweiterte sich jedoch auf politische Forderungen wie der nach freien und geheimen Wahlen und die Wiedervereinigung Deutschlands. Damit war die Rechtmäßigkeit der

SED-Herrschaft grundsätzlich infrage gestellt. Durch die Antwort der SED – sie ließ den Aufstand mithilfe sowjetischen Militärs unterdrücken – wurde deutlich, dass sich der Herrschaftsanspruch der SED letztlich auf die Präsenz der sowjetischen Militärmacht gründete.
Für die Menschen in der DDR bedeutete diese Erfahrung, dass sich die meisten „in den Verhältnissen" einrichteten. Bis zu den Ereignissen von 1989 gab es in der DDR keine Demonstrationen größeren Ausmaßes. Der Westen wertete den Aufstand als Willensbekundung und Protest gegen die kommunistische Herrschaft und das prosowjetische System. Bis 1990 wurde der 17. Juni in Westdeutschland als „Tag der deutschen Einheit" als nationaler Feiertag begangen.

Die zweite Berlin-Krise 1958–1961

Am 27. November 1958 leitete die Sowjetunion nach der Berlin-Blockade von 1948/49 eine weitere Runde des „Ringens um Deutschland" ein. Ultimativ kündigte der sowjetische Staats- und Parteichef *Nikita Chruschtschow* die westlichen Besatzungsrechte in Berlin und verlangte die Umgestaltung Westberlins in eine entmilitarisierte „selbstständige politische Einheit", also die Dreiteilung Deutschlands. Wenige Monate später drohte er mit dem Abschluss eines Separatfriedensvertrages mit der DDR, der entgegen den geltenden Viermächtevereinbarungen der DDR die volle Souveränität gegeben hätte.
Ein wichtiges Motiv für die aggressive Haltung der Sowjetunion in der Deutschland- und Berlin-Frage waren die wachsenden Spannungen mit der Volksrepublik China und das seit Ende 1957 erkennbare Streben Mao Zedongs nach ökonomischer Unabhängigkeit von sowjetischer Hilfe, was wenig später zum Bruch zwischen beiden Ländern führte. Moskau schien daher die Festigung seiner Führungsposition in der kommunistischen Welt und die Sicherung seiner seit 1945 errungenen Einflusszone dringend geboten.
Die vier Mächte fanden bei der *Konferenz ihrer Außenminister in Genf* (Mai–August 1959) zu keinem Einvernehmen in der Berlin- und Deutschlandfrage – zur Erleichterung des deutschen Bundeskanzlers.
Bei dem Gipfeltreffen in Wien am 3./4. Juni 1961 mit dem neugewählten US-Präsidenten *John F. Kennedy* erneuerte Chruschtschow sein *Berlin-Ultimatum*. Furcht vor einem atomaren Krieg wegen Berlin breitete sich aus. Kennedy reduzierte daraufhin in einer programmatischen Fernsehansprache an die amerikanische Nation am 25. Juli 1961 die unverzichtbaren Interessen der Westalliierten auf die sogenannten drei *„Essentials"*: Die Sicherheit und Freiheit der Westberliner, die Anwesenheit der drei Westmächte in Westberlin sowie der freie Zugang nach Westberlin würden unter allen Umständen gesichert werden. Diese Schutzgarantie der USA für Westberlin bedeutete unausgesprochen die Anerkennung des sowjetischen Machtbereiches in Ostberlin und der DDR.
Damit hatte Chruschtschow sein eigentliches Ziel erreicht. Ulbricht erhielt in Moskau aufgrund dieser faktischen Anerkennung der DDR grünes Licht für den von ihm dringend gewünschten Mauerbau zur Sicherung des SED-Regimes. Mit einem militärischen Eingreifen des Westens war nicht zu rechnen. In der Nacht zum 13. August 1961 ließ die DDR-Regierung entlang der durch Berlin verlaufenden Sektorengrenze Stacheldrahtverhaue und Steinwälle hochziehen. Unter militärischer Bewachung errichteten Bautrupps eine Mauer quer durch die Wohngebiete der Stadt. In den folgenden Tagen wurde die gesamte innerdeutsche Grenze auf diese Weise befestigt (vgl. S. 136). Die Teilung der Nation schien damit im wahrsten Sinne des Wortes zementiert.

2 Politische und gesellschaftliche Entwicklungen im geteilten Deutschland

2.1 Stabilität und Westbindung: die Ära Adenauer

▲ *Wahlplakat der CDU zur Bundestagswahl von 1957.*

• *Erläutern Sie, inwiefern die inhaltliche Aussage des Wahlplakates attraktiv auf mögliche Wähler wirken konnte.*

5. Mai 1955
Die Pariser Verträge regeln die Beziehungen zwischen den Staaten der „westlichen Gemeinschaft" neu – Ende der Besatzungszeit

9. Mai 1955
Die Bundesrepublik tritt der NATO bei

14. Mai 1955
Als Verteidigungsbündnis der Ostblock-Staaten wird der Warschauer Pakt gegründet

25. März 1957
Die Europäische Wirtschaftsgemeinschaft (EWG) zur wirtschaftlichen Integration Europas wird gegründet

22. Januar 1963
Der deutsch-französische Freundschaftsvertrag besiegelt die Aussöhnung zwischen den beiden Staaten und verpflichtet sie zur Zusammenarbeit

M1
Zusammenschluss der westlichen Welt

Konrad Adenauer schreibt im April 1952 in einem Brief an den Historiker Gerhard Ritter:

Mit Sowjet-Russland kann man nur verhandeln, wenn man mindestens gleich stark ist. Daher begrüße ich den Zusammenschluss der westlichen Welt. Ich bin überzeugt, dass, wenn die westliche 5 Welt so stark ist wie Sowjet-Russland, eine Verständigung mit Sowjet-Russland möglich ist, aber nicht früher. Ich bin weiter überzeugt, dass ein Gespräch zu einem zu frühen Zeitpunkt Sowjet-Russland in seiner Haltung bestärkt. Meine Politik 10 geht dahin, Deutschland in den Westen einzubauen, um der Gefahr der Neutralisierung zu entgehen, um den Westen zu stärken, um bei der eines Tages eintretenden Möglichkeit der Verhandlung mit Russland mitsprechen zu können, und 15 zwar im Interesse Deutschlands, im Interesse des Friedens.
Ich glaube nicht, dass meine Politik starr und unelastisch ist. Ich bin der Auffassung, dass das Schlechteste, was man tun könnte, ein Schwanken 20 in der pol(itischen) Linie sein würde. Sie glauben nicht, wie stark das Misstrauen im Ausland noch gegenüber Deutschland ist. Durch ein Schwanken würde man dieses Misstrauen in bedrohlicher Weise verstärken. Die Zeiten Bismarcks kann man 25 mit den heutigen Zeiten überhaupt nicht vergleichen. Wir können und dürfen nicht auf zwei Klavieren spielen.

Jürgen Weber (Hrsg.), Die Republik der 50er Jahre, München 1989, S. 11

1. *Benennen Sie Argumente, gegen die Adenauer hier implizit Stellung bezieht.*
2. *Erläutern Sie wesentliche Unterschiede der außenpolitischen Stellung Deutschlands gegenüber der Bismarck-Zeit.*

M2
Würdigung der Pariser Verträge

Mit der Unterzeichnung der Pariser Verträge im Oktober 1954 wird der Bundesrepublik Deutschland der Beitritt zum westlichen Verteidigungsbündnis geebnet. Anlässlich der ersten Lesung der Pariser Verträge im Bundestag gibt Konrad Adenauer am 15. Dezember 1954 eine Regierungserklärung ab.

Das Vertragswerk macht die Bundesrepublik erst fähig, die Spaltung Deutschlands zu beseitigen und die sich mit der Wiedervereinigung stellenden Aufgaben zu bewältigen. [...]
5 Die großen Mächte werden sich entsprechend ihren vertraglichen Verpflichtungen bei kommenden Verhandlungen für unsere Wiedervereinigung solidarisch einsetzen. [...] Sie erklären also, dass die Schaffung eines völlig freien und vereinigten 10 Deutschlands durch friedliche Mittel ein grundlegendes Ziel ihrer Politik ist. Ich sehe nicht, meine Damen und Herren, wie heute eine bessere Basis für die Wiedervereinigung Deutschlands gewonnen werden könnte. (Beifall bei den Regierungspar- 15 teien). [...]
Die sowjetische Propaganda versucht im Zusammenhang mit der jüngsten Konferenz der Ostblockstaaten den Eindruck zu erwecken, dass Sowjetrussland bedroht werde. Es kann aber kein 20 Zweifel daran bestehen, meine Damen und Herren, dass die Westmächte mit ihren Verteidigungsanstrengungen erst begonnen haben, nachdem klar erwiesen war, dass die Sowjetunion nicht daran dachte, ihre hochgerüsteten Streitkräfte zu vermin- 25 dern, und dass sie bereit war, diese Streitkräfte mindestens psychologisch für die Verfolgung ihrer unverändert expansiven Politik einzusetzen. (Lebhafte Zustimmung in der Mitte.)
Es ist, meine Damen und Herren, eine alte Taktik 30 des Kommunismus, den Angriff stets in der Sprache der Verteidigung zu führen. (Beifall in der Mitte und rechts.)
Das heißt, man bereitet den Angriff vor, und wenn der, dem dieser Angriff gelten soll, daraufhin sei- 35 nerseits entsprechende, defensive Maßnahmen trifft, sagen die Kommunisten, man bedrohe sie. (Beifall in der Mitte und rechts.)

Dieser Taktik folgend hat die Sowjetunion gegen Ende der Berliner Konferenz[1] und seitdem mehrmals Vorschläge für ein System kollektiver Sicherheit gemacht, das die Verteidigungsorganisation des Westens in Europa auflösen, die Vereinigten Staaten ausschalten, die militärische Einheit des Ostblocks aber aufrechterhalten und die Sowjetunion zur vorherrschenden Militärmacht eines ganz Europa umfassenden Systems machen würde. (Zustimmung in der Mitte.) Ein derartiges System würde ihr nicht nur den lange angestrebten Einfluss auf ganz Deutschland, sondern auf die Dauer auch auf alle anderen freien Staaten Europas gewährleisten. (Sehr wahr! in der Mitte.)

Erich Ollenhauer (1901–1963), der nach dem Tod Kurt Schumachers Vorsitzender der SPD geworden war, antwortet auf die Regierungserklärung Adenauers.

Wir waren und wir sind der Meinung, dass nach dem Scheitern der EVG-Politik[2] und vor der Beratung und Entscheidung über andere Formen eines militärischen Beitrags der Bundesrepublik zunächst ein neuer ernsthafter Versuch unternommen werden sollte, in Vier-Mächte-Verhandlungen die Möglichkeiten einer befriedigenden Lösung der deutschen Frage zu prüfen. (Sehr gut! bei der SPD.) [...] In Paris ist zwar nicht schriftlich, aber tatsächlich festgelegt worden, dass neue Verhandlungen mit der Sowjetunion über das Problem der deutschen Einheit erst nach der Ratifizierung der Verträge ins Auge gefasst werden sollen. Der Herr Bundeskanzler hat sich diese These wiederholt und ausdrücklich zu eigen gemacht, auch in seiner heutigen Rede. Damit ist eindeutig der Aufrüstung der Bundesrepublik der Vorrang vor der Wiedervereinigung gegeben worden. [...]
Diese Politik basiert auf der Annahme, dass ohne die Einheit des Westens erfolgreiche Verhandlungen mit der Sowjetunion nicht möglich seien und dass die Sowjetunion nach der Ratifizierung der Pariser Verträge eine größere Bereitwilligkeit zu Verhandlungen über eine für den Westen und für das deutsche Volk tragbare Lösung der europäischen und deutschen Probleme zeigen werde. [...] Nicht weniger beunruhigend ist auf der anderen Seite die Haltung der Sowjetunion. Selbstverständlich verfolgt die Sowjetunion mit ihren letzten Noten seit dem Scheitern des EVG-Vertrags ein taktisches Ziel. Sie hat das Interesse, die Ratifizierung der Pariser Verträge zu verhindern, weil sie eine Aufrüstung der Bundesrepublik nicht wünscht. Die Interessen der Sowjetunion sind nicht identisch mit unseren deutschen Interessen, und ihre Argumente sind nicht unsere Argumente. Aber vergessen wir nie, die Sowjetunion ist eine der vier Besatzungsmächte, und ohne ihre Zustimmung und ohne ihre Mitwirkung ist eine Wiedervereinigung Deutschlands ebenso unmöglich wie ohne die Zustimmung und die Mitwirkung der Westmächte. (Lebhafte Zustimmung bei der SPD.)
Es kann und darf uns daher nicht gleichgültig sein, welche Konsequenzen die Sowjetunion aus einer Einbeziehung der Bundesrepublik in die NATO im Hinblick auf ihre Deutschlandpolitik ziehen wird. [...] Aber die eindeutige Ankündigung, dass dann Verhandlungen über die deutsche Frage zwecklos sein werden, können und dürfen wir nicht ignorieren.

Verhandlungen des Deutschen Bundestages, 2. Wahlperiode 1953–1957, Band 22, S. 3135 ff.

1. *Analysieren Sie beide Reden und erläutern Sie die Unterschiede in den jeweiligen außenpolitischen Positionen.*
2. *Prüfen Sie die Argumente im Lichte der Entwicklung, die 1990 zur Wiedervereinigung Deutschlands führte.*

[1] *Die Viermächte-Außenministerkonferenz in Berlin vom 25.1. bis 18.2.1954 endete in der Deutschlandfrage mit dem Austausch der bekannten gegensätzlichen Positionen.*

[2] *Der Vertrag über eine Europäische Verteidigungsgemeinschaft (EVG) zwischen Frankreich, Italien, den Beneluxstaaten und der Bundesrepublik vom 27.5.1952 sah die Integration eines wiederbewaffneten Deutschlands in eine westeuropäische Armee vor. Die Umsetzung scheiterte am Widerstand der französischen Nationalversammlung am 30.8.1954.* *Vgl. S. 76.*

M3
Sicherheit vor Deutschland

Der Historiker Hermann Graml analysiert das zentrale Motiv der Deutschlandpolitik der ehemaligen Siegermächte.

Auch nach der Gründung zweier deutscher Staaten blieb die internationale politische Bewegungsfreiheit der Deutschen grundsätzlich suspendiert[1] und in der Praxis stärkstens eingeschränkt. Sie standen 5 nach wie vor unter Besatzungsrecht und durften formalisierte internationale Beziehungen zunächst lediglich zu ihren jeweils zuständigen Besatzungsmächten unterhalten. Sicherlich nicht als Kolonie der Westmächte zu bezeichnen, bot sich etwa die 10 Bundesrepublik doch als eine Art Protektorat[2] dar. Jedenfalls wurde die Souveränität der Bundesrepublik nicht von der Bundesregierung, sondern von einer Alliierten Hohen Kommission verwaltet. Die DDR befand sich, grundsätzlich gesehen, in der 15 gleichen Lage, allerdings mit einem qualitativen Unterschied in der Praxis: Waren die Vertreter der Westmächte von Anfang an bemüht, größtmögliche Übereinstimmung mit den Beherrschten herzustellen, und konnten sie angesichts des fast totalen 20 Erfolgs ihrer Anstrengung den Deutschen alsbald das Gefühl freiwilliger Partnerschaft vermitteln, so übte die Besatzungsmacht Sowjetunion in ihrem deutschen Protektorat die Führungsrolle mit Härte und ohne Rücksicht auf den Mehrheitswillen der 25 Bevölkerung aus. […]

Vom nie schlafenden Sicherheitsbedürfnis geleitet, nahmen die Besatzungsmächte ihre Funktion als Verwalter der deutschen Souveränität vor allem dann äußerst ernst, wenn es um die internationale 30 Grundorientierung Deutschlands ging. Auf der Berliner Außenministerkonferenz von Anfang 1954 sagte Molotow in einer eher privaten Unterhaltung zu seinem amerikanischen Kollegen John Foster Dulles, dass die Siegermächte des Zweiten Welt- 35 kriegs nicht den Fehler der Sieger von 1918 wiederholen und die Fesseln um Deutschland lockern dürften: „Es kommt darauf an, sicher zu sein, dass es eine Regierung gibt, die wir kontrollieren können." Natürlich zeugten solche Sätze auch für Mo- 40 lotows stalinistisches Politikverständnis, gleichermaßen jedoch für jenen abnormen Anspruch auf die politische Verfügungsgewalt über Deutschland, den nach abnormer Verletzung ein abnorm gesteigertes Sicherheitsbedürfnis begründete. Molotows 45 westliche Gesprächspartner haben denn auch die Notwendigkeit, das internationale Handeln der Deutschen weiterhin zu kontrollieren, keineswegs bestritten.

Hermann Graml, Zum Problem der deutschen Teilung, in: Karl Otmar Freiherr von Aretin u. a. (Hrsg.), Das deutsche Problem in der neueren Geschichte, München 1997, S. 124

1. *Erläutern Sie den allgemeinen Grundsatz der Siegermächte in der politischen Lenkung Deutschlands nach dem Krieg.*
2. *Ziehen Sie Schlüsse auf den innen- und außenpolitischen Gestaltungsspielraum deutscher Politik, zumal hinsichtlich der Chancen einer Wiedervereinigung.*

[1] *zeitweilig aufgehoben*
[2] *Gebiet, das unter Schutzherrschaft steht*

Grundlinien der Außenpolitik Adenauers

Stabilität und Berechenbarkeit wurden die hervorstechenden Kennzeichen der Außenbeziehungen der Bundesrepublik seit 1949. Die außenpolitische Grundorientierung seit Bundeskanzler Konrad Adenauer lautete: Sicherung von Frieden, Freiheit, Einheit im Rahmen der westlichen Staatengemeinschaft (➧ M 1). Kennzeichneten Hegemoniestreben, Revisionismus und zuletzt Wille zum Krieg die deutsche Außenpolitik der ersten Hälfte des 20. Jahrhunderts, so bestimmten Friedenspolitik, weltweiter Außenhandel sowie außenpolitische Selbstbindung aus Eigeninteresse und gesellschaftlich verwurzelter Einsicht den außenpolitischen Kurs aller Bundesregierungen seit 1949. Vier Jahrzehnte lang bestimmte der *Ost-West-Konflikt* den Rahmen für ihr außenpolitisches Handeln. Auf Phasen der Spannung wie der Entspannung im Verhältnis der beiden Supermächte zueinander reagierte die Bundesrepublik jeweils durch Anpassung an die internationale Politik.

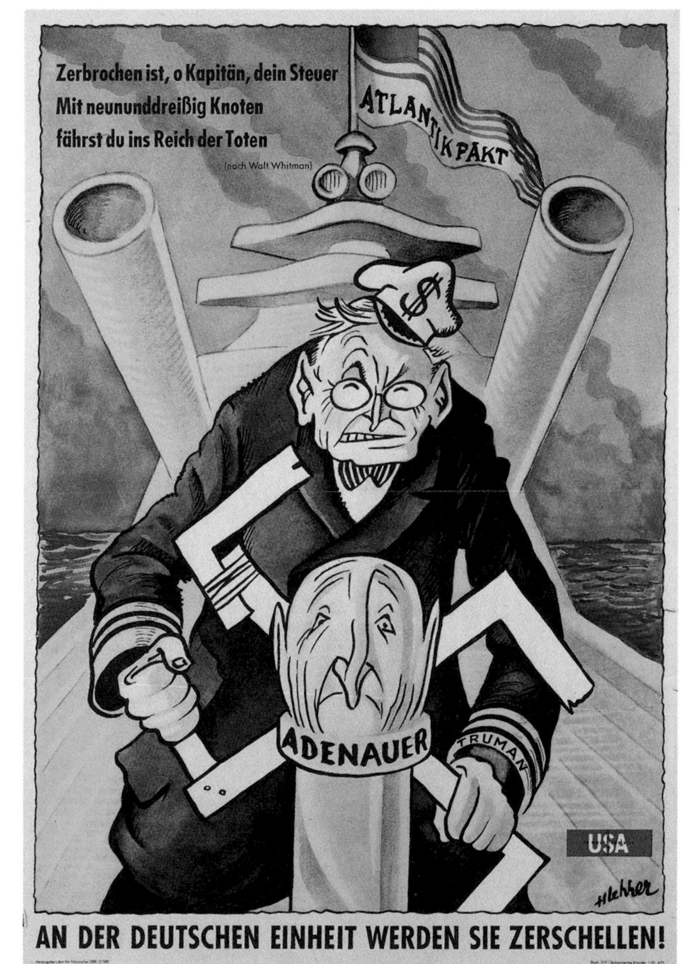

▲ *SED-Plakat gegen Adenauers Politik der Westintegration, 1951.*

• *Benennen Sie die einzelnen Bildmotive und ihre Funktion.*

Aus der Tatsache der vom Ost-West-Konflikt beherrschten bipolaren Staatenwelt (siehe Seiten 13 f.) zog Bundeskanzler Adenauer die Konsequenz einer politischen, wirtschaftlichen und kulturellen *Westorientierung* der jungen Bundesrepublik. Aus einer Position der Stärke sollte der freie und ökonomisch attraktive westliche Teilstaat eine unwiderstehliche Anziehungskraft auf die Deutschen im sowjetischen Herrschaftsbereich ausüben *(Magnetwirkung)*. Die eigene Überlegenheit würde nach Ansicht des Bundeskanzlers eine Wiedervereinigung „in Frieden und Freiheit" zustande bringen, wobei ein künftiges demokratisches Gesamtdeutschland unaufhebbar mit dem Westen verbunden bleiben sollte. Die Bundesrepublik wurde zum „Limes des Abendlandes" gegenüber einer als expansiv und gefährlich eingeschätzten Sowjetunion.

Neues Sicherheitsdenken im Westen – deutsche Wiederbewaffnung

Der Überfall von Truppen des kommunistischen Nordkorea auf das unter amerikanischem Einfluss stehende Südkorea im Sommer 1950 beschleunigte die Neuorientierung der westlichen Sicherheitspolitik. Alle Befürchtungen über sowjetische Welteroberungspläne schienen sich zu bestätigen. Nur wenn der Westen militärische Stärke zeigte, würde sich Westeuropa gegenüber sowjetischem Druck behaupten können. Um dieses Ziel zu erreichen, wurden von den westlichen Regierungen auch wieder deutsche Soldaten in Kauf genommen.

Die USA machten ihre weitere militärische Präsenz in Europa von der Bereitschaft der Europäer abhängig, selbst verstärkte Rüstungsanstrengungen zu unternehmen und auch die Wiederbewaffnung Westdeutschlands zu akzeptieren. Das war damals nicht populär, weder in weiten Kreisen der bundesdeutschen Bevölkerung noch in Frankreich. Mit ihrem Vorschlag zur Schaffung einer europäischen Armee unter einem französischen Oberkommandierenden und voll integrierten deutschen Truppen im Rahmen der NATO vom Oktober 1950 *(Europäische Verteidigungsgemeinschaft)* hoffte die französische Regierung, den amerikanischen Forderungen zu entsprechen und zugleich die Deutschen unter Kontrolle zu halten.

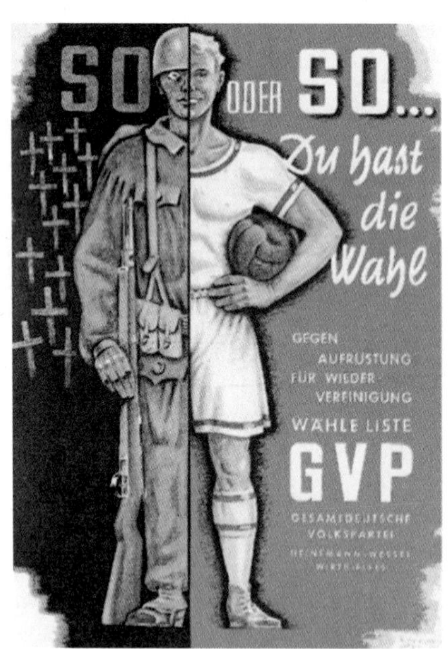

▲ *Plakat der Gesamtdeutschen Volkspartei (GVP) zur Bundestagswahl 1953.*
Aus Protest gegen die von Bundeskanzler Adenauer betriebene Wiederbewaffnung trat Innenminister Gustav Heinemann (CDU) 1950 zurück. 1952 gründete er zusammen mit der früheren Zentrumspolitikerin Helene Wessel die Gesamtdeutsche Volkspartei, die sich gegen die Wiederaufrüstung einsetzte.

▲ *Plakat des CDU-Pressedienstes, um 1950.*
● *Mit welcher Argumentation setzt sich das Plakat für die Wiederbewaffnung ein?*

Bundeskanzler Adenauer sah die Chance, schneller als erwartet das Besatzungsregime beenden und – ihm besonders wichtig – eine amerikanische militärische Sicherheitsgarantie für die Bundesrepublik erwirken zu können. Die Wiederbewaffnung war der Preis, den er dafür zu zahlen bereit war, ungeachtet der Kritik, die ihm aus dem Oppositionslager und in Teilen der Öffentlichkeit entgegenschlug. Die Kritiker hielten ihm mangelnden Wiedervereinigungswillen vor. Adenauer argumentierte dagegen, erst müsse der Westen auch militärisch stark werden, bevor man mit der Sowjetunion über eine Wiedervereinigung Deutschlands verhandeln könne.
Nach langwierigen deutsch-alliierten Verhandlungen in Bonn über die Beendigung des Besatzungsregimes *(Deutschland-Vertrag)* und in Paris über eine *Europäische Verteidigungsgemeinschaft (EVG-Vertrag)* kam es im Mai 1952 zum Abschluss der Verträge, die der Bundesrepublik die Souveränität versprachen. Das Ende der Nachkriegszeit war in greifbare Nähe gerückt. Die Antwort Moskaus darauf erfolgte prompt: Am Tag der Unterzeichnung des Deutschlandvertrags riegelten Sicherheitskräfte der DDR die Grenze nach Westdeutschland ab.

Die Pariser Verträge – Ende der Besatzungszeit

Adenauers fulminanter Wahlsieg am 6. September 1953 – die CDU/CSU erhielt 45,2 Prozent der Stimmen – wurde als eine quasi plebiszitäre Bestätigung seiner Westpolitik interpretiert. Die oppositionelle SPD musste mit 28,8 Prozent eine schwere Niederlage hinnehmen. Ein Jahr später allerdings schien alles wieder offen zu sein, als die französische Nationalversammlung am 30. August 1954 den EVG-Vertrag ablehnte. Einen Ausweg aus der Krise fand jedoch der britische Außenminister *Eden*. Auf seine Initiative hin wurde der Brüsseler Beistandspakt, den Großbritannien, Frankreich und die Beneluxstaaten am 17. März 1948 abgeschlossen hatten, durch den Beitritt der Bundesrepublik und Italiens zu einer *Westeuropäischen Union (WEU)* erweitert. Diese stellte vor allem eine gegenüber der Bundesrepublik wirksame Rüstungskontrolleinrichtung dar. Damit wurde den französischen Sicherheitsinteressen Rechnung getragen. Gleichzeitig wurde die Bundesrepublik in die NATO aufgenommen. Die beteiligten neun Mächte – Frankreich, Großbritannien, USA, Beneluxstaaten, Italien, Bundesrepublik, Kanada – einigten sich im September/Oktober 1954 in den *Pariser Verträgen* auf diese Vereinbarungen, nachdem die Bundesrepublik den Verzicht auf die Herstellung von atomaren, bakteriellen und chemischen Waffen erklärt hatte (▶ M 2).
Das Ende des Besatzungsregimes wurde in einer für die deutsche Seite verbesserten Fassung des Deutschland-Vertrags endgültig festgestellt. Die Westmächte erklärten sich darin bereit, „mit friedlichen Mitteln ihr gemeinsames Ziel zu verwirklichen: ein wiedervereinigtes Deutschland, das eine freiheitlich-demokratische Verfassung, ähnlich wie die Bundesrepublik, besitzt und das in die europäische Gemeinschaft integriert ist“. Diese Übereinkunft blieb bis 1990 in Geltung und wurde im Zuge der Wiedervereinigung Deutschlands verwirklicht. Auch der Streit mit Frankreich über die wirtschaftliche Einbeziehung des Saarlandes in dessen Einflusszone konnte beigelegt werden. Die übergroße Mehrheit der Saarländer votierte für den Beitritt zur Bundesrepublik ab 1957. Das war die erste „kleine“ Wiedervereinigung in Deutschland.

Blockbildung

Begleitet von heftigen parteipolitischen Auseinandersetzungen und öffentlichen Demonstrationen von SPD, Gewerkschaften und Kreisen der evangelischen Kirche gegen die Schaffung einer Bundeswehr stimmte der Bundestag Ende Februar 1955 mit der Mehrheit der Regierungsparteien den Pariser Verträgen zu. Sie traten am 5. Mai 1955 in Kraft. Vier Tage später trat die Bundesrepublik als 15. Mitglied der NATO bei. Das war eine der zentralen Weichenstellungen der Nachkriegszeit.

Als gleichberechtigter Partner des westlichen Verteidigungsbündnisses hatte die Bundesrepublik – nur zehn Jahre nach Kriegsende – den *Status eines souveränen Landes* unter gewissen Vorbehalten bekommen. Diese betrafen die alliierten Sonderrechte für ihre Truppen in Westdeutschland, die Rechte der Westmächte hinsichtlich Berlins und für „Deutschland als Ganzes" bei einem späteren Friedensvertrag (➧ M 3).

Fortan garantierte die NATO die Sicherheit für Westdeutschland und gleichzeitig die Sicherheit vor Deutschland. Das amerikanische Konzept einer „doppelten Eindämmung" – Abwehr des sowjetischen Hegemonialstrebens, Einbindung der (West-)Deutschen in die westliche Staatengemeinschaft – war verwirklicht. Adenauer sah darin die Voraussetzung für das langfristige Ziel einer Wiedervereinigung, seine politischen Gegner sprachen von einer Festschreibung der Teilung Deutschlands. Sie schienen zunächst auch Recht zu behalten. Die Blockbildung in Europa und Deutschland fand ihr vorläufiges Ende mit der Gründung des *Warschauer Paktes* am 14. Mai 1955, zu dessen Unterzeichnerstaaten auch die DDR gehörte. Bereits Anfang 1956 wurde diese mit der *Nationalen Volksarmee* militärischer Teil des sowjetisch beherrschten Ostblocks.

Bonner Außenpolitik im Zeichen der Westbindung

Mit der Herausbildung eines militärischen Gleichgewichts zwischen den beiden atomaren Supermächten seit Mitte der Fünfzigerjahre verfestigte sich der Status quo in Europa und somit auch in Deutschland. Bundeskanzler Adenauer legte den Akzent seiner Außenpolitik auf die Stärkung der westlichen Staatengemeinschaft und die deutsch-französische Aussöhnung. Diesem Ziel dienten die *Gründung der Europäischen Wirtschaftsgemeinschaft* 1957 und der enge Schulterschluss mit dem französischen Staatspräsidenten *Charles de Gaulle*, der seinen Höhepunkt im *deutsch-französischen Freundschaftsvertrag* von 1963 fand (vgl. S. 182).

2.2 „Wirtschaftswunder" und Sozialstaat

▲ *Arbeiter hängen Plakate mit dem Motto der Ersten Industrieausstellung in Düsseldorf auf, Foto von 1952.*

- *Fertigen Sie allein oder in der Gruppe eine Collage zum Thema „Wirtschaftswunder" an.*

Oktober 1949
Der Deutsche Gewerkschaftsbund (DGB) wird als Dachverband von 16 Einzelgewerkschaften gegründet

1950–1956
Staatliche Wohnungsbauprogramme

1952
Das Lastenausgleichsgesetz reguliert Schäden und Verluste aufgrund von Kriegsfolgen

1953
Das Bundesvertriebenengesetz klärt Rechtsstellungs- und Eingliederungsfragen der Vertriebenen und Flüchtlinge; das Bundesentschädigungsgesetz regelt die Wiedergutmachung für NS-Opfer

Januar 1957
Die Rentenreform dynamisiert die Renten, d. h. passt sie an die allgemeine Lohnentwicklung an

Juli 1957
Das Gesetz gegen Wettbewerbsbeschränkungen (Kartellgesetz) wird im Bundestag verabschiedet

November 1959
Mit dem Godesberger Programm bekennt sich die SPD unter Aufgabe marxistischer Positionen zum demokratischen Sozialismus und öffnet sich so neuen Wählerschichten

M1
Der Ausbau des Sozialstaats

Sozialleistungen in Deutschland	1969	1979	1989	2001*
in Milliarden Euro	77,5	222,7	342,0	664,0
in % der Wirtschaftsleistung (Bruttosozialprodukt)	25,4	31,4	30,1	32,0
je Einwohner in Euro	1290	3629	5511	8069

Quelle: BMA und Globus Infografik
** 2001: Gesamtdeutschland*

M2
Wirtschaftswachstum 1950–1989

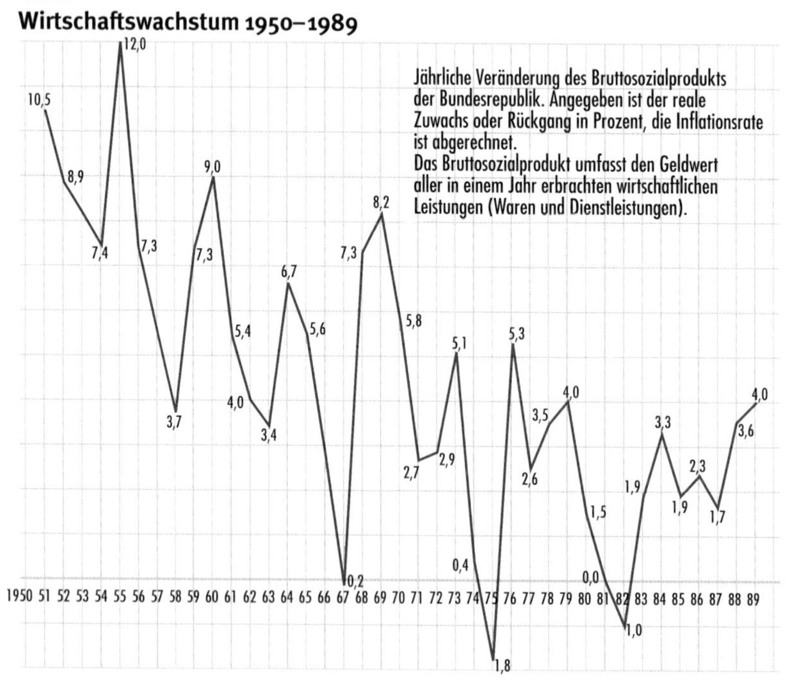

Daten nach: Bundesministerium für Wirtschaft (Hrsg.), Leistung in Zahlen bzw. Wirtschaft in Zahlen, verschiedene Jahrgänge

M3
Zahl der Arbeitslosen 1950–1989

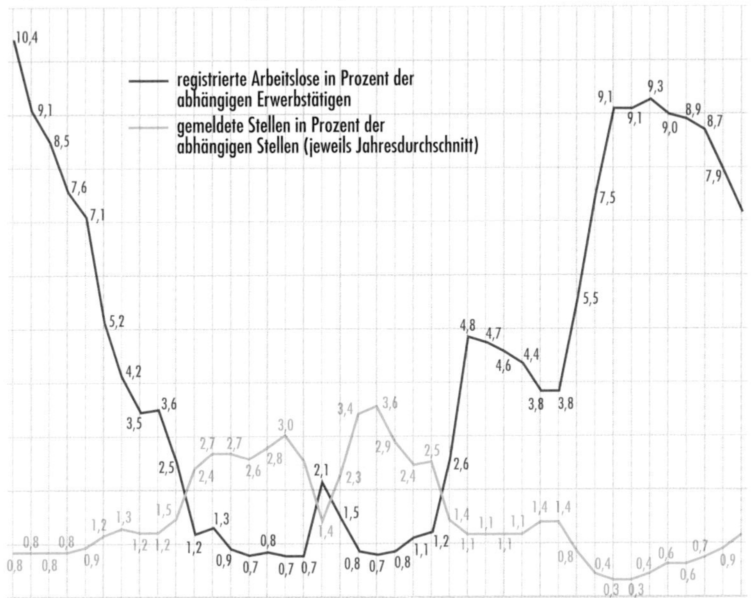

M4
PKW- und LKW-Bestand in Deutschland 1950–2000

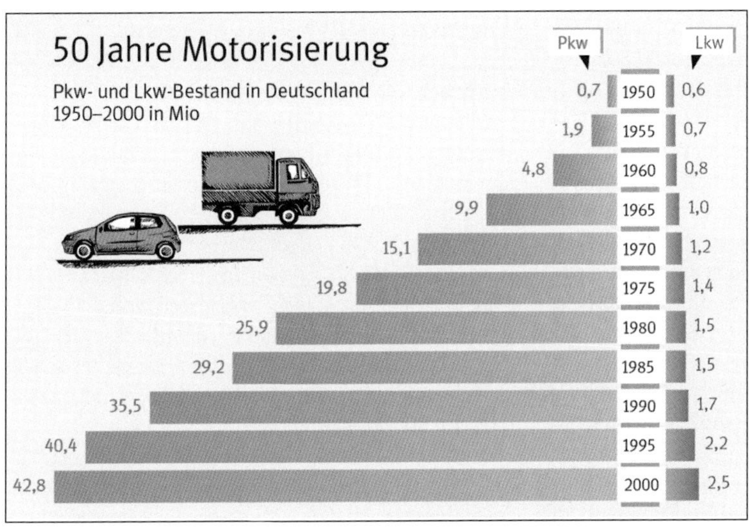

Quelle: Shell, DIW

Vergleichen Sie M 1 bis M 4: Welche Rahmenbedingungen markieren den wirtschaftlichen Aufstieg der Bundesrepublik?

▲ *Der 1 000 000ste Käfer läuft am 6. August 1955 im Volkswagenwerk Wolfsburg vom Band.*

M5
Chancen und Grenzen der Konsumgesellschaft

Der Wirtschaftshistoriker Werner Abelshauser arbeitet Merkmale der bundesdeutschen Konsumgesellschaft heraus.

Überraschenderweise konnte die Konsumgesellschaft Bundesrepublik in vielem, was für sie charakteristisch geworden ist, an die Entwicklung der Dreißigerjahre anknüpfen […].
5 Neu für die Fünfzigerjahre war hingegen, dass der Konsum langlebiger Gebrauchsgüter nicht mehr auf mittlere und gehobene Einkommensklassen begrenzt war, sondern mit wachsendem Realeinkommen in nahezu alle Schichten der Bevölkerung ein-
10 sickerte. Für den Besitz mancher Konsumgüter wie zum Beispiel für Fernsehgeräte, Musiktruhen oder Kühlschränke spielte in der zweiten Hälfte der Fünfzigerjahre die soziale Stellung kaum noch eine bestimmende Rolle. Die „Demokratisierung des
15 Konsums" […] setzte sich […] durch. Kennzeichnend für diese Entwicklung ist das Scheitern schichtspezifisch konzipierter Automobile (z.B. die „Kabinenroller" von Gutbrod, Maico oder Messerschmidt) […] und der Siegeszug des auf technische
20 Funktionalität und ein (Käufer-) schichtübergreifendes Image angelegten Volkswagen-Käfers […].
Das private Automobil wurde in den Fünfzigerjahren zum Schlüsselbegriff für soziales Wohlbefinden, bürgerliches Freiheitsgefühl, wirtschaftliche Er-
25 werbschancen und gesellschaftliches Prestige. Die Konsequenzen, die sich daraus für Städtebau, Siedlungspolitik, Freizeitgestaltung, Kommunikationsverhalten, Wirtschaftsstruktur, Umwelt, ja nahezu für alle Bereiche des menschlichen Lebens ergaben,
30 revolutionierten das Alltagsleben. […]
In dieselbe Richtung zeigten die Herausbildung des Tourismus als Kollektivphänomen und die Expansion des neuen Massenmediums „Fernsehen". Beide ebenfalls epochemachenden Entwicklungen haben
35 in Deutschland ihren Ursprung in den Dreißigerjahren, sodass auch hier auf eigene Erfahrungen zurückgegriffen werden konnte. […]
Es gibt keinen Zweifel daran, dass die Hauptstützen der „Konsumgesellschaft" – Motorisierung,
40 Tourismus und Massenmedien – ihre tiefen Spuren im öffentlichen Bewusstsein und im Lebensgefühl der Massen erst im Laufe der Fünfziger- und Sechzigerjahre hinterlassen haben und daher zu Recht als Ergebnis des Wirtschaftswunders nach dem
45 Zweiten Weltkrieg gesehen werden. […]
Vor der generellen Verbesserung der wirtschaftlichen Lage traten andere Probleme der „Wirtschaftswunderzeit" zurück. […] Je weiter die Motorisierung voranschritt und die Freiheit des Einzelnen zu
50 erweitern versprach, desto mehr stiegen die sozialen Kosten einer „autogerechten" Welt, in der die Mehrheit der Bundesbürger nunmehr wohnen wollte, und verringerten sich in den Verdichtungsräumen des Straßenverkehrs die Entfaltungsmög-
55 lichkeiten des einzelnen Autofahrers. Ursprüngliche Lebensqualität schlug um in Umweltbelastung. Ähnliches gilt für den Massentourismus, dessen Reiz gerade durch die Folgen seiner steigenden Popularität und der Erschwinglichkeit von Pauschal-
60 reisen zwangsläufig Schaden nehmen musste, und für die elektronischen Medien, deren kulturelle Problematik im vollen Maße erst in den Siebzigerjahren erkannt worden ist.
Schließlich: In dem Maße, wie die Bundesrepublik
65 in den Fünfzigerjahren zur Industriegesellschaft par excellence geworden ist, hat sie auch deren außerordentliche Probleme in Kauf nehmen müssen. Hohe Abhängigkeit vom Weltmarkt, von Energieimporten und knappen Rohstoffen, starke Um-
70 weltbelastungen durch industrielle Emissionen und

Abfälle, Zersiedelung der Landschaft durch dezentrale Industrieansiedlung oder Beschäftigungskrisen durch wirtschaftlichen Strukturwandel waren noch keine dringenden Fragen der Sechzigerjahre. Aber 75 alle diese Probleme, die die Bundesrepublik jenseits der „Grenzen des Wachstums" besonders hart trafen, sind in den langen Fünfzigerjahren entstanden.

Werner Abelshauser, Die langen Fünfziger Jahre. Wirtschaft und Gesellschaft der BRD 1949–1966, Düsseldorf 1987, S. 56ff.

1. *Welche positiven und negativen Folgen waren mit der „Demokratisierung" des Konsums verbunden?*
2. *Wie beurteilen Sie aus heutiger Sicht das Konsumverhalten der Menschen damals?*

M6
Die Rolle der Frau

Auszug aus der Rede von Familienminister Franz-Josef Wuermeling (CDU) zum Muttertag 1959:

Die Doppelbelastung unserer Hausfrauen und Mütter in Familie und Beruf ist keine „fortschrittliche Lösung", sondern erzwungenes Unheil. Das wird uns deutlich, wenn wir bedenken, dass und 5 wie sich unter der helfenden Hand der Mutter im Elternhaus gerade die auch für unseren Zusammenhang so grundlegend wichtige religiöse und soziale Erziehung vollzieht. Die Mütter sind es ja, die als erste und am ursprünglichsten in uns Menschen 10 den Gottesglauben und das Wissen um den eigentlichen Sinn und das eigentliche Ziel unseres Lebens als festes religiöses Element allen Ringens und Strebens begründen. Der Mutter zuliebe lernt schon das Kleinkind, gut zu sein und selbstständig zu 15 werden, sich zu beherrschen und sich Fertigkeiten anzueignen. Das tiefe Erleben der Zärtlichkeit, Zusprache und Fürsorge, wie es nur die Mutter zu geben vermag, lehrt uns doch von klein auf, Zuneigung und Liebe zu empfinden und zurückzugeben. 20 Liebende Hingabe der Mutter in ihrer Stetigkeit und Tiefe ist und bleibt aber auch entscheidend für die Entwicklung des größeren Kindes und des Jugendlichen. Mutterliebe und Muttersorge trägt den jungen Menschen hinweg über die Klippen des Bil- 25 dungsweges und die Krisen der Reifezeit, stellt ihm das gute Beispiel vor Augen, vermittelt ihm Leitbilder und Wertmaßstäbe, weckt und stärkt die Kräfte des Gemüts, begleitet ihn mit verstehender und verzeihender Anteilnahme auf dem Weg ins Leben, 30 auf der Suche nach dem eigenen Standort, nach tragenden Interessen, Ideen und Idealen.

Mutterberuf ist daher – auch im Blick auf die gemeinsame europäische Zukunft – Hauptberuf und wichtiger als jeder Erwerbsberuf. Mutterberuf ist 35 Berufung von unermesslicher Tragweite, fortwirkend in Gegenwart und Zukunft. Sobald die Mutter fehlt oder ihren Platz in Familie und Erziehung nicht mehr voll ausführen kann, sind gefährliche Rückwirkungen auf Geist und Gesinnung der 40 nächsten Generation unvermeidlich. Das ist wahrlich nicht zuviel gesagt, wenn wir sehen, dass die heimlichen und guten Verbündeten, die früher einmal die Erziehung im Elternhaus von außen her unterstützen, heute kaum noch so wirksam sind: die 45 Großeltern, die Nachbarschaft, die Überlieferung, die guten Sitten und eine familien- und jugendfreundliche öffentliche Meinung. Stattdessen sind gegen unsere Familien eine Vielzahl von Mächten aufgestanden, die in verhängnisvoller Weise mit ih- 50 rer Erziehung konkurrieren und eindeutig gegen sie wirken: die sogenannten „geheimen Miterzieher und Einflüsterer", wie Film, Funk, Fernsehen, Illustrierte, Reklamen. Gewiss können diese technokratischen Mächte der jungen Generation auch eine 55 Fülle von nützlichen und förderlichen Anregungen und höchst wertvolle erweiterte Bildungsmöglichkeiten bieten. Aber bei uns und allüberall in Europa lässt sich doch feststellen, dass diese Chancen weit weniger genutzt werden, während die unguten 60 Möglichkeiten bis zur höchsten Gefahrensgrenze ausgenutzt werden. Ein Mehr vom Guten und Wertvollen und ein Weniger an Wortlosem und Schlechtem wäre uns allen wahrlich lieber!

So ist die Mutter daheim, zumal der Vater weithin 65 nicht daheim ist, heute noch vielfach wichtiger als früher. Eine Mutter daheim ersetzt vielfach alle Fernsehgeräte, Autos, Musiktruhen und Auslandsreisen, die doch allzu oft mit ihrer den Kindern gestohlenen Zeit bezahlt werden.

70 Auch Europa kann nicht bloß leben von Auto, Bildschirm und technischem Fortschritt – die gern mit Sinn und Vernunft genutzt werden mögen –, Europa wird leben von dem, was mütterliche Herzen in Liebe, Sorge, Aufopferung und Verzicht

in die Seelen unserer heranwachsenden Europäer hinein gesenkt haben. Ein bloßes Europa der Motoren und Maschinen hat kein inneres Fundament, aber ein Europa starker Herzen opferbereiter Mütter, das wird Bestand haben, weil ethische Werte höheren Rang und dauerhafteren Bestand haben als alle Technik, die im Dienste sittlicher Werte stehen muss.

Christoph Kleßmann (Hrsg.), Zwei Staaten, eine Nation. Deutsche Geschichte 1955–1970, 2. Auflage, Bonn 1997, S. 492 f.

1. *Analysieren Sie die Rollen- und Aufgabenverteilung der Geschlechter, wie sie in dieser Rede dargestellt werden. Berücksichtigen Sie dabei, dass im gleichen Zeitraum der Anteil von Frauen an der erwerbstätigen Bevölkerung von 30,2 % (1950) auf 33,4 % (1960) anstieg.*
2. *Erläutern Sie, welche Kontinuitäten in diesen frauen- und familienpolitischen Vorstellungen deutlich werden.*
3. *Vergleichen Sie den damaligen mit dem heutigen Anteil der Frauen an der erwerbstätigen Bevölkerung und diskutieren Sie die Frage, ob sich Ihrer Meinung nach das Rollenbild der Frau in der Gesellschaft grundlegend verändert hat.*

M7

Jugenderinnerungen aus den Fünfzigerjahren

Die Realschullehrerin Magda M. (geb. 1935) beschreibt ihre Erinnerungen an das Familienleben:

Onkel Helmuth, der sich seit 1938 mit den Nazis eingelassen und für die Gauleitung in unserer alten Heimat, in Karlsbad in Böhmen, gearbeitet hatte, war lange Zeit nach dem Krieg noch eine Art Außenseiter in unserer Familie. Meine Mutter hat ihn gelegentlich als „Nazi" bezeichnet, auch vor uns Kindern. Das war gar nicht politisch gemeint. Zumindest nicht in erster Linie. Was sie meinte war: Der Mann hat keine Religion und keine Kultur – er ist ein Banause. Onkel Helmuth war 1938 aus der Kirche ausgetreten. Ich habe ihn auch nie ein Buch lesen sehen. Bildung hatte er nicht, das stimmte schon.

Beides, Religion und Bildung, war in unserer Familie jedoch damals sehr wichtig. Ohne das dreimalige Tischgebet, die 10-Uhr-Messe am Sonntag und die monatlichen Vorstellungen des „Theater- und Kulturvereins", dem wir fast alle angehörten, konnten sich meine Eltern ein Leben als „noch einmal Davongekommene" – wie Vater oft sagte – nicht vorstellen. Der „TKV", an den ich wegen der Schubertabende gerne zurückdenke, nahm keine „Roten" auf. Zumindest wurde das gemunkelt. Ganz abwegig war es vielleicht nicht. Denn die paar Sozialdemokraten, die man in einer Kleinstadt im „schwarzen" Rheinland so kannte, waren alle nicht im „TKV". Heute denke ich manchmal: Vielleicht war denen das aber auch zu bildungsbeflissen und spießig. Wenn ich nämlich heute an so manche Festrede im „TKV" und auch Predigten in „St. Annen" zurückdenke, wie soll ich sagen, wundere ich mich auch. Noch in meiner Trauungspredigt sagte Monsignore Dr. L., ein alter Bekannter meiner Familie und Hölderlinverehrer:

„Wir Deutschen sind wieder Bürger des christlichen Abendlandes. Die braune Pest haben wir mit Gottes Hilfe überstanden. Gegen die rote Flut lasst uns in jeder unserer Familien Deiche bauen – viele kleine christliche Deiche ...!"

Harm Mögenburg, Kalter Krieg und Wirtschaftswunder. Die fünfziger Jahre im geteilten Deutschland (1949–1961), Frankfurt/Main 1993, S. 132 f.

1. *Analysieren Sie das gesellschaftliche und politische Milieu, in dem Magda M. aufgewachsen ist.*
2. *Diskutieren Sie die Rolle, die die nationalsozialistische deutsche Vergangenheit in diesem Milieu gespielt hat.*

M8
Nachruf auf Elvis

Der deutsche Rockmusiker Udo Lindenberg erinnert sich 1980 an seine Jugendzeit:

Damals, 1957, ich war elf, schoss aus dem Radio Elvis Presley mit „Tutti Frutti", und die ersten Takte verbannten meine bisherigen Lieblingslieder „Ave Maria", „Was hat der Hans mit der Grete getan", 5 „Der lachende Vagabund" und sogar „Marina" schlagartig aus meinem Frischlingsherzen. Worum es ging, verstand ich nicht, aber dieser Schluckaufgesang und die elektrisierende Musik rockten mich durch, und ich rannte in die Küche, schnappte 10 Töpfe und Kochlöffel, trommelte die letzte Minute von „Tutti Frutti" mit, und damit war die für mich damals gerade aktuelle Berufsentscheidung zwischen Seefahrer und Trommler gefallen. Elvis Presley hatte mich angezündet, und ich dachte: Jetzt ist 15 Erdbeben. […]

Was mit Elvis' Hüften los war, verstand ich damals auch noch nicht so gut, aber die Mädchen, die mit verdrehten Augen von ihm sprachen, stiegen sehr in meiner Achtung, weil sie einen genauso guten 20 Musikgeschmack hatten wie ich. Erst eine Weile später kriegte ich mit, was an Rock'n'Rollern außer Musik noch wichtig ist. Elvis hatte es drauf: Mit eingebauten Kugellagern in den Gelenken und dem verträumt-trotzig-verletzbaren Erosblick hat er so- 25 gar den aufrechten Westfälinnen in meiner kleinen Heimatstadt Gronau in die Unterkleider geguckt.

Er hat uns gegen unsere Eltern, denen ja sonst alles gehörte, etwas Eigenes gegeben. Bis jetzt hatten wir immer nur zu hören bekommen: „Dafür bist du 30 noch zu jung." Mit Elvis in den Ohren konnten wir zurückbrüllen: „Dafür seid ihr schon zu alt." […]

So kriegte ich durch Elvis auch Bill Haley mit, den es schon vorher gab, und bald hatte ich eine Sammlung von Platten mit „Amigeheul" und „Ne- 35 germusik", und meine Oma fiel in Ohnmacht.

Christoph Kleßmann und Georg Wagner (Hrsg.), Das gespaltene Land. Leben in Deutschland 1945 bis 1990, München 1993, S. 294 f.

▲ *„Teenager" beim Boogie-Woogie. Foto, um 1950.*

1. *Vergleichen Sie M 7 und M 8. Analysieren Sie Differenzen und Gemeinsamkeiten in Milieu und Weltbild.*
2. *Vergleichen Sie die beiden Berichte in M 7 und M 8 mit Ihren eigenen Lebensumständen heute. Beschreiben Sie die Unterschiede im Verhältnis zu den Eltern sowie Änderungen im jugendlichen Lebensgefühl und Lebensstil zwischen damals und heute.*

Die akzeptierte Demokratie

Im Gegensatz zu den Verhältnissen in der Weimarer Republik entwickelte sich die Bundesrepublik zu einem politisch stabilen Staat. Vor allem das *Wirtschaftswunder*, der Aufbau des Sozialstaates (siehe Seite 88) und die Handlungsfähigkeit der Regierungen unter Bundeskanzler Konrad Adenauer (1949–1963) festigten die Bonner Demokratie.

1949 war die Gefahr einer politischen Radikalisierung der Bevölkerung angesichts ungesicherter wirtschaftlicher Verhältnisse, Arbeitslosigkeit, sozialer Not und eines nicht gering zu veranschlagenden Potenzials politisch Unbelehrbarer noch durchaus real. Als die Besatzungsmächte Anfang 1950 den *Lizenzzwang für politische Parteien* aufhoben, entstanden in kurzer Zeit rund 30 neue, zumeist nationale und rechtsextremistische Parteien.

Nach der zweiten Bundestagswahl 1953 setzte eine Entwicklung ein, die bis Anfang der Achtzigerjahre kennzeichnend für das Parteiensystem der Bundesrepublik und die Mehrheitsverhältnisse im Bundestag blieb: Die Zahl der im Bundestag vertretenen Parteien nahm stark ab, und die insgesamt auf die beiden großen Gruppierungen Unionsparteien und Sozialdemokratie entfallenden Stimmen nahmen zu. CDU/CSU, SPD und FDP waren und blieben die bestimmenden politischen Parteien (vgl. die Ergebnisse der Bundestagswahlen 1949 bis 2002 am Ende des Buches).

Herausbildung der Volksparteien

Mit den Wahlerfolgen Adenauers bildete sich in der Bundesrepublik ein neuer Parteientypus heraus – die *Volkspartei*. Die CDU (und in Bayern die CSU) entwickelte sich zu einer bürgerlichen Sammlungsbewegung, die für alle großen sozialen Gruppen und Schichten wählbar war. Pragmatisch suchte sie den Ausgleich zwischen den verschiedenen sozialen Interessen und innerparteilichen Gruppierungen.

Nach mehreren empfindlichen Wahlniederlagen wandelte sich auch die klassische Arbeiterpartei SPD zu einer modernen Volkspartei. Die Wähler hatten ihre grundsätzliche Opposition gegen die Außen- und Wirtschaftspolitik der Regierung Adenauer nicht belohnt. Sozialdemokratische Landespolitiker und Reformer in der Parteiführung wie *Willy Brandt* und *Herbert Wehner* setzten einen Kurswechsel durch. Dieser fand seinen Niederschlag in einem neuen Parteiprogramm, dem *Godesberger Programm* von 1959, das an die Stelle des marxistisch orientierten Heidelberger Programms von 1925 trat. Die nun ebenfalls vertretene Politik der Westintegration und der Sozialen Marktwirtschaft öffnete die SPD für neue Wählerschichten, die sich von einer gemäßigt linken reformistischen Volkspartei, orientiert an den Grundwerten Freiheit, Gerechtigkeit und Solidarität, angesprochen fühlten.

Der scharfe Gegensatz zwischen Unionsparteien und SPD verschwand, Koalitionen zwischen ihnen wurden denkbar. Allein die FDP konnte sich zwischen beiden Großparteien als „dritte Kraft“ halten, getragen von ihrer Klientel aus meist Akademikern und Selbstständigen. In den Jahren 1949 bis 1956 und 1961 bis 1966 regierte die FDP als Partner der Union mit.

Politisches Klima im Zeichen des Antikommunismus

Unter Politikern und Bürgern verbreitet war das Gefühl, vom Sowjetkommunismus bedroht zu sein. Begründet war diese Einstellung zum einen in der erfolgreichen jahrelangen Propaganda der Nationalsozialisten vom „bolschewistischen Untermenschen". Hinzu kamen die Erfahrungen und Ereignisse der Nachkriegszeit: Gefangenschaft in der Sowjetunion, Plünderungen und Vergewaltigungen, Flucht und Vertreibung, sowjetische Reparationspolitik und Regierungsmaßnahmen der SED. Der Antikommunismus diente dabei als Integrationsideologie für die noch ungefestigte Demokratie in Westdeutschland.

Die westdeutsche KPD war ein Instrument der SED, weitgehend von Ostberlin finanziert und gelenkt. Obwohl zahlenmäßig unbedeutend, galt sie als eine Gefahr für die demokratische Verfassungsordnung. Deshalb ging die Bundesregierung straf- und dienstrechtlich gegen Kommunisten im öffentlichen Dienst vor; verschiedene der KPD nahestehende Organisationen wurden für verfassungswidrig erklärt, ihre Mitglieder mit Billigung der Arbeitsgerichte aus dem öffentlichen Dienst entlassen, bis schließlich die Partei 1956 vom Bundesverfassungsgericht verboten wurde[1].

Der Antikommunismus wurde aber auch parteipolitisch instrumentalisiert, wenn die Regierungsparteien oppositionelle Kritik an den Eigentumsverhältnissen und außerparlamentarische Aktionen gegen die Außenpolitik Adenauers als kommunistisch inspiriert diffamierten. Eine Neigung zur vereinfachenden Schwarz-Weiß-Malerei in der bundesdeutschen Gesellschaft – hier die heile Welt des Westens, dort die böse kommunistische Welt des Ostens – war nicht zu übersehen.

▲ *Wahlplakate der FDP und der CDU zur Bundestagswahl 1953.*

[1] *Als erste Partei in der Bundesrepublik hatte das Bundesverfassungsgericht bereits 1952 die Sozialistische Reichspartei (SRP) als Nachfolgeorganisation der NSDAP verboten.*

Der Sozialstaat schafft Stabilität

Als ein wichtiger Stützpfeiler der jungen Demokratie erwies sich ihre erfolgreiche Sozialpolitik (➧ M 1). Das *Sozialstaatsgebot* des Grundgesetzes (Artikel 20 Absatz 1) legte den Staat auf eine Politik zur Verwirklichung von sozialer Gerechtigkeit und sozialer Sicherheit fest. Die Freiheitsrechte des Menschen als Kernbestand der neuen Verfassung sollten auch für die sozial und wirtschaftlich Schwachen realisiert werden. Denn die Not weiter Teile der Bevölkerung am Ende der Weimarer Republik und deren Anfälligkeit für die Schlagworte radikaler Parteien waren noch in lebhafter Erinnerung. Ohne sozialen Frieden im Land würde der politische und wirtschaftliche Wiederaufbau nicht gelingen, die Demokratie nicht Wurzeln schlagen – darin waren sich alle maßgeblichen politischen Kräfte einig.
Zunächst ging es um die *Bewältigung der unmittelbaren Kriegsfolgen*. In einer im Rückblick erstaunlich kurzen Zeit gelang es dem Gesetzgeber, diese außergewöhnliche Herausforderung rechtlich und materiell zu bewältigen. Auf die *Kriegsopferversorgung* (1950) für 4,5 Millionen Menschen folgten gesetzliche Maßnahmen zum Schutz und zur beruflichen Wiedereingliederung von *Schwerbeschädigten* (1953) und umfangreiche Hilfen für Vertriebene (*Bundesvertriebenengesetz*, 1953).
Mit dem *Lastenausgleichsgesetz* (1952) wurden die Mitbürger entschädigt, die durch Krieg und Vertreibung ihr Hab und Gut verloren hatten (vgl. S. 29 f.). Für die vom NS-Regime in Deutschland aus rassischen, politischen und religiösen Gründen Verfolgten sah das *Bundesentschädigungsgesetz* (1953) Wiedergutmachungsleistungen in Form von Renten, Beihilfen etc. vor (Gesamtaufwand bis 1999 etwa 53 Mrd. Euro). Auch die staatliche Förderung des *Wohnungsbaus* trug entscheidend dazu bei, die Notsituation der Nachkriegszeit zu überwinden. Bis 1961 wurden sechs Millionen neue Wohnungen gebaut.
Eine der wichtigsten sozialpolitischen Neuerungen der Nachkriegszeit brachte die *Rentenreform* von 1957, bei der die Renten um 60 Prozent erhöht und – das war das Neue – jährlich an die allgemeine Lohnentwicklung angepasst („dynamisiert") wurden. Erstmals wurde der Zirkel von Alter und Armut durchbrochen.

Das „Wirtschaftswunder"

Die Grundlage aller staatlichen Sozialleistungen war der unerwartet rasche wirtschaftliche Aufstieg (➧ M 2). Das reale Bruttosozialprodukt nahm in den Fünfzigerjahren jährlich um acht Prozent zu, zwischen 1950 und 1970 verdreifachte es sich nahezu. Entsprechend wuchs das verfügbare Einkommen der Arbeitnehmer. Ab 1959 herrschte Vollbeschäftigung, ausländische Arbeitnehmer *(Gastarbeiter)* wurden angeworben. Populäres Symbol des „Wirtschaftswunders" war Wirtschaftsminister Ludwig Erhard. Die Erfolge seines Konzeptes der „Sozialen Marktwirtschaft" waren spätestens 1952 unübersehbar. Der wirtschaftliche Aufschwung, der zu Vollbeschäftigung, wachsendem Wohlstand und einem erfolgreichen Strukturwandel der Wirtschaft (Schrumpfen der Landwirtschaft, Anwachsen von produzierendem Gewerbe und vor allem des Dienstleistungssektors) führte (➧ M 2–3), wurde von mehreren Faktoren begünstigt:
- Es gab genügend qualifizierte und motivierte Arbeitskräfte;
- eine zunächst bewusst zurückhaltende Tarifpolitik der Gewerkschaften versetzte die Unternehmen in die Lage, ihre Gewinne zu einem großen Teil für Investitionen zu verwenden (Selbstfinanzierung);

- vorhanden war eine gut ausgebaute und moderne industrielle Infrastruktur (Maschinen und Fabrikanlagen) – die Kriegsschäden waren geringer als befürchtet;
- es gab eine gewaltige Nachfrage nach Konsum- und Investitionsgütern aller Art (Nachholbedarf) sowie nach Wohnungen;
- nicht zu unterschätzen sind die psychologischen Faktoren wie Zukunftsvertrauen der Bevölkerung, Überlebenswille, Sehnsucht nach Normalität;
- in Engpass-Sektoren (Wohnungen, Grundnahrungsmittel und Energie) wurde die staatliche Verwaltungswirtschaft noch eine Zeitlang beibehalten, bis sich die Märkte normalisiert hatten;
- der Güteraustausch mit Amerika erlaubte die Einfuhr moderner Technologien in die Bundesrepublik;
- der durch den Krieg in Korea 1950 einsetzende Boom des Welthandels förderte den Export von Produkten „Made in Germany" (Maschinenbau, Fahrzeuge, elektrische und chemische Erzeugnisse);
- ab 1958 erfuhr der deutsche Außenhandel einen weiteren Impuls durch die Europäische Wirtschaftsgemeinschaft (siehe Seite 190 f.);
- seit 1957 sorgte die von Weisungen der Bundesregierung unabhängige Deutsche Bundesbank für die Stabilität der „harten" D-Mark.

▲ *Der „Vater des Wirtschaftswunders", Ludwig Erhard, posiert mit seinem Markenzeichen, einer Zigarre, für ein Werbebild, Foto von 1959.*

Von der Arbeits- zur Konsumgesellschaft

Insgesamt wurde die Verbesserung der Lebensverhältnisse für die große Masse der Bundesbürger erst gegen Ende der Fünfzigerjahre zu einer realen Erfahrung. Bis Mitte des Jahrzehnts betrug die durchschnittliche Wochenarbeitszeit in der Industrie über 49 Stunden, der Samstag wurde erstmals 1956 für die Metallarbeiter zum arbeitsfreien Tag, der Jahresurlaub betrug zwei bis drei Wochen.
Wer sich als Unternehmer oder Freiberufler betätigte, konnte den Wohlstand wesentlich früher genießen. Die „Neureichen" zeigten, was sie hatten. Das störte aber nur die wenigsten. Der naheliegende Vergleich mit der Kriegs- und unmittelbaren Nachkriegszeit sorgte für eine ausgeprägt optimistische Grundstimmung und einen ungetrübten Fortschrittsglauben. Nach der „Fresswelle" der Anfangsjahre folgten „Kaufwelle" (langlebige Gebrauchsgüter, Möbel), „Reisewelle" (Italien war das Traumland der Deutschen) und schließlich die „Motorisierungswelle" (➧ M 4). Bei den Einkommen und Vermögen kam es freilich nicht zu einer Angleichung zwischen den gesellschaftlichen Gruppen. Selbstständige verdienten dreimal so viel wie ein Arbeitnehmer und Mitte der 1960er-Jahre gehörten 1,7 Prozent der Bundesbürger 74 Prozent des Produktivvermögens (Unternehmen, Aktien).

▲ *Filmplakat „Die Halbstarken“, 1956.*

Lebensformen, Mentalitäten

Kennzeichnend für die Gründerjahre der Bundesrepublik war der Wille, die „verlorenen Jahre“ im Zeichen des anhebenden Wohlstandes nachzuholen (▸ M 5). Eine kollektive Sehnsucht nach bürgerlicher Normalität hatte diejenigen gepackt, die „noch einmal davongekommen“ waren. Das hieß konkret: viel und gerne arbeiten, in der Familie leben, die Konsumfreiheit genießen. Von der Politik wollte die große Mehrheit der Westdeutschen in Ruhe gelassen werden – eine Reaktion auf die permanente politische Mobilisierung während der NS-Zeit. Das galt vor allem für die Jugendlichen („skeptische Generation“), für die Politik und Staat nur abstrakte Begriffe blieben.
Auf die Rückwendung zu den Werten und Lebensgewohnheiten der Vorkriegszeit folgte in der zweiten Hälfte der Fünfzigerjahre eine Welle der Veränderungen. Die Bundesrepublik entwickelte sich zu einer modernen Industriegesellschaft, die sich wirtschaftlich und mentalitätsmäßig nach außen öffnete. Bindungen an Familie und Kirche verloren an Gewicht (▸ M 6). Nichts prägte das Lebensgefühl breiter Schichten so stark wie der einsetzende Auslandstourismus. Wesentliche Begleiterscheinungen des Massenwohlstandes wie Motorisierung, besseres Wohnen, gewandeltes Freizeitverhalten veränderten das Bild der Städte und Dörfer. Neue Industriegebiete, Straßen, Autobahnen und Hochhäuser entstanden. Die Kehrseite dieser Entwicklung – Lärm, Zersiedelung, Gewässerverschmutzung, Unfalltote – wurde hingenommen. Die Technikbegeisterung der Deutschen war ungebrochen und der „American way of life“ das große Vorbild. Die vom Ausland so misstrauisch beäugten „unruhigen Deutschen“ schienen mit sich und der Welt zufrieden und für kollektive Hysterie nicht mehr anfällig zu sein. Umso erschreckter zeigte sich die Öffentlichkeit über die „Halbstarkenkrawalle“ der Jahre 1956/58 in vielen Städten. Eine von Amerika ausgehende Massenkultur in Mode („Jeans“) und Musik („Rock ’n’ Roll“) verband sich überall in Westeuropa mit dem Protest und einem veränderten Lebensgefühl vieler Jugendlicher, die nach Freiräumen von Arbeitsethos und Bürgerlichkeit verlangten (▸ M 7–8).

2.3 Aufbruchstimmung im Zeichen der sozial-liberalen Koalition

▲ *Kniefall Willy Brandts am Mahnmal für die Opfer des Warschauer Gettos. Foto vom 7. Dezember 1970. Mit dieser spontanen Geste während seines Staatsbesuches gedachte Brandt der polnischen Juden, die 1943 beim Aufstand im Warschauer Ghetto von Deutschen ermordet worden waren. Sowohl die deutsche wie auch die polnische Öffentlichkeit äußerte Kritik an diesem symbolischen Ausdruck übernommener Verantwortung. 1971 erhielt Willy Brandt für seine Ostpolitik den Friedensnobelpreis.*

11.-17. April 1968
Nach dem Mordanschlag auf Rudi Dutschke kommt es zu Massendemonstrationen und gewaltsamen Auseinandersetzungen

30. Mai 1968
Die Notstandsgesetzgebung wird im Bundestag verabschiedet

21. Oktober 1969
Willy Brandt wird zum Bundeskanzler gewählt

3. Dezember 1971
Das Transitabkommen regelt den zivilen Durchreiseverkehr zwischen der Bundesrepublik und Westberlin

3. Juni 1972
Die Ost-Verträge und das Berliner Viermächte-Abkommen treten in Kraft

21. Dezember 1972
Der Grundlagenvertrag tritt in Kraft: Die Bundesrepublik und die DDR vereinbaren darin, „gutnachbarliche Beziehungen“ zu entwickeln

M1
Die 68er – eine kritische Bilanz

Im Jahr 1999, anlässlich des 50-jährigen Bestehens der Bundesrepublik Deutschland, analysiert der Politologe Kurt Sontheimer die Bedeutung der 68er-Bewegung.

Die Revolte der 68er-Generation hätte freilich nicht losbrechen können, wäre da nicht in der Politik und Gesellschaft der Bundesrepublik nach dem Ende der Ära Adenauer das breite Verlangen nach 5 einer gründlichen Reform der Demokratie und der Gesellschaft sowie nach einer Neuorientierung der Außenpolitik im Zeitalter der anhebenden Entspannung lebendig gewesen, aber diese Reaktion schoss weit über jedes vernünftige und realistische Ziel 10 hinaus; sie versuchte, an den Grundfesten der bestehenden Ordnung zu rütteln, anstatt diese Ordnung reformfähiger, flexibler und demokratischer zu gestalten.

Bilanzieren wir in aller Kürze die politischen Ziele 15 und Verhaltensweisen der 68er und deren Folgen im Einzelnen:

1. *Geistig-ideologisch:* Sie glaubten an die Notwendigkeit von Utopien und kehrten zurück zu einem gebundenen, ideologischen Denken, das im We- 20 sentlichen vom Marxismus inspiriert war. [...]

2. *Demokratisierung:* Die 68er stritten für die Demokratisierung aller Gesellschaftsbereiche, für ein Höchstmaß an Partizipation und für die Abschaffung der repräsentativen Demokratie, die sie für 25 eine autoritäre Missgeburt hielten. In ihrer politischen Praxis waren die 68er arg undemokratisch. Sie missachteten die demokratischen Regeln politischer Auseinandersetzung, manipulierten ihre Versammlungen und ihre Anhänger und ließen ihre 30 Gegner oft nicht zu Wort kommen. Sie haben die demokratische Praxis der Bundesrepublik nicht wirklich bereichert, sondern um destruktive Verhaltensweisen erweitert, die teils manipulativ-autoritär, teils intolerant bis hin zur gewaltsamen Nötigung 35 waren.

3. *Gewalt und Terrorismus:* Die studentische Protestbewegung hat die Spirale der Gewaltanwendung, die im Terrorismus der Siebzigerjahre ihren schrecklichen Höhepunkt erreichte, in Bewegung 40 gesetzt. Dies geschah zuerst durch die Infragestellung des staatlichen Gewaltmonopols und die Rechtfertigung von Gegengewalt, schließlich durch den blanken Mord von Symbolfiguren des verhassten politischen und kapitalistischen Systems. [...]

45 5. *Eine alternative Gesellschaft:* Die wesentlichen Zielsetzungen der 68er-Bewegung waren politisch; sie wollten nichts Geringeres als die Revolution, die Umwälzung der bestehenden Machtverhältnisse, die Überwindung des Kapitalismus durch einen ir- 50 gendwie gearteten Sozialismus, lauter irreale Utopien, die sie gleichwohl für real hielten. Sie scheiterten kläglich, weil sie auf der Suche nach dem „revolutionären Subjekt" nur sich selber, die ohnmächtigen Randgruppen und die arme Dritte Welt 55 fanden. Doch ihr politisches Scheitern ließ sich immer wieder kaschieren oder kompensieren durch ihre unbestreitbar großen und nachhaltigen gesellschaftlichen und kulturellen Wirkungen. Die 68er räumten nicht mit den etablierten Autoritäten auf, 60 soweit sie konnten, sie setzten nicht bloß noch bestehende Tabus außer Kraft, sie demonstrierten auch durch ihr soziales Verhalten: durch die Gründung von libertären Wohngemeinschaften, durch die Pflege bewusst alternativer Lebensstile, durch 65 eine provozierende Lässigkeit ihrer Mode und Haartracht, dass sie die Formen und Konventionen der bürgerlichen Gesellschaft verachteten. Davon ist, dank der flinken Anpassungsbereitschaft der Mode- und Kulturindustrie, vieles bis heute erhal- 70 ten geblieben. [...]

Niemand kann sagen, was aus der Bundesrepublik geworden wäre, wenn es die 68er-Revolte und die von ihr geprägte Generation nicht gegeben hätte. Wenn es trotzdem, historisch betrachtet, einiger- 75 maßen gut ging in und mit der Bundesrepublik, so ist dies jedenfalls kein wesentliches Verdienst der 68er, eher ein Erfolg der Institutionen, die sie hatten erobern wollen.

Kurt Sontheimer, So war Deutschland nie. Anmerkungen zur politischen Kultur der Bundesrepublik, München 1999, S. 108ff.

1. *Charakterisieren Sie den Widerspruch zwischen Anspruch und Wirklichkeit, den Sontheimer bei den 68ern sieht.*
2. *Erläutern sie die Langzeitwirkung der 68er-Bewegung nach Meinung Sontheimers.*

M2
Kulturrevolution

Joschka Fischer, Mitglied der Grünen und von 1998 bis 2005 Bundesaußenminister, erläutert die Bedeutung von 1968.

Das Jahr 1968 enthält mehr an Bedeutung. Es ist bis heute neben den damaligen konkreten Ereignissen Metapher für eine fundamentale Veränderung der westlichen Gesellschaften geblieben, die der Übergang vom klassischen Industriekapitalismus zum Konsumkapitalismus mit sich gebracht hat, in Westeuropa zudem noch geprägt durch das Ende des Wiederaufbaus nach dem Zweiten Weltkrieg. [...] Insofern war 1968 vor allem eine Kulturrevolution [...], und genau in diesem Faktum liegt auch die anhaltende und mittlerweile historisch zu nennende Wirkung der damaligen Zäsur.

All dies galt auch und gerade im Westen Deutschlands, nur dass dort noch zwei zusätzliche politische Faktoren eine prägende Rolle spielen sollten: erstens die langsam sich durchsetzende Demokratisierung der von den Westalliierten den Westdeutschen aufgezwungenen Bundesrepublik Deutschland. Denn man vergesse nicht, dass noch 1969, bei der ersten von Sozialdemokraten geführten Bundesregierung, ernsthaft die Frage aufgeworfen wurde, ob die deutschen Konservativen den demokratischen Machtwechsel akzeptieren würden oder nicht. Heute erscheint dies von unwirklicher Absurdität.

Ebensowenig darf man vergessen, dass nahezu alle westdeutschen Eliten durchwebt waren von den Mitläufern und Mittätern des Adolf Hitler. Und dies führt direkt zum zweiten Punkt, an dem sich die Bundesrepublik von ihren westlichen Nachbarn unterschied, nämlich dem bitteren Konflikt zwischen den Generationen, der Hitler-Generation und ihren erwachsen gewordenen Kindern. Die Geschichte von 1968 in Westdeutschland und vor allem der folgenden Jahre bis hin zum linksradikalen Terrorismus ist ohne diesen Generationenkonflikt nicht zu verstehen.

Das Deutschland vor der Studentenrevolte und das Deutschland danach waren zwar dasselbe geblieben, und doch hatte sich die Alltagskultur, das normative Gefüge der Gesellschaft und ihr gesamter Lebensrhythmus, grundlegend geändert. Vieles von dem, was in diesen magischen Jahren und seinen Folgen zusammenfloss, war zuvor in der westdeutschen Republik entwickelt worden.

Andere Tendenzen und Kräfte wirkten von außen – etwa der Vietnam-Krieg, der Übergang zum westlichen Konsumkapitalismus, die Popkultur. Aber es war das Jahr 1968, in dem all diese Kräfte, Tendenzen, Strömungen und Ereignisse sich zu einem explosionsfähigen Gemisch verbunden hatten und dann auch explodierten. [...]

Dass das politische System und die demokratische Kultur heute weitaus durchlässiger, anpassungsfähiger und offener gegenüber neuen Herausforderungen geworden sind, als dies für das damalige politische System Westdeutschlands galt, ist eine bleibende Leistung des magischen Jahres 1968.

Spiegel-Spezial, Nr. 9, 1998, S. 59–61

▲ *Studentische Protestaktion während des Rektorenwechsels an der Hamburger Universität, Foto von 1967.*

1. *Erläutern Sie die Bedeutung des Jahres 1968 als Zäsur, die Fischer sieht.*
2. *Wie bewertet Fischer die langfristigen Wirkungen von 1968?*
3. *Vergleichen Sie M 1 und M 2. Analysieren Sie Unterschiede und Gemeinsamkeiten in der Bewertung.*
4. *Diskutieren Sie die historische Bedeutung von 1968.*

M3
Mehr Demokratie wagen

Am 28. Oktober 1969 tritt Bundeskanzler Willy Brandt mit seiner ersten Regierungserklärung vor den Deutschen Bundestag.

Wir wollen mehr Demokratie wagen. Wir werden unsere Arbeitsweise öffnen und dem kritischen Bedürfnis nach Information Genüge tun. Wir werden darauf hinwirken, dass durch Anhörungen im Bundestag, durch ständige Fühlungnahme mit den repräsentativen Gruppen unseres Volkes und durch eine umfassende Unterrichtung über die Regierungspolitik jeder Bürger die Möglichkeit erhält, an der Reform von Staat und Gesellschaft mitzuwirken.
Wir wenden uns an die im Frieden nachgewachsenen Generationen, die nicht mit den Hypotheken der Älteren belastet sind und belastet werden dürfen; jene jungen Menschen, die uns beim Wort nehmen wollen – und sollen. Diese jungen Menschen müssen aber verstehen, dass auch sie gegenüber Staat und Gesellschaft Verpflichtungen haben. [...]
Mitbestimmung, Mitverantwortung in den verschiedenen Bereichen unserer Gesellschaft wird eine bewegende Kraft der kommenden Jahre sein. Wir können nicht die perfekte Demokratie schaffen. Wir wollen eine Gesellschaft, die mehr Freiheit bietet und mehr Mitverantwortung fordert. Diese Regierung sucht das Gespräch, sie sucht kritische Partnerschaft mit allen, die Verantwortung tragen, sei es in den Kirchen, der Kunst, der Wissenschaft und der Wirtschaft oder in anderen Bereichen der Gesellschaft. [...]
Die Regierung kann in der Demokratie nur erfolgreich wirken, wenn sie getragen wird vom demokratischen Engagement der Bürger. Wir haben so wenig Bedarf an blinder Zustimmung, wie unser Volk Bedarf hat an gespreizter Würde und hoheitsvoller Distanz. Wir suchen keine Bewunderer; wir brauchen Menschen, die kritisch mitdenken, mitentscheiden und mitverantworten.
Das Selbstbewusstsein dieser Regierung wird sich als Toleranz zu erkennen geben. Sie wird daher auch jene Solidarität zu schätzen wissen, die sich in Kritik äußert. Wir sind keine Erwählten; wir sind Gewählte. Deshalb suchen wir das Gespräch mit allen, die sich um diese Demokratie mühen.
In den letzten Jahren haben manche in diesem Lande befürchtet, die zweite deutsche Demokratie werde den Weg der ersten gehen. Ich habe dies nie geglaubt. Ich glaube dies heute weniger denn je. Nein: Wir stehen nicht am Ende unserer Demokratie, wir fangen erst richtig an. Wir wollen ein Volk der guten Nachbarn werden im Innern und nach außen.

Klaus von Beyme, Die großen Regierungserklärungen der deutschen Bundeskanzler von Adenauer bis Schmidt, München/Wien 1979, S. 252, 281

1. *Arbeiten Sie die zentralen Begriffe heraus, mit denen der neugewählte Bundeskanzler unterstreichen wollte, dass eine neue Ära beginnt.*
2. *Erläutern Sie den Begriff der „kritischen Partnerschaft" im Kontext.*
3. *Einige Passagen der Rede Brandts erregten Anstoß bei den Unionsparteien und in der konservativen Publizistik. Arbeiten Sie diese heraus. Warum wurden sie von den politischen Gegnern der sozial-liberalen Koalition kritisiert?*
4. *Beurteilen Sie die Rede aus heutiger Sicht. Fühlen Sie sich von dieser Rede angesprochen? Begründen Sie Ihre Einschätzung.*

M4
Wandel durch Annäherung

Vor der Evangelischen Akademie Tutzing erläutert der Leiter des Presse- und Informationsamtes des Landes Berlin und enger Vertrauter Willy Brandts, Egon Bahr, am 15. Juli 1963 die Grundzüge der neuen Ostpolitik.

Die Änderung des Ost-West-Verhältnisses, die die USA versuchen wollen, dient der Überwindung des Status quo, indem der Status quo zunächst nicht verändert werden soll. Das klingt paradox, aber es eröffnet Aussichten, nachdem die bisherige Politik des Drucks und Gegendrucks nur zu einer Erstarrung des Status quo geführt hat. Das Vertrauen darauf, dass unsere Welt die bessere ist, die im friedlichen Sinne stärkere, die sich durchsetzen wird, macht den Versuch denkbar sich selbst und die andere Seite zu öffnen und die bisherigen Befreiungsvorstellungen zurückzustellen. [...] Die

▲ *Warteschlange vor der Antragstelle für Passierscheine in Westberlin, Foto vom 19. Dezember 1963. Aufgrund eines Passierscheinabkommens konnten erstmals nach dem Mauerbau über 1,2 Millionen Westberliner ihre Verwandten in Ostberlin besuchen. Grundlegende Verbesserungen für Reisemöglichkeiten brachte allerdings erst das Berlin-Abkommen von 1971.*

erste Folgerung, die sich aus einer Übertragung der Strategie des Friedens auf Deutschland ergibt, ist, 15 dass die Politik des Alles oder Nichts ausscheidet. Entweder freie Wahlen oder gar nicht, entweder gesamtdeutsche Entscheidungsfreiheit oder ein hartes Nein, [...] das alles ist nicht nur hoffnungslos antiquiert und unwirklich, sondern in einer Strategie 20 des Friedens auch sinnlos. Heute ist klar, dass die Wiedervereinigung nicht ein einmaliger Akt ist, der durch einen historischen Beschluss an einem historischen Tag auf einer historischen Konferenz ins Werk gesetzt wird, sondern ein Prozess mit vielen 25 Schritten und vielen Stationen. Wenn es richtig ist, was Kennedy sagte, dass man auch die Interessen der anderen Seite anerkennen und berücksichtigen müsse, so ist es sicher für die Sowjetunion unmöglich sich die Zone zum Zwecke einer Verstärkung 30 des westlichen Potentials entreißen zu lassen. Die Zone muss mit Zustimmung der Sowjets transformiert werden. Wenn wir soweit wären, hätten wir einen großen Schritt zur Wiedervereinigung getan. [...] Das ist eine Politik, die man auf die Formel 35 bringen könnte: Wandel durch Annäherung. Ich bin fest davon überzeugt, dass wir Selbstbewusstsein genug haben können, um eine solche Politik ohne Illusion zu verfolgen, die sich außerdem nahtlos in das westliche Konzept der Strategie des Frie- 40 dens einpasst, denn sonst müssten wir auf Wunder warten und das ist keine Politik.

Archiv der Gegenwart 33, 1963, S. 10700 f.

Erläutern Sie, worin das grundlegend Neue der sozial-liberalen Ostpolitik bestand.

M5
Grundlagenvertrag zwischen der Bundesrepublik und der DDR

Am 21. Dezember 1972 unterzeichnen die Vertreter der Bundesrepublik und der DDR den Vertrag über die Grundlagen der Beziehungen zwischen den beiden deutschen Staaten, der am 6. Juni 1973 in Kraft trat.

Die hohen Vertragschließenden Seiten, [...] sind wie folgt übereingekommen:
Art. 1: Die Bundesrepublik Deutschland und die Deutsche Demokratische Republik entwickeln nor-
5 male gutnachbarliche Beziehungen zueinander auf der Grundlage der Gleichberechtigung. [...]
Art. 3: Entsprechend der Charta der Vereinten Nationen werden die Bundesrepublik Deutschland und die Deutsche Demokratische Republik ihre
10 Streitfragen ausschließlich mit friedlichen Mitteln lösen und sich der Drohung von Gewalt oder der Anwendung von Gewalt enthalten. Sie bekräftigen die Unverletzlichkeit der zwischen ihnen bestehenden Grenze jetzt und in der Zukunft. [...]
15 Art. 4: Die Bundesrepublik Deutschland und die Deutsche Demokratische Republik gehen davon aus, dass keiner der beiden deutschen Staaten den anderen international vertreten oder in seinem Namen handeln kann. [...]
20 Art. 7: Die Bundesrepublik Deutschland und die Deutsche Demokratische Republik erklären ihre Bereitschaft, im Zuge der Normalisierung ihrer Beziehungen praktische und humanitäre Fragen zu regeln. Sie werden Abkommen schließen, um auf der
25 Grundlage dieses Vertrages und zum beiderseitigen Vorteil die Zusammenarbeit auf dem Gebiet der Wirtschaft, der Wissenschaft und Technik, des Verkehrs, des Rechtsverkehrs, des Post- und Fernmeldewesens, der Kultur, des Sports, des Umwelt-
30 schutzes und auf anderen Gebieten zu fördern.

Peter März (Hrsg.), Dokumente zu Deutschland 1944–1994, 2. Auflage, München 2000, S. 153 ff.

1. *Stellen Sie die Ziele zusammen, die beide Seiten mit dem Vertrag verfolgten.*
2. *Erläutern Sie, welche Vereinbarungen vor allem den Interessen der DDR, welche den Interessen der Bundesrepublik dienten. Gibt es Bereiche gemeinsamer Interessen?*

M6
„Anlass ständigen Streites"

Die CDU/CSU-Opposition lehnt sowohl die Ostverträge als auch den Grundlagenvertrag zwischen der Bundesrepublik und der DDR ab. Sie wirft der Bundesregierung vor, nationale Interessen ohne zwingenden Grund preiszugeben. Die CDU/CSU-Bundestagsfraktion fasst am 19. Dezember 1972 folgenden Beschluss:

2. Der Vertrag sollte verlässliche Grundlagen für das Verhältnis zwischen beiden Teilen Deutschlands schaffen. Stattdessen sind Grundfragen, wie Einheit der Nation, Freiheit, Menschenrechte, ent-
5 weder gar nicht berührt oder wurden so formuliert, dass unterschiedliche Auslegungen Anlass ständigen Streites sein können. Die Verhinderung von Freiheit, Grund- und Menschenrechten in der DDR können wir ebenso wenig hinnehmen wie Schieß-
10 befehl und Mordanlagen an der jetzt Grenze genannten Demarkierungslinie. [...]
4. Wir stellen fest: Der Vertrag enthält keinen politisch wirksamen Friedensvertragsvorbehalt;
- er wird die Verwirklichung des Selbstbestim-
15 mungsrechts für das ganze deutsche Volk nicht erleichtern, sondern erschweren;
- er erwähnt nicht die Rechte und Verantwortlichkeiten der Vier Mächte für Deutschland als Ganzes und Berlin;
20 - er höhlt Geist und Buchstaben des Deutschlandvertrages von 1954 und der mit ihm verbundenen Erklärungen aus, in denen sich die drei Westmächte mit uns zu einer gemeinsamen Politik der Wiedervereinigung in Freiheit verpflich-
25 tet haben.
5. Der Grundlagenvertrag bezieht das Land Berlin nicht in der für Berlin unerlässlich notwendigen Weise ein. Der Vertrag wird deshalb von uns abgelehnt.

Texte zur Deutschlandpolitik, Bd. 11, Bonn 1973, S. 378 f.

Bewerten Sie die Einwände der CDU/ CSU-Bundestagsfraktion gegen den Grundlagenvertrag. Ziehen Sie zum Vergleich den Vertragstext (M 5) hinzu.

Die Große Koalition

1963 trat der 87-jährige Gründungskanzler der Bundesrepublik zurück. Adenauers populärer Wirtschaftsminister Ludwig Erhard folgte ihm im Oktober 1963 ins Amt des Regierungschefs. Seine eher glücklose Amtszeit endete bereits im November 1966, nachdem eine erste, vergleichsweise harmlose *Wirtschaftsrezession* kurzfristig die Arbeitslosigkeit ansteigen ließ und der neugegründeten rechtsradikalen *Nationaldemokratischen Partei Deutschlands (NPD)* in Hessen und Bayern kräftige Stimmengewinne bescherte. Eine *Große Koalition* aus Unionsparteien und SPD bildete die neue Regierung unter Bundeskanzler *Kurt-Georg Kiesinger* (CDU) und dem Parteichef der SPD, Willy Brandt, als Außenminister. Den 447 Abgeordneten des Regierungslagers stand im Deutschen Bundestag eine extrem schwache Opposition von 47 Abgeordneten der FDP gegenüber.

Gesellschaftliche Modernisierung

Mit der Großen Koalition begann eine Phase der gesellschaftlichen Modernisierung (z.B. die Reform des Strafrechts), die bis in die Siebzigerjahre reichte. Für zukunftsweisende Weichenstellungen in der Finanz- und Wirtschaftspolitik sorgten Finanzminister *Franz-Josef Strauß* (CSU) und Wirtschaftsminister *Karl Schiller* (SPD). Vor allem mit dem Gesetz zur Förderung der Stabilität und des Wachstums der Wirtschaft *(Stabilitätsgesetz)* von 1967 wurden dem Staat Steuerungsaufgaben für die Sicherung von wirtschaftlichem Wachstum, Preisstabilität, Vollbeschäftigung und Gleichgewicht im Außenhandel *(„magisches Viereck“)* zugewiesen (➧ Grundbegriff „Soziale Marktwirtschaft“, S. 65).
Ab 1967 setzte ein „Aufschwung nach Maß“ (Schiller) ein: 1969 herrschte wieder Vollbeschäftigung, und die Zahl der ausländischen Gastarbeiter erreichte die Rekordmarke von 1,5 Millionen Menschen. Das Bruttosozialprodukt wuchs um 8,2%, die Inflationsrate ging zurück, und die Mehrheit der Bevölkerung sah wieder mit Zuversicht in die Zukunft.
Unter der Regierung Kiesinger wurde die bereits seit zehn Jahren geplante und heftig umstrittene *Notstandsgesetzgebung* Ende Mai 1968 verabschiedet. Die Notstandsgesetze sollten im Falle eines inneren und äußeren Notstandes die Handlungsfähigkeit der Regierung sichern und schränkten zu diesem Zwecke eine Reihe von Grundrechten, z.B. das Brief-, Post- und Fernmeldegeheimnis sowie die Unverletzbarkeit der Wohnung ein. Aus der Kritik an diesen Gesetzen entstand eine *Außerparlamentarische Opposition (APO)* aus Intellektuellen, Studenten und Teilen der Gewerkschaften.

Das Wiedererwachen des politischen Extremismus

Die Wahlerfolge der NPD, Ausdruck fehlender demokratischer Tradition in der jungen Bundesrepublik, erreichten mit 9,8 % ihren Höhepunkt bei den Landtagswahlen in Baden-Württemberg im April 1968. Mit autoritären, nationalistischen, antiparlamentarischen, antieuropäischen Schlagworten und Kritik an den vielfältigen Bemühungen um eine „Bewältigung“ der NS-Vergangenheit (Auschwitz-Prozess 1960–1963 in Frankfurt/Main, Debatten im Bundestag über die Nichtverjährung von NS-Verbrechen 1965 und 1969) sprach die NPD Unzufriedene und Unbelehrbare an. Bei den Bundestagswahlen 1969 verfehlte sie allerdings den Einzug ins Bonner Parlament und verschwand dann für viele Jahre von der politischen Bildfläche.

Auf der anderen Seite des politischen Spektrums trat mit der 1968 neugegründeten *Deutschen Kommunistischen Partei (DKP)* wieder eine orthodoxe linksextremistische Partei in Erscheinung, moskautreu und von der DDR finanziert. Die DKP fand jedoch keinerlei Anklang bei den Wählern.

Die 68er-Bewegung

Während die Mehrheit der Bevölkerung den wieder wachsenden Wohlstand genoss, formierte sich in der westlichen Welt aus überwiegend studentischen Gruppen eine Protestbewegung gegen die bestehenden Zustände in Staat und Gesellschaft. Vorbild war das Aufbegehren von Studenten in den USA gegen gesellschaftliche Missstände (Armut, Benachteiligung der schwarzen Bevölkerung) und den *Vietnam-Krieg* (siehe Seite 207 f.). Hinzu kamen die Ablehnung der überkommenen Werte der Erwachsenen, eine Rebellion gegen die Industriegesellschaft und die Suche nach neuen Lebensformen.
Ganz grundsätzlich wurden alle Autoritäten in Staat und Gesellschaft infrage gestellt. Leitbild der Ideologie der „Neuen Linken" waren die Politisierung und Demokratisierung aller Lebensbereiche und die Utopie von der herrschaftsfreien Gesellschaft, in der es keine Klassengegensätze und keine Ausbeutung mehr gebe, in der Selbstbestimmung statt Fremdbestimmung herrsche.
Die Protestbewegung der studentischen Jugend erfasste alle westlichen Länder. Besonders heftige Unruhen brachen in Frankreich im Mai 1968 aus. Dort demonstrierten die Studenten ihre Unzufriedenheit mit den Zuständen an den überfüllten Universitäten und der autoritären Staatsführung unter Präsident de Gaulle, errichteten Barrikaden und lieferten sich heftige Straßenschlachten mit der Polizei. Im Gegensatz zu den USA oder der Bundesrepublik sympathisierten weite Kreise der Bevölkerung, insbesondere die Arbeiter, mit den rebellierenden Studenten.
Jugendproteste ganz anderer Art gab es in der kommunistisch beherrschten Tschechoslowakei. In den Zielen der Reformkommunisten um *Alexander Dubçek* sahen viele den „Frühling" einer Entwicklung hin zur Meinungs- und allgemeinen politischen Freiheit. Die Panzer der Warschauer-Pakt-Staaten begruben diese Hoffnungen jedoch bald.

Ziele des studentischen Protests

In Deutschland blieb die Kritik an der bestehenden Gesellschaftsordnung zunächst auf universitäre Zirkel in Berlin und Frankfurt/Main begrenzt. *Der Sozialistische Deutsche Studentenbund (SDS)*, von dem sich die SPD bereits 1960 getrennt hatte, bildete mit seinem Wortführer *Rudi Dutschke* den Kern der APO.
Mit den Mitteln der Provokation und des spielerischen, witzigen Protests („Sit-ins") stellte die Studentenbewegung zunächst die autoritären Strukturen an den Universitäten in Frage, bis sich der zunehmend neomarxistisch beeinflusste Protest auch auf die Straßen verlagerte.
Neben den Anti-Vietnam-Kampagnen richtete sich die Protestbewegung in der Bundesrepublik vor allem gegen die Verdrängung der NS-Vergangenheit in der bundesdeutschen Gesellschaft, die Notstandsgesetze und gegen den übergroßen Einfluss der Zeitungen des konservativen Springer-Verlages. Die „Kinder des Wirtschaftswunders" wandten sich gegen das einseitige Konsumdenken der Elterngeneration. Teile der Studentenschaft radikalisierten sich dabei so stark, dass sie die bestehende Gesellschaft grundsätzlich ablehnten und die „kapitalistischen Verhältnisse" durch „sozialistische" ersetzen wollten – notfalls mithilfe einer Revolution.

▲ *Demonstration in Westberlin. Foto vom 18. Februar 1968.*
Mit Plakaten und Postern ihrer Vorbilder protestierten die Studenten 1968 gegen den Krieg in Vietnam. Die Porträts zeigen (von links nach rechts) den nordvietnamesischen Präsidenten Ho Chi Minh, die sozialistische Politikerin und Theoretikerin Rosa Luxemburg, den kubanischen Revolutionär Che Guevara und den Begründer des Sowjetkommunismus Lenin.

Ausschreitungen und die Eskalation der Gewalt

Als Anfang Juni 1967 in Berlin bei einer Demonstration gegen den Schah von Persien[1] der Student *Benno Ohnesorg* von einem Polizisten erschossen wurde, kam es bundesweit zu gewaltsamen Ausschreitungen, Belagerungen von Zeitungsredaktionen („Enteignet Springer“) und Brandanschlägen auf Kaufhäuser. Ihren Höhepunkt erreichten die Unruhen im April 1968 nach einem Mordanschlag auf Rudi Dutschke in Berlin. Die Schüsse lösten eine Welle von Demonstrationen in allen größeren Städten der Bundesrepublik aus. Über 400 Verletzte und zwei Tote waren insgesamt zu beklagen.
Mit dem Ende der Großen Koalition 1969 zerfiel die APO. Ein großer Teil ihrer jugendlichen Anhänger fand in der SPD eine politische Heimat. Der harte Kern der Aktivisten zerfiel in verschiedene linksradikale Gruppen und einen terroristischen Flügel. Was blieb war die Hoffnung, in einem „langen Marsch durch die Institutionen“ in fernerer Zukunft das „System zu überwinden“.

---

[1] *Mohammed Resa (1919–1980), persischer Schah von 1941–1979, dessen autoritäres Regierungssystem sich auf die Hilfe eines Geheimdienstes und eine Armee stützte*

Lebensgefühl und Lebensstil

Neben den politischen Aktionen propagierten die verschiedenen Gruppen, die sich der APO zurechneten, neue Lebensformen, die der bürgerlichen Moralvorstellung widersprachen. Wohngemeinschaften entstanden, die „repressive Sexualmoral" der Gesellschaft wurde kritisiert und Freizügigkeit proklamiert, ein Jugendlichkeitskult machte sich breit in Kleidung und Auftreten. Antiautoritäre Erziehung der Kinder sollte die Gesellschaft auf Dauer zum Besseren hin verändern.
Neben einer bis dahin ungekannten Politisierung der Bevölkerung wirkte die „68er-Bewegung" auf die Einstellungen und Wertüberzeugungen einer ganzen Generation. Selbstbestimmung, Selbstverwirklichung, Kritik an einer normierten Form der Lebensgestaltung waren Ziele und Schlagworte, die jenseits aller politischen Standpunkte und Überzeugungen das Lebensgefühl der Kinder der Aufbaugeneration bestimmten. Eine Revolution des Lebensstils hatte stattgefunden, freilich auf der Grundlage gesicherter wirtschaftlicher und sozialer Verhältnisse (▶ M 1–2).

Politik der inneren Reformen

Zum ersten „richtigen" Regierungswechsel in der Geschichte der Bundesrepublik kam es mit der Wahl Willy Brandts zum Bundeskanzler am 21. Oktober 1969 mit den Stimmen von SPD und FDP, nach der für die Sozialdemokraten erfolgreichen Bundestagswahl (42,7 %). Die Union blieb zwar trotz Verlusten stärkste Partei (46,1%), doch die inzwischen linksliberal orientierte FDP unter ihrem neuen Vorsitzenden *Walter Scheel* wollte das Regierungsbündnis mit der SPD. Mit Brandt stand zum ersten Mal seit 1930 ein Sozialdemokrat an der Spitze der Regierung, der zudem noch als Emigrant den Nationalsozialismus bekämpft hatte.
Die neue Regierung trat mit dem Anspruch umfassender innerer Reformen an und traf damit die Erwartungen vieler Bürger, insbesondere der jungen Generation (▶ M 3). Dazu gehörten die Verbesserung der *betrieblichen Mitbestimmung* sowie der weitere *Ausbau des Sozialstaates* (Renten, flexible Altersgrenze, Kindergeld), der zwischen 1970 und 1975 eine Verdoppelung der Sozialausgaben auf 170 Milliarden Euro mit sich brachte, was einem Drittel des gesamten Bruttosozialproduktes entsprach.
Die *Reform des Ehe- und Familienrechts* (1976) war vom Gedanken der Liberalisierung und der Gleichberechtigung der Geschlechter sowie der Selbstbestimmung der Frau (Straffreiheit des Schwangerschaftsabbruchs bei bestimmten Indikationen) geleitet. Eine umfassende *Bildungsreform* sollte zudem Chancengleichheit der Jugend herstellen – unabhängig von der sozialen Herkunft der Schüler und Studenten. Die von Kritikern des deutschen Bildungswesens vorhergesagte „Bildungskatastrophe" sollte durch mehr Abiturienten und Studenten, mehr Lehrer und besser ausgestattete Schulen und Universitäten verhindert werden, die Bundesrepublik international konkurrenzfähig bleiben.

Die neue Ostpolitik

Im Rahmen eines internationalen Entspannungsklimas kam es unter Bundeskanzler Brandt zu einer folgenreichen Weichenstellung in der bundesdeutschen Ost- und Deutschlandpolitik (▶ M 4). Brandt zielte auf ein Arrangement mit der Sowjetunion, das auf die Anerkennung des territorialen Status quo in Europa – polnische Westgrenze, DDR als zweiter deutscher Staat – hinauslief. Langfristig sollte ein „Wandel durch Annäherung" zur Überwindung der deutschen und europäischen

Teilung beitragen. Diese Politik schien zunächst paradox zu sein und wurde von der oppositionellen CDU/CSU im Bundestag auch entsprechend heftig kritisiert, doch erwies sie sich später als durchaus weitsichtig.
Der am 12. August 1970 unterzeichnete deutsch-sowjetische Vertrag *(Moskauer Vertrag)* verknüpfte den wechselseitigen Gewaltverzicht mit der Unverletzlichkeit der Grenzen aller Staaten in Europa einschließlich der Oder-Neiße-Linie und der innerdeutschen Grenze. In einem „Brief zur deutschen Einheit" an die Sowjetunion betonte die Bundesregierung das Recht des deutschen Volkes, „in freier Selbstbestimmung seine Einheit" wieder zu erlangen. Damit wurde dem Wiedervereinigungsgebot des Grundgesetzes (Präambel) Rechnung getragen.

▲ *Evangelische und katholische Theologiestudenten demonstrieren am Rande einer Kundgebung von Vertriebenen. Foto von 1966.*

Der Moskauer Vertrag wurde zum Vorbild für die nachfolgenden Verträge mit *Polen* (Dezember 1970) und der *Tschechoslowakei* (Dezember 1973). In einem engen inneren Zusammenhang damit standen die gleichzeitig laufenden Verhandlungen der vier Mächte über Berlin. In dem am 3. September 1971 vereinbarten *Viermächte-Berlin-Abkommen* einigten sich die vier Siegermächte darauf, dass Westberlin zwar nicht Bestandteil der Bundesrepublik war, aber enge „Bindungen" mit Westdeutschland pflegen durfte und von Bonn diplomatisch vertreten wurde.
Die Sowjetunion hatte damit ihr Gesicht gewahrt, zugleich aber den ungestörten Transitverkehr von und nach Westberlin durch die DDR garantiert. Die Westberliner konnten aufatmen. Die Sowjetunion unter *Leonid Breschnew* versprach sich aus alledem verbesserte Wirtschaftsbeziehungen mit der ökonomisch starken Bundesrepublik und eine Garantie ihres seit 1945 gewachsenen außenpolitischen Besitzstandes.

Anerkennung der DDR im Rahmen besonderer Beziehungen

Damit waren die Voraussetzungen für eine grundsätzliche Neugestaltung der innerdeutschen Beziehungen gegeben. Um die Trennung der in Ost- und Westdeutschland lebenden Menschen durch Besuchsreisen, vermehrte wirtschaftliche Zusammenarbeit und Kontakte aller Art erträglicher zu machen, erklärte sich Bundeskanzler Brandt dazu bereit, die DDR als zweiten deutschen Staat anzuerkennen. Er kam damit einem dringenden Wunsch der kommunistischen Führung in Ostberlin nach, die sich dadurch die Legitimation ihrer Herrschaft versprach, über die sie in der Bevölkerung mangels freier Wahlen niemals verfügte. Willy Brandt unterstrich jedoch von Anfang an, dass die Bundesregierung an der Einheit der deutschen Nation unverändert festhalte. Die Bundesrepublik und die DDR waren, so Brandt in seiner ersten Regierungserklärung im Oktober 1969, „füreinander nicht Ausland".

Zwei Treffen mit dem Ministerpräsidenten der DDR *Willi Stoph* 1970 endeten erfolglos. Die DDR-Regierung wollte eine völkerrechtliche Anerkennung, die ihr Brandt und Scheel definitiv verweigerten. Es sollte bei der mit den USA abgesprochenen Formel von den „zwei Staaten in Deutschland“ bleiben, und dafür sollte die SED-Führung humanitäre Erleichterungen garantieren. Nach zähen Verhandlungen mit der DDR-Führung konnten Brandt und Scheel bis 1972 Vereinbarungen über den Transitverkehr erreichen. In dringenden Familienangelegenheiten konnten jetzt auch DDR-Bürger, die noch nicht im Rentenalter waren, in die Bundesrepublik reisen, umgekehrt wurden Touristenreisen in die DDR erleichtert. Die Mauer war etwas durchlässiger geworden.

Der Grundlagenvertrag

Mit dem *Grundlagenvertrag* vom Dezember 1972 gab die Bundesregierung ihren seit 1949 erhobenen Alleinvertretungsanspruch auf und erkannte die Gleichberechtigung der DDR an, die sich ihrerseits dazu bereiterklärte, „im Zuge der Normalisierung ihrer Beziehungen praktische und humanitäre Fragen zu regeln“ (▶ M 5). Am Ziel der Wiedervereinigung hielt die Bundesregierung ausdrücklich fest und unterstrich die „besonderen Beziehungen“ zwischen beiden deutschen Staaten durch den Austausch von „ständigen Vertretungen“ anstelle von Botschaften. Außerdem beharrte sie auf dem Standpunkt, dass es für alle Deutschen nur eine Staatsangehörigkeit gebe.
Für die SED-Führung unter Erich Honecker brachte der Grundlagenvertrag nach der *Aufnahme beider deutscher Staaten in die Vereinten Nationen* (18. September 1973) die internationale Anerkennung der DDR.
Innenpolitisch führte die neue Ost- und Deutschlandpolitik der sozial-liberalen Koalition zu heftigen Auseinandersetzungen in der Öffentlichkeit und im Bundestag (▶ M 6). Zwar scheiterte ein konstruktives Misstrauensvotum des Kanzlerkandidaten der CDU, *Rainer Barzel*, am 27. April 1972, weil zwei Abgeordnete der CDU/CSU gegen ihn gestimmt hatten. Einer dieser Abgeordneten war – wie sich erst 1990 herausstellte – vom *Ministerium für Staatssicherheit* der DDR bestochen worden. Doch die Regierung Brandt/Scheel besaß keine Mehrheit mehr, weil mehrere Abgeordnete der Regierungsfraktionen aus Protest gegen die Ostpolitik zur CDU gewechselt waren. Neuwahlen waren unumgänglich. Die Popularität der Person und der Politik Willy Brandts in der Bevölkerung sicherte der Koalition im November 1972 einen eindeutigen Wahlsieg. Erstmals wurde die SPD stärkste Partei (45,8 %). Die Mehrheit der Bevölkerung hatte sich für die neue Ost- und Deutschlandpolitik ausgesprochen.
Dennoch verlor Brandt in der Folgezeit innerhalb seiner von Flügelkämpfen zerrissenen Partei an Durchsetzungskraft. Die teuren inneren Reformen der sozial-liberalen Regierung wurden nach der internationalen Wirtschaftskrise von 1973 von vielen infrage gestellt. Vor allem die wachsende Staatsverschuldung wurde im Bundestag von der CDU/CSU-Opposition kritisiert. Zum auslösenden Moment für den Rücktritt Brandts wurde schließlich die „Guillaume-Affäre“: Ein langjähriger persönlicher Referent des Kanzlers wurde als Geheimdienstagent der DDR enttarnt. Die Nachfolge Brandts trat am 16. Mai 1974 der stellvertretende Parteivorsitzende der SPD, Finanz- und Wirtschaftsminister *Helmut Schmidt*, an.

2.4 Neue Herausforderungen der Gesellschaft

Dringend gesuchte Terroristen
800 000 DM Belohnung

Im Zusammenhang mit dem
- dreifachen Mord an Generalbundesanwalt Buback und zwei seiner Begleiter am 7. 4. 1977 in Karlsruhe
- Mord an Jürgen Ponto am 30. 7. 1977 in Oberursel
- vierfachen Mord und der Entführung von Hanns-Martin Schleyer am 5. 9. 1977 in Köln
- Mord an Hanns-Martin Schleyer

werden gesucht:

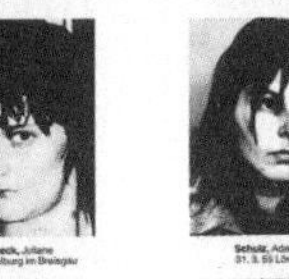

Für Hinweise, die zur Ergreifung einer dieser Personen führen, sind 50000 DM Belohnung ausgesetzt.

Wer kann Angaben über Aufenthalte oder Kontakte dieser Personen machen?

Bei wem haben die beschriebenen Personen (evtl. unter falschen Personalien) eine Wohnung oder ein Kraftfahrzeug gemietet oder anzumieten versucht?

Wer kann Angaben über Kauf, Lagerung und verdächtige Verwendung folgender Materialien machen, die für den Transport oder die Herrichtung eines Gewahrsams für den Entführten benutzt worden sein könnten:

- Transportkiste, Truhe
- Styropor, Glaswolle zur Schalldämpfung, z.B. in Kellerräumen
- Campingtoilette und dazugehörige Chemikalien
- Handfunksprechgeräte

Wer kann Angaben über Räume machen, die unter folgenden Gesichtspunkten als Verwahrraum für den Entführten geeignet waren:

- nicht einsehbar, unauffällig zu betreten, schallgeschützt
- abgelegen von anderen, regelmäßig benutzten Räumen
- unauffälliger Transport größerer Behältnisse möglich
- direkte Zufahrtsmöglichkeit mit Kraftfahrzeugen
- in letzter Zeit umgebaut
- verdächtige Personenbewegungen an oder in solchen Räumen

Stimmen von Tatbeteiligten an der Entführung und Ermordung von Hanns-Martin Schleyer können im Telefonansagedienst der Deutschen Bundespost über die Rufnummern 1166, 01166 oder 1162, 01162 gehört werden.

Hinweise, die auf Wunsch vertraulich behandelt werden, nehmen das Bundeskriminalamt in Bonn-Bad Godesberg, Tel. 02221/352041, und jede andere Polizeidienststelle entgegen.

◀ *RAF-Fahndungsplakat von 1977.*

2. April 1968
In zwei Frankfurter Kaufhäusern wird Feuer gelegt, unter den Tätern sind Andreas Baader und Gudrun Ensslin, die kurze Zeit später zusammen mit Ulrike Meinhof die Rote Armee Fraktion (RAF) gründen

Juni 1972
Der Kern der RAF – Andreas Baader, Gudrun Ensslin, Ulrike Meinhof und Jan-Carl Raspe – wird verhaftet

5. September 1977
Die RAF entführt den Arbeitgeberpräsidenten Hanns Martin Schleyer

13. Oktober 1977
Vier palästinensische Terroristen entführen ein Lufthansa-Flugzeug

17./18. Oktober 1977
Der Bundesgrenzschutz stürmt die *Landshut* und befreit die Passagiere; wenige Stunden später begehen Baader, Ensslin und Raspe Selbstmord im Gefängnis Stuttgart-Stammheim; der ermordete Schleyer wird in einem Auto im Elsass gefunden

12. Dezember 1979
Die Mitgliedstaaten der NATO verabschieden den NATO-Doppelbeschluss

1980
Die Grünen etablieren sich als Bundespartei

M1
Staatliches Handeln gegen den Terrorismus

Während der Entführung des Arbeitgeberpräsidenten Hanns Martin Schleyer und einer Lufthansa-Maschine arbeiten Regierung und die Spitzen der Opposition eng zusammen. Bundeskanzler Helmut Schmidt (SPD) schildert nachträglich am 20. Oktober 1977 in einer Regierungserklärung die Grundlagen staatlichen Handelns gegenüber den terroristischen Erpressungsversuchen.

Viele Wochen früher, nämlich unmittelbar nach der Entführung Dr. Schleyers, habe ich in dem soeben erwähnten Beratungskreis mit Zustimmung der Beteiligten die drei Maximen, die unser Handeln be-5stimmen sollten, folgendermaßen umrissen: 1. Dr. Schleyer lebend zu befreien; zu einem späteren Zeitpunkt war es selbstverständlich, dass dies ebenso galt für die als Geiseln genommenen 82 Passagiere und 5 Besatzungsmitglieder in dem ent-10führten Lufthansa-Flugzeug. 2. Die Täter zu ergreifen und vor Gericht zu stellen. 3. Die Fähigkeit des Staates, seine Bürger gegen Gefahren zu schützen, zu sichern und das Vertrauen der Bürger, aber auch das Vertrauen der Menschen außerhalb der 15Bundesrepublik Deutschland in diese Schutzfunktion unseres Staates zu wahren. [...]
Jedermann kann erkennen, dass es kaum vorstellbar erscheinen konnte und erscheinen kann, alle drei Maximen zugleich, durch eigenes Handeln 20und durch eigenes Unterlassen, in die Wirklichkeit zu übertragen. Vielmehr war von Anfang an klar [...], dass die Erfüllung jeder einzelnen der drei Maximen nach menschlicher Voraussicht die Erfüllung der übrigen Maximen einschränken oder gar 25gefährden musste. In dieser unausweichlichen Gewissheit hatten wir unsere Entscheidungen zu treffen. Unausweichlich befanden wir uns damit im Bereich von Schuld und Versäumnis. [...]
Die elf Gefangenen, die in erster Instanz wegen 30Mordes verurteilt worden oder nach Richterspruch des Mordes dringend verdächtig sind und deren Freilassung durch die zuständigen Landesregierungen erpresst werden sollte, haben wir nicht ausgeliefert. Ihnen liegen die Tötung von 13 Menschen 35und 43 weitere Mordversuche zur Last. Drei von ihnen haben gestern Selbstmord begangen. Wir mussten befürchten, dass sie nach ihrer Freilassung weitere schwere Verbrechen begehen – so wie diejenigen, die durch die Entführung von Peter 40Lorenz[1)] frei gepresst wurden; ihnen werden der Mord an neun Personen und weitere Mordversuche zur Last gelegt.

▲ *Der entführte Hanns Martin Schleyer. Ein von den Terroristen verbreitetes Foto des Arbeitgeberpräsidenten.*

Archiv der Gegenwart, 20. 10. 1977, S. 21307 ff.

1. *Erläutern Sie die Zwangslage der Regierung. Warum musste jede Entscheidung unbefriedigend bleiben?*
2. *Nennen Sie die Beweggründe, weshalb die Regierung Politiker der Opposition in den Krisenstab aufnahm.*
3. *Untersuchen Sie die Präzedenzwirkung dieses Falles für das staatliche Handeln. Informieren Sie sich über den Unterschied zwischen Verantwortungs- und Gesinnungsethik (Max Weber).*

1) *Vorsitzender der Berliner CDU, der nach seiner Entführung im Austausch gegen inhaftierte RAF-Terroristen wieder freigelassen wurde*

M2
Was ist Umweltpolitik?

Die seit 1969 regierende SPD-FDP-Koalition war die erste deutsche Regierung, die sich ausdrücklich dem Umweltschutz verpflichtete. In ihrem Umweltprogramm von 1971 heißt es:

1. Umweltpolitik ist die Gesamtheit aller Maßnahmen, die notwendig sind,
- um dem Menschen eine Umwelt zu sichern, wie er sie für seine Gesundheit und für ein menschenwürdiges Dasein braucht und
- um Boden, Luft und Wasser, Pflanzen- und Tierwelt vor nachhaltigen Wirkungen menschlicher Eingriffe zu schützen und
- um Schäden oder Nachteile aus menschlichen Eingriffen zu beseitigen.

2. Die Kosten der Umweltbelastungen hat grundsätzlich der Verursacher zu tragen (Verursacherprinzip).
3. Die Leistungsfähigkeit der Volkswirtschaft wird bei Verwirklichung des Umweltprogramms nicht überfordert werden. Der Umweltschutz soll durch finanz- und steuerpolitische Maßnahmen sowie durch Infrastrukturmaßnahmen unterstützt werden.
4. Der Zustand der Umwelt wird entscheidend bestimmt durch die Technik. Technischer Fortschritt muss umweltschonend verwirklicht werden. „Umweltfreundliche Technik", die durch ihre Anwendung die Umwelt nur wenig oder gar nicht belastet, ist ein Ziel dieses Programms. Technischer Fortschritt und wirtschaftliches Wachstum brauchen dabei nicht beeinträchtigt zu werden.
5. Umweltschutz ist Sache jedes Bürgers. Die Bundesregierung sieht in der Förderung des Umweltbewusstseins einen wesentlichen Bestandteil ihrer Umweltpolitik.
6. Die Bundesregierung wird sich für ihre Entscheidungen in Fragen des Umweltschutzes verstärkt der wissenschaftlichen Beratung bedienen. Sie wird hierfür u.a. einen Rat von Sachverständigen für die Umwelt berufen.
7. Alle Umweltbelastungen und ihre Wirkungen müssen systematisch erforscht werden. Die notwendigen Forschungs- und Entwicklungskapazitäten für den Umweltschutz werden ausgebaut und die Koordinierung der Forschungsarbeit verstärkt. Ferner ist eine Erfassung aller auf die Umwelt bezogenen Daten sowie deren Zusammenfassung und Aufbereitung in einem Informationssystem erforderlich, das der öffentlichen Hand, der Wissenschaft und der Wirtschaft zur Verfügung steht.
8. Die Möglichkeiten der Ausbildung für die Spezialgebiete des Umweltschutzes sollen, unter anderem durch interdisziplinäre und praxisbezogene Aufbaustudien an Hoch- und Fachhochschulen, vermehrt und verbessert werden.
9. Wirksamer Umweltschutz bedarf enger Zusammenarbeit zwischen Bund, Ländern und Gemeinden untereinander und mit Wissenschaft und Wirtschaft.
10. Der Umweltschutz verlangt internationale Zusammenarbeit. Die Bundesregierung ist hierzu in allen Bereichen bereit und setzt sich für internationale Vereinbarungen ein.

Drucksache VII 2710 des Deutschen Bundestages vom 14.10.1971

1. *Erläutern Sie, was die Bundesregierung 1971 unter Umweltpolitik verstand.*
2. *Diskutieren Sie die vorgesehene Verteilung der Verantwortung für die Umwelt.*

M3
Völliger Umbruch

Aus dem ersten Bundesprogramm der Grünen vom März 1980:

Die in Bonn etablierten Parteien verhalten sich, als sei auf dem endlichen Planeten Erde eine unendliche industrielle Produktionssteigerung möglich. [...] Die ökologische Weltkrise verschärft sich von Tag zu Tag. Die Rohstoffe verknappen sich, Giftskandal reiht sich an Giftskandal, Tiergattungen werden ausgerottet, Pflanzenarten sterben aus, Flüsse und Weltmeere verwandeln sich in Kloaken, der Mensch droht inmitten einer späten Industrie- und Konsumgesellschaft geistig und seelisch zu verkümmern. Wir bürden den nachfolgenden Generationen eine unheimliche Erbschaft auf. [...]
Ein völliger Umbruch unseres kurzfristig orientierten wirtschaftlichen Zweckdenkens ist notwendig. [...] Ausgehend von den Naturgesetzen und insbesondere von der Erkenntnis, dass in einem begrenzten System kein unbegrenztes Wachstum

möglich ist, heißt ökologische Politik, uns selbst und unsere Umwelt als Teil der Natur zu begreifen.
20 [...]
Unsere Politik ist eine Politik der aktiven Partnerschaft mit der Natur und dem Menschen. Sie gelingt am besten in selbstbestimmten und selbstversorgenden überschaubaren Wirtschafts- und 25 Verwaltungseinheiten.

Irmgard Wilharm (Hrsg.), Deutsche Geschichte 1962–1983. Dokumente in zwei Bänden, Bd. 2, Frankfurt/Main 1985, S. 227

1. *Nennen Sie die Ziele der Grünen.*
2. *Erläutern Sie die Konsequenzen für die Industrie, die sich durch die politische Verankerung von Umweltschutzmaßnahmen ergeben.*

M4
„Abschreckung"

Vor dem Deutschen Bundestag nimmt Bundeskanzler Schmidt am 12. Mai 1977 Stellung zu der von ihm vertretenen Sicherheitspolitik der NATO.

Das Bündnis dient der Strategie des Friedens. Neben der militärischen Komponente [...] steht die politische Zielsetzung, die schließlich doch alles überwölben muss. Aus ihr entsteht die konse-5 quente Bemühung um den Abbau bestehender Spannungen und um die Verkleinerung aller den Frieden gefährdenden Reibungsflächen.
Es ist ganz klar, dass Entspannungspolitik keineswegs eine mit leichter Hand unternommene, keine 10 zur Aufweichung wirksamer Verteidigung unternommene Operation ist. Im Gegenteil, nur Verteidigungsfähigkeit, Gleichgewicht und Entspannung zusammen können uns dem Ziel, den Frieden noch sicherer zu machen, näherbringen. [...]
15 Zu dem bestehenden Ungleichgewicht auf dem Felde der klassischen Bewaffnung, der konventionellen Waffen: Man muss das im Zusammenhang mit dem großen strategischen Gespräch zwischen der Sowjetunion und den Vereinigten Staaten se-20 hen. Die amerikanische Regierung bemüht sich darum, durch ein neues Abkommen mit der Sowjetunion, SALT II[1] genannt, die strategischen atomaren Waffen, nämlich die, die von Kontinent zu Kontinent reichen, in ein stabiles Gleichgewicht, in 25 Parität zu bringen. Wir hoffen sehr, dass die beiden Weltmächte dabei Erfolg haben werden. Dieser Wunsch, dass die beiden Weltmächte darin Erfolg haben mögen, wird von allen Partnern im Westen geteilt.
30 Wenn es nun aber gelingt, die großen strategischen Nuklearwaffen, die von Kontinent zu Kontinent reichen, mit ihrer ungeheuren Zerstörungskraft tatsächlich und auch formell – vertraglich – in ein Gleichgewicht zu bringen, dann wird es umso 35 mehr darauf ankommen, dass nicht auf niedriger Ebene, nämlich bei den konventionellen Waffen, bei den Bodentruppen, den Panzern, der Artillerie, den unterstützenden Luftstreitkräften, ein Übergewicht einer Seite bestehenbleibt. Es gibt, ganz theo-40 retisch gesprochen, zwei Möglichkeiten, auch hier, auf dieser konventionellen Ebene, zu einem Gleichgewicht, zur Parität zu kommen. Man könnte auf der einen Seite aufrüsten, insbesondere zunächst auf westlicher Seite, um das Gleichgewicht zu errei-45 chen; dann würde allerdings die andere Seite nachziehen, dann wieder der Westen, und damit hätten wir jene Rüstungsspirale, wie man sie aus der Vergangenheit kennt. Theoretisch könnte man sich auf der anderen Seite auch durch Abschmelzung, 50 durch Verringerung nach unten hin, auf ein gleichmäßiges niedrigeres Niveau einigen, auf eine auf beiden Seiten der Gleichung – ich sage: Gleichung – kollektive Gesamtstärke. Dies ist das Ziel der von den beteiligten Bündnispartnern gemeinsam erar-55 beiteten Haltung [...].

Irmgard Wilharm (Hrsg.), a. a. O., S. 198 f.

1. *Erläutern Sie die Rolle, die die Bundesrepublik Deutschland in den Abrüstungsverhandlungen spielt.*
2. *Diskutieren Sie die Logik, die den Rüstungsüberlegungen zugrunde liegt.*

[1] *Strategic Arms Limitation Talks (dt.: Gespräche über die Begrenzung strategischer Waffen): bilaterale Verhandlungen zwischen den USA und der UdSSR über die Begrenzung nuklearstrategischer Waffensysteme; das SALT I-Abkommen wurde 1972 geschlossen, im SALT II-Abkommen vom Juni 1979 wurde eine Höchstzahl nuklearstrategischer Waffen für beide Seiten festgeschrieben.*

▲ *Friedens- und Abrüstungsdemonstration in Bonn, Foto vom 10. Oktober 1981.*

M5
Frieden schaffen ohne Waffen

Aufruf der „Aktion Sühnezeichen/Friedensdienste" zur zweiten bundesweiten Friedenswoche vom 15. bis 21. November 1981:

Seit dem Ende des Zweiten Weltkrieges, der mehr als 50 Millionen Menschenleben kostete, hat es 127 Kriege gegeben, an denen 88 Staaten beteiligt waren. Ihre Gesamtdauer betrug mehr als 368 Jahre. Sie forderten 32 Millionen Opfer.
Etwa eine Million Menschen in Asien und Lateinamerika hungern, viele davon ständig an der Grenze zum Tode. Sie sterben nicht erst am Krieg, sie sterben schon an der Rüstung, die weltweit jährlich 500 Milliarden Dollar verschlingt. Das sind mehr als 100 Millionen DM stündlich.
Wir leben in einem Land, das sich einst schwor: „Nie wieder Krieg!", einem Land mit den dritthöchsten Militärausgaben, einer schnellwachsenden Zuwachsrate an Rüstungsexporten und der größten Atomwaffen-Dichte der Erde, einem Land, das – so Helmut Schmidt – nur um den Preis seiner Zerstörung zu verteidigen ist. Die Bundesregierung befürwortet jedoch den Plan der USA, neue Mittelstreckenraketen hier zu stationieren, obwohl diese Waffen die Wahrscheinlichkeit eines Atomkrieges vergrößern.
Bisher gilt der Satz: Die Angst, die ich meinem Gegner mache, sichert meinen Frieden. Dagegen wächst die Erkenntnis: Die Angst, die ich dem Gegner nehme, gewährleistet meine eigene Sicherheit. Deshalb treten wir für kalkulierte einseitige Abrüstungsschritte ein.
Wir dürfen den Frieden nicht einigen wenigen „Experten" überlassen. Nur durch die Beteiligung möglichst vieler Menschen dieses Landes an der Meinungsbildung in Fragen von Rüstung und Abrüstung ist eine Veränderung der augenblicklichen Situation denkbar. Das heißt: Wir müssen uns stärker unseres Friedensauftrages bewusst werden, über Formen und Möglichkeiten nicht militärischer Friedensstärkung nachdenken, uns der Frage stellen, wie Frieden ohne Waffen geschaffen werden kann. In diesem Sinne muss es zu einem gemeinsamen Handeln aller Menschen kommen.

Plakat der „Aktion Sühnezeichen/Friedensdienste", Berlin 1981

1. *Arbeiten Sie die Argumente der Friedensbewegung heraus. Sind sie eher moralischer oder pragmatischer Natur?*
2. *Diskutieren Sie die Verknüpfung zwischen Hunger und Aufrüstung in der Welt, die hier hergestellt wird.*
3. *Vergleichen Sie die Argumente der Friedensbewegung mit denen Helmut Schmidts (M 4).*

Herausforderung des Staates durch den Terrorismus

Im April des Jahres 1968 setzten in Frankfurt links-revolutionäre Aktivisten, die aus der APO-Bewegung hervorgegangen waren, zwei Kaufhäuser in Brand. Unter den Tätern befanden sich die späteren Hauptakteure des bundesdeutschen Terrorismus *Andreas Baader* und *Gudrun Ensslin*. Wenig später schloss sich ihnen die Journalistin *Ulrike Meinhof* an. Aus dem Untergrund baute die „Baader-Meinhof-Gruppe" die *Rote-Armee-Fraktion (RAF)* auf.

Die RAF-Terroristen verübten in der Bundesrepublik eine Serie von bewaffneten Banküberfällen und Attentaten, bei denen es mehrere Tote und zahlreiche Verletzte gab. Im Sommer 1972 konnte zwar der harte Kern der RAF verhaftet werden, doch aus den Reihen ihrer Sympathisanten rekrutierte sich alsbald die zweite Terroristen-Generation *(„Bewegung 2. Juni")*. Mit spektakulären Entführungen und Überfällen (z.B. auf die deutsche Botschaft in Stockholm 1975) versuchte die neue RAF, die Freilassung der Inhaftierten zu erpressen, wobei sie vor brutalem Geiselmord nicht zurückschreckte.

Höhepunkt der Gewalt

Im Jahre 1977 wurden unter anderem der Generalbundesanwalt *Siegfried Buback* und der Vorstandsvorsitzende der Dresdner Bank *Jürgen Ponto* ermordet. Am 5. September 1977 wurden der Arbeitgeberpräsident *Hanns Martin Schleyer* entführt und vier seiner Begleiter ermordet. Die Gewalttäter forderten die Freilassung der elf prominentesten inhaftierten Terroristen.

Unterstützt wurde die Aktion der RAF durch vier palästinensische Terroristen, die eine Lufthansa-Maschine mit 91 Personen an Bord entführten. Im Krisenstab der Bundesregierung herrschte Einigkeit, dass der Staat sich nicht erpressen lassen dürfe: Ein Antiterrorkommando des Bundesgrenzschutzes (GSG 9) befreite in Mogadischu (Somalia) in der Nacht vom 17. auf den 18. Oktober die Geiseln. Wenige Stunden später begingen Ensslin, Baader und der ebenfalls inhaftierte *Jan-Carl Raspe* im Gefängnis Stuttgart-Stammheim Selbstmord. Tags darauf fand die Polizei den ermordeten Arbeitgeberpräsidenten Schleyer in einem Auto in Mülhausen im Elsass.

Während die Mehrheit der Bevölkerung die Entschlossenheit der Regierung begrüßte, musste diese sich mit dem Vorwurf von Teilen der linken Intelligenz, auch aus dem Ausland, auseinandersetzen, die Bundesrepublik sei auf dem Weg in einen Polizeistaat (➧ M 1).

Umweltproblematik und Krisenbewusstsein

Die fortschreitende Industrialisierung und die zunehmende Motorisierung belasteten die Umwelt immer stärker. Die Folgen dieser Entwicklung (zum Beispiel Waldsterben) blieben lange Zeit unerkannt. Eine Art neues Umweltbewusstsein zeigte sich erstmals Anfang der Sechzigerjahre, als in Nordrhein-Westfalen das erste Umweltschutzgesetz auf Länderebene vom Landtag beschlossen wurde. Aber erst in den Siebzigerjahren gewann das Thema Umweltschutz großes öffentliches Interesse (➧ M 2). Vor allem Angehörige der jüngeren Generation engagierten sich in der alternativ-ökologischen Bewegung, die an der Wende zu den Achtzigerjahren in die Gründung einer völlig neuen Partei mündete: *Die Grünen* (➧ M 3). Die *„Grenzen des Wachstums"*, so der Titel eines vom *Club of Rome*, einer internationalen Runde von Wissenschaftlern, 1972 veröffentlichten Buches, wurde zum Signalwort der Siebziger- und Achtzigerjahre. Verstärkt durch den *„Ölschock“* von 1973, als sich schlagartig die Energiekosten und wichtige Rohstoffe auf dem Weltmarkt verteuerten, wurden die Begrenztheit von nicht regenerierbaren Ressourcen und deren globale Verschwendung vielerorts diskutiert. 1980 kam es zu einer weiteren Preisexplosion an den internationalen Ölmärkten, die in der gesamten westlichen Welt eine schwere wirtschaftliche Rezession auslöste. Erstaunlich schnell schlugen in der öffentlichen Meinung Reformeuphorie und Fortschrittsgläubigkeit in Skeptizismus, Zivilisationskritik und Krisenbewusstsein um. Die Forderung nach einem effektiven Schutz der Umwelt verband sich mit vermehrter Kritik an der friedlichen Nutzung der Kernenergie und dem Appell, sich mit einem bescheideneren Lebensstandard zufrieden zu geben.

▲ *Plakat zur Europaparlamentswahl von 1979.*

Nachrüstungsdebatte und Friedensbewegung

Zu einer der großen innenpolitischen Streitfragen wurde in den letzten Jahren der Regierung Schmidt die Sicherheitspolitik der NATO gegenüber der Sowjetunion. Auf Betreiben des Kanzlers hatten die Mitgliedstaaten am 12. Dezember 1979 den sogenannten „NATO-Doppelbeschluss“ gefasst: Gegen die wachsende Bedrohung Westeuropas durch die neuen sowjetischen SS-20-Mittelstreckenraketen sollten bis Ende 1983 in Westeuropa Pershing-II-Mittelstreckenraketen und bodengestützte Marschflugkörper *(Cruise Missiles)* aufgestellt werden, falls bis dahin Verhandlungen über den Abbau der sowjetischen Mittelstreckenraketen in Europa ohne Erfolg bleiben würden (siehe Seite 214 f.).
In der Bundesrepublik geriet Bundeskanzler Schmidt wegen des Nachrüstungsbeschlusses der NATO zunehmend unter öffentlichen und parteiinternen Druck. Kritiker sahen durch die geplante Nachrüstung die deutsch-sowjetischen Beziehungen bedroht und bestritten überhaupt die Notwendigkeit einer Nachrüstung.
Die neu sich etablierende *Friedensbewegung* gewann mit Demonstrationen und Appellen Teile der verunsicherten Öffentlichkeit für sich. Anstoß erregten die weltweiten Rüstungsausgaben von jährlich 510 Milliarden Euro für den Rüstungswettlauf zwischen Ost und West. Das große Erschrecken über die mögliche Auslöschung der Menschheit durch einen Atomkrieg bestimmte das Denken und Handeln der ansonsten sehr heterogenen Gruppen innerhalb der Friedensbewegung. Dagegen hatte die Regierung mit ihren realpolitischen Erwägungen einer atomaren Abschreckungs- und Gleichgewichtspolitik einen schweren Stand (➧ M 3 und M 4).

2.5 Die Zeit der christlich-liberalen Koalition

▲ *Erich Honecker und Helmut Kohl schreiten eine Ehrenformation der Bundeswehr vor dem Kanzleramt in Bonn ab. Foto vom 7. September 1987.*

1. Oktober 1982
Bundeskanzler Helmut Schmidt wird durch ein konstruktives Misstrauensvotum abgewählt, eine Koalition von CDU/CSU und FDP unter Bundeskanzler Helmut Kohl bildet die neue Regierung

22. November 1983
Der Bundestag billigt die Stationierung amerikanischer Mittelstreckenraketen in der Bundesrepublik, dagegen erhebt sich starker Protest

6. März 1983
Die Grünen ziehen zum ersten Mal mit 5,6 % der Wählerstimmen in den Bundestag ein

7.–11. September 1987
Auf Einladung Helmut Kohls besucht Erich Honecker zum ersten Mal offiziell die Bundesrepublik

M1
Gesamtwirtschaftliche Entwicklung 1969–1989

Jahr	Inflation (Veränderungen in %)	Erwerbs-personen (in Tausend)	Arbeitslose (in Tausend)	Arbeitslosen-quote (in %)	Wachstums-rate Brutto-sozialprodukt (in %)
1969	2,1	26 535	179	0,8	7,4
1971	5,4	26 957	185	0,8	3,1
1973	7,0	27 433	273	1,2	4,7
1975	5,9	27 184	1 074	4,6	-1,1
1977	3,7	27 038	1 030	4,3	2,6
1979	4,1	27 528	876	3,6	4,1
1981	6,3	28 305	1 272	5,1	0,0
1983	3,3	28 605	2 258	8,8	2,1
1985	2,0	28 879	2 304	8,9	1,9
1987	0,2	29 386	2 229	8,5	1,5
1989	2,8	29 799	2 038	7,6	4,2

Nach: Dieter Grosser, Stephan Bierling und Beate Neuss (Hrsg.), Bundesrepublik Deutschland und DDR 1969–1990, Stuttgart 1996, S. 84 f. und 137

Setzen Sie die konjunkturellen Veränderungen in Beziehung zur Arbeitslosenzahl.

M2
Deutschland als Einwanderungsland

Der Migrationsforscher Klaus Bade erläutert Wahrnehmung und Praxis der deutschen Ausländerpolitik.

Die Ost-West-Migration hatte im späten 19. und frühen 20. Jahrhundert Millionen Auswanderer über den Atlantik und jährlich Hunderttausende von Arbeitswanderern nach Mittel- und Westeu-5 ropa geführt. Hinzu kam ein großer Teil der mehr als 20 Millionen Menschen, die vom Ende des Ersten Weltkriegs bis zum Ende der 1940er-Jahre von zwangsweisen Umsiedlungen nach Grenzverschiebungen und von Vertreibungen betroffen waren. 10 Der Kalte Krieg bewirkte jahrzehntelang eine Drosselung der Ost-West-Migration und ließ im Westen auch die alten Ängste davor zurücktreten. […] Als der Limes des Kalten Krieges Ende der 1980er-Jahre zerbrach, wurde deutlich, dass er auch eine Sperre 15 gegen die Ost-West-Wanderung gewesen war. […] 1989–92 wurden in Deutschland rund eine Million (1 008 684) Asylsuchende gezählt. Das Zusammentreffen der verschiedenen, stark wachsenden Zuwanderungen in Deutschland und die durch Mi-20 grationsszenarien und Wanderungsdrohungen gestützte Furcht vor deren weiterer Entfaltung ließen die Visionen von ‚Fluten' aus dem Osten in Deutschland scheinbar konkrete Gestalt annehmen. Vergeblich brachten Ausländerbeauftragte, Prakti-25 ker der Ausländerarbeit und kritische Wissenschaftler Hinweise darauf in die Debatte, dass viele Asylsuchende, Flüchtlinge und andere Ausländer Deutschland jährlich wieder verließen. Demographische Argumente vermochten gegen die alltägli-30 che Erfahrung der de facto zunehmenden und von vielen als Bedrohung empfundenen Begegnungen mit stets neuen ‚Fremden' immer weniger auszurichten. […] Die Anti-Asyl-Argumentation bewegte sich dabei oft in geschlossenen Kreisen: In der 35 Regel wurden nur ca. 5 % der Antragsteller als im engeren Sinne ‚politisch verfolgt' anerkannt und deshalb für asylberechtigt erklärt. Von Politikern und Medien in Umlauf gebrachte Vorstellungen, die abgelehnten übrigen 95 % der Antragsteller 40 seien ‚Wirtschaftsflüchtlinge', waren demagogisch. Sie blamierten sich regelmäßig angesichts der

Tatsache, dass einem erheblichen Teil der Antragsteller und ihren Angehörigen trotz der Ablehnung im Asylverfahren aus verschiedenen Gründen Abschiebeschutz gewährt oder im Sinne übergeordneten Rechts ein Flüchtlingsstatus zugesprochen werden musste – was wiederum als staatliches Versagen bei der ‚konsequenten Abschiebung' interpretiert wurde.
Das war der Hintergrund für die von wachsender Angst und Aggressivität getriebenen ausländer- und fremdenfeindlichen Ausschreitungen im vereinigten Deutschland der frühen 1990er-Jahre. Zur Vorgeschichte der Krise gehörten aber auch seit langem ungeklärte Einwanderungs- und Eingliederungsfragen im Einwanderungsland wider Willen, das als nationaler Wohlfahrtsstaat pragmatisch die soziale Eingliederung von Zuwanderern gestaltete, appellativ aber in demonstrativer Erkenntnisverweigerung darauf beharrte, ‚kein Einwanderungsland' zu sein oder zu werden. Am Ende [...] wuchsen soziale Ängste, Irritationen und Frustrationen über die Abwesenheit von Politik in einer [...] alltäglich erlebbaren und doch politisch für nicht-existent erklärten Einwanderungssituation. Sie schlugen um in Aggression gegen ‚die Fremden' und solche, die dafür gehalten oder dazu erklärt wurden. ‚Unten' wuchs die Angst vor den Fremden, ‚oben' die Angst vor den Bürgern als Wählern. Das Zusammentreffen der Angst von ‚unten' mit der Ratlosigkeit von ‚oben' trug entscheidend bei zur ersten politischen Legitimationskrise im vereinigten Deutschland.

Klaus J. Bade, Europa in Bewegung. Migration vom späten 18. Jahrhundert bis zur Gegenwart, München 2000, S. 384 f., 389 f.

1. *Klären Sie die Funktion, die der „Eiserne Vorhang" für Bade in der europäischen Migrationsgeschichte einnimmt.*
2. *Erläutern Sie die Vorwürfe, die Bade gegen die deutsche Ausländerpolitik der Neunzigerjahre erhebt.*
3. *Bringen Sie in Erfahrung, ob der Regierungswechsel von 1998 Veränderungen gebracht hat.*

M3

Asylsuchende und Asylberechtigte ab 1982[1]

Jahr	Asyl-suchende	Asyl-berechtigte	Anerkennungs-quote[2]
		Anzahl	
1982	37 423	6 209	6,8
1983	19 737	5 032	13,7
1984	35 278	6 566	26,6
1985	73 832	11 224	29,2
1986	99 650	8 853	15,9
1987	57 379	8 231	9,4
1988	103 076	7 621	8,6
1989	121 318	5 991	5,0
1990	193 063	6 518	4,4
1991	256 112	11 597	6,9
1992	438 191	9 189	4,3
1993	322 599	16 396	3,2
1994[3]	127 210	25 578	7,3
1995	127 937	18 100	9,0
1996	116 367	14 389	7,4
1997	104 353	8 443	4,9
1998	98 644	5 883	4,0
1999	95 113	4 114	3,0

Bundesamt für die Anerkennung ausländischer Flüchtlinge, Nürnberg

1. *Versuchen Sie die Zu- bzw. Abnahme in den Zahlen zu erklären.*
2. *Recherchieren Sie die Hauptherkunftsgebiete der Asylbewerber im angegebenen Zeitraum und erklären sie etwaige Veränderungen dabei.*

1) *Bis einschl. 1990 früheres Bundesgebiet; ab 1991 Deutschland.*
2) *Die Anerkennungsquote bezieht sich auf die im jeweiligen Berichtsjahr getroffenen Entscheidungen.*
3) *Ab Berichtsjahr 1994 werden nur Erstanträge erfasst.*

M4
Die ausländische Bevölkerung in Deutschland

a) Ausländer im Bundesgebiet, 1982 bis 1998 in Tausend

Jahr	Ausländische Bevölkerung		
	Insgesamt	In % der Gesamtbevölkerung	Sozial versicherungspflichtig Beschäftigte
1982	4666,9	7,6	1709,5
1983	4534,9	7,4	1640,6
1984	4363,6	7,1	1552,6
1985	4378,9	7,2	1536,0
1986	4512,7	7,4	1544,7
1987	4240,5	6,9	1557,0
1988	4489,1	7,3	1607,1
1989	4845,9	7,7	1683,8
1990	5342,5	8,4	1793,4

Jahr	Ausländische Bevölkerung		
	Insgesamt	In % der Gesamtbevölkerung	Sozial versicherungspflichtig Beschäftigte
1991	5882,3	7,3	1908,7
1992	6495,8	8,0	2119,6
1993	6878,1	8,5	2150,1
1994	6990,5	8,6	2109,7
1995	7173,9	8,8	2094,0
1996	7314,0	8,9	2009,7
1997	7365,8	9,0	1997,8
1998	7319,6	9,0	2030,3

Nach: Ulrich Herbert, Geschichte der Ausländerpolitik in Deutschland. Saisonarbeiter, Zwangsarbeiter, Gastarbeiter, Flüchtlinge, München 2001, S. 233

b) Wanderungen von ausländischen Staatsangehörigen über die Auslandsgrenzen Deutschlands seit 1970[1)]

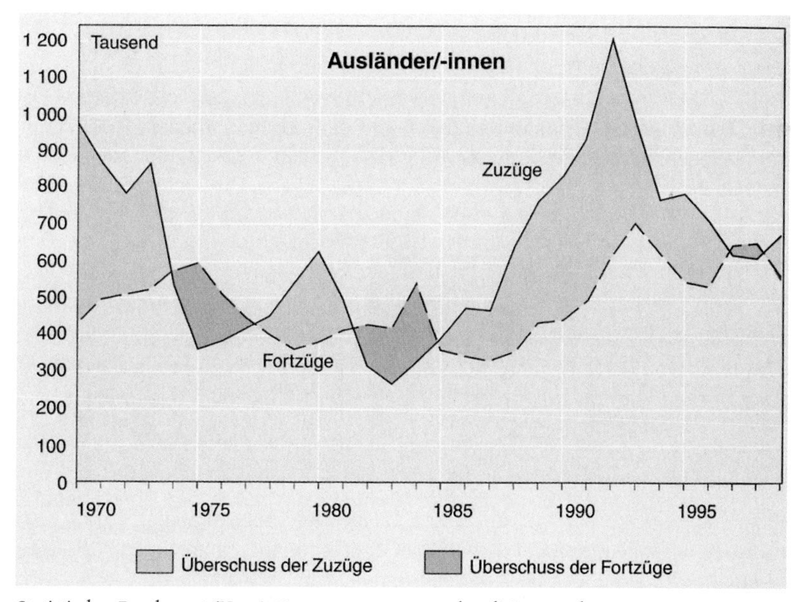

Statistisches Bundesamt (Hrsg.), Datenreport 1999, 2., aktualisierte Auflage, Bonn 2001, S. 52

1) *Bis einschließl. 1990 früheres Bundesgebiet; ab 1991 Deutschland*

Überprüfen Sie anhand der Zahlen die Aussagen von M 2.

Dauerproblem Arbeitslosigkeit

Das Ende der Wiederaufbauphase nach dem Zweiten Weltkrieg, Ölkrisen, neue Technologien, aber auch häufig überzogene Ansprüche an die Wirtschaftskraft in den Industriestaaten beendeten in den Siebzigerjahren die Periode der Vollbeschäftigung auf dem Arbeitsmarkt. Weltweit stiegen Inflations- und Arbeitslosenraten. In der Bundesrepublik sank das jährliche Wachstum der Volkswirtschaft auf durchschnittlich knapp zwei Prozent, und die Arbeitslosenquote schnellte gleichzeitig von 2,6% im Jahr 1974 auf 9,3% im Jahr 1985. Obwohl die Zahl der Arbeitsplätze seit den Achtzigerjahren wieder deutlich wuchs, blieb im Auf und Ab der Konjunktur eine immer größere Zahl von Arbeitslosen zurück (➧ M 1).
Während die Bundesbank erfolgreich die Stabilität der Währung schützte, setzte sich Bundeskanzler Schmidt nachdrücklich für die Stärkung der Wachstumskräfte durch die staatliche Förderung der Nachfrage ein. Durch dieses „Zusammenspiel" bewältigte die Bundesrepublik, verglichen mit den anderen Industriestaaten, die weltweite Krise noch relativ gut. Doch kosteten die Konjunkturprogramme und Maßnahmen zur Bekämpfung der Arbeitslosigkeit viele Milliarden. Die Verschuldung des Staates stieg zwischen 1970 und 1982 von 24 Mrd. auf 158 Mrd. Euro.

Innerer Wechsel – Kontinuität nach außen

Nach 13-jähriger sozialdemokratischer Kanzlerschaft kündigte 1982 die FDP unter ihrem Vorsitzenden und langjährigen Innen- und Außenminister *Hans-Dietrich Genscher* die Koalition mit der SPD auf, vor allem weil sie die expansive Haushalts- und Sozialpolitik der Regierung nicht mehr mittragen wollte. Stattdessen ging sie – nach der Abwahl Helmut Schmidts durch ein konstruktives Misstrauensvotum am 1. Oktober 1982 – ein Regierungsbündnis mit der CDU ein, deren Vorsitzender *Helmut Kohl* neuer Bundeskanzler wurde.
In der Außen- und Sicherheitspolitik setzten Bundeskanzler Kohl und Außenminister Genscher den bisherigen Kurs fort. Gegen heftige Proteste in der bundesdeutschen Öffentlichkeit (Friedensbewegung) stimmte die neue Regierungsmehrheit Ende 1983 der Stationierung von amerikanischen Mittelstreckenraketen in der Bundesrepublik zu.

Neue Akzente in der Wirtschafts- und Sozialpolitik

Finanzkrise, Massenarbeitslosigkeit und Wachstumsschwäche bestimmten das Bild der Bundesrepublik der frühen Achtzigerjahre (➧ M 1). Die Regierung Kohl/Genscher setzte auf die Stärkung der Marktkräfte zur Förderung eines wirtschaftlichen Aufschwunges. Die wesentlichen Programmpunkte dabei waren Eigeninitiative und Wettbewerb, Steuerentlastung vor allem für die Unternehmen, weniger staatliche Eingriffe in die Wirtschaft und Leistungseinschränkungen im Sozialbereich.
Diese Politik war – gefördert durch den bald einsetzenden Preisverfall des Erdöls – erfolgreich: Das Bruttosozialprodukt nahm wieder zu, die Inflation ging zurück. Erfolglos blieb die Regierung Kohl jedoch im Kampf gegen die Arbeitslosigkeit. Es wurden zwar Hunderttausende neuer Arbeitsplätze geschaffen. Doch noch viel mehr Menschen suchten Arbeit, und die Rationalisierung im industriellen Sektor schritt unablässig voran.

Zuwanderung

Die Bundesrepublik als ein Land des Wohlstands und der Freiheit wurde für viele Millionen Menschen in anderen Ländern zum Ziel ihrer Hoffnung auf ein besseres Leben (▶ M 2). Obwohl der Zustrom dieser Männer und Frauen der beste Beweis für den Erfolg der Bonner Demokratie und ihrer Wirtschaftsordnung war, verlief diese Masseneinwanderung nicht problemlos. Die Einwanderer lassen sich in drei Gruppen einteilen:

1. *Gastarbeiter:* Zwischen 1955 und 1973 arbeiteten 14 Millionen Ausländer in der Bundesrepublik und hatten maßgeblichen Anteil am wirtschaftlichen Boom der Fünfziger- und Sechzigerjahre. Elf Millionen kehrten wieder in ihre Heimatländer zurück. Von den anderen ließen viele ihre Familien nachkommen, bekamen Kinder in der Bundesrepublik und richteten sich auf Dauer hier ein. Sie sind inzwischen in die Gesellschaft überwiegend gut integriert.
2. *Aussiedler und Übersiedler:* Deutsche, deren Vorfahren bereits vor Generationen in die östlichen Teile Europas ausgewandert waren (Aussiedler), und Flüchtlinge aus der DDR (Übersiedler) verstärkten den Zuwandererstrom in die Bundesrepublik. Insgesamt wurden zwischen 1950 und Ende 1988 rund 1,6 Millionen Aussiedler, vor allem aus Polen, der Sowjetunion und Rumänien, aufgenommen. Nach dem Ende der kommunistischen Diktaturen in Europa 1989/90 wuchs die Zahl der Zuwanderer noch einmal stark an.
3. *Flüchtlinge:* Bis 1970 kamen fast nur Flüchtlinge aus kommunistisch regierten Ländern Europas in die Bundesrepublik, seit Ende der Siebzigerjahre dann in wachsender Zahl aus Ländern der „Dritten Welt“ (siehe Seite 245). Die seit 1989 deutlich ansteigende Zahl der zufluchtsuchenden Asylbewerber stellte Bund, Länder und Gemeinden bei der Unterbringung und Versorgung dieser Menschen vor große Probleme. Die Gewährung des Asylrechts und sein wirklicher oder angeblicher Missbrauch wurden zu einem heftig diskutierten Thema. Fremdenangst und Ausländerfeindlichkeit eskalierten 1991/92 im wiedervereinigten Deutschland zu Gewalttaten und Mordanschlägen durch jugendliche Rechtsextremisten, wogegen jedoch Millionen eindrucksvoll demonstrierten („Lichterketten“).

Der Deutsche Bundestag beschloss 1992 mit den Stimmen der sozialdemokratischen Opposition eine Reform des Asylgrundrechts. Damit sollte die Zuwanderung nach Deutschland gesteuert und begrenzt werden. Politisch Verfolgte erhielten das Recht auf Asyl, wie vom Grundgesetz vorgesehen; wer jedoch aus „sicheren Drittstaaten“ nach Deutschland einreiste, konnte sich nicht mehr auf das Asylrecht berufen. Kriegs- und Bürgerkriegsflüchtlinge erhielten eine befristete Aufenthaltserlaubnis, wovon in den 1990er-Jahren mehrere Hunderttausend Menschen vor allem aus dem zerfallenden Jugoslawien Gebrauch machten (▶ M 3 und M 4). Seit Anfang 2000 erhalten in Deutschland geborene Kinder ausländischer Eltern automatisch die doppelte Staatsangehörigkeit, später müssen sie sich für eine Staatsangehörigkeit entscheiden (bis zum 23. Lebensjahr).

Neue politische Strömungen

Seit Anfang der Achtzigerjahre veränderte sich das Parteiensystem der Bundesrepublik. An den Rändern des politischen Spektrums nahmen neue Gruppierungen den beiden großen Volksparteien Wähler ab.

Die Grünen nahmen ihren Anfang in Niedersachsen, wo aus verschiedenen Bürgerinitiativen der *Anti-Atomkraft-Bewegung* 1977 die erste landesweite grüne Partei hervorging. Der Zusammenschluss zu einer Bundespartei erfolgte 1980 (▶ M 3, S. 105 f.). Nach ersten

▲ *Karikatur von Fritz Wolf, 1984.*
Bis 1986 galt bei den Grünen der Grundsatz der Ämterrotation für Mandatsträger. Informieren Sie sich, warum die Grünen dieses Prinzip einführten und ob es noch besteht.

Wahlerfolgen auf kommunaler Ebene zog die *Grüne Liste Umweltschutz (GLU)* bei den Landtagswahlen 1982 mit elf Abgeordneten (6,5% der Stimmen) in den niedersächsischen Landtag ein. Auch in vielen anderen Bundesländern konnte sich die neue Partei etablieren. Erstmals beteiligte sie sich 1985 in Hessen an der Regierung.
Den Sprung in den Deutschen Bundestag schafften die Grünen erstmals 1983 mit 5,6% der Stimmen. Anfangs verstanden sie sich im Gegensatz zu den „etablierten" Parteien als basisdemokratische Alternative. Seit den Neunzigerjahren sind sie selbst zu einer im politischen System fest verankerten Partei geworden. In mehreren Bundesländern bildeten die Grünen Koalitionsregierungen mit der SPD. 1993 schlossen sie sich mit Bürgerrechtlern der ehemaligen DDR zu einer gesamtdeutschen Partei *Bündnis 90/Die Grünen* zusammen. Von 1998 bis 2005 standen sie als Koalitionspartner der SPD in der Regierungsverantwortung unter Bundeskanzler *Gerhard Schröder* und stellten mit *Joschka Fischer* den Außenminister.

Rechtsextremismus

Am rechten Rand des Parteienspektrums kam es in den Achtzigerjahren zu Neugründungen extremistischer Gruppierungen, die als ein Sammelbecken für Unzufriedene aller Schattierungen mit nationalistischen, rassistischen und ausländerfeindlichen Parolen auf Wähler- und Stimmenfang gingen. Am bekanntesten wurde die 1983 in Bayern gegründete Protestpartei *Die Republikaner*, die in verschiedene Stadt- und Landesparlamente Einzug hielt.
Nach der Wiedervereinigung 1990 konnte die rechtsextremistische, bereits 1971 gegründete *Deutsche Volksunion (DVU)* in einigen Bundesländern Erfolge erzielen, so vor allem in Sachsen-Anhalt, wo sie bei der Landtagswahl 1998 12,9 Prozent der Stimmen erhielt. Ebenfalls in den neuen Bundesländern entwickelte sich die fast in Vergessenheit geratene NPD zu einer militanten rechtsextremistischen Partei. Der Antrag der Bundesregierung, die NPD als verfassungsfeindlich zu verbieten, wurde vom Bundesverfassungsgericht 2003 wegen verfahrenstechnischer Fehler abgelehnt, eine Verfassungstreue der NPD damit jedoch nicht bescheinigt.

2.6 Aufbau der sozialistischen DDR

▲ *Aufmarsch von Mitgliedern der FDJ, Volkspolizei und SED anlässlich der 2. Parteikonferenz der SED, Foto vom 11. Juli 1952, Berlin.*

1950
Die SED richtet zur Überwachung der Bevölkerung das Ministerium für Staatssicherheit (MfS) ein; auf der Basis einer Einheitsliste finden die ersten Volkskammerwahlen in der DDR statt

1952
Walter Ulbricht verkündet den „planmäßigen Aufbau des Sozialismus“

▲ *Einstimmigkeit – wie hier bei der 2. Parteikonferenz der SED im Juli 1952 – war bei allen Beschlussvorlagen der Parteiführung gesichert. Gleiches galt auch für die Abstimmung über Gesetze in der Volkskammer. Das einzige Gesetz in 40 Jahren DDR, das nicht einstimmig verabschiedet wurde, betraf 1972 die Fristenlösung bei der Schwangerschaftsunterbrechung.*

M1

„Vorhut der Arbeiterklasse"

Im Januar 1949 beschließt die Parteikonferenz, die SED zu einer „Partei neuen Typus" zu entwickeln:

Die Kennzeichen einer Partei neuen Typus sind:
Die marxistisch-leninistische Partei ist die bewusste Vorhut der Arbeiterklasse. Das heißt, sie muss eine Arbeiterpartei sein, die in erster Linie die besten Elemente der Arbeiterklasse in ihren Reihen zählt, die ständig ihr Klassenbewusstsein erhöhen. Die Partei kann ihre führende Rolle als Vorhut des Proletariats nur erfüllen, wenn sie die marxistisch-leninistische Theorie beherrscht, die ihr die Einsicht in die gesellschaftlichen Entwicklungsgesetze vermittelt. Daher ist die erste Aufgabe zur Entwicklung der SED zu einer Partei neuen Typus die ideologisch-politische Erziehung der Parteimitglieder und besonders der Funktionäre im Geiste des Marxismus-Leninismus.
Die Rolle der Partei als Vorhut der Arbeiterklasse wird in der täglichen operativen Leitung der Parteiarbeit verwirklicht. Sie ermöglicht es, die gesamte Parteiarbeit auf den Gebieten des Staates, der Wirtschaft und des Kulturlebens allseitig zu leiten. Um dies zu erreichen, ist die Schaffung einer kollektiven operativen Führung der Partei durch die Wahl eines Politischen Büros (Politbüro) notwendig.
Die marxistisch-leninistische Partei ist die organisierte Vorhut der Arbeiterklasse. Alle Mitglieder müssen unbedingt Mitglied einer der Grundeinheiten der Partei sein. Die Partei stellt ein Organisationssystem dar, in dem sich alle Mitglieder den Beschlüssen unterordnen. Nur so kann die Partei die Einheit des Willens und die Einheit der Aktion der Arbeiterklasse sichern. […]
Die marxistisch-leninistische Partei beruht auf dem Grundsatz des demokratischen Zentralismus. Dies bedeutet die strengste Einhaltung des Prinzips der Wählbarkeit der Leitungen und Funktionäre und der Rechnungslegung der Gewählten vor den Mitgliedern. Auf dieser innerparteilichen Demokratie beruht die straffe Parteidisziplin, die dem sozialistischen Bewusstsein der Mitglieder entspringt. Die Parteibeschlüsse haben ausnahmslos für alle Parteimitglieder Gültigkeit, insbesondere auch für die in Parlamenten, Regierungen, Verwaltungsorganen und in den Leitungen der Massenorganisationen tätigen Parteimitglieder.
Demokratischer Zentralismus bedeutet die Entfaltung der Kritik und Selbstkritik in der Partei, die Kontrolle der konsequenten Durchführung der Beschlüsse durch die Leitungen und die Mitglieder. Die Duldung von Fraktionen und Gruppierungen innerhalb der Partei ist unvereinbar mit ihrem marxistisch-leninistischen Charakter. […]

Matthias Judt (Hrsg.), DDR-Geschichte in Dokumenten. Beschlüsse, Berichte, interne Materialien und Alltagszeugnisse, Berlin 1998, S. 46 f.

1. *Skizzieren Sie in eigenen Worten, was die SED unter „demokratischem Zentralismus" verstand.*
2. *Vergleichen Sie diesen Parteiaufbau mit der Organisation von Parteien in demokratisch-pluralistischen Gesellschaften.*

M2

Sitzverteilung der Volkskammerwahl vom 15. Oktober 1950

Bei den Volkskammerwahlen wurde die Verteilung der Mandate vorab festgelegt. Die Wähler stimmten über die „Einheitsliste" der „Nationalen Front" ab. Es gab nur die Möglichkeit mit „Ja" oder „Nein" zu stimmen; einzelne Kandidaten zu bestätigen oder auszuschließen, war nicht möglich.

Parteien/Organisationen*	Verteilung der Sitze
SED (Sozialistische Einheitspartei Deutschlands)	100
CDU (Christlich-Demokratische Union)	60
LDPD (Liberal-Demokratische Partei Deutschlands)	60
NDPD (National-Demokratische Partei Deutschlands)	30
DBD (Demokratische Bauernpartei Deutschlands)	30
FDGB (Freier Deutscher Gewerkschaftsbund)	40
Andere Massenorganisationen	80
Gesamt	400

*Zu den einzelnen Parteien und Organisationen vgl. S. 122f.

Martin Broszat/Hermann Weber (Hrsg.), SBZ-Handbuch. Staatliche Verwaltungen, Parteien, gesellschaftliche Organisationen und ihre Führungskräfte in der sowjetischen Besatzungszone Deutschlands 1945–1949, München 1990, S. 431

Erklären Sie, inwiefern die SED bei dieser Sitzverteilung ihr Machtmonopol sicherstellen konnte.

M3

Freie Wahlen?

Am 15. Juni 1957 gibt das Politbüro der SED eine geheime Anweisung für die Auswertung von Stimmzetteln bei Kommunalwahlen heraus. Auch für alle übrigen Wahlen galten entsprechende Kriterien.

2. Der Stimmzettel ist gültig und gilt als für den Wahlvorschlag der Nationalen Front abgegeben, wenn folgende Änderungen vorgenommen wurden:
5 a) wenn Kandidaten und Nachfolgekandidaten auf dem Stimmzettel gestrichen sind;
b) wenn auf dem Stimmzettel Zustimmungserklärungen für die Kandidaten und Nachfolgekandidaten enthalten sind, wie ja, einverstanden, Frie-
10 den u.ä.;
c) wenn sich ein Kreuz hinter dem Namen eines Kandidaten oder Nachfolgekandidaten befindet oder die Namen einzelner Kandidaten oder Nachfolgekandidaten einzeln unterstrichen sind.
15 3. Als ungültig sind Stimmzettel anzusehen, die
a) nicht amtlich hergestellt sind;
b) die die Aufschrift „ungültig" enthalten;
c) die staatsfeindliche Äußerungen enthalten.
4. Als Stimmen gegen den Vorschlag der Nationa-
20 len Front sind zu betrachten:
a) Stimmzettel, auf denen alle Kandidaten und Nachfolgekandidaten einzeln gestrichen sind;
b) Stimmzettel, auf denen ein Kreuz quer über dem gesamten Stimmzettel angebracht ist;
25 c) Stimmzettel, auf denen Äußerungen des Wählers aufgezeichnet sind, die seine Gegenstimme klar zum Ausdruck bringen.
5. Die Veröffentlichung der Wahlergebnisse nach der Auszählung in Presse und Rundfunk erfolgt
30 nur auf besondere Anweisung des Wahlleiters der Republik oder seines Stellvertreters.

Matthias Judt (Hrsg.), DDR-Geschichte in Dokumenten, a.a.O., S. 67f.

1. *Analysieren Sie die Absicht, die hinter diesen Wahlanweisungen steht.*
2. *Diskutieren Sie die praktischen Auswirkungen dieser Anweisungen.*
3. *Informieren Sie sich über die Anforderungen an freie Wahlen.*

M4
Der Fall der Werdauer Oberschüler

Am 4. Oktober 1951 verurteilt das Landgericht Zwickau eine Gruppe von 19 Oberschülern aus Werdau, die antikommunistische Flugblätter verteilt hatten, zu hohen Zuchthausstrafen. Achim Beyer, einer jener ehemaligen Schüler, berichtet 1993 vor der Enquête-Kommission des Deutschen Bundestags zur „Aufarbeitung von Geschichte und Folgen der SED-Diktatur in Deutschland". Wegen seiner Teilnahme an der Flugblattaktion hatte er fünfeinhalb Jahre im Gefängnis gesessen.
1996 wurde in Dresden gegen zwei der ehemaligen Richter Anklage wegen Rechtsbeugung erhoben. Aus Krankheitsgründen konnte nur gegen eine damalige Richterin das Verfahren eröffnet werden; nach Zahlung eines Bußgeldes wurde es jedoch eingestellt.

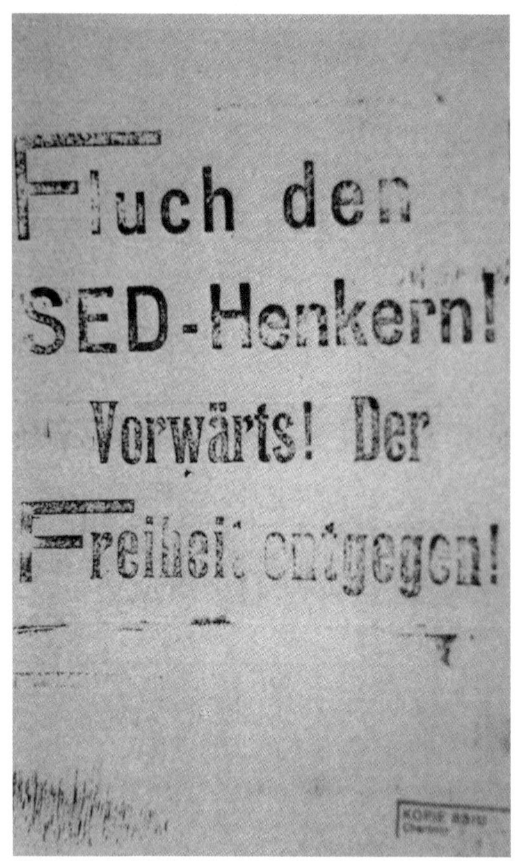

Æ Flugblatt der Werdauer Oberschüler.

Der Vorwurf in der Anklageschrift lautete, „Boykotthetze gegen demokratische Einrichtungen und Organisationen" betrieben zu haben, „im bewussten und gewollten Zusammenwirken Anfang Oktober 1950 eine Widerstandsgruppe in Werdau gegen die Deutsche Demokratische Republik gegründet, die Verbindung mit der Kampfgruppe gegen Unmenschlichkeit in Westberlin aufgenommen und auf Weisung dieser die Herstellung und Verbreitung von Hetzzetteln vorgenommen" zu haben. In der Anklageschrift hieß es dann weiter, wir hätten klar zu erkennen gegeben, dass wir Feinde des Friedenslagers der 800 Millionen friedliebenden Menschen sind. „Sie haben sich selbst durch ihre verbrecherischen Handlungen aus der Gemeinschaft der friedliebenden Menschheit ausgeschlossen. Wir werden es nicht zulassen, dass die Erfolge im Kampf um die Einheit Deutschlands und die Erhaltung des Friedens sowie des friedlichen Aufbaus durch solche Elemente zunichte gemacht werden." […]
Wir haben Flugblätter verteilt und geklebt, insbesondere gegen die Volkskammerwahl 1950, haben zum Widerstand gegen das SED-Regime aufgerufen, haben gegen das Todesurteil gegen Hermann Josef Flade[1)] protestiert. […]
In der Nacht vom 18. zum 19. Mai 1951 wurden während einer Flugblattaktion zwei unserer Freunde verhaftet. Am darauffolgenden Morgen gab es Absprachen und Diskussionen über Fluchtwege und -zeiten. Aber nur wenige Schüler konnten fliehen. Meist waren dies Sympathisanten und/oder Mitwisser. Die Aktivisten wurden sämtlich verhaftet. […]
Wir wurden vom Staatssicherheitsdienst verhört, ich selbst in Sonneberg, Zwickau und Dresden, meist mit nicht mehr feinen Methoden: total abgedunkelter Raum, festgeschraubter Sessel, Scheinwerfer, Kreuzverhör. In Sonneberg brachte man es fertig, mir für einige Stunden einen Schäferhund in die Zelle zu setzen. In Dresden gab es psychischen Druck. Als Beispiel: Auf einem großen Tisch wurden gezielt verschiedene Peitschen unterschied-

1) Am 10. Januar 1951 hatte die Große Strafkammer des Landgerichts Dresden gegen den 18-jährigen Oberschüler Flade ein Todesurteil verkündet, weil dieser antikommunistische Flugblätter verbreitet und sich bei seiner Festnahme mit einem Messer zur Wehr gesetzt hatte.

licher Größe demonstriert, die man, wie es hieß, ja auch anwenden könne. Es ging so weit, dass man uns zum Selbstmord provozieren wollte. Die Wände im Umkleideraum zum Duschen und Rasieren in Dresden bei der Stasi waren voller roter Flecke, ob Blut oder Farbe, sei dahingestellt. Der Aufseher meinte, es hätten hier schon viele ihrem Leben ein Ende gemacht. [...]

Die Verhandlung selbst begann am 3. Oktober 1951, vormittags, 10.00 Uhr, im Landgericht Zwickau. Sie wurde nur kurz durch wenige Pausen unterbrochen. Die Urteile wurden am 4. Oktober 1951, gegen 0.30 Uhr, verkündet. Es war mein 19. Geburtstag. Die Strafen lagen zwischen zwei und 15 Jahren Zuchthaus. Unter den Verurteilten befanden sich sechs Jugendliche unter 18 Jahren.

Die Verhandlung selbst bestand vor allem in einer Abarbeitung der in der Anklageschrift und damit den SED-Untersuchungsakten niedergelegten Vorwürfe und Vorhaltungen und deren Bestätigung während der Verhandlung. Ein Leugnen schien uns zwecklos. Einer unserer Freunde verweigerte die Aussage, was zwar für erhebliche Aufregungen sorgte und ihm die Aberkennung der Untersuchungshaftzeit einbrachte, aber ansonsten ohne Erfolg blieb.

[...] Fünf Minuten vor der Verhandlung stellten sich uns einige Herren als unsere Verteidiger vor: für jeweils drei bis vier Angeklagte ein Pflichtverteidiger. Doch was konnten und wollten sie in diesem Fall ausrichten? Ein Rechtsanwalt beantragte Einsichtnahme in die Beweisstücke. Daraufhin sprang der SED-Kreissekretär Kurt Benda auf und schrie ihn an: „Sie haben wohl die Absicht, heute nacht diese Flugblätter zu kleben, was?!" Während der Verhandlung durfte niemand mitschreiben, auch nicht die Presse, und dennoch wurde bekannt, was man uns vorwarf, wie sich jeder von uns den Anschuldigungen des Staatsanwalts Piel gegenüber verhielt.

In der Mittagspause geschah etwas, was keiner von uns je vergessen wird. In einem Vorraum wurden wir streng getrennt voneinander aufgestellt, als plötzlich hinter uns hinter einer mit Ölfarbe verschmierten Glaswand unsere Eltern, die wir monatelang nicht sehen durften, unsere Namen riefen, wie sie mit den Fingernägeln die Farbe abkratzten, nur um uns wieder einmal sehen zu können. Ich werde auch nicht vergessen, wie ein Polizeikommando mit Gummiknüppeln unsere Eltern aus dem Gerichtsgebäude trieb. Wir hörten sie laut dagegen protestieren und weinend unsere Namen rufen.

[...] Die Haftbedingungen zu Beginn der Fünfzigerjahre waren überaus hart, brutal und unmenschlich: ständig Hunger, keine medizinische Versorgung, in Waldheim z.B. acht Wochen lang kein Wäschewechsel, einheitlich totale Glatze, keine Literatur, Kälte, kaum Hofgang und anderes mehr. [...] Eine allgemeine größere Entlassungsaktion seit Februar 1956 [...] wurde begleitet von dem Hinweis, dass jeder ehemalige Häftling, gleich, aus welchen Gründen verurteilt, angeblich als gleichwertiger Bürger angesehen werde. Wir hingegen mussten auf die Entlassung nicht nur bis Mitte Oktober 1956 warten; uns wurde zudem der Besuch einer weiterführenden Schule untersagt. [...] Die Entlassung erfolgte nach § 346 Strafgesetzbuch, bedingte Strafaussetzung mit Bewährungsfrist, bei mir drei Jahre. [...] Meine Freunde hatten aufgrund der vermuteten Gruppenhaftung nicht nur auf mich als den zuletzt Entlassenen gewartet, wir verabredeten auch, die Flucht am gleichen Tag zu unternehmen, wenngleich mit individueller Planung. Als die Ereignisse in Ungarn vom Oktober 1956 eskalierten, war dieser Tag gekommen. Am 06.11.1956, vormittags, besorgte meine Mutter innerhalb weniger Stunden für mich einen Interzonenpass. Ein solches Dokument ermöglichte damals für sechs Wochen einen Aufenthalt in der BRD. Ich erhielt diesen Interzonenpass, weil meine Mutter schon längere Zeit eine Angestellte in der Kreisverwaltung bestochen hatte, aber auch weil selbst in solchen Ämtern uns Sympathie entgegengebracht wurde. [...] Ich benachrichtigte nach Erhalt des Passes meine Freunde. Wir alle, die wir weg wollten, überschritten noch in dieser Nacht die Grenze.

Deutscher Bundestag, 12. Wahlperiode, Enquête-Kommission „Aufarbeitung von Geschichte und Folgen der SED-Diktatur in Deutschland", Band IV, Frankfurt/Main 1995, S. 244–251

Erläutern Sie das Zusammenwirken von Staatssicherheit und Justiz.

Eroberung der Macht nach sowjetischem Vorbild

Seit der Gründung der DDR am 7. Oktober 1949 übernahm die SED das sowjetische Modell in allen Bereichen von Politik, Gesellschaft, Wirtschaft und Kultur. Es entstand eine Diktatur, deren Machthaber sich zu keinem Zeitpunkt auf die mehrheitliche Zustimmung der Bevölkerung berufen konnten. Die kommunistische Führungsgruppe der Partei beschritt bei der Durchsetzung ihres Machtmonopols mehrere Wege:
1. die innere Umgestaltung der SED zu einer „Partei neuen Typus",
2. die Umformung des gesamten Parteiensystems zu einem Instrument der SED,
3. die Lenkung der Strafjustiz zur Absicherung der Diktatur und
4. der Einsatz der Geheimpolizei (Ministerium für Staatssicherheit) zur Überwachung der Bevölkerung und zur Unterdrückung der Opposition.

Monolithischer Herrschaftsapparat der SED

Schon vor der Staatsgründung der DDR war die SED als „Partei neuen Typus" dem Beispiel der KPdSU gefolgt. Danach stand sie nicht in Konkurrenz zu anderen Gruppen im Staat, sondern sie übte – gemäß der marxistisch-leninistischen Lehre – an der Spitze der Arbeiterbewegung ein Machtmonopol aus (➧ M 1).
Das Bekenntnis zu Stalin und zur „führenden Rolle" der Sowjetunion sowie den Kampf gegen „Spione und Agenten" und den „Sozialdemokratismus" erklärte der III. Parteitag der SED im Juli 1950 zur Pflicht für alle SED-Mitglieder. Mit Unterstützung der sowjetischen Geheimpolizei setzte Walter Ulbricht, Erster Sekretär und mächtigster Mann der SED, Parteisäuberungen durch – allein 1950/51 wurden 150 000 Mitglieder und Funktionäre, darunter vor allem ehemalige Sozialdemokraten, aber auch viele Kommunisten, aus der SED ausgeschlossen. Sogar Mitglieder der Führungsgruppe wurden ihrer Funktionen enthoben oder gar verhaftet. In einer Atmosphäre der Angst entwickelte sich die SED zu einem monolithischen Machtapparat, der von einer kleinen Gruppe von Spitzenfunktionären gelenkt wurde.

Die Umformung des Parteiensystems

Neben den seit 1945 in der Sowjetischen Besatzungszone zugelassenen Parteien CDU und LDPD waren von der SED und der SMAD 1948 zwei weitere Parteien ins Leben gerufen worden: die *Demokratische Bauernpartei Deutschlands (DBD)* und die *National-Demokratische Partei Deutschlands (NDPD)*. Diese beiden „bürgerlichen" Parteien hatten die Aufgabe, im Auftrag der SED Zugang zu bäuerlichen und liberal-konservativen Kreisen zu gewinnen sowie die tatsächlichen Machtverhältnisse zu verschleiern.
Eine ähnliche Rolle wie den Parteien teilte die SED-Spitze den großen Massenorganisationen zu wie beispielsweise dem *Freien Deutschen Gewerkschaftsbund (FDGB)* oder der *Freien Deutschen Jugend (FDJ)*. Sie sollten als „Transmissionsriemen" (Lenin) zur Durchsetzung des Willens der kommunistischen Parteispitze wirken.
Parteien und Massenorganisationen wurden seit der Staatsgründung in der *Nationalen Front des demokratischen Deutschland* zusammengeschlossen. Da die maßgeblichen Stellen der Nationalen Front von SED-Funktionären eingenommen wurden, konnte die SED auf diesem Weg alle Parteien und Massenorganisationen steuern.

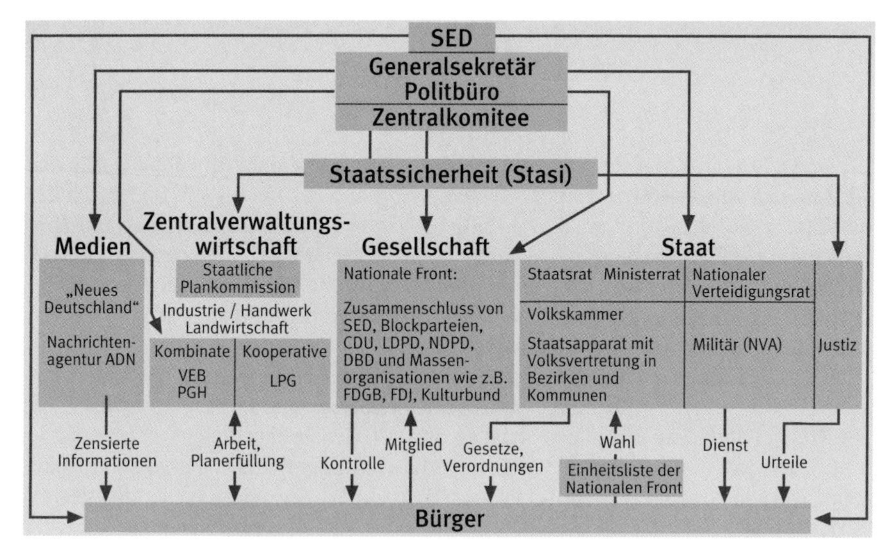

Æ *Die Verfassungswirklichkeit in der DDR (Grafik nach Eberhard Wilms).*

Die ersten Volkskammerwahlen vom Oktober 1950 fanden auf der Basis einer Einheitsliste der Nationalen Front statt und ermöglichten keine Auswahl, sondern nur eine Akklamation (➧ M 2). Für das bereits zuvor festgelegte Ergebnis (98 Prozent Wahlbeteiligung, 99,7 Prozent Zustimmung) mussten die SED und ihre Geheimpolizei allerdings Druck und Gewalt gegenüber der Bevölkerung anwenden und die Wahlergebnisse fälschen (➧ M 3).
Seit Anfang der Fünfzigerjahre wurde die Gleichschaltung der bürgerlichen Parteien forciert. Widerstandsbereite Persönlichkeiten wurden ihrer Ämter enthoben, verhaftet und zu Zuchthaus oder Zwangsarbeit in sowjetischen Straflagern verurteilt. Seit 1952/53 erkannten CDU und LDPD in ihren Satzungen „die führende Rolle der SED als der Partei der Arbeiterklasse“ vorbehaltlos an.

Justiz im Parteiauftrag

Die Säuberung des Justizapparates von ehemaligen Nationalsozialisten nutzte die Führung der SED, um an ihre Stelle zuverlässige Kommunisten zu platzieren. Im Gegensatz zum Wortlaut der Verfassung waren die Richter nicht unabhängig, sondern politische Funktionäre, angeleitet und gelenkt vom Obersten Gericht und den Parteiinstanzen.
Das Strafrecht wurde ein Instrument der Diktatur zur Bekämpfung ihrer Gegner; wesentliche Verfahrensrechte, wie das Prinzip der Öffentlichkeit im Gerichtsprozess oder das Recht des Angeklagten auf Verteidigung, verkamen zu einer Farce, die Haftbedingungen in den Gefängnissen waren unmenschlich. Als Straftatbestand diente häufig die Generalklausel des Artikels 6 der Verfassung von 1949 („Boykotthetze gegen demokratische Einrichtungen“). Bereits kritische Meinungsäußerungen über das Regime wurden mit hohen Freiheitsstrafen geahndet (➧ M 4).
Eines der schwersten Justizverbrechen in der Frühzeit der DDR waren die sogenannten „Waldheimer Prozesse“. Unter dem Vorwand, Nazi- und Kriegsverbrechen zu ahnden, wurden innerhalb von nur zweieinhalb Monaten im Jahre 1950 in Waldheim (Sachsen) 3324 Insassen ehemaliger sowjetischer Speziallager in der DDR gleichsam am Fließband zu Regelstrafen von 15 Jahren Zuchthaus und mehr, 33 zum Tode verurteilt.
Schauprozesse zur Bekämpfung des sozialdemokratischen und bürgerlichen Widerstandes, aber auch der innerparteilichen Gegner Ulbrichts wurden vom Justizapparat der SED regelrecht inszeniert und von den Gerichten ausgeführt. Das Politbüro betätigte

sich in der Ära Ulbricht nicht selten als Ankläger, Richter und Gnadeninstanz. Heute wird die Zahl der politisch Verfolgten in 40 Jahren DDR auf 150 000 bis 200 000 geschätzt. Nicht weniger als 33 755 „politische Häftlinge“ kaufte die Bundesregierung zwischen 1963 und 1989 für insgesamt 1,74 Miliarden Euro frei. Seit dem Untergang des SED-Regimes können die Opfer des Justizterrors ihre gerichtliche Rehabilitierung beantragen. Etwa 160 000 solcher Anträge sind bis heute gestellt worden (Stand 2001); die meisten davon sind mit positivem Ergebnis abgeschlossen.
Auch das Zivil-, Familien- und Arbeitsrecht missbrauchte der SED-Staat, um Andersdenkende, Kritiker oder Systemgegner einzuschüchtern. So wurden Schulabschlüsse, die Berufsausbildung, der berufliche Aufstieg von Menschen, die unliebsam aufgefallen waren, verhindert, die Wohnungszuteilung oder die Reiseerlaubnis versagt, der Personalausweis entzogen, der Arbeitsplatz gekündigt etc. Wegen der herrschenden Rechtsunsicherheit blieb für die Bürger das staatliche Handeln stets unberechenbar.

Die Allgegenwart des Geheimdienstes

Neben der Roten Armee gewährleistete insbesondere der *Staatssicherheitsdienst* den Machterhalt der SED. Er war eine Kopie des sowjetischen Geheimdienstes und mit diesem lange Zeit aufs Engste verflochten. Im Februar 1950 wurde das Ministerium für Staatssicherheit (MfS) gegründet, um „Saboteure, Agenten und Diversanten[1]“ zu bekämpfen. Vom ersten Tag seiner Existenz an arbeitete der Staatssicherheitsdienst unter strengster Geheimhaltung als „Schild und Schwert der Partei“ *(Erich Mielke)*. Kein Gesetz oder Parlament schränkten seine Ziele und Methoden ein. In einem als „Geheime Kommandosache“ deklarierten Statut wurden die Aufgaben des MfS 1969 erstmals ausführlicher dargelegt.
Im Laufe der Zeit entwickelte sich die Geheimpolizei der SED zu einem gigantischen Überwachungsapparat mit der Zentrale in Ostberlin und nachgeordneten Behörden auf Bezirks- und Kreisebene. Anfangs zählte das MfS 1 000 hauptamtliche Mitarbeiter, Mitte der Fünfzigerjahre bereits 13 000. Die personelle Expansion verdeutlicht, dass die SED-Führung ihren Parolen von der Einheit von Volk und Partei selbst nicht traute (1989 waren es schließlich rund 100 000 hauptamtliche Mitarbeiter).
Um die vermuteten „feindlich-negativen“ Personen, Handlungen und Meinungen flächendeckend aufzuspüren, bediente sich der Apparat eines zusätzlichen Netzes von Spitzeln, die ihre Führungsoffiziere über „staatsfeindliche“ Gespräche oder Absichten im eigenen Freundeskreis, am Arbeitsplatz, in der Familie, in staatlichen und gesellschaftlichen Organisationen informierten. Die allgegenwärtige Spitzelei und Denunziation durch sogenannte *Inoffizielle Mitarbeiter (IM)* wurde bereits in den Fünfzigerjahren systematisch organisiert. Am Ende der SED-Diktatur (1989) verfügte das MfS über rund 173 000 Zuträger. Im statistischen Mittel kontrollierte in der Endphase der DDR ein Inoffizieller Mitarbeiter 120 Einwohner. Erst neuere Forschungen haben gezeigt, dass Ende der Achtzigerjahre auch 1553 Bundesbürger als aktive Inoffizielle Mitarbeiter beim DDR-Auslandsgeheimdienst des MfS registriert waren. Insgesamt arbeiteten während des 40-jährigen Bestehens der DDR ca. 10 000 Westdeutsche für die Stasi.
Von Anfang an nutzte das MfS alle zur Verfügung stehenden Mittel, um Opponenten zu kriminalisieren, sie beruflich oder privat zu ruinieren: Öffnung von Briefen, heimliche Wohnungsdurchsuchungen, Einbau von Wanzen, Durchsicht von Bankunterlagen und Krankheitsberichten bis zur permanenten Beschattung verdächtiger Personen (vgl. S. 138).

---

[1] *im kommunistischen Sprachgebrauch: Saboteur*

Einbeziehung der DDR in den Ostblock

Bereits seit Anfang 1950 war die DDR Mitglied des von Stalin ins Leben gerufenen Rates für gegenseitige Wirtschaftshilfe (RGW) (siehe Seite 54). Die Blockbildung in Europa und Deutschland wurde abgeschlossen mit der Gründung des Warschauer Paktes am 14. Mai 1955, zu dessen Unterzeichnerstaaten die DDR ebenfalls gehörte. Einen Tag später beschloss das Zentralkomitee der SED die Aufstellung bewaffneter Streitkräfte, die bereits in Gestalt der *Kasernierten Volkspolizei* existierten. Entsprechend rasch gingen die Aufstellung der Nationalen Volksarmee (NVA) und die Schaffung eines *Ministeriums für nationale Verteidigung* vor sich. Anfang 1956 beschlossen die Warschauer Vertragsstaaten, die Nationale Volksarmee in die Streitkräfte des Warschauer Paktes aufzunehmen. Damit war die DDR auch militärisch voll in den Ostblock integriert.

Bereits am 20. September 1955, unmittelbar nach Aufnahme diplomatischer Beziehungen mit der Bundesrepublik, hatte die neue sowjetische Führung unter Parteichef Chruschtschow in dem Vertrag *über die Beziehungen zwischen der DDR und der UdSSR* die *Souveränität* der DDR bekräftigt. An die Stelle der sowjetischen Kontrollkommission trat ein Botschafter. Von nun an verfolgte die Sowjetunion das Ziel der völkerrechtlichen Anerkennung der DDR durch den Westen *(Zwei-Staaten-Theorie)*. Als strategisch und ökonomisch wichtiger Eckpfeiler des östlichen Bündnisses wurde das SED-Regime unter Walter Ulbricht zu einem zuverlässigen Partner des von der Sowjetunion beherrschten Ostblocks.

„Planmäßiger Aufbau des Sozialismus"

Im Juli 1952 verordnete Walter Ulbricht mit Erlaubnis Stalins den „planmäßigen Aufbau des Sozialismus“. Das hieß im Wesentlichen:

- weitere Zentralisierung der Staatsmacht (Auflösung der Länder), Ausbau von Partei und Sicherheitsorganen, verstärkte Indoktrination durch Ideologie und Medien;
- Ausbau der Volkseigenen Betriebe, die bereits rund 80% zur industriellen Produktion beisteuerten; damit einher ging die Enteignung und politische Verfolgung der bürgerlichen Mittelschichten, die als private Unternehmer, kleine Handels- und Gewerbetreibende eine wichtige Stütze für die ostdeutsche Wirtschaft bildeten; durch eine extrem hohe Besteuerung und bürokratische Gängeleien wurde ihre berufliche Existenz vielfach vernichtet;
- einseitige Förderung der Schwerindustrie und des militärischen Komplexes ohne Rücksicht auf die wachsenden Versorgungsengpässe für die Bevölkerung, verbunden mit einer Erhöhung der geforderten Arbeitsleistung;
- forcierte Kollektivierung der Landwirtschaft; durch extrem hohe Ablieferungsverpflichtungen wurden selbstständige Bauern in landwirtschaftliche Produktionsgenossenschaften (LPG) gepresst;
- rascher Aufbau von „nationalen Streitkräften“, finanziert durch Steuererhöhungen und Einsparungen im sozialen Bereich.

2.7 Krisen und Abschottung

▲ *Westberliner versuchen in der Bernauer Straße Verwandte in Ostberlin zu grüßen. Foto vom August 1961.*

16./17. Juni 1953
Der Arbeiteraufstand in Ostberlin weitet sich zu einem landesweiten Aufstand gegen das SED-Regime aus

13. August 1961
Die DDR-Regierung lässt in Berlin die Mauer errichten

M1

Der „Neue Kurs"

Bei geheimen Beratungen in Moskau am 2. und 3. Juni 1953 erhalten die SED-Spitzenfunktionäre Ulbricht, Oelßner und Grotewohl Verhaltensmaßregeln von der neuen sowjetischen Führung. Der Beschluss des sowjetischen Politbüros „Über die Maßnahmen zur Gesundung der politischen Lage in der Deutschen Demokratischen Republik" wurde 1990 veröffentlicht.

Infolge der Durchführung einer fehlerhaften politischen Linie ist in der Deutschen Demokratischen Republik eine äußerst unbefriedigende politische und wirtschaftliche Lage entstanden.
5 Unter den breiten Massen der Bevölkerung, darunter auch unter den Arbeitern, Bauern und der Intelligenz, ist eine ernste Unzufriedenheit zu verzeichnen [...].
Als Hauptursache der entstandenen Lage ist anzuer-10 kennen, dass gemäß den Beschlüssen der Zweiten Parteikonferenz der SED, gebilligt vom Politbüro des ZK der KPdSU, fälschlicherweise der Kurs auf einen beschleunigten Aufbau des Sozialismus in Ostdeutschland genommen worden war ohne Vorhan-15 densein der dafür notwendigen realen sowohl innen- als auch außenpolitischen Voraussetzungen. [...]
1. Unter den heutigen Bedingungen (ist) der Kurs auf eine Forcierung des Aufbaus des Sozialismus in der DDR [...] für nicht richtig zu halten.
20 Zur Gesundung der politischen Lage in der DDR [...] ist der Führung der SED und der Regierung der DDR die Durchführung folgender Maßnahmen zu empfehlen.
a) Ein künstliches Aufbringen der landwirtschaft-25 lichen Produktionsgenossenschaften, die sich in der Praxis nicht bewährt haben und die eine Unzufriedenheit unter den Bauern hervorrufen, ist einzustellen. Alle bestehenden landwirtschaftlichen Produktionsgenossenschaften sind sorgfältig zu 30 überprüfen, und dieselben, die auf einer unfreiwilligen Basis geschaffen sind oder die sich als lebensunfähig gezeigt haben, sind aufzulösen. [...]
c) Die Politik der Einschränkung und der Ausdrängung des mittleren und kleinen Privatkapitals 35 ist als eine vorzeitige Maßnahme zu verwerfen. Zur Belebung des wirtschaftlichen Lebens der Republik ist es notwendig, eine breite Heranziehung des Privatkapitals in verschiedenen Zweigen der kleinen und Gewerbeindustrie, in der Landwirtschaft sowie 40 auch auf dem Gebiet des Handels für zweckmäßig zu halten, ohne dabei seine Konzentrierung in großem Ausmaß zuzulassen. [...] Das existierende System der Besteuerung der Privatunternehmer, das praktisch den Drang zur Beteiligung an dem 45 Wirtschaftsleben tötet, ist in der Richtung einer Linderung der Steuerpresse zu revidieren. Die Kartenversorgung mit Lebensmitteln für die Privatunternehmer sowie auch für die Freischaffenden ist wiederherzustellen.
50 d) Der Fünfjahrplan der Entwicklung der Volkswirtschaft der DDR ist zu revidieren in der Richtung einer Lockerung des überspannten Tempos der Entwicklung der Schwerindustrie und einer schroffen Vergrößerung der Produktion der Mas-55 senbedarfswaren und der vollen Sicherung der Versorgung der Bevölkerung mit Lebensmitteln [...].
f) Maßnahmen zur Stärkung der Gesetzlichkeit und Gewährung der Bürgerrechte (sind) zu treffen, von harten Strafmaßnahmen, die durch Notwen-60 digkeit nicht hervorgerufen werden, (ist) abzusehen. Die Gerichtsunterlagen der bestraften Bürger (sind) zu prüfen zwecks Befreiung der ohne genügende Gründe zur Verantwortung gezogenen Personen. [...]
65 h) [...] Es ist im Auge zu halten, dass Repressalien gegenüber der Kirche und den Geistlichen nur dazu beitragen können, den religiösen Fanatismus der rückständigen Schichten der Bevölkerung zu stärken und ihre Unzufriedenheit zu vergrößern.
70 Darum muss (das) Hauptkampfmittel gegen den reaktionären Einfluss der Kirche und der Geistlichen eine tüchtig durchdachte Aufklärungs- und Kulturarbeit sein.

Ilse Spittmann/Gisela Helwig (Hrsg.), DDR-Lesebuch. Stalinisierung 1949–1955, Köln 1991, S. 200 ff.

1. *Fassen Sie die Hauptkritikpunkte des Papiers zusammen. Was können Sie daraus über den Informationsstand der sowjetischen Politiker ableiten?*
2. *Beurteilen Sie die vorgeschlagenen „Therapiemaßnahmen" der sowjetischen Seite – sehen Sie darin einen grundsätzlichen oder einen nur temporären Kurswechsel? Welches Ziel verfolgte die Sowjetunion in erster Linie?*
3. *Versuchen Sie, die Reaktion der nach Moskau zitierten SED-Führung auf den Beschluss des sowjetischen Politbüros herauszuarbeiten.*

◀ *Die sowjetische Besatzungsmacht kam der SED im Juni 1953 zu Hilfe: Sowjetische Panzer setzten dem Aufstand ein Ende. Foto vom 17. Juni 1953, Berlin.*

M2

Ein Augenzeuge berichtet über den 17. Juni 1953

Friedrich Schorn, 39-jähriger Rechnungsprüfer aus Halle, gehört zu den Sprechern der Arbeiter, die sich gegen die SED-Herrschaft erheben.

Während das Streikkomitee seine Beschlüsse fasste, setzte ich mich an die Spitze der 20 000 Betriebsangehörigen, und wir zogen nach Merseburg. Bauarbeiter, Straßenbahner, Fabrikarbeiter, Vopos, Hausfrauen und andere Zivilisten reihten sich noch ein. Voran ging eine Malerkolonne der Leuna-Werke, die in Blitzesschnelle die alten Parolen abriss und die Wände mit unseren Freiheitslosungen bestrich. Mehrfach wurden alle drei Strophen des Deutschlandliedes und Brüder zur Sonne zur Freiheit[1] gesungen. Als gerade die letzten Demonstranten der Buna-Werke den Uhlandplatz erreicht hatten, traf unser Zug mit seiner Spitze ein. Ein ungeheuerlicher Jubel setzte ein. Fremde Menschen, jung und alt, fielen einander in die Arme, und viele weinten. Es war ein Begrüßungstaumel, der nicht enden wollte. Wir hatten auf dem Uhlandplatz drei Lautsprecherwagen und konnten verständlich zur ganzen Menge sprechen. Es waren etwa 100 000 Menschen. Zunächst sprach ein Mann von den Buna-Werken gegen die SED-Tyrannei. Anschließend gaben wir unter großem Beifall unsere Freiheitslosungen bekannt. Doch rief ich gleichzeitig zur Disziplin auf und forderte auf, nichts zu unternehmen, wodurch die sowjetische Besatzungsmacht sich provoziert sehen könnte. Zahllose Bürger traten an uns heran und baten um „Einsätze". Sie sagten dem Sinne nach: Ich bin zu allem bereit, sei es noch so gefährlich und koste es, was es wolle. Der Buna-Streikleiter schickte 200 – teilweise ausgesuchte – Männer zur Papierfabrik Königs-Mühle mit dem Auftrag, dort die von Vopos bewachten Arbeiter zu befreien. Kommandos zur Besetzung der Stadt- und der Kreisverwaltung wurden fortgeschickt. Später wurde uns gemeldet, dass alles gelang. [...]

Nun wurde mir gemeldet, dass sowjetische Truppen das Gefängnis, aus welchem wir die politischen Gefangenen befreit hatten, inzwischen besetzten und Neuverhaftete eingeliefert waren. [...]

Ich fuhr voraus in die Leuna-Werke [...]. Da kamen auch schon die ersten sowjetischen Lastwagen mit Fliegern in Infanterieausrüstung im Werk an. Die empörte Menge beschrie die Soldaten mit Pfuirufen. „Was wollt ihr hier, macht, dass ihr fortkommt!" „Nennt ihr das Demokratie?" Andere Betriebsangehörige riefen: „Lasst die armen Kerle, die wollen genauso frei sein wie wir. Was können die dafür, dass sie hier sein müssen." Die Soldaten waren zum Teil noch Kinder, waren ängstlich und eingeschüchtert. [...] Ein Offizier schien die Situation jedoch besser zu durchschauen und sagte: „Gut so, weitermachen, in einem Jahr sind wir in Russland auch soweit."

Ilse Spittmann/Karl Wilhelm Fricke (Hrsg.), 17. Juni 1953. Arbeiteraufstand in der DDR, 2. erweiterte Auflage, Köln 1988, S. 141

1. *Nennen Sie die Forderungen der Aufständischen.*
2. *Klären Sie die Gründe, die die sowjetische Führung zur gewaltsamen Niederschlagung des Aufstands bewogen haben dürften.*

[1] Hymne der Sozialistischen Internationale

M3
Der 17. Juni – geheimer Stimmungsbericht und offizielle Lesart

Die wiedergegebenen Auszüge aus Protokollen des SED-Bezirks Rostock geben ein ungeschminktes Bild der Lage im Sommer 1953.

Protokoll der SED-Grundorganisation VEB Neptun-Werft vom 17. Juni 1953:
Wir müssen jetzt in der Erreichung des Sozialismus kürzer treten. Letzten Endes ist für die Massen in 5 der augenblicklichen Situation die Kardinalfrage die Magenfrage [...]. Auch die Angst, nachts abgeholt zu werden, wenn man etwas sagt, muss verschwinden [...]. Die Kollegen im Betrieb fordern die Absetzung der Regierung und dass die Schul- 10 digen zur Verantwortung gezogen werden und nicht nur Selbstkritik üben.

Hausmitteilung der SED-Bezirksleitung Rostock vom 18. Juni 1953:
Der Genosse Schmidt, 1. Kreissekretär der VdgB[1] 15 im Kreis Rosenstock [...] wurde in seinem Referat laufend von den Großbauern unterbrochen, so dass er kaum zwei Sätze zu Ende sprechen konnte, indem sie schrien: „Euch müsste man alle aufhängen und totschlagen, besonders aber auch die Re- 20 gierung, die alle Verbrecher sind."

Informationsbericht der SED-Kreisleitung Rostock vom 19. Juni 1953:
Anonymer Brief an den Rat der Stadt Rostock vom 19. Juni: „An den Bürgermeister und alle Bonzen der 25 SED. Ihr Verbrecher, bald ist Euer Tag gekommen. Wir Arbeiter haben das Signal gegeben. Alle werden wir Euch hängen. Ihr Lumpen, Strolche, Russenknechte, Speichellecker, Abschaum der Menschheit, wir verlangen unsere Freiheit. Acht Jahre habt 30 Ihr uns hungern lassen. Ihr seid die Pest am deutschen Volke. Mit Euren Lügen und leeren Versprechungen ist es aus. Adenauer wollen wir haben, keinen anderen, einen Menschen mit Verstand."

Situationsbericht der SED-Kreisleitung Rostock vom 35 20. Juni 1953:
Erklärung der CDU Rostock-Stadt: „Wir erklären hiermit, dass unser Vorstand der CDU im Bezirk Rostock heute Abend, den 19.6.1953, abgesetzt wurde. Ab heute Abend übernehmen drei Leute 40 von der CDU die neue Leitung. Wir fordern die gesamte Arbeiterschaft auf, ihre Forderungen weiterhin zu verfolgen. Als Mitglieder der CDU fordern wir den Rücktritt von Otto Grotewohl und Walter Ulbricht. Wir wünschen den Arbeitern viel 45 Erfolg und fordern sie auf, bei den gesamtdeutschen Wahlen für die CDU zu stimmen."

Der Spiegel Nr. 24, 1993, S. 68

Ulbrichts offizielle „Analyse" vor dem IV. Parteitag der SED wurde zum Dogma erhoben und galt bis 1989.
Die junge Staatsmacht der Arbeiter und Bauern 5 hat im vorigen Jahr, als die faschistischen Provokateure ihren Putsch organisierten, ihre Festigkeit gezeigt. Auf die Frage westdeutscher Werktätiger, was am 17. Juni 1953 war, möchte ich klar antworten: Die Vertreter der amerikanischen Besatzungs- 10 macht und die aggressiven Kräfte in Bonn hatten schon seit langer Zeit offen die Losung der Eroberung der Deutschen Demokratischen Republik ausgegeben.

Ilse Spittmann/Gisela Helwig (Hrsg.), DDR-Lesebuch, a. a. O., S. 256

1. *Was erfahren wir aus den parteiinternen Lageberichten über die Einstellung der Bevölkerung zum „Arbeiter- und Bauernstaat" der DDR?*
2. *Vergleichen Sie die „offizielle" Interpretation des Juni-Aufstands mit dem wirklichen Geschehen und seinen Ursachen.*
3. *Warum halfen die Westmächte den Aufständischen in Ost-Berlin und der DDR nicht?*
4. *In der Bundesrepublik wurde von 1954 bis 1990 der 17. Juni als staatlicher Feiertag begangen, um die Erinnerung an jene Ereignisse wachzuhalten. Befragen Sie die ältere Generation, welche Erinnerung sie mit diesem Tag verbindet.*

[1] *Vereinigung der gegenseitigen Bauernhilfe*

▲ *Am 17. 8. 1962 schossen Vopos an der Berliner Sektorengrenze den 18-jährigen Peter Fechter nieder. Sein Begleiter konnte nach Westberlin entkommen. Das schwerverletzte Opfer verblutete, niemand half ihm. Grenzpolizisten der DDR bargen Fechter erst nach einer Dreiviertelstunde.*

M4

Vor dem Mauerbau 1961 – ein Flüchtling berichtet

In Notaufnahmelagern in Westberlin gaben Flüchtlinge aus der DDR die Gründe für ihre Flucht zu Protokoll. Am 10. April 1961 berichtet ein 36-jähriger Automateneinrichter, der in seiner Firma Vorsitzender der Betriebsgewerkschaftsleitung (BGL) war:

Ich fuhr am 6. Mai 1960 zum Todestag meiner Schwiegermutter nach Berlin-Schöneberg. Als ich zurückkam, bekam ich ein Parteiverfahren.
Das Parteiverfahren wurde mündlich durchgeführt.
5 Ich erhielt eine Rüge und eine Bewährungsfrist von einem Jahr. Ich musste nun laufend fast jeden Sonnabend und Sonntag hinaus aufs Land und Landarbeit zur Bewährung verrichten.
In einer Belegschaftsversammlung, am 26. 10. 1960,
10 musste ich vor allen Kollegen des Betriebes Stellung nehmen zu meinem Verhalten (Fahrt nach Westberlin zum Todestag meiner Schwiegermutter).
Jeder Betriebsangehörige wurde aufgefordert, an mich Fragen zu stellen. Viele Fragen wurden ge-
15 stellt und ich musste sie alle beantworten. Diese Tortur dauerte zweieinhalb Stunden. [...]
Da meine Frau und die Kinder katholisch sind, trat die Betriebsparteileitung im November 1960 an mich heran mit der Aufforderung, meine Frau und
20 die Kinder zu veranlassen, aus der katholischen Kirche auszutreten. Ich teilte der SED mit, dass meine Frau ein Austreten aus der Kirche ablehnt. Daraufhin wurde mir gesagt, dass ich mich von meiner Frau scheiden lassen solle.
25 Im Februar 1961 wurde ich erneut aufgefordert, mich von meiner Familie zu trennen oder meinen Arbeitsplatz (BGL-Vorsitzender) zu verlassen.
Seit Oktober 1960 wurde nicht nur ich laufend von der Betriebsparteileitung schikaniert, sondern auch
30 mein Sohn. Er wurde laufend in der Schule von anderen Kindern beschimpft, weil er ständig zum katholischen Unterricht ging. Das ging soweit, dass man meinem Sohn immer nachrief: „Sehet her, da geht der junge Pfaffe". Mein Junge wurde auch
35 durch den Klassenlehrer schikaniert. Wenn er einmal frei haben wollte, wurde von dem Klassenlehrer gesagt: „Wie oft feiert ihr Katholiken denn noch? Du bekommst nicht frei."
Nachdem ich diesen Terror der SED monatelang
40 über mich habe ergehen lassen müssen und meine Frau vor einem Nervenzusammenbruch stand, haben wir uns schweren Herzens entschlossen, am 24. März 1961 die Ostzone zu verlassen und nach Westberlin zu flüchten. Ich bin froh, dass ich mit
45 meiner Frau und meinen beiden Kindern Westberlin erreicht habe.

Bundesministerium für Gesamtdeutsche Fragen (Hrsg.), Der Bau der Mauer durch Berlin. Die Flucht aus der Sowjetzone und die Sperrmaßnahmen des kommunistischen Regimes vom 13. August 1961, Bonn 1986, S. 63 ff.

1. *Arbeiten Sie die verschiedenen Formen der Schikanen heraus, denen viele DDR-Bürger ausgesetzt waren.*
2. *Machen Sie sich anhand des Protokolls des Gewerkschaftlers den Einfluss der Politik auf das Leben jedes Einzelnen klar. Stellen Sie auch Gründe fest, warum Millionen sich für einen Verbleib in der DDR entschieden haben.*

M5

„... muss bei Grenzdurchbruchsversuchen von der Schusswaffe rücksichtslos Gebrauch gemacht werden ...“

Auf der 45. Sitzung des Nationalen Verteidigungsrates der DDR am 3. Mai 1974 berichtet der stellvertretende Verteidigungsminister Keßler über die „Lage an der Staatsgrenze“ zur Bundesrepublik. Erich Honecker formuliert daraufhin seine Anweisungen für die Maßnahmen zur „Grenzsicherung“. Das Protokoll dieser Sitzung, von Honecker eigenhändig unterschrieben, wird als „Geheime Kommandosache“ eingestuft und erst 1990 bekannt.

In der Aussprache [...] legte Genosse Erich Honecker folgende Gesichtspunkte dar:

- die Unverletzlichkeit der Grenzen der DDR bleibt nach wie vor eine wichtige politische Frage;
- es müssen nach Möglichkeit alle Provokationen an der Staatsgrenze verhindert werden;
- es muss angestrebt werden, dass Grenzdurchbrüche überhaupt nicht zugelassen werden;
- jeder Grenzdurchbruch bringt politischen Schaden für die DDR;
- die Grenzsicherungsanlagen müssen so angelegt werden, dass sie dem Ansehen der DDR nicht schaden; dies trifft insbesondere für einige Abschnitte der Mauer in Berlin zu;
- der pioniermäßige Ausbau der Staatsgrenze muss weiter fortgesetzt werden;
- in Berlin sollte man die alte Mauer stehen lassen und dort wo notwendig, dahinter eine neue bauen; erst wenn der Neubau fertig ist, sollte man die alte Mauer abreißen;
- überall muss ein einwandfreies Schussfeld gewährleistet werden;
- die Unantastbarkeit der Grenze ist durch ein gemeinsames Zusammenwirken der Sicherheitsorgane zu gewährleisten;
- man muss alle Mittel und Methoden nutzen, um keinen Grenzdurchbruch zuzulassen und die Provokationen von Westberlin aus zu verhindern;
- nach wie vor muss bei Grenzdurchbruchsversuchen von der Schusswaffe rücksichtslos Gebrauch gemacht werden, und es sind die Genossen, die die Schusswaffe erfolgreich angewandt haben, zu belobigen;
- an den jetzigen Bestimmungen wird sich diesbezüglich weder heute noch in Zukunft etwas ändern.

In diesem Zusammenhang stellte Genosse Erich Honecker dem Genossen Generalleutnant Peter[1] die Frage, wie viel Mittel für den weiteren pioniermäßigen Ausbau noch benötigt werden und ob es möglich sei, die sogenannten „Todesminen“ zu überwinden.

Genosse Generalleutnant Peter gab zur Antwort, dass ihm die genaue Summe für den weiteren pioniermäßigen Ausbau zurzeit nicht vorliege, aber 1 km Ausbau der Staatsgrenze mit der neuen Splittermine SM-70 koste annähernd 100 000,- Mark.

Werner Filmer/Heribert Schwan, Opfer der Mauer. Die geheimen Protokolle des Todes, München 1991, S. 393 f.

1. *Nach dem Ende der DDR argumentierten hohe SED-Politiker vor Gericht, dass jeder Staat der Welt seine Grenzen notfalls auch mit Waffengewalt sichern würde. Diskutieren Sie diese Verteidigung.*
2. *Sprechen Sie in Ihrem Kurs darüber, ob und inwieweit Strafgerichte für das Handeln von Politikern zuständig sein können.*

[1] *der damalige Kommandeur der Grenztruppen*

M6

Ein Grenzsoldat verweigert den Schießbefehl

Ein 1944 geborener ehemaliger DDR-Grenzsoldat gibt am 14. April 1975 zu Protokoll:

1962 habe ich mich freiwillig zur NVA gemeldet [...]. Nach zwei Jahren Dienstzeit war ich Unterleutnant und wurde 1964 an der Zonengrenze zur Bewachung eingesetzt [...]. Am 24.05.1964 war ich 5 zusammen mit dem Hauptmann N. in dem Grenzbereich Friedrichroda/Heuberg zur Bewachung der Zonengrenze eingesetzt, als wir gegen 22.00 Uhr eine männliche Person bemerkten, die von der DDR aus in die Bundesrepublik flüchten wollte. 10 Nachdem ich den Flüchtenden angerufen hatte [...], erhielt ich von Hauptmann N. den dienstlichen Befehl, auf den Flüchtenden zu schießen. Ich habe diesen Befehl verweigert, worauf Hauptmann N. mit der Pistole auf den Flüchtenden drei Schüsse ab- 15 gab, wovon offensichtlich einer den Flüchtenden ins Bein getroffen hat. Der Flüchtende blieb auf dem sogenannten Todesstreifen vor dem Grenzzaun liegen und wurde etwa 10 Minuten später von zwei anderen NVA-Angehörigen zurückgezo- 20 gen und [...] ins Krankenhaus gebracht. Ich wurde noch an Ort und Stelle von Hauptmann N. dienstenthoben, und er nahm mir meine Waffe und das Soldbuch ab. Man brachte mich nach Friedrichroda, wo ich etwa 4 Stunden später von drei 25 MfS-Angehörigen in Empfang genommen wurde. Man brachte mich nach Löbau in die Militär-U-Haftanstalt. Ich wurde dort einem Militärrichter vorgeführt, der gegen mich Haftbefehl erließ. Ich blieb drei Tage in Löbau und wurde von vier MfS- 30 Angehörigen und anschließend von einem Staatsanwalt vernommen. Ich wurde korrekt behandelt. Am vierten Tage fand gegen mich vor einem Militärobergericht, das von Berlin nach Löbau gekommen war, die Verhandlung statt. Ich war alleiniger 35 Angeklagter, die Gerichtsbeteiligten sind mir nicht bekannt. Als Verteidiger hatte ich einen Major aus meiner Einheit. Vom Gericht wurde ich zu 10 Jahren Zuchthaus verurteilt und kam gleich nach der Verhandlung nach Bautzen II.

Hans-Jürgen Grasemann: „Grenzverletzer sind zu vernichten!" Tötungsdelikte an der innerdeutschen Grenze, in: Jürgen Weber und Michael Piazolo (Hrsg.), Eine Diktatur vor Gericht. Aufarbeitung von SED-Unrecht durch die Justiz, München 1995, S. 74

Erläutern Sie den Ablauf des Verfahrens gegen den Unterleutnant aus rechtlicher Sicht.

M7

Das Politbüro-Urteil von 1997/99

Der Journalist Roman Grafe fasst Verlauf und Ergebnisse des Prozesses gegen führende DDR-Funktionäre zusammen. Die Angeklagten wurden wegen „Totschlags in mittelbarer Täterschaft", d.h. aufgrund ihrer Verantwortung für politische Entscheidungen verurteilt.

Am 25. August 1997 erging im Berliner Landgericht das Urteil in der Strafsache gegen Schabowski und andere [...]: Wegen Totschlags an DDR-Flüchtlingen erhielt Egon Krenz sechseinhalb Jahre Freiheits- 5 entzug. Günter Schabowski und Günther Kleiber[1] wurden zu jeweils drei Jahren Haft verurteilt.
In seiner mündlichen Urteilsbegründung sagte der Vorsitzende Richter Josef Hoch, die Kammer bestreite nicht, dass die DDR in ihren Entscheidungen 10 nicht souverän gewesen sei. Jedoch habe das strenge Grenzregime stets im Interesse der DDR-Führung gelegen. Bis zuletzt, so Hoch, seien Flüchtlinge erschossen worden, weil die SED-Führung am Grenzregime festgehalten habe. Das Politbüro sei 15 faktisch die Organisationsspitze des Staates gewesen und habe somit auch die Verantwortung für das Grenzregime gehabt. Sämtliche Staatsorgane hätten sich dem Willen der SED-Führung beugen müssen.
Der Klassenauftrag der Parteiführung an die Grenz- 20 truppen – die Unverletzlichkeit der DDR-Grenze zu gewährleisten – sei tatsächlich ein ideologischer Schießbefehl gewesen. Die Beschlüsse des Politbüros zur Grenzsicherung hätten sich in den für die Tötungen an der Grenze maßgeblichen Befehlen 25 wiedergefunden; teilweise waren die Beschlüsse in diesen Befehlen ausdrücklich erwähnt worden.
Wer die Herrschaft über Tötungen habe, sei als Täter dafür verantwortlich. Wenn die Tötungen an der Grenze auch nicht das Ziel der Angeklagten 30 gewesen seien, so hätten sie die Todesfälle jedoch

[1] *Egon Krenz: geb. 1937, 1983–89 Mitglied des Politbüros des Zentralkomitees der SED, als Nachfolger Erich Honeckers 1989 letzter Regierungschef der DDR; Günter Schabowski: geb. 1929, 1984–89 Mitglied des Politbüros; Günther Kleiber: geb. 1931, 1984–89 Mitglied des Politbüros*

billigend in Kauf genommen, weil es ihnen darauf angekommen sei, die Grenze undurchlässig zu machen. Richter Hoch: „Sie wollten die Grenzsicherung, auch um den Preis von Toten. Ohne die Po-
35 litbüro-Beschlüsse hätte es diese Toten nicht gegeben." [...]
Am 8. November 1999 bestätigte der BGH[1] das Urteil des Berliner Landgerichts im Politbüro-Prozess. [...]
40 Anfang Januar [2000] lehnte eine Kammer des Bundesverfassungsgerichts die Annahme der Verfassungsbeschwerde von Krenz ab. Die drei Verurteilten haben ihre Haftstrafen angetreten.

Roman Grafe, „Die Politbüro-Beschlüsse waren Bedingungen der tödlichen Schüsse". Der Prozess gegen sechs Mitglieder des SED-Politbüros (1996–1999), in: Deutschland-Archiv, 33. Jg. 2000, Heft 1, S. 23-25.

Günter Schabowski und Günther Kleiber wurden im Herbst 2000 begnadigt und aus der Haft entlassen. Im März 2001 verwarf der Europäische Gerichtshof für Menschenrechte in letzter Instanz die Beschwerden von Egon Krenz gegen seine Verurteilung. Im Dezember 2003 wurde Krenz jedoch vorzeitig aus der Haft entlassen.

1. *Erläutern Sie Für und Wider der Gerichtsentscheidung und nehmen Sie dazu Stellung.*
2. *Diskutieren Sie über die Angemessenheit der Strafen.*

M8

Fluchtbewegung aus der DDR in die Bundesrepublik Deutschland von 1949 bis Juni 1990

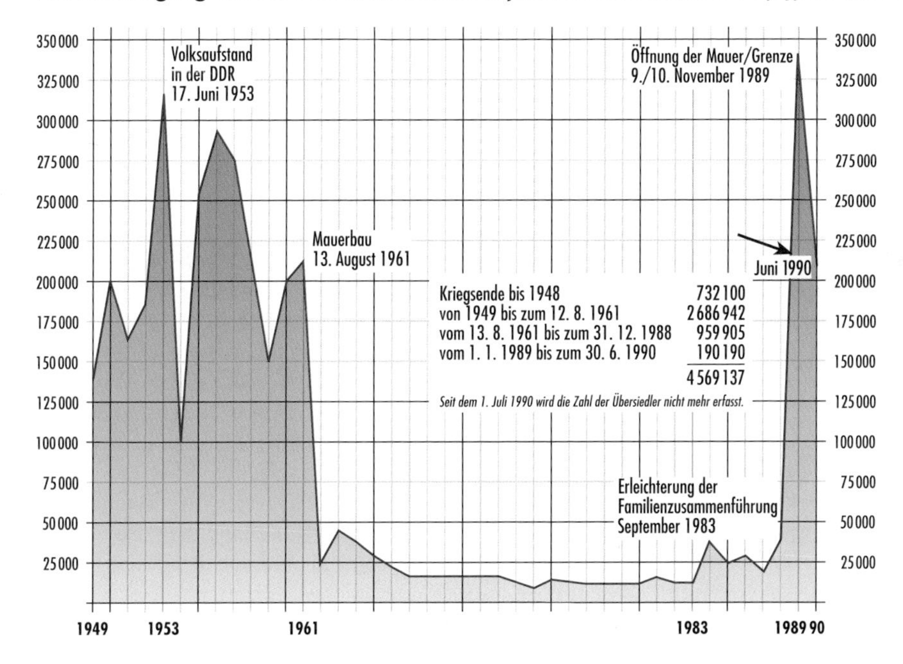

1. *Erläutern Sie die Folgen der Fluchtbewegung für Staat, Gesellschaft und Wirtschaft der DDR.*
2. *Befragen Sie ehemalige DDR-Bürger, die in die Bundesrepublik geflohen sind, nach ihren Motiven und Erfahrungen.*

[1] *Bundesgerichtshof*

Die Krise von 1953

Besonders die von Moskau angeordnete und von der SED-Spitze zielstrebig durchgesetzte Militarisierung des Landes belastete die Wirtschaft enorm. Obwohl es in einigen wichtigen Industriezweigen gelang, die Produktion der Vorkriegszeit wieder zu übertreffen, geriet die DDR doch wegen der einseitigen Konzentration auf den militärischen Komplex und die alte Schwerindustrie sowie der starren Strukturen in den Betrieben in immer größeren Rückstand zur Entwicklung im Westen Deutschlands. Das *Gesetz zum Schutz des Volkseigentums* vom Oktober 1952 diente der Legalisierung des Justizterrors gegen angebliche „Wirtschaftsverbrecher", die als Sündenböcke für die von der SED verursachte Krise herhalten mussten. Tausende wurden aus nichtigen Anlässen zu Zuchthausstrafen verurteilt – etwa wegen des Diebstahls von zwei Kilogramm Zement im Wert von 0,25 Pfennigen.

Selbstständige und Privateigentümer, circa zwei Millionen Menschen, bekamen keine Lebensmittelkarten mehr; sie sollten in den staatlichen Läden zu höheren Preisen kaufen, doch noch nicht einmal dort gab es Butter, Öl, Margarine, Fleisch. Während die gelenkte Presse von ständig neuen Produktionserfolgen berichtete, blieben die Lebensmittel weiterhin rationiert, fehlte es an Kohle, an frischem Gemüse, Obst, sogar die Versorgung mit Kartoffeln und Brot bereitete Schwierigkeiten. Immer mehr Menschen – Bauern, Kaufleute, Unternehmer, Ärzte, Lehrer und Wissenschaftler – flüchteten nach Westberlin und in die Bundesrepublik, im ersten Halbjahr 1953 226 000 Personen (▸ M 8).

Die SED-Führung antwortete mit verschärften Repressionsmaßnahmen und einer großen Propagandakampagne zur freiwilligen Erhöhung der Arbeitsleistung bei unveränderten Löhnen. In einigen Betrieben kam es daraufhin zu Protesten, nur wenige ließen sich zu den gewünschten Selbstverpflichtungen drängen. Obgleich dem Politbüro Berichte über die Stimmung in der Bevölkerung vorlagen, verschärfte Ulbricht den eingeschlagenen Kurs noch zusätzlich. Per Dekret wurden Mitte Mai 1953 die Arbeitsnormen um mindestens zehn Prozent erhöht. In mehreren Städten brachen erste Warnstreiks aus.

Der „Neue Kurs" – von Moskau verordnet

Beunruhigt über die katastrophale ökonomische Situation und Stimmungslage in der DDR, versuchten die Nachfolger Stalins – dieser war am 5. März 1953 gestorben –, die Lage zu entschärfen. Anfang Juni 1953 befahl die sowjetische Parteiführung einen sofortigen Kurswechsel: Die privaten Produzenten sollten gefördert, geflüchtete Bauern und Selbstständige zurückgerufen, die „Wirtschaftsverbrecher" aus den Gefängnissen entlassen, das Gespräch mit den Kirchenleitungen gesucht werden (▸ M 1).

Diesen „Neuen Kurs" verkündete das Regime am 11. Juni 1953, und offiziell wurden sogar schwerwiegende Fehler zugegeben. Doch ausgerechnet die Erhöhung der Arbeitsnormen wurde nicht zurückgenommen. Die Empörung in der Arbeiterschaft und weiten Kreisen der Bevölkerung nahm eher noch zu. Das plötzliche Umschwenken galt als Bankrotterklärung der SED; Gerüchte über eine Auflösung der Partei machten die Runde; Meldungen der Staatssicherheit berichteten von Freudenfesten auf dem Land, wo bereits die Befreiung von der SED-Herrschaft gefeiert wurde; und viele glaubten sogar an eine kurz bevorstehende Wiedervereinigung, nachdem die SED alle Losungen mit dem Wort „Sozialismus" kurzfristig entfernen ließ. Auf Großbaustellen häuften sich spontane Streiks, Bauern traten wieder aus den LPGs aus, vielerorts wurde vor Gefängnissen demonstriert.

Vom Arbeiterprotest zum Volksaufstand

Am 16. Juni formierten sich die Bauarbeiter in der Ostberliner Stalinallee zu einem Protestmarsch gegen die Beibehaltung der Normenerhöhung. Fast alle Betriebe in Berlin schlossen sich an. Die Demonstranten verlangten freie Wahlen, den Sturz der Regierung und kündigten einen Generalstreik an. Jetzt erst entschied sich das Politbüro für die Zurücknahme der Normenerhöhung. Doch die Arbeiter ließen sich nicht mehr beschwichtigen. Innerhalb weniger Stunden weitete sich am 17. Juni die Streikwelle zu einem landesweiten Aufstand der Bevölkerung gegen die SED aus. In über 563 Städten und Ortschaften beteiligten sich rund eine halbe Million Menschen an Demonstrationen, besetzten öffentliche Gebäude, Parteibüros und Dienststellen der Staatssicherheit, auch Gefängnisse wurden gestürmt und über 1300 Häftlinge befreit (➧ M 2).

Doch jetzt nahmen die Sowjets der SED-Führung das Heft aus der Hand. Im Laufe des 17. Juni verhängte die Besatzungsmacht den Ausnahmezustand über Ostberlin und weite Teile der DDR: Es galt das Kriegsrecht. Sowjetische Militärtribunale verhängten 18 Todesurteile gegen Aufständische, darunter mehrere Jugendliche. Hunderte wurden in Zwangsarbeitslager in Sibirien verbracht. Da dem Aufstand jede überregionale Koordination fehlte, hatten die russischen Panzer keine Schwierigkeiten, das Freiheitsbegehren der Menschen zu ersticken. Dennoch flackerten bis in den Juli 1953 hinein immer wieder Streiks auf, und auf dem Land wollten viele Bauern nicht aufgeben. Etwa 1300 Mitglieder der SED traten aus Protest gegen die Führung aus der Partei aus.

In den Wochen und Monaten nach dem 17. Juni wurden rund 13 000 Menschen verhaftet, etwa 1600 von ihnen angeklagt, die meisten zu teilweise hohen Zuchthausstrafen, in zwei Fällen zum Tod, verurteilt. Mehr als die Hälfte der höheren Parteifunktionäre verlor im Zuge von Säuberungsaktionen ihre Ämter. Dazu zählten auch die Gegner Ulbrichts im Politbüro, die auf einen langsameren Kurs beim Aufbau des Sozialismus gesetzt hatten.

Obwohl die SED ihre Macht retten und weiter festigen konnte, blieb der angeblich vom Westen gesteuerte „faschistische Putsch" von nun an das Trauma der Parteiführung (➧ M 3). Auf der anderen Seite hatte die Bevölkerung die bittere Erfahrung machen müssen, dass Widerstand gegen das eigene Regime aussichtslos war, solange die Sowjetunion dessen Existenz garantierte. Daran änderte sich auch nichts, als Mitte der Fünfzigerjahre der sowjetische Parteichef Nikita Chruschtschow eine Politik der „Entstalinisierung" betrieb. Die Hoffnungen von Studenten, Schriftstellern und Intellektuellen *(Ernst Bloch, Robert Havemann)* auf einen demokratischen, „menschlichen Sozialismus", der die theoretischen Ideale des Marxismus in die Praxis umsetzen wollte, scheiterten am nach wie vor stalinistischen Führungssystem der SED.

Sozialismus um jeden Preis

Seit 1954 verbesserten sich die Lebensverhältnisse schrittweise. Die Sowjetunion verzichtete auf Reparationen, die industrielle Produktion nahm zu, die Versorgung der Bevölkerung mit Konsumgütern machte erkennbare Fortschritte, Lohnerhöhungen wurden gewährt, die Lebensmittelkarten 1958 abgeschafft. Mit einer konsumfreundlicheren Wirtschaftspolitik gelang Ulbricht eine Konsolidierung des Regimes. Dies ließ sich auch an den leicht zurückgehenden Zahlen der in die Bundesrepublik Flüchtenden ablesen, die freilich immer noch eine eindeutige „Abstimmung mit den Füßen" gegen die SED zum Ausdruck brachten.

Die verbesserte Wirtschaftslage schien Ulbricht günstig, den „Aufbau des Sozialismus" erneut zu beschleunigen. Die Bundesrepublik bis 1961 „zu überholen ohne einzuholen" war jetzt die Devise[1] – ein völlig irreales Ziel, das schon allein wegen der Abhängigkeit der DDR-Wirtschaft von den sowjetischen Planvorgaben scheitern musste. Neben den unrealistischen, vom Politbüro vorgegebenen Wirtschaftsplänen führte die mit vehementem staatlichem Druck vorangetriebene Kollektivierung von Landwirtschaft und Handwerk bald wieder zu Versorgungsproblemen, wachsender Unzufriedenheit in der Bevölkerung und ab 1960 zu sprunghaft ansteigenden Flüchtlingszahlen. Ein zusätzlicher Grund für die Massenflucht war die seit 1958 schwelende Berlin-Krise. Viele unzufriedene, zumeist jüngere und gut qualifizierte DDR-Bürger befürchteten daher, dass der Fluchtweg über Westberlin bald verschlossen werden könnte. Seit Anfang Juni 1961 brachten sich täglich etwa 1000 DDR-Bürger nach Westberlin in Sicherheit (➧ M 4).

Ein Staat wird eingemauert

Ulbricht zeigte sich entschlossen, die Massenflucht zu stoppen. Der drohende wirtschaftliche Kollaps des für die Ostblockstaaten wichtigen Wirtschaftspartners und die nicht auszuschließende Gefahr eines erneuten Volksaufstandes veranlassten Chruschtschow schließlich, die Schließung der innerdeutschen Grenzen zu akzeptieren. Die vorhersehbare Reaktion der internationalen Staatenwelt wurde in Kauf genommen, nachdem klar war, dass US-Präsident Kennedy ausschließlich die Freiheit Westberlins militärisch garantiert hatte.

In der Nacht vom 12. zum 13. August 1961 begannen Volkspolizei, Nationale Volksarmee und Betriebskampfgruppen damit, Stacheldrahtverhaue, Steinwälle und schließlich eine Betonmauer entlang der Berliner Sektorengrenze zu errichten. In der Folgezeit wurden die Sperranlagen an der innerdeutschen Grenze (1400 km) und um Westberlin herum (166 km) durch Beton, Stacheldraht, Minen und Selbstschussanlagen zu einem immer perfekteren und todbringenden Sicherungssystem ausgebaut.

Die Vorbereitung und Durchführung des Mauerbaus lagen in den Händen Erich Honeckers[2], der im September 1961 den Schusswaffengebrauch „gegen Verräter und Grenzverletzer“ anordnete (➧ M 5 und 6). Bereits in den ersten Monaten nach dem Mauerbau kamen 32 Menschen ums Leben – sie wurden bei Fluchtversuchen erschossen, ertranken oder stürzten beim Sprung aus grenznahen Häusern zu Tode. Bis 1989 verloren nach heutigen Erkenntnissen über 900 Menschen bei der Flucht ihr Leben, Tausende wurden verletzt (➧ M 7). Überdies wurden im Herbst 1961 zur Sicherung der Grenzen und zur Einschüchterung der Bevölkerung über 3 000 Menschen aus ihren grenznahen Heimatorten zwangsausgesiedelt („Aktion Festigung“).

Vier Wochen nach dem Mauerbau wurde die Wehrpflicht eingeführt. Schüler oder Studenten, die es wagten, dagegen zu protestieren, wurden aus Schule beziehungsweise Universität entfernt. Bis Ende 1961 fielen monatlich mindestens 1500 Personen einer Verhaftungswelle zum Opfer. Mit Befriedigung konnte die Parteiführung danach eine Stabilisierung der Lage feststellen.

---

[1] Diesen – auch für die eigene Bevölkerung – verwirrenden Spruch hatte Ulbricht geprägt. Gemeint war, einen grundsätzlich anderen Weg zu beschreiten, um den Lebensstandard der Bundesrepublik zu übertreffen.

[2] späterer Staatsratsvorsitzender und Generalsekretär des ZK der SED, zu diesem Zeitpunkt als Sekretär des ZK für Sicherheitsfragen zuständig

2.8 Der vormundschaftliche Staat: Stabilisierung, innere Erstarrung und Niedergang der DDR

▲ *Plakat zum IX. Parteitag der SED 1976.*
Die Macht der SED-Führung stützte sich vor allem auf zwei Faktoren: Zum einen auf den Sicherheitsapparat des MfS, der Armee und anderer staatlicher Institutionen und zum anderen auf einen Parteistaat, der alle gesellschaftlichen Bereiche durchdrang und sich unablässiger Propaganda bediente.

1971
Erich Honecker löst Walter Ulbricht an der Spitze der SED ab

1983
Gegen einen Milliardenkredit der Bundesregierung ist die DDR zu humanitären Erleichterungen bereit

1985
Oppositionelle schließen sich in einer Bürgerrechtsbewegung zusammen

M1
Bekämpfung der „inneren Feinde"

Ein wichtiges Element der Machtsicherung war in den Siebzigerjahren die Erweiterung und Perfektionierung des Staatssicherheitsdienstes. Der Historiker Jens Gieseke beschreibt dessen Funktionsweise.

Das wichtigste Mittel, um den Ausbau des MfS-Apparates in eine effizientere Erfüllung seiner Aufgaben umzumünzen, war eine entsprechende Optimierung seiner „Hauptwaffe", des Netzes der 5 inoffiziellen Mitarbeiter. Der „schnellstmöglichen Schaffung der erforderlichen operativen Kräfte, insbesondere IM/GMS[1)]" maß Mielke[2)] „größte Bedeutung" bei, um den neuen Herausforderungen zu begegnen. Ihre Zahl wurde von ca. 100000 im 10 Jahre 1968 auf ca. 180000 im Jahre 1975 gesteigert und erreichte damit ihren höchsten Stand in der Geschichte der Staatssicherheit. Die Qualität des IM-Netzes gab allerdings fortwährend Anlass zur Kritik: Es wurden zu viele SED-Mitglieder gewor-15 ben, viele Spitzel lieferten kaum wertvolle Informationen, und gerade in den brisantesten Bereichen (zum Beispiel in „feindlich-negativen Kreisen") erwies sich die Rekrutierung von geheimen Zuträgern als schwierig. Seit der zweiten Hälfte der Sieb-20 zigerjahre bewegte sich die Zahl der inoffiziellen Mitarbeiter nahezu konstant in einer Größenordnung von 170000 bis 180000 Personen, allerdings stand hinter diesen Zahlen eine erhebliche Fluktuation: Etwa zehn Prozent der IM beendeten bzw. 25 begannen pro Jahr ihre geheime Liaison mit dem MfS.

Jens Gieseke, Das Ministerium für Staatssicherheit 1950 bis 1989/90, Berlin 1998, S. 30

1. *Erklären Sie, warum es Probleme geben konnte, wenn Parteimitglieder zugleich inoffizielle Mitarbeiter des Staatssicherheitsdienstes waren.*
2. *Diskutieren Sie die Auswirkungen des Stasi-Netzes auf die zwischenmenschlichen Beziehungen in der Gesellschaft.*

1) *Inoffizieller Mitarbeiter bzw. Gesellschaftlicher Mitarbeiter für Sicherheit, nebenamtliche Zuträger von Informationen*
2) *Erich Mielke (1907–2000): von 1957 bis 1989 Minister für Staatssicherheit*

M2
Richtlinien für „Operative Vorgänge"

1976 werden im MfS folgende Richtlinien in Umlauf gebracht:

2.3.4 Das Herausbrechen von Personen [...]
Das Herausbrechen ist darauf zu richten, Personen aus feindlichen Gruppen für eine inoffizielle Zusammenarbeit zu werben, um dadurch in die Kon-5 spiration der Gruppe einzudringen und Informationen und Beweise über geplante, vorbereitete oder durchgeführte Handlungen sowie Mittel und Methoden ihres Vorgehens zu erarbeiten, Anknüpfungspunkte und Voraussetzungen für eine not-10 wendige Paralysierung[3)] und Einschränkung der feindlichen Handlungen bzw. zur Auflösung der Gruppen zu schaffen. [...]
2.6.1. Zielstellung und Anwendungsbereiche [...]
Maßnahmen der Zersetzung sind auf das Hervor-15 rufen sowie die Ausnutzung und Verstärkung solcher Widersprüche bzw. Differenzen zwischen feindlich-negativen Kräften zu richten, durch die sie zersplittert, gelähmt, desorganisiert und isoliert und ihre feindlich-negative Handlungen einschließlich 20 deren Auswirkungen vorbeugend verhindert, wesentlich eingeschränkt oder gänzlich unterbunden werden. [...]
2.6.2. Formen, Mittel und Methoden [...]
Bewährte Formen sind:
25 - systematische Diskreditierung des öffentlichen Rufes, des Ansehens und des Prestiges [...];
- systematische Organisierung beruflicher und gesellschaftlicher Misserfolge zur Untergrabung des Selbstvertrauens einzelner Personen;
30 - zielstrebige Untergrabung von Überzeugungen [...]
- Erzeugen von Misstrauen und gegenseitigen Verdächtigungen innerhalb von Gruppen [...].

Matthias Judt (Hrsg.), DDR-Geschichte in Dokumenten. Beschlüsse, Berichte, interne Materialien und Alltagszeugnisse, Berlin 1998, S. 471

1. *Erläutern Sie, warum der Staatssicherheitsdienst so auf Diskreditierung seiner Opfer bedacht war.*
2. *Vergleichen Sie M 1 und M 2. Zeigen Sie, warum das MfS so viel Personal brauchte.*

3) *Lähmung*

M3

Das Leben wird einem nur einmal geschenkt – Anpassung als Strategie des Überlebens

Joachim Gauck war bis zum Zusammenbruch der DDR Pfarrer in Rostock. Er schloss sich im Herbst 1980 der Bürgerrechtsbewegung an und war Abgeordneter der ersten und einzigen frei gewählten Volkskammer der DDR vom März bis Oktober 1990. Bis Oktober 2000 leitete er die nach ihm genannte Behörde in Berlin als „Bundesbeauftragter für die Unterlagen des Staatssicherheitsdienstes der ehemaligen DDR".

Mit dem Bau der Mauer wurde gleichsam die Leibeigenschaft zur Staatsdoktrin erhoben, denn von da an konnte nur derjenige diesem System noch entgehen, der bereit war, sein eigenes Leben aufs Spiel zu setzen. Das Gefühl, wehrlos in der Falle zu sitzen, veränderte das Verhältnis zu diesem Staat und seinen schamlosen Lügen wieder, dass mit dem Bau des „antifaschistischen Schutzwalles" der Frieden gerettet worden sei. Der Bürger dachte sich zwar immer noch seinen Teil, aber er konnte es nicht mehr wagen, dies auch auszusprechen, denn es gab ja kein Entrinnen mehr. Hinter der Formel vom „gelernten DDR-Bürger" verbirgt sich vor allem diese Grunderfahrung. [...]
Wer fortan nicht als Märtyrer kämpfen wollte, musste sich ohne diese letzte Möglichkeit der Selbstverteidigung arrangieren. Für alle, die auch im real existierenden Sozialismus das Leben, das einem schließlich nur einmal geschenkt wird, genießen wollten, die fröhlich sein und Kinder haben wollten – für die wurde Anpassung von nun an zu einer Strategie des Überlebens.
Zwar gehörten die terroristischen Instrumente des Stalinismus wie Folter, Verschleppung oder Mord der Vergangenheit an, aber seine zivile Spielart breitete sich nun ungehemmt in alle Lebensbereiche aus. Die Vorstellung der SED, im Besitz der absoluten Wahrheit zu sein, ihr Anspruch auf die absolute Macht bestimmten von nun an das Leben der DDR-Bürger buchstäblich von der Wiege bis zur Bahre. Das Ministerium für Staatssicherheit drang immer umfassender in das gesamte gesellschaftliche Leben der DDR ein und war als Angstapparat der SED ungeheuer wirkungsvoll. [...]
In dieser Situation wirkte die Angst gleichsam als ein Signalsystem, das ein unauffälliges Alltagsleben durch Anpassung gewährleistete. Sie wurde für mehrere Generationen [...] zum Motor, der vieles in Gang setzte: Angst bewirkte Anpassung oder sogar Überanpassung bei denen, die ihre Ellenbogen einzusetzen vermochten, sie bewirkte Depression und Rückzug in die viel beschriebenen Nischen der DDR-Gesellschaft. Sehr selten bewirkte die Angst auch Protest – bezeichnenderweise vor allem bei den Jüngeren, die noch nicht jahrzehntelang das Gefühl permanenter Bedrohung verinnerlicht hatten. In der Regel war die Angst jedenfalls so wirksam, dass ein gewisses Maß an Überanpassung zur DDR-Normalität gehörte. [...]
Die Erziehung zur Anpassung begann bereits in der Kinderkrippe und im Kindergarten. Rigoros wurde hier das oberste sozialistische Erziehungsziel „Individualität hemmen und den eigenen Willen brechen" durchgesetzt. Schon ein Erstklässler bekam mitunter zu spüren, wie unverzichtbar Anpassung war, weil die Lehrer häufig eher die staatstreue Gesinnung als die fachliche Leistung bewerteten. [...]
Die in der Volksbildung vorherrschende Pädagogik, die den Schülern antrainierte, anders zu reden

▲ *Staatssicherheitsgefängnis in Potsdam, Fotografie von Jörn Vanhöven, 1990.*

als zu denken, setzte sich auch in vielen Familien fort. Manche Eltern haben ihre Kinder sogar gegen die eigene Überzeugung zu angepasstem Verhalten 70 erzogen, um ihnen eine reibungslose Entwicklung zu ermöglichen. [...] Wichtig war nicht so sehr, wirtschaftlich erfolgreich zu sein, sondern der Nachweis, dass der Einzelne funktionierte, indem er das, was von ihm gefordert wurde, akzeptierte und 75 bereit war, die von anderen formulierten Gesellschaftsziele „schöpferisch" mitzugestalten. [...]
Diese fast pathologische Spaltung der Persönlichkeit finden wir nicht nur bei vielen inoffiziellen Mitarbeitern der Stasi – sie ist, wenn man so will, 80 geradezu ein Kennzeichen des Menschen in der sozialistischen Gesellschaft gewesen. Denn obwohl viele Menschen anders redeten und auch anders handelten, waren sie doch insgeheim Gegner des Systems. Für sie war es eine Strategie des Überle-85 bens oder auch des Erfolges, so zu tun, als ob sie für das System seien [...].

Joachim Gauck, Die Stasi-Akten. Das unheimliche Erbe der DDR, Reinbek 1991, S. 45 ff.

1. *Erläutern Sie anhand des Textes von Joachim Gauck, wie die SED- Führung die Funktionstüchtigkeit ihres Regimes zu sichern versuchte.*
2. *Welche Funktion erfüllten die Nischen der DDR-Gesellschaft nach Gauck für den „gelernten DDR-Bürger"? Erörtern Sie, ob es andere Möglichkeiten gab, mit dem Anpassungsdruck umzugehen.*

M4
Die Mauer kurz vor ihrem Fall

Erich Honecker zeigt sich noch Anfang 1989 vom Nutzen der Mauer überzeugt.

Mit dem Bau des antifaschistischen Schutzwalls im Jahre 1961 wurde die Lage in Europa stabilisiert, der Frieden gerettet. [...] Die Herren von der Springerpresse und jene, die assistieren, scheinen zu ver-5 gessen, dass es eine ständige Aufgabe der Regierung eines jeden Staates sein sollte, seine Bürger vor Ausplünderungen zu schützen. Der Handelskurs, der Umwechslungskurs 1 Mark der BRD gegen 7 Mark der DDR, ist ein Beispiel dafür. [...] 10 [Die Mauer] wird in 50 und auch in 100 Jahren noch bestehenbleiben, wenn die dazu vorhandenen Gründe noch nicht beseitigt sind. Das ist schon erforderlich, um unsere Republik vor Räubern zu schützen, ganz zu schweigen vor denen, die gern 15 bereit sind, Stabilität und Frieden in Europa zu stören. Die Sicherung der Grenze ist das souveräne Recht eines jeden Staates und so auch unserer DDR.

Der Physiker und Bürgerrechtler Hans Jürgen Fischbeck beschreibt im Februar 1988 die Folgen der 20 *Mauer auf Bewusstsein und Mentalität der meisten DDR-Bürger.*

Mir wurde klar: Die Mauer war ja nicht nur eine harte und nun einmal hinzunehmende Einschrän-25 kung unserer Reisefreiheit [...], sondern sie hat unser Selbstverständnis, unser Lebensgefühl und unser gesellschaftliches Verhalten viel tiefer geprägt und deformiert, als ich mir bis dahin selbst eingestand. Unser Minderwertigkeitskomplex, unser un-30 gerechtfertigter Pauschalverdruss, unsere Arme-Vettern-Mentalität gegenüber Besuchern von drüben, unsere Begehrlichkeit nach westlichen Waren, unsere Unbeholfenheit und Kommunikationsunfähigkeit gegenüber Ausländern, unsere falsche 35 Fixierung auf die zum Ideal stilisierte liberale Konsumgesellschaft westlich der Mauer wurden mir deutlich als Symptome eines Syndroms. Als Wissenschaftler muss ich hinzufügen, was mir vorher schon klar war: Der Ausschluss der meisten Wis-40 senschaftler vom internationalen Kommunikationsprozess [...] hat viele von ihnen um berufliche Lebenserfüllung gebracht und unserer Wissenschaft großen Schaden zugefügt.

Gisela Helwig (Hrsg.), Die letzten Jahre der DDR. Texte zum Alltagsleben, Köln 1990, S. 131, 133

1. *Welche unterschiedlichen Schwerpunkte werden bei Honecker und dem Bürgerrechtler deutlich?*
2. *Vergleichen Sie die Rede von Fischbeck über den Einfluss der Mauer auf die DDR-Bürger mit M3. Welche zusätzlichen Akzente betont Hans Jürgen Fischbeck?*

Konsolidierung in den letzten Jahren der Ära Ulbricht

Ebenso wie in anderen Ostblockstaaten konnten sich die Menschen in der DDR seit dem Mauerbau nicht mehr durch Flucht der kommunistischen Diktatur entziehen, sondern mussten sich von nun an mit der SED-Führung arrangieren. Tatsächlich führte dies zu einer gewissen Konsolidierung der inneren Verhältnisse, zumal die Partei nach Durchführung der ideologisch bedingten Eingriffe in die Gesellschaft jetzt einen pragmatischeren Kurs steuern konnte. So gestand das Regime auf Drängen der evangelischen Kirche seit 1964 Wehrdienstverweigerern einen waffenlosen Wehrersatzdienst („Bausoldaten") zu. Besonders auf wirtschaftlichem Gebiet wurde zeitweilig eigenverantwortliches Handeln gefördert und das System der strikten Lenkung von oben flexibler gestaltet („Neues ökonomisches System der Planung und Leitung"). Arbeitsproduktivität und Lebensstandard verbesserten sich, die DDR wurde zur zweitstärksten Wirtschaftsmacht im Rat für gegenseitige Wirtschaftshilfe (RGW). Besonderen Stolz weckten Erfolge im Spitzensport. Athleten des kleinen Landes nahmen zusammen mit Sportlern aus der UdSSR und den USA international die führende Stellung ein.
Als Ulbricht auf mehr Eigenständigkeit gegenüber der Sowjetunion pochte, verlor er die Unterstützung von Parteichef Leonid Breschnew. Honecker betrieb in Absprache mit Moskau Ulbrichts Sturz und wurde im Mai 1971 als 1. Sekretär der Partei (seit 1976 Generalsekretär) mächtigster Mann im Staat, der bald alle wichtigen Ämter (Vorsitzender des Nationalen Sicherheitsrates, Staatsratsvorsitzender) in seinen Händen vereinte.

▲ *Nachdem Erich Honecker 1971 Ulbrichts Sturz im Politbüro durchgesetzt hatte, wurde Ulbricht vor die Wahl gestellt, sich entweder anlässlich seines Geburtstages als Kranker in Bademantel und Hausschuhen zu präsentieren oder aber noch seine letzte Funktion als Staatsratsvorsitzender zu verlieren. Ulbricht ließ sich demütigen und spielte bis zu seinem Tod am 1. August 1973 eine Nebenrolle. Walter Ulbricht gegenüber steht sein Nachfolger Erich Honecker, umrahmt von Politbüromitglied Hermann Axen und Ministerpräsident Willi Stoph (am Bildrand).*

Unveränderter Machtanspruch der SED

Seine bis 1989 unumschränkte Machtposition sicherte sich Honecker, indem er
- die Führungsrolle der Sowjetunion anerkannte;
- das Politbüro und den Ministerrat weitgehend entmachtete und im Wesentlichen mithilfe Erich Mielkes (Staatssicherheit) und *Günter Mittags* (Wirtschaft) sowie des bürokratischen Apparats im Zentralkomitee die Partei und damit die Politik des Staates steuerte;
- die Bevölkerung durch Lohn- und Rentenerhöhungen, eine großzügige Sozialpolitik und eine konsumorientierte Wirtschaftspolitik für sich zu gewinnen suchte;
- die faktische Anerkennung der DDR durch die Bundesrepublik und den Westen erreichte.

Anfangs schienen sich mit Erich Honecker auch für das geistige Leben der DDR, im Bereich von Kunst und Literatur, neue Freiheitsräume für Phantasie und Individualität zu eröffnen. Man traute dem neuen Parteichef eine liberalere Handhabung der Macht zu. Seit Mitte der Siebzigerjahre zeigte sich jedoch, dass die Hoffnungen auf eine tiefgreifende Reform vergeblich waren. Künstler und Schriftsteller wie *Reiner Kunze* wurden gemaßregelt und verließen die DDR, andere wie *Erich Loest* erhielten Publikationsverbot, mussten jahrelang auf die Genehmigung zur Ausreise in die Bundesrepublik warten oder wurden wie *Wolf Biermann* als Staatsfeinde zwangsausgebürgert (1976). Zahlreiche Schriftsteller, zumeist Mitglieder der SED, protestierten öffentlich dagegen und gerieten selbst als „feindlich-negative Kräfte“ ins Visier des MfS. Nicht besser erging es kommunistischen Abweichlern, wie etwa *Rudolf Bahro* und Robert Havemann, die von einer marxistischen Position aus die Parteidiktatur der SED kritisierten (▶ M 1 und M 2). Nur die Kirchen konnten ein gewisses Maß an geistiger Unabhängigkeit gegenüber Staat und Partei verteidigen – allerdings um den Preis, dass sich die katholische Kirche völlig aus den öffentlichen Angelegenheiten heraushielt und die evangelische Kirche sich als „Kirche im Sozialismus“ (1978) definierte, was die SED als Anerkennung ihrer Herrschaft interpretierte.

„Nischengesellschaft“

Die meisten DDR-Bürger versuchten, das Beste aus ihrer Lage zu machen, arbeiteten hart und suchten nach persönlichen Freiräumen und Nischen. Das erzwungene Arrangement mit dem ungeliebten Regime produzierte allerdings auch politische Apathie. Die politische Stabilität blieb vordergründig und führte nicht zur Aussöhnung zwischen Bürgern und Staat. Trotz pausenloser ideologischer Indoktrination behielt die große Mehrheit der Bevölkerung ihre innere Distanz zum „real existierenden Sozialismus“. Das geforderte Mindestmaß an Loyalität wurde erbracht, die öffentlichen Losungen hingenommen, aber nicht befolgt, die Doppelzüngigkeit zwischen dem, was öffentlich und im vertrauten Kreis gesagt wurde, perfektioniert. Im Übrigen zogen sich die Menschen in der Honecker-Ära immer mehr in ihre Privatsphäre und den Freundeskreis zurück, sahen Westfernsehen oder träumten von Reisen in den Westen. Das mühselig, aber trickreich und mit großer Ausdauer errichtete Wochenendhaus, die „Datsche“, wurde zum Symbol einer „Nischengesellschaft“ im Obrigkeitsstaat. Die Nischengesellschaft stiftete Solidarität zwischen den gegängelten Bürgern; vielfach bestimmten aber auch Neid, Unaufrichtigkeit und Misstrauen ihre Beziehungen untereinander als Folge von Bespitzelung und Überwachung (▶ M 3).

Die „Einheit von Wirtschafts- und Sozialpolitik“ und ihr Preis

Auf dem wirtschaftlichen Sektor konnte Honecker zunächst einige Erfolge vorweisen. Die Industrieproduktion stieg zwischen 1970 und 1974 um etwa 30 Prozent, die durchschnittlichen Löhne in der gleichen Zeit von 755 auf 860 Mark. Eine Reihe von sozialen Vergünstigungen kamen Frauen und Jugendlichen (aber nicht den Alten) zugute, die Mieten und die Kosten für Grundnahrungsmittel sowie Gebrauchsgüter für das tägliche Leben blieben stabil. Es gab keine offene Arbeitslosigkeit, aber der Preis dafür war eine sehr geringe Arbeitsproduktivität der Betriebe. Die staatliche Planwirtschaft konnte kaum konkurrenzfähige Produkte am Weltmarkt anbieten und produzierte Verluste, die jedoch eine Zeit lang verheimlicht werden konnten. Amtliche Statistiken wurden geschönt, um Planerfüllung vorzutäuschen. Besonders krasse Leistungsfälschungen wurden in der Wohnungsbaustatistik üblich. Als sich die Partei- und Staatsführung der SED im Oktober 1988 durch ihre gleichgeschalteten Medien für die Übergabe der dreimillionsten Wohnung feiern ließ, waren tatsächlich erst 1,92 Millionen fertig gestellt.

Der Lebensstandard in der DDR war zwar der höchste aller kommunistisch regierten Staaten, aber trotz aller Propaganda der SED blieb die Bundesrepublik der einzige von den Bürgern akzeptierte Vergleichsmaßstab. Diesem Vergleich hielten die Ergebnisse der Planwirtschaft in keiner Weise stand. Die beiden Ölkrisen der Siebzigerjahre sowie die immer engere Eingliederung der DDR-Volkswirtschaft in den sowjetisch dominierten Wirtschaftsbereich des RGW ließen die Entwicklung seit Ende der Siebzigerjahre stagnieren. Entsprechend fehlten Investitionsmittel für die Erneuerung der herabgewirtschafteten Betriebe, die zerfallenden Städte, die zerstörte Umwelt. Viele der von Honecker unablässig gefeierten „sozialen Errungenschaften“ wie billige Wohnungen erforderten hohe staatliche Subventionen und konnten letztlich nur durch eine immer höhere Verschuldung im Westen finanziert werden.

▲ *Die Preise in der DDR hatten nichts mit den Kosten für die Herstellung oder die Bereitstellung von Gütern und Leistungen zu tun. Sie waren ein sozialpolitisches Instrument des Staats. Die Angaben in dem Schaubild stammen von 1989.*

Wirtschaftlicher Kollaps auf Raten

Bereits 1976 war die DDR mit 2,6 Milliarden Euro verschuldet, damals ein Staatsgeheimnis, das nur einigen Vertrauten Honeckers im Politbüro bekannt war. Am Ende des Jahrzehnts belief sich der Schuldenberg auf 15 Milliarden Euro. 1983 konnte die internationale Kreditwürdigkeit nur durch einen Milliardenkredit der Bundesregierung gewahrt werden. Im Gegenzug erklärte sich die DDR bereit, Minenfelder und Selbstschussanlagen an der innerdeutschen Grenze abzubauen, über tausend DDR-Bürger aus der Haft freizulassen, beziehungsweise ihre Übersiedlung in die Bundesrepublik zu erlauben und umfangreiche Erleichterungen im Reiseverkehr zu gestatten. 1989 entsprach die Auslandsverschuldung von 25 Milliarden Euro bereits dem volkswirtschaftlichen Nettoprodukt eines Jahres. Die DDR lebte über ihre Verhältnisse, der wirtschaftliche Kollaps war nur eine Frage der Zeit. Doch nur wenige Spitzenfunktionäre wussten dies; noch funktionierte die offizielle Propaganda.

Demokratisierung des Ostblocks

Auch die Sowjetunion stand in den Achtzigerjahren vor kaum überwindbaren ökonomischen Schwierigkeiten. Ein erheblicher Teil der Ressourcen wurde für die Rüstung ausgegeben, aufgrund fehlender Infrastruktur konnte nicht einmal die Versorgung mit Nahrungsmitteln aus eigener Kraft sichergestellt werden. Vor diesem Hintergrund leitete *Michail Gorbatschow* seit seinem Machtantritt 1985 eine Politik von oben gelenkter Reformen ein, die unter den Schlagworten *„Perestroika" (Umwandlung)* und *„Glasnost" (Offenheit)* bekannt wurde. Die Rüstungsausgaben sollten reduziert, durch Konfliktvermeidung und zunehmende Entlastung von außenpolitischen Aufgaben sollten die Kräfte auf die Innenpolitik gelenkt werden. Den eigenen Bürgern sollte dabei mehr Mitspracherecht im wirtschaftlichen und öffentlichen Leben zugestanden werden.
Die Sowjetunion gab auf dem XXVII. Parteitag der KPdSU schließlich ihren Anspruch auf Hegemonialstellung innerhalb der kommunistischen Welt auf. Die SED-Führung verhielt sich von Anfang an der neuen sowjetischen Politik gegenüber ablehnend. Vom guten Zustand der DDR überzeugt, sah sie keine Notwendigkeiten für Reformen im eigenen Staat (➧ M 4). Damit geriet die DDR auch innerhalb des Ostblocks zunehmend in Isolation, da vor allem in Polen, Ungarn und der CSSR der „Perestroika"-Kurs (siehe S. 220 f.) großen Widerhall fand.

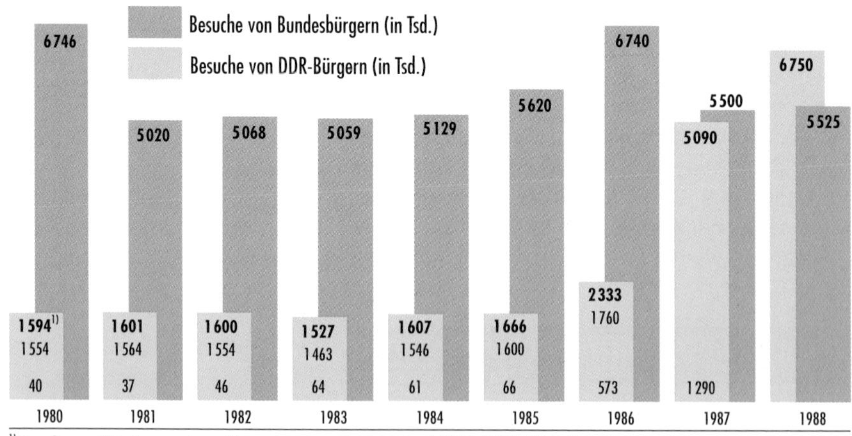

[1] Besuche von DDR-Bürgern setzen sich zusammen aus „Rentnerreisen" (1980: 1 554 Tsd.) und aus „Reisen in dringenden Familienangelegenheiten" (1980: 40 Tsd.)

▲ *Ost- und Westreisen zwischen 1980 und 1988.*

• *Erklären Sie die Veränderungen in den Zahlen und die Bedeutung der Reiseerleichterungen für das geteilte Deutschland.*

3 Die Deutsche Einheit und ihre Folgen

3.1 Der Zusammenbruch der DDR

▲ *Ausgestemmtes DDR-Emblem an der Fassade des ehemaligen Rates des Bezirks Cottbus, Foto vom August 1990.*

1985
Die „Initiative Frieden und Menschenrechte" (IFM) wird von Bürgerrechtlern gegründet

7. Mai 1989
Bei den Kommunalwahlen werden die Wahlergebnisse amtlich gefälscht

August/September 1989
Bürgerrechtler gründen in der DDR das Neue Forum, Demokratie Jetzt, Demokratischer Aufbruch und die SPD

4. September 1989
Die erste „Montagsdemonstration" findet in Leipzig statt

10./11. September 1989
Die ungarische Regierung erlaubt fluchtwilligen DDR-Bürgern die Ausreise über ihre Grenzen

30. September 1989
DDR-Bürger, die sich in die diplomatische Vertretung der Bundesrepublik in Prag geflüchtet hatten, dürfen in den Westen ausreisen

6./7. Oktober 1989
Die DDR-Regierung feiert in Anwesenheit des sowjetischen Staats- und Parteichefs Gorbatschow den 40. Jahrestag der DDR

7. November 1989
Die Regierung der DDR tritt zurück, am Tag darauf folgt der Rücktritt des Politbüros der SED

9. November 1989
Die Grenzübergänge nach Westberlin und in die Bundesrepublik werden geöffnet

18. März 1990
Die ersten freien Wahlen zur Volkskammer finden statt

M1

„Verantwortung für die Freiheit der Menschen in unserem Land"

Am 9. November 1988 veranstalten Mitglieder von Leipziger Oppositionsgruppen einen Schweigemarsch zur Erinnerung an die „Reichskristallnacht". Dabei kursiert u.a. folgendes Flugblatt der „Initiative zur gesellschaftlichen Erneuerung der DDR".

Die Pogromnacht vor 50 Jahren mahnt uns: Die Menschen in Deutschland waren 1938 durch fünf Jahre faschistische Diktatur und Ideologie im Denken und Fühlen geprägt und deformiert. Hass und 5 Gewalt gegenüber Andersdenkenden fanden in den Köpfen der Menschen damals ihre Legitimation. Die Angst vor dem totalitären Staatsgefüge und das Misstrauen zu seinen Mitmenschen breiteten sich in der Gesellschaft aus. Unter dem Einfluss 10 des faschistischen Massenkultes wurde Kritik und Aufbegehren bis ins eigene Denken selbst zensiert. Die Menschen zogen sich in die Privatsphäre zurück. Sie vollzogen eine innere Emigration oder mussten emigrieren. Wissen und Ahnung um Ras- 15 senverfolgung und Gewalt brachte nur wenige Menschen zum Handeln.

Wir erfahren durch die Aufarbeitung der Zeit des Stalinismus aus den Zeitungen der Sowjetunion, wie Andersdenkende unter dem Deckmantel der 20 marxistisch-leninistischen Ideologie verfolgt und ermordet wurden. Wir erleben in unserem Land, wie Menschen mit konstruktiv-kritischen Meinungen kriminalisiert und als Staatsfeinde verfolgt werden. Wir erleben Ausgrenzung und Diskriminierung. 25 Wie lange werden wir als mündige BürgerInnen des ersten sozialistischen Staates auf deutschem Boden noch zusehen:

Wenn Skinheads und einige Fußballfans neonazistische Parolen schreien? Wenn verfassungswidrige 30 Ausländerfeindlichkeit gerade auch gegen das leidgeprüfte polnische Volk um sich greift? [...] Wenn die Freiheit der Presse, über alle gesellschaftlichen Bereiche zu berichten, durch die sogenannte Druckgenehmigungspraxis[1] verhindert wird? 35 Wenn sich junge Menschen, die sich anders kleiden als die Mehrheit der Bevölkerung, wie die Punks in Dresden, wegen „unästhetischen Aussehens" Ordnungsstrafen zahlen müssen oder physische Gewalt durch Polizisten erleiden müssen? 40 Wenn Mitarbeiter der „Kirche von Unten" in Weimar [...] für ihr Engagement zur Aufklärung über IWF[2] und Weltbank psychisch unter Druck gesetzt und physisch misshandelt werden? Wenn Mitarbeiter kirchlicher und unabhängiger Gruppen [...] 45 aufgrund ihres friedlichen Engagements und ihrer öffentlichen Meinungsbekundung verhaftet und Ermittlungsverfahren wegen krimineller Handlungen angedroht werden? Wenn Schriftsteller [...] nach Lesungen, bei denen sie auch über gesellschaftliche 50 Probleme informierten, polizeilich verhaftet und Manuskripte beschlagnahmt werden?

Wenn wir das Gedenken an die Pogromnacht für uns annehmen, müssen wir unsere Verantwortung als Mensch wahrnehmen; die Verantwortung für 55 die Freiheit der Menschen in unserem Land; die Verantwortung für Frieden, Gerechtigkeit und Bewahrung der Schöpfung.

Wir protestieren gegen neostalinistische Tendenzen in der Gesellschaftsstruktur der DDR. Wir protes- 60 tieren gegen neonazistische Tendenzen im Denken und Handeln einiger Menschen dieses Landes. Wir fordern die Regierung der DDR auf, die Kriminalisierung und Ausgrenzung von Andersdenkenden [...] zu beenden. Wir fordern einen öffentlichen 65 Dialog aller gesellschaftlichen Kräfte, der Kritik und Selbstkritik einschließt, über alle Problemfelder dieses Landes.

Fred Kowasch, Die Entwicklung der Opposition in Leipzig, in: Eberhard Kuhrt u.a. (Hrsg.), Opposition in der DDR von den 70er Jahren bis zum Zusammenbruch der SED-Herrschaft, Opladen 1999, S. 227 f.

1. *Erläutern Sie die einzelnen Kritikpunkte.*
2. *Analysieren Sie die Grundhaltung der Verfasser gegenüber System und Gesellschaft.*

[1] *Jeder zur Veröffentlichung vorgesehene literarische Text musste bei der „Hauptverwaltung Verlage und Buchhandel" des Ministeriums für Kultur eingereicht und in z. T. jahrelangen Verfahren genehmigt werden. Oft wurden erhebliche Veränderungen verlangt bzw. die Texte nicht zur Veröffentlichung freigegeben. Bei den Massenmedien gab es keine eigene Zensurbehörde, die Parteiführung dominierte aber die Berichterstattung, indem sie in die journalistische Arbeit mit konkreten Sprachregelungen eingriff.*

[2] *Abk. für den Internationalen Währungsfonds*

M2

Unzufriedenheit in der Bevölkerung

Aus einem Bericht der Stasi-Bezirksverwaltung Magdeburg vom 9. August 1989 über die Stimmung in der Bevölkerung:

In allen Bevölkerungsgruppen mehren sich Diskussionen, in denen eine gewisse Resignation und Unzufriedenheit zum Ausdruck kommt. Auch unter politisch aktiven Bürgern (z.B. mittleren leitenden 5 Kadern in Großbetrieben, Parteigruppenorganisatoren, Angehörigen der DVP und Mitarbeitern des Kreisgerichtes in Wernigerode), sind folgende Auffassungen verbreitet:

- „Als Funktionär darf man treu und brav seine 10 Pflicht erfüllen, ansonsten hat man nur Nachteile gegenüber anderen Bürgern."
- „Funktionäre müssen auf Reisen in die BRD verzichten, aber auch auf Kontakte in die BRD, also auf Geschenke wie hochwertige Gebrauchs- und 15 Genussmittel."
- „Wer gesellschaftlich aktiv ist, muss trotzdem jahrelang auf Pkw, Telefon oder Führerschein warten. Mit Westverbindungen schafft man das über Genex[1] in Wochen."
- 20 „Wer BRD-Währung besitzt, hat keine Sorgen mit Handwerkern und anderen Dienstleistungen."

[...] Ein immer wieder diskutiertes Thema ist die Informationsbereitstellung durch unsere Medien. Von 25 Angehörigen der unterschiedlichsten Bevölkerungsgruppen werden häufig Widersprüche zwischen Wort und Tat der Parteiführung konstruiert. Starke Zweifel bestehen an den Meldungen über erfüllte bzw. überbotene Pläne, weil sich das nicht im Wa30 renangebot widerspiegele. Gleichfalls bemängelt wird das Verschweigen „heißer Eisen" wie z.B. steigende Zahlen von ständigen Ausreisen und ungesetzlichen Grenzübertritten. Die Entwicklung könne – so u.a. Werktätige des Karl-Marx-Werkes, des 35 G.-Dimitroff-Werkes und der Stahlgießerei Magdeburg – doch nur aus einer wachsenden Unzufriedenheit eines Teils der Bürger resultieren. Vereinzelt werden Befürchtungen geäußert, dass auch in der DDR aufgrund dessen Streiks nicht ausge40 schlossen seien. Von mittleren leitenden Kadern und SED-Mitgliedern wird insbesondere kritisch bewertet, dass sie für die Erklärung der vielschichtigen innenpolitischen und internationalen Entwicklungen keine geeigneten Argumente erhalten.

45 Offenbar saisonbedingt konzentrieren sich Diskussionen zu Versorgungsfragen gegenwärtig auf

- die mangelnde Versorgung mit Frischfleisch (meist durch urlaubsbedingte Schließung der Geschäfte begründet)
- 50 allgemein unzureichendes Gemüseangebot (zu wenig Sorten, schlechte Qualität, hoher Verschmutzungsgrad)
- immer kritischer werdende Bereitstellung von Kfz-Ersatzteilen (z.B. fehlen in Schönebeck 55 Lada- und Wartburg-Ersatzteile völlig; Pkw-Besitzer führen Ersatzteile nach Möglichkeit aus anderen sozialistischen Ländern ein, um ihr Auto im Urlaub nutzen zu können).

Deutliche Unzufriedenheit besteht seit Jahren unter 60 Werktätigen des Asbestzementwerkes Gardelegen über die nach ihrer Meinung unzureichenden Maßnahmen hinsichtlich des Gesundheits- und Umweltschutzes. [...] Ausdruck der zunehmenden Unzufriedenheit ist möglicherweise ein anonymes 65 Schreiben an die SED-Kreisleitung, in dem behauptet wird, dass sich die Gewerkschafter des Asbestzementwerkes solidarisch mit den streikenden Kohlekumpel in der UdSSR erklären. Die Kreisdienststelle Gardelegen arbeitet an der Ermittlung 70 des unbekannten Briefschreibers.

BStU 000323/000324 – BStU online

1. *Sortieren Sie die Beschwerden der Bevölkerung nach bestimmten Kriterien, z.B. „Lebensstandard" – „politische Rechte", „langfristige – kurzfristige Missstände" etc.*
2. *Analysieren Sie die Haltung des Verfassers gegenüber den Missständen. Hält er die Klagen für begründet?*
3. *Diskutieren Sie den Kenntnisstand der DDR-Führung über die Situation kurz vor der Wende.*

[1] *Abk. für „Geschenkdienst und Kleinexport GmbH", Versandhaus in der DDR, über das gegen westliche Währungen (Export-)Waren und Dienstleistungen aus der DDR-Produktion bestellt werden konnten.*

M3
„Keine Träne nachweinen"

Ende September 1989 waren ca. 6000 DDR-Flüchtlinge in der Prager Botschaft der Bundesrepublik versammelt. Die DDR musste ihnen schließlich auf internationalen Druck die förmliche Ausreise gestatten. Die staatliche Nachrichtenagentur ADN kommentiert den Vorgang am 1. Oktober 1989. Den letzten Satz hatte Honecker persönlich hinzugefügt.

Nun werden einige Bürger der DDR an uns mit Recht die Frage stellen, warum wir diese Leute [die Prager Botschaftsbesetzer] über die DDR in die BRD ausreisen lassen, obwohl sie grob die Gesetze 5 der DDR verletzten. Die Regierung der DDR ließ sich davon leiten, dass jene Menschen bei Rückkehr in die DDR, selbst wenn das möglich gewesen wäre, keinen Platz mehr im normalen gesellschaftlichen Prozess gefunden hätten. Sie haben sich 10 selbst von ihren Arbeitsstellen und von den Menschen getrennt, mit denen sie bisher zusammen lebten und arbeiteten. Bar jeder Verantwortung handelten auch Eltern gegenüber ihren Kindern, die im sozialistischen deutschen Staat wohlbehütet auf-15 wuchsen und denen alle Kindereinrichtungen, alle Bildungs- und Entwicklungsmöglichkeiten offenstanden. Jene Leute hätten auch Schwierigkeiten bekommen, neue Wohnungen zu erhalten, da diese natürlich für andere Bürger vorgesehen sind. Vor-20 zugsbehandlung konnten sie in der DDR nicht erwarten. Hinzu kommt, dass sich nach bisherigen Feststellungen unter diesen Leuten Asoziale befinden, die kein Verhältnis zur Arbeit und auch nicht zu normalen Wohnbedingungen haben. Sie alle ha-25 ben durch ihr Verhalten die moralischen Werte mit Füßen getreten und sich selbst aus unserer Gesellschaft ausgegrenzt. Man sollte ihnen deshalb keine Träne nachweinen.

Walter Süß, Ende und Aufbruch – Von der DDR zur neuen Bundesrepublik Deutschland, 2. Auflage, Frankfurt/Main 1997, S. 87

1. *Erläutern Sie die Argumentationsstrategie der DDR-Führung.*
2. *Diskutieren Sie die Wirkung dieser Stellungnahme in der DDR-Bevölkerung.*

M4
Am Rande des Bürgerkrieges

Ein Augenzeuge berichtet über die Montagsdemonstration vom 9. Oktober 1989 in Leipzig:

In Betrieben wurde davor gewarnt, nach 16 Uhr die Innenstadt zu betreten; Mütter sollten ihre Kinder bis 15 Uhr aus den Krippen und Kindergärten des Zentrums abholen; Schülern und Studenten wurde 5 mit Relegation[1] für den Fall der Beteiligung an „Aktionen" gedroht. Gerüchte schwirrten durch die Stadt. Man munkelte von MG-Nestern auf zentralen Gebäuden, befürchtete den Einsatz von Fallschirmjägern [...]. In Krankenhäusern wurden Not-10 betten aufgestellt und vor allem die chirurgischen und Intensivstationen verstärkt besetzt. Tausende von zusätzlichen Blutkonserven standen bereit. [...] Leipzig glich an diesem Tag einem Heerlager. Nach späteren Aussagen von Bereitschaftspolizisten war 15 ihnen vormittags mitgeteilt worden, dass ein friedlicher Ausgang der Demonstration wenig wahrscheinlich sei und sie vorbereitet sein müssten, möglichen Gewalttätigkeiten zu begegnen. Dementsprechend trugen sie Kampfausrüstung [...]. Auf 20 dem Hof der VP-Bezirksbehörde standen „aufmunitionierte" Schützenpanzerwagen bereit, die tonnenschweren Stahlkolosse ausgerüstet mit Räumschilden, die Fahrer mit MPi und je sechzig Schuss Munition. Die Polizeitruppe zählte insgesamt drei-25 tausend Mann, davon zwölfhundert zur Verstärkung aus den Bezirken Halle und Neubrandenburg herbeibeordert. Hinzu kamen noch fünf Hundertschaften von Betriebskampfgruppen sowie eine sicher vierstellige Anzahl von Einsatzkräften des 30 Ministeriums für Staatssicherheit, dessen Arsenale nicht nur Handfeuerwaffen bargen. [...]
In der Nikolaikirche und in drei weiteren Gotteshäusern wurde während der Friedensgebete ein von sechs Persönlichkeiten der Stadt getragener 35 Aufruf zur Besonnenheit verlesen: „Unsere gemeinsame Sorge und Verantwortung haben uns heute zusammengeführt. Wir sind von der Entwicklung in unserer Stadt betroffen und suchen nach einer Lösung. Wir alle brauchen einen freien Meinungs-40 austausch über die Weiterführung des Sozialismus in unserem Land. Deshalb versprechen die Ge-

[1] *Verweis von der Schule bzw. Hochschule*

▲ *Bei der Demonstration in Leipzig am 9. Oktober nahmen rund 70 000 Menschen unter der Losung „Wir sind das Volk" teil. Foto vom 9. Oktober 1989, Leipzig.*

nannten heute allen Bürgern, ihre ganze Kraft und Autorität dafür einzusetzen, dass dieser Dialog nicht nur im Bezirk Leipzig, sondern auch mit un-45 serer Regierung geführt wird. Wir bitten Sie dringend um Besonnenheit, damit der friedliche Dialog möglich wird."
Dieser gemeinsame Appell des Kabarettisten Bernd-Lutz Lange, des Gewandhauskapellmeisters 50 Kurt Masur und des Theologen Peter Zimmermann sowie der Sekretäre der SED-Bezirksleitung Kurt Meyer, Jochen Pommert und Roland Wötzel wurde um 18 Uhr auch vom Sender Leipzig und etwa eine Stunde später vom Stadtfunk ausge-55 strahlt. Die engagierte wie couragierte Wortmeldung hat unzweifelhaft beigetragen zum friedlichen Verlauf dieses Tages, ohne jedoch die voreilig bescheinigte entscheidende Rolle gespielt zu haben. Einzig die geballte Kraft der siebzigtausend angst-60 erfüllten und dennoch nicht weichenden Menschen in der Innenstadt und auf dem Ring erzwang um 18.25 Uhr den endgültigen Rückzug der bewaffneten Einheiten. Jene Namenlosen meinte wohl Christoph Hein, als er vorschlug, Leipzig zur „Helden-65 stadt der DDR" zu ernennen.

Wolfgang Schneider, Leipziger Demontagebuch, Leipzig 1990, S. 71 f.

1. *Vergleichen Sie die Situation am 9. Oktober 1989 in Leipzig mit dem 17. Juni 1953 (siehe auch Seiten 128 f., M 2 und M 3).*
2. *Analysieren Sie verschiedene Gefahrenmomente im Verlauf des Tages.*
3. *Diskutieren Sie darüber, aus welchen Gründen die SED-Führung auf den Einsatz von Gewalt verzichtet hat.*

Wachsende Kritik von Friedens- und Umweltgruppen

Die Krise der kommunistischen Herrschaft in der DDR entzündete sich nicht nur am Versagen der Ökonomie. Den Boden für den Massenprotest des Jahres 1989 bereiteten oppositionelle Gruppierungen, die seit den frühen Achtzigerjahren mit wachsender Unerschrockenheit das Regime herausforderten (➧ M 1), aber auch viele einzelne Bürger, die unter Berufung auf die von der DDR 1975 unterschriebenen *KSZE-Schlussakte*[1] ihre Menschenrechte einforderten (siehe S. 213 f.).
Anfangs waren es vor allem Friedens- und Umweltgruppen, die zumeist unter dem Schutz der Kirche eine Art Gegenöffentlichkeit zur staatsoffiziellen Erziehung und zur offiziell ignorierten ökologischen Krise im Land bildeten. Zunächst entstanden diese informellen Zusammenschlüsse von aufbegehrenden jungen DDR-Bürgern aus der Empörung über konkrete Maßnahmen des SED-Staates. An der Einführung des „Wehrunterrichts" an allen Schulen seit 1978, an der staatlich verordneten Militarisierung der Gesellschaft sowie an der Aufrüstung in Ost und West entzündete sich eine umfassende Kritik der Verhältnisse. Eine wichtige Rolle spielte etwa der von Pfarrer *Rainer Eppelmann* und Robert Havemann gemeinsam formulierte „Berliner Appell – Frieden schaffen ohne Waffen" (1982). Die Forderungen nach Toleranz und Anerkennung des Rechtes auf freie Meinungsäußerung unterschrieben innerhalb weniger Monate Tausende.
In Friedensseminaren und Friedenswerkstätten fanden sich zumeist jugendliche Teilnehmer aus der ganzen DDR zusammen. Ihr gemeinsames Protestsymbol war ein Aufnäher mit der Aufschrift „Schwerter zu Pflugscharen". Die Staatsmacht reagierte wiederholt mit Verhaftungen und Ausbürgerungen prominenter Oppositioneller und vor allem mit dem massiven Einsatz von Inoffiziellen Mitarbeitern der Staatssicherheit. Die beabsichtigte „Zersetzung" oppositioneller Gruppierungen ging so weit, dass manche Friedenskreise regelrecht von Stasi-Spitzeln kontrolliert wurden.

Eine Bürgerrechtsbewegung entsteht

Eine neue Qualität in die zunächst stark christlich-pazifistisch ausgerichtete Protestbewegung brachte die 1985 von einigen Bürgerrechtlern in Ostberlin (u. a. *Bärbel Bohley, Ralph Hirsch, Gerd Poppe, Wolfgang Templin, Vera Wollenberger*) gegründete „Initiative Frieden und Menschenrechte" (IFM). Erstmals wurden hier von ostdeutschen Oppositionellen die Forderungen nach einer freiheitlichen Demokratie, wie sie die Bürgerrechtsbewegungen in Polen *(Solidarność)*, Ungarn und der Tschechoslowakei *(Charta 77)* schon länger vertraten, aufgegriffen und propagiert.
Die Reformpolitik in der Sowjetunion unter Parteichef Michail Gorbatschow machte den Oppositionellen Mut. Immer mehr Menschen solidarisierten sich mit jenen, die verhaftet, ausgebürgert oder auf andere Weise eingeschüchtert werden sollten. Zählten auch die dauerhaft aktiven Regimegegner nur wenige hundert Personen, so verstanden sie es doch, einige tausend Sympathisanten zu gewinnen, sodass sich allmählich ein regelrechtes Netzwerk von Verbindungen (Untergrundblätter, Treffen, Protestaktionen) über das ganze Land erstreckte.

---

[1] KSZE: Konferenz für Sicherheit und Zusammenarbeit in Europa; seit 1995 Organisation für Sicherheit und Zusammenarbeit (OSZE); die Schlussakte von Helsinki enthält u. a. einen Katalog von 10 „Prinzipien", die die Beziehungen der Teilnehmerstaaten leiten sollten; ein Prinzip betraf die Achtung der Menschenrechte und der Grundfreiheiten.

▲ *Vor der Sophienkirche in Ostberlin protestierten Bürgerrechtler seit dem 7. Juni 1989 an jedem 7. des Monats für die Offenlegung des Wahlbetrugs. Foto vom 7. Juni 1989.*

Landesweite Aufmerksamkeit und wachsende Anerkennung in der Bevölkerung verschafften den Bürgerrechtlern die Ereignisse im Zusammenhang mit den *Kommunalwahlen vom 7. Mai 1989*. In mehreren Städten der DDR beobachteten Vertreter dieser Gruppen die Auszählung der Stimmen in den örtlichen Wahllokalen und protestierten anschließend gegen die festgestellten Wahlfälschungen.

Flucht vor der Staatsmacht

Immer mehr Bürger stellten Anträge auf Ausreise aus der DDR, obwohl sie in vielen Fällen deswegen jahrelang benachteiligt und schikaniert wurden. Im ersten Halbjahr 1989 gestattete die Regierung 46 343 Personen die Übersiedlung in die Bundesrepublik. Doch die Hoffnung der SED, auf diese Weise wieder Ruhe herstellen zu können, erfüllte sich nicht. Im Gegenteil: Im Sommer 1989 lagen nach Berichten des MfS an die Parteispitze bereits eine Viertelmillion weiterer Ausreiseanträge vor.
Nach und nach verloren die Drohgebärden der Machthaber ihre Wirkung, wenngleich niemand vorherzusagen wusste, wie die SED auf die wachsende Unruhe im Land reagieren würde (➧ M 2). Immerhin wagten es die Bürgerrechtler im August/September 1989, sich in vier erstmals öffentlich auftretenden Vereinigungen *(Neues Forum, Demokratie Jetzt, Demokratischer Aufbruch, Sozialdemokratische Partei)* zusammenzuschließen und eine Reform der DDR an Haupt und Gliedern zu fordern.
Am 10./11. September erlaubte die reformkommunistische Regierung Ungarns, die bereits seit Mai ihre Grenzsperren nach Österreich abbaute, fluchtwilligen Urlaubern aus der DDR die Ausreise. Über 25 000 Menschen nutzten das überraschend entstandene Schlupfloch im bislang undurchlässigen „Eisernen Vorhang“. Andere fanden Einlass in den diplomatischen Vertretungen der Bundesrepublik in Prag, Warschau und Ostberlin. Von dort forderten sie die Chance, ein Leben in Freiheit zu führen. Nach langwierigen Verhandlungen zwischen beiden deutschen Regierungen durften sie Anfang Oktober in den Westen übersiedeln (➧ M 3).

Massenprotest und friedliche Revolution

Seit Anfang September 1989 demonstrierten in Leipzig an jedem Montag nach Friedensgebeten in der Nikolaikirche immer mehr Menschen für Reisefreiheit statt Massenflucht. Rief die Menge anfangs noch „Wir wollen raus!“, so hieß es bald „Wir bleiben hier!“. Mit Mahnwachen für Inhaftierte protestierten in Berlin, Leipzig und Potsdam Bürgerrechtler unter den Augen der Staatssicherheit, die mit Verhaftungen die um sich greifende Protestwelle ersticken wollte.
In den ersten Oktobertagen spitzte sich in vielen Städten die Situation gefährlich zu. Während die Machthaber den 40. Jahrestag der DDR am 6. und 7. Oktober vor den (Fernseh-) Augen der Welt und in Anwesenheit des sowjetischen Partei- und Staatschefs Gorbatschow mit Pomp, Militärparaden und FDJ-Vorbeimärschen feierten, versuchten sie gleichzeitig, mit einem Riesenaufgebot bewaffneter Sicherheitskräfte die Demonstranten einzuschüchtern.
Honecker weigerte sich, Reformen einzuleiten, zu denen ihm Gorbatschow dringend geraten hatte („Wer zu spät kommt, den bestraft das Leben“).
Die große Montagsdemonstration am 9. Oktober in Leipzig brachte den Umschwung (➧ M 4). 70 000 Menschen demonstrierten friedlich, im klaren Bewusstsein, dass es dabei zu einem Blutbad kommen könnte. Ähnliches geschah in Berlin. Obgleich die bewaffneten Kräfte in höchste Alarmbereitschaft versetzt worden waren, wurde der Befehl zur gewaltsamen Zerschlagung der Demonstrationen nicht gegeben. Offenbar auch unter dem Einfluss der Sowjets unterlief eine Gruppe im Politbüro um *Egon Krenz*, dem „Kronprinzen“ Honeckers, dessen Absicht zur gewaltsamen Beendigung des Bürgerprotests. Die Mehrheit in der politischen Führung versuchte jetzt, durch Gesprächsangebote an die Bevölkerung und die *Entmachtung Honeckers am 18. Oktober 1989* die Situation wieder in den Griff zu bekommen. Egon Krenz übernahm Honeckers Ämter. Doch die Menschen wollten sich nicht mehr mit kleinen Korrekturen der bisherigen Politik zufriedengeben. „Wir sind das Volk!“, scholl es selbstbewusst den Machthabern entgegen, und im November mischte sich darunter immer häufiger der Ruf „Wir sind ein Volk!“

Das Ende der SED-Diktatur

Die anhaltende Massenflucht und der zunehmende Massenprotest im ganzen Land untergruben innerhalb weniger Wochen das bereits brüchige Machtfundament der SED. Das Ende ihrer Herrschaft kam mit der *Öffnung der Mauer und der Grenzübergänge nach Westberlin und in die Bundesrepublik am 9. November 1989*. Die Annahme der SED-Führung, mit der Gewährung der von den Demonstranten dringlich geforderten Reisefreiheit die DDR noch in letzter Minute stabilisieren zu können, erwies sich als illusionär. Nach dem Fall der Mauer besuchten Millionen den anderen Teil Deutschlands und entschieden sich gegen die DDR. Unter dem Druck der Bevölkerung gab die SED ihre Hegemonialstellung schrittweise auf. Im Dezember 1989 wurde ihre „führende Rolle“ aus der Verfassung gestrichen, das Ministerium für Staatssicherheit aufgelöst, Politbüro und Zentralkomitee traten geschlossen zurück, Partei- und Staatschef Krenz gab seine Ämter ab. Die friedliche Revolution in der DDR hatte gesiegt, die SED-Diktatur war zusammengebrochen.

▲ *Menschen auf und vor der Mauer in Berlin (von der Westseite aufgenommen).*
Foto vom 9./10. November 1989.
Auf einer Pressekonferenz im Fernsehen am 9. November kündigte der Berliner SED-Bezirkschef Günther Schabowski ein neues Reisegesetz an, das den DDR-Bürgern „Auslandsreisen" genehmigen würde. Die DDR-Bürger nahmen ihn beim Wort und strömten in dieser Nacht an den Grenzübergängen in die Bundesrepublik und nach Westberlin zusammen. Die überforderten Grenzbeamten öffneten vor dem Ansturm die Schlagbäume. Auf beiden Seiten der Grenze kam es zu volksfestartigen Szenen.

Die Krise spitzt sich zu

Die seit Mitte November 1989 amtierende SED-Regierung unter Ministerpräsident *Hans Modrow* geriet bald unter starken Erfolgszwang. Die schwierigen Probleme der Wirtschaft, über die jetzt in aller Öffentlichkeit kritisch berichtet und diskutiert wurde, ließen sich mit den gegebenen Möglichkeiten der DDR nicht mehr bewältigen. Im November und Dezember 1989 kehrten 176 650 Menschen der DDR den Rücken.
Einer Stabilisierung der Verhältnisse sollte Anfang Dezember die Einrichtung eines „Runden Tisches" nach polnischem Vorbild unter Beteiligung der wichtigsten Gruppierungen der Bürgerrechtsbewegung dienen. Unter öffentlichem Druck erklärten sich Modrow und die inzwischen neuformierte SED/PDS[1)] dazu bereit, den Forderungen des Runden Tisches zu entsprechen und die ersten freien Volkskammerwahlen auf den 18. März 1990 vorzuziehen. Bei dieser Wahl entschied sich die Mehrheit der Bürger für eine schnelle Einheit. Dieses Ziel hatte der Wahlsieger *Allianz für Deutschland*, ein Zusammenschluss aus CDU (Ost), *Demokratischer Aufbruch* (DA) und der *Deutschen Sozialen Union* (DSU) versprochen. Am 12. April 1990 wählte die Volkskammer *Lothar de Maizière* (Ost-CDU) zum Ministerpräsidenten und bestätigte sein Kabinett der Großen Koalition aus CDU, SPD, Liberalen, DSU und DA.

---

1) *Partei des Demokratischen Sozialismus, seit Dezember 1989 Rechtsnachfolgerin der SED*

3.2 Der internationale Rahmen der Deutschen Einheit

▲ *In Anwesenheit der Außenminister der „2 + 4-Verhandlungen" wird der alliierte Checkpoint Charlie in Berlin aufgehoben. Foto vom 22. Juni 1990.*
Der Checkpoint Charlie, der einzige Übergang für Alliierte und Ausländer in Berlin, hatte Symbolcharakter für die Teilung Deutschlands und den Kalten Krieg bekommen, als sich hier im Oktober 1961, kurz nach dem Mauerbau, sowjetische und amerikanische Panzer direkt gegenüberstanden.

November 1989
Bundeskanzler Kohl legt ein „Zehn-Punkte-Programm" vor: Durch die Schaffung konföderaler Strukturen zwischen beiden deutschen Staaten soll ein gesamtdeutscher Bundesstaat entstehen

10. Februar 1990
Michail Gorbatschow stimmt der Schaffung eines deutschen Gesamtstaates zu

16. Juli 1990
Gorbatschow gibt im Gespräch mit Kohl und Genscher öffentlich seine Zustimmung zur Wiedervereinigung Deutschlands und zur NATO-Mitgliedschaft Gesamtdeutschlands bekannt, nachdem dies durch amerikanisch-sowjetische Verhandlungen vorbereitet worden war

15. März 1991
Der Zwei-plus-Vier-Vertrag zwischen den vier Siegermächten und den beiden deutschen Staaten tritt in Kraft: Das wiedervereinigte Deutschland erhält die volle staatliche Souveränität

M1

Gorbatschow gibt grünes Licht

Bundeskanzler Helmut Kohl gibt am 10. Februar 1990 in Moskau eine Presseerklärung ab.

Meine Damen und Herren,
ich habe heute Abend an alle Deutschen eine einzige Botschaft zu übermitteln. Generalsekretär Gorbatschow und ich stimmen darin überein, dass es das alleinige Recht des deutschen Volkes ist, die Entscheidung zu treffen, ob es in einem Staat zusammenleben will.
Generalsekretär Gorbatschow hat mir unmissverständlich zugesagt, dass die Sowjetunion die Entscheidung der Deutschen, in einem Staat zu leben, respektieren wird, und dass es Sache der Deutschen ist, den Zeitpunkt und den Weg der Einigung selbst zu bestimmen.
Generalsekretär Gorbatschow und ich waren uns ebenfalls einig, dass die deutsche Frage nur auf der Grundlage der Realitäten zu lösen ist: d.h. sie muss eingebettet sein in die gesamteuropäische Architektur und in den Gesamtprozess der West-Ost-Beziehungen. Wir müssen die berechtigten Interessen unserer Nachbarn und unserer Freunde und Partner in Europa und in der Welt berücksichtigen.
Es liegt jetzt an uns Deutschen in der Bundesrepublik und in der DDR, dass wir diesen gemeinsamen Weg mit Augenmaß und Entschlossenheit gehen.
Generalsekretär Gorbatschow und ich haben ausführlich darüber gesprochen, dass auf dem Wege zur deutschen Einheit die Fragen der Sicherheit in Europa herausragende Bedeutung haben. Wir wollen die Frage der unterschiedlichen Bündniszugehörigkeit in enger Abstimmung auch mit unseren Freunden in Washington, Paris und London sorgfältig beraten und gemeinsam eine Lösung finden.
Ich danke Generalsekretär Gorbatschow, dass er dieses historische Ergebnis ermöglicht hat.
Wir haben vereinbart, im engsten persönlichen Kontakt zu bleiben.
Meine Damen und Herren,
dies ist ein guter Tag für Deutschland und ein glücklicher Tag für mich persönlich.

Deutsche Einheit. Sonderedition aus den Akten des Bundeskanzleramtes 1989/90. Dokumente zur Deutschlandpolitik, hrsg. von Hanns Jürgen Küsters und Daniel Hofmann, München 1998, S. 812 f.

Zeigen Sie die Zugeständnisse, die die deutsche Bundesregierung an die UdSSR macht.

▶ *Mit seiner Zustimmung zur Wiedervereinigung und völligen Souveränität Deutschlands willigte Gorbatschow auch in den vollständigen Abzug aller sowjetischen Streitkräfte aus dem Gebiet der DDR ein. Im Gegenzug verpflichtete sich die Bundesrepublik, die Gesamtstärke ihrer Streitkräfte auf 370 000 Mann zu begrenzen. Der Abzug der Sowjetarmee zog sich über mehrere Jahre hin. Am 31. August 1994 wurde die russische Armee schließlich mit einer Parade feierlich verabschiedet.*
Foto vom 31. August 1994, Berlin.

M2
Der Zwei-plus-Vier-Vertrag

Am 12. September 1990 unterzeichnen die vier Siegermächte USA, Sowjetunion, Frankreich und Großbritannien und die beiden deutschen Staaten in Moskau den „Vertrag über die abschließende Regelung in Bezug auf Deutschland". Am 15. März 1991 trat er in Kraft.

Artikel 1

(1) Das vereinte Deutschland wird die Gebiete der Deutschen Demokratischen Republik, der Bundesrepublik Deutschland und ganz Berlins umfassen. 5 Seine Außengrenzen werden die Grenzen der Deutschen Demokratischen Republik und der Bundesrepublik Deutschland sein und werden am Tage des Inkrafttretens dieses Vertrages endgültig sein. Die Bestätigung des endgültigen Charakters 10 der Grenzen des vereinten Deutschlands ist ein wesentlicher Bestandteil der Friedensordnung in Europa.

(2) Das vereinte Deutschland und die Republik Polen bestätigen die zwischen ihnen bestehende 15 Grenze in einem völkerrechtlich verbindlichen Vertrag.

(3) Das vereinte Deutschland hat keinerlei Gebietsansprüche gegen andere Staaten und wird solche auch nicht in Zukunft erheben. [...]

20 *Artikel 3*

(1) Die Regierungen der Bundesrepublik Deutschland und der Deutschen Demokratischen Republik bekräftigen ihren Verzicht auf Herstellung und Besitz von und auf Verfügungsgewalt über atomare, 25 biologische und chemische Waffen. [...]

(2) Die Regierung der Bundesrepublik Deutschland hat in vollem Einvernehmen mit der Regierung der Deutschen Demokratischen Republik am 30. August 1990 in Wien bei den Verhandlungen über 30 konventionelle Streitkräfte in Europa folgende Erklärung abgegeben:

„Die Regierung der Bundesrepublik Deutschland verpflichtet sich, die Streitkräfte des vereinten Deutschlands innerhalb von drei bis vier Jahren auf 35 eine Personalstärke von 370 000 Mann (Land-, Luft- und Seestreitkräfte) zu reduzieren. [...] Im Rahmen dieser Gesamtobergrenze werden nicht mehr als 345 000 Mann den Land- und Luftstreitkräften angehören, die gemäß vereinbartem Mandat allein 40 Gegenstand der Verhandlungen über konventionelle Streitkräfte in Europa sind." [...]

Artikel 5

(3) Nach dem Abschluss des Abzugs der sowjetischen Streitkräfte vom Gebiet der heutigen Deut- 45 schen Demokratischen Republik und Berlins[1] können in diesem Teil Deutschlands auch deutsche Streitkräfte stationiert werden, die in gleicher Weise militärischen Bündnisstrukturen zugeordnet sind wie diejenigen auf dem übrigen deutschen Hoheits- 50 gebiet, allerdings ohne Kernwaffenträger. [...] Ausländische Streitkräfte und Atomwaffen und deren Träger werden in diesem Teil Deutschlands weder stationiert noch dorthin verlegt. [...]

Artikel 7

55 (1) Die Französische Republik, die Union der Sozialistischen Sowjetrepubliken, das Vereinigte Königreich von Großbritannien und Nordirland und die Vereinigten Staaten von Amerika beenden hiermit ihre Rechte und Verantwortlichkeit in Bezug auf 60 Berlin und Deutschland als Ganzes. [...]

(2) Das vereinte Deutschland hat demgemäß volle Souveränität über seine inneren und äußeren Angelegenheiten.

Presse- und Informationsamt der Bundesregierung (Hrsg.), Bulletin Nr. 109, 14. September 1990, S. 1154 ff.

1. *Erläutern Sie Vorteile und Forderungen, die der Vertrag für Deutschland beinhaltet.*
2. *Bundesaußenminister Hans-Dietrich Genscher nannte den Vertrag den „wichtigsten und chancenreichsten [...], den Deutschland je geschlossen" habe. Diskutieren Sie diese Wertung.*

[1] *Die Bundesrepublik unterstützte die „Überleitung" der sowjetischen Truppen finanziell mit 6,9 Milliarden Euro. In der DDR waren 390 000 Sowjets und 140 000 Soldaten der Nationalen Volksarmee stationiert, in der Bundesrepublik standen 490 000 Bundeswehrsoldaten und 340 000 Soldaten der alliierten Streitkräfte ständig unter Waffen.*

Gemeinsame Suche nach einem Weg zur Einheit

Bundeskanzler Kohl hatte Ende November 1989 mit einem „Zehn-Punkte-Programm zur Überwindung der Teilung Deutschlands und Europas“ die Initiative ergriffen. Der Plan basierte auf der Überlegung, dass die Bundesregierung mit einer demokratisch legitimierten DDR-Regierung in einer „Vertragsgemeinschaft“ behutsam die Vereinigung der beiden Staaten vorantreiben sollte, um den Menschen in der DDR eine Perspektive zu geben. Einen Zeitplan gab es nicht, denn noch wusste niemand, wie die Sowjetunion auf den Untergang des alten DDR-Regimes reagieren würde.

Doch die politische und wirtschaftliche Situation der DDR spitzte sich immer mehr zu und setzte die Regierenden in Ost und West unter Zugzwang: Die Übersiedlerwelle der zumeist jungen und beruflich gut qualifizierten DDR-Bürger schwoll im Januar 1990 auf 73 729 Personen an. Alle langfristig angelegten Pläne wurden rasch zu Makulatur. Weil der wirtschaftliche Zusammenbruch offenkundig nicht mehr aufzuhalten war und gute Beziehungen zu Deutschland im sowjetischen Interesse lagen, bestätigte Michail Gorbatschow am 10. Februar 1990 Bundeskanzler Kohl und Außenminister Genscher in Moskau, dass die Sowjetunion nichts gegen die deutsche Vereinigung einzuwenden habe (▶ M 1). Während die inneren Aspekte der Vereinigung seit dem Frühjahr 1990 in einem Verhandlungsmarathon zwischen Bonn und Ostberlin geregelt wurden (siehe Kapitel 3.3, S. 159 ff.), liefen parallel dazu zwischenstaatliche und internationale Verhandlungen über die äußere Absicherung des Einigungsprozesses.

Die außenpolitische Strategie der Bundesregierung

Ohne die Zustimmung der vier Siegermächte des Zweiten Weltkrieges, die sich 1945 in Potsdam ihre Zuständigkeit für „Deutschland als Ganzes“ vorbehalten hatten, konnte es keine Wiedervereinigung geben. Ebenso mussten die Interessen der übrigen europäischen Staaten, insbesondere Polens, berücksichtigt und mögliche Befürchtungen über ein größer und mächtiger werdendes Deutschland entkräftet werden. Denn die europäische Staatengemeinschaft war, wie viele Deutsche auch, von der fortdauernden Existenz zweier deutscher Staaten ausgegangen. Die Bundesregierung entwickelte deshalb eine Strategie, die fünf Ziele umfasste:

- Einbindung der wirtschaftlichen und politischen Macht Deutschlands durch die Stärkung der europäischen Integration und die Schaffung einer Wirtschafts- und Währungsunion;
- Beschränkung der deutschen Streitkräfte, nuklearwaffenfreier Status Deutschlands, besondere Zusicherungen an die Sowjetunion;
- grundlegende Erneuerung des bilateralen Verhältnisses zwischen Deutschland und der Sowjetunion;
- Anerkennung der Oder-Neiße- Grenze als definitive Westgrenze Polens;
- Mitwirkung bei der Schaffung von neuen Formen und Mechanismen einer gesamteuropäischen Zusammenarbeit.

Zugute kam der Bundesrepublik dabei das beträchtliche Vertrauenskapital, das sie sich durch die jahrzehntelange Zusammenarbeit mit den USA, im westlichen Bündnissystem und in der Europäischen Gemeinschaft, aber auch im Verhältnis zu den östlichen Staaten erworben hatte.

MARCH OF THE FOURTH REICH

▲ *Zeichnung von Bill Caldwell aus der britischen Zeitung „Daily Star“ vom Februar 1990. In Großbritannien herrschten zunächst große Vorbehalte gegen eine deutsche Wiedervereinigung vor. Für kurze Zeit wurde sogar die Gefahr eines „Fourth German Reich“ heraufbeschworen.*

Verhandlungen auf allen Ebenen

Ohne Einschränkung förderten die USA unter Präsident *George Bush* und Außenminister *James Baker* die Wiedervereinigung Deutschlands. Keineswegs wollte Bush eine Schwächung der NATO durch ein deutsches Ausscheiden hinnehmen. Der französische Staatspräsident *François Mitterrand* sorgte sich anfangs um die Haltung eines größeren Deutschland zum europäischen Zusammenschluss. Gegen die Wiedervereinigung sprach sich offen die britische Premierministerin *Margaret Thatcher* aus, die eine deutsche Dominanz in Europa befürchtete. Einen radikalen Kurswechsel nahm der sowjetische Staats- und Parteichef Gorbatschow vor. Aus dem Zusammenbruch der DDR zog er den Schluss, die Wiedervereinigung im Grundsatz zu akzeptieren, um Deutschland als Partner für den Neuaufbau der Sowjetunion zu gewinnen.

Im Februar 1990 vereinbarten die Außenminister Frankreichs, Großbritanniens, der Sowjetunion, der USA sowie der DDR und der Bundesrepublik Deutschland in sogenannten „Zwei-plus-Vier-Gesprächen“, die offenen Fragen der Grenzen, der Bündniszugehörigkeit Deutschlands, der Höchststärke einer gesamtdeutschen Armee und der deutschen Souveränität einvernehmlich zu klären. Zunächst hielt Gorbatschow an der Forderung fest, ein größeres Gesamtdeutschland dürfe nicht Mitglied der NATO werden. Hingegen erklärten die Bundesregierung und die Westmächte wiederholt, dass gerade die Einbeziehung Gesamtdeutschlands in die NATO eine Sicherheitsgarantie für Europa darstelle.

Aufgrund vorheriger amerikanisch-sowjetischer Übereinkünfte über die zukünftige Mitgliedschaft Gesamtdeutschlands in der NATO[1] erhielt Bundeskanzler Kohl am 16. Juli 1990 von Gorbatschow die Zusage zur deutschen Einheit. Dafür versprach der Kanzler, die gesamtdeutschen Streitkräfte zu reduzieren und auf die Herstellung, den Besitz und den Einsatz von ABC-Waffen[2] zu verzichten. Darüber hinaus sagte Kohl der Sowjetunion umfangreiche wirtschaftliche Unterstützung zu.

Vertragliche Regelungen

Mit dem „Vertrag über die abschließende Regelung in Bezug auf Deutschland“ (▶ M 2), der die Funktion eines Friedensvertrages hatte, erhielt das wiedervereinigte Deutschland die volle staatliche Souveränität zuerkannt und damit auch das Recht, seine Bündniszugehörigkeit frei zu wählen. In einem weiteren von Bundeskanzler Kohl und Staatspräsident Gorbatschow am 9. November 1990 in Bonn unterzeichneten Vertrag wurde die umfassende Zusammenarbeit beider Staaten vereinbart. Den Abschluss bildete der *deutsch-polnische Grenzvertrag* vom 14. November 1990 (siehe S. 181), der die definitive Anerkennung der polnischen Westgrenze durch das wiedervereinigte Deutschland bestätigte.

---

1) *während des Gipfeltreffens zwischen Bush und Gorbatschow im Juni 1990*
2) *Sammelbezeichnung für atomare, biologische und chemische Waffen*

3.3 Die nationale Umsetzung

4. November 1989
Über 500 000 Menschen fordern auf dem Berliner Alexanderplatz einen „eigenständigen Weg" der DDR

1. Juli 1990
Die Wirtschafts-, Währungs- und Sozialunion zwischen der Bundesrepublik und der DDR tritt in Kraft

3. Oktober 1990
Durch den Beitritt der fünf ostdeutschen Länder zur Bundesrepublik ist die Wiedervereinigung Deutschlands vollzogen

2. Dezember 1990
Bei der ersten gesamtdeutschen Bundestagswahl wird die Regierungskoalition aus CDU/CSU und FDP bestätigt

▲ *„Das befreite Volk auf der Bornholmer Brücke zwischen Ost- und Westberlin: Brücke I", Gemälde von Trak Wendisch, 1989.*
Der Ostberliner Künstler Wendisch beteiligte sich an den großen Demonstrationen im Oktober 1989. Seine anfängliche Euphorie über den Fall der Mauer wich jedoch bald einer allgemeinen Skepsis: „Wenn sich viele Menschen bewegen, kommt am Ende etwas Mittelmäßiges heraus."
Versuchen Sie, diese skeptische Haltung in seiner künstlerischen Auseinandersetzung mit dem Thema „Mauerfall" nachzuweisen.

◀ *Foto vom 4. November 1989, Berlin. Mehr als eine halbe Million Menschen versammelte sich auf dem Alexanderplatz in Ostberlin, um für die Einhaltung der Verfassungsartikel 27 und 28 der DDR-Verfassung, die (formal) Meinungs-, Presse- und Versammlungsfreiheit garantierten, zu demonstrieren.*

M1
„Für unser Land“

Bei einer Großkundgebung auf dem Berliner Alexanderplatz am 4. November 1989 rufen Schriftsteller und Künstler der DDR (u.a. Christa Wolf, Heiner Müller und Stefan Heym) zu einem eigenständigen Weg ihres Staates auf. Anschließend veröffentlichen sie am 26. November 1989 den Appell „Für unser Land“.

Unser Land steckt in einer tiefen Krise. Wie wir bisher gelebt haben, können und wollen wir nicht mehr leben. Die Führung einer Partei hatte sich die Herrschaft über das Volk und seine Vertretungen 5 angemaßt, vom Stalinismus geprägte Strukturen hatten alle Lebensbereiche durchdrungen. Gewaltfrei, durch Massendemonstrationen hat das Volk den Prozess der revolutionären Erneuerung erzwungen, der sich in atemberaubender Geschwin- 10 digkeit vollzieht. Uns bleibt nur wenig Zeit, auf die verschiedenen Möglichkeiten Einfluss zu nehmen, die sich als Auswege aus der Krise anbieten.

Entweder

können wir auf der Eigenständigkeit der DDR be- 15 stehen und, versuchen, mit allen unseren Kräften und in Zusammenarbeit mit denjenigen Staaten und Interessengruppen, die dazu bereit sind, in unserem Land eine solidarische Gesellschaft zu entwickeln, in der Frieden und soziale Gerechtigkeit, 20 Freiheit des Einzelnen, Freizügigkeit aller und die Bewahrung der Umwelt gewährleistet sind.

Oder

wir müssen dulden, dass, veranlasst durch starke ökonomische Zwänge und durch unzumutbare Be- 25 dingungen, an die einflussreiche Kreise aus Wirtschaft und Politik in der Bundesrepublik ihre Hilfe für die DDR knüpfen, ein Ausverkauf unserer materiellen und moralischen Werte beginnt und über kurz oder lang die Deutsche Demokratische Repu- 30 blik durch die Bundesrepublik vereinnahmt wird.

Lasst uns den ersten Weg gehen. Noch haben wir die Chance, in gleichberechtigter Nachbarschaft zu allen Staaten Europas eine sozialistische Alternative zur Bundesrepublik zu entwickeln. Noch können 35 wir uns besinnen auf die antifaschistischen und humanistischen Ideale, von denen wir einst ausgegangen sind. Alle Bürgerinnen und Bürger, die unsere Hoffnung und unsere Sorge teilen, rufen wir auf, sich diesem Appell durch ihre Unterschrift anzu- 40 schließen.

Blätter für deutsche und internationale Politik, Januar 1990, S. 124f.

1. *Erläutern Sie die grundlegende Alternative der zukünftigen Politik, die die Verfasser sehen.*
2. *Diskutieren Sie die Einstellung zum alten System der DDR, die sich darin spiegelt.*

M2
„Mumifizierte Utopie"

Auf den Aufruf „Für unser Land" reagiert der Schriftsteller Günter Kunert. Er war wegen seines Protests gegen die Ausbürgerung von Wolfgang Biermann 1977 aus der SED ausgeschlossen worden; 1979 durfte er in die Bundesrepublik ausreisen.

▲ Transparent der Berliner Demonstration vom 4. November 1989.

Der deutsche Intellektuelle nebst seinen Visionen vom Guten, Schönen und Humanen ist durch keine noch so massive Tatsachenfülle widerlegbar [...]. Trotz überwältigender Kenntnis der trostlosen Lage und ihrer kaum minder trostlosen Ursachen wird die längst mumifizierte Utopie beschworen. Ob Christa Wolf auf dem Alexanderplatz in Berlin oder der aus seiner Versenkung auferstandene Rudolf Bahro im Fernsehen – entgegen jeder Erfahrung, auch ihrer eigenen, meinen sie ernsthaft, nun sei der Zeitpunkt gekommen, den „demokratischen Sozialismus" einzuläuten: das Himmelreich schon auf Erden errichten, Heinrich Heines lyrischem Diktum zufolge. Blindlings fallen die großen, pathetischen Worte, denen man abgeschworen hatte, auf die Zuhörer nieder und gemahnen den etwas kritischeren unter ihnen an die Früchte des Tantalus[1]. Würde man die Hand danach ausstrecken, sie entzögen sich dem Zugriff wie eh und je. Die nach vierzig Jahren Tristesse ungeduldige Mehrheit jedoch greift lieber nach dem Nächstliegenden, den Bananen bei „Aldi" [...].
Die gegenwärtig erhobene Forderung nach einer Erneuerung des Systems übertüchtiger Ruinenbaumeister (wirkt) wie ein später und deplatzierter Scherz. Nun endlich, heißt es, werde man auf den Trümmern des zusammengebrochenen ein wahrhaft bewohnbares Haus errichten. Ergo jene angestrebte Gesellschaft, die ihre Widersprüche und Gegensätze gewaltfrei und menschlich behandeln würde. Diese Hoffnung ist trügerisch. Denn sie ignoriert den ökonomischen und ökologischen Zustand des Landes, aber nicht nur diesen; sie missachtet vor allem die Kondition des Menschen, jenes Geschöpfes, das eine Idee nur zu realisieren vermag, indem es diese in ihr Gegenteil verkehrt [...].

Auch der Traum vom „demokratischen Sozialismus" wird wohl eher verhallen, als dass er irgendwelche Wirkung zeitigt. Nach vier Jahrzehnten einer am Grünen Tisch erdachten, der Bevölkerungsmajorität aufgenötigten Ordnung kann eine Modifikation dieser oder analoger Ordnungen keine Chance mehr haben.

Michael Naumann (Hrsg.), Die Geschichte ist offen, Reinbek 1990, S. 97 ff.

1. *Stellen Sie die wichtigsten Argumente von M 1 und M 2 gegenüber.*
2. *Diskutieren Sie die Frage, ob oder unter welchen Umständen 1989/90 in der DDR die Chance für eine selbstständige Entwicklung bestand.*
3. *Informieren Sie sich anhand einer Literaturgeschichte oder eines Lexikons über Günter Kunert. Versuchen Sie einen Zusammenhang herzustellen zwischen dem Werdegang des Schriftstellers und seiner Stellungnahme.*

---
1) *Figur aus der griechischen Mythologie; Tantalos wurde von den Göttern für seine Vergehen bestraft, indem er ewig Hunger und Durst erleiden musste: Obwohl er bis zum Kinn im Wasser stand, kam er nicht an dieses zum Trinken heran und die über seinem Kopf hängenden Obstzweige wichen zurück, sobald er nach ihnen greifen wollte.*

M3

„Rote Zahlen vom roten Sozialismus"

Der Münsteraner Wirtschaftswissenschaftler Karl-Hans Hartwig fasst zwei Monate nach der Schaffung der Währungs-, Wirtschafts- und Sozialunion in einem Zeitungsartikel die wirtschaftlichen Probleme der DDR zusammen.

Die DDR-Wirtschaft befindet sich gegenwärtig in einer tiefen Krise [...]. Auch die weiteren Aussichten sind zunächst düster. Arbeitslosenzahlen von 1,5 bis 2 Millionen oder 15 Prozent werden selbst 5 von Optimisten nicht mehr als unrealistisch angesehen. [...] Die Marktwirtschaft und der mit ihr notwendig verbundene freie Informationsfluss bringen diese Altlasten der planwirtschaftlichen Vergangenheit an den Tag. Sie machen deutlich, dass 10 vom roten Sozialismus vorwiegend rote Zahlen bleiben. Experten ist nicht erst seit dem 9. November bekannt, dass etwa 30 bis 40 Prozent der DDR-Betriebe nicht konkurrenzfähig sind und in Wirtschaft und Verwaltung schon immer eine große 15 Anzahl von Arbeitskräften mitgeschleppt wurde, die ökonomisch nicht gerechtfertigt war. Produktivitätsrückstände bis zu 60 Prozent gegenüber westlichen Betrieben kommen ja nicht von ungefähr. D.h. aber, dass von den vorhandenen 9,3 Millio-20 nen Arbeitsplätzen in den ersten Jahren nach Einführung der Marktwirtschaft mehr als drei Millionen wahrscheinlich sowieso nicht zu halten wären. Sie durch neue wettbewerbsfähige Arbeitsplätze zu ersetzen, ist die vordringliche Aufgabe und nicht ir-25 gendwelche Beschäftigungsgarantien zu geben. Das in den Köpfen der Menschen noch immer verankerte Recht auf Arbeit hat es ja faktisch auch in der DDR nie gegeben. Praktiziert wurden vielmehr ein Recht auf Lohn und der Zwang zur Beschäftigung 30 an den falschen Stellen.

Auch wenn die Missstände der sozialistischen Planwirtschaft seit langem bekannt sind, ihre Dimension tritt erst jetzt allmählich zutage. Daher geht auch die immer wieder an die politisch Ver-35 antwortlichen gestellte Forderung am Kern vorbei, endlich endgültige Zahlen über die Kosten der wirtschaftlichen Vereinigung auf den Tisch zu legen. Sie sind einfach nicht bekannt. Zu vermuten ist lediglich, dass der eingeschlagene Weg einer so-40 fortigen Währungs-, Wirtschafts- und Sozialunion gegenüber einer längerfristig angelegten Strategie zumindest kurzfristig die Probleme verschärfen dürfte. Auf der anderen Seite weist er allerdings nicht zu unterschätzende Vorteile auf. [...]

45 Wenn man einmal betrachtet, wie in anderen sozialistischen Reformstaaten ideologischer Ballast, mangelnde Kenntnisse über die marktwirtschaftlichen Funktionsprinzipien oder massiver Widerstand der um ihre Privilegien fürchtenden Funktionäre drin-50 gend notwendige Reformen behindern, und wie sich durch Zögerlichkeiten und Halbherzigkeiten die wirtschaftliche Lage immer weiter verschlechtert, scheint die Schocktherapie fast die einzige Lösung. Auch wenn kurzfristig größere Härten entste-55 hen, dürfte sie langfristig der erfolgversprechendere Weg sein.

Das Parlament, 14. September 1990

1. *Arbeiten Sie die Probleme bei der Umwandlung der Planwirtschaft der DDR in eine soziale Marktwirtschaft heraus.*
2. *Welche Aufgaben haben demokratisch gewählte Politiker in diesem Transformationsprozess der Wirtschaft?*
3. *Historiker sprechen angesichts der Vorgänge in der DDR seit Herbst 1989 von drei „Revolutionen"; einer „liberalen", einer „nationalen" und einer „sozialen". Welche Gründe sprechen für eine solche Einteilung?*

▲ *Die offizielle Feier zur Wiedervereinigung fand vor dem Reichstagsgebäude in Berlin statt. Foto vom 3. Oktober 1990.*

Wiedervereinigung und Wahlen

Die vielen historischen Ereignisse des Jahres 1989/90 mündeten am 3. Oktober 1990, um Mitternacht, in die Wiedervereinigung Deutschlands durch den *Beitritt der fünf ostdeutschen Länder zur Bundesrepublik Deutschland*. Die DDR-Bürgerrechtler hatten sich mit ihrer Forderung nach einem eigenständigen Weg der DDR nicht durchsetzen können (➧ M 1 und M 2). Sowohl die ersten Landtagswahlen in den neuen Bundesländern am 14. Oktober als auch die erste gesamtdeutsche Bundestagswahl am 2. Dezember bestätigten die regierenden Parteien CDU/CSU und FDP und wurden von Bundeskanzler Kohl als Volksabstimmung über seine Politik der deutschen Einheit gewertet. In vier von fünf ostdeutschen Ländern stellte die CDU den Ministerpräsidenten, in Brandenburg die SPD. In der vorherrschenden Euphorie honorierten die Wähler, dass Kohl und Genscher die Chance zur schnellen Herstellung der Einheit genutzt hatten. Insbesondere das Versprechen Kohls einer raschen Angleichung der Lebensverhältnisse im Osten an den Standard des Westens überzeugte die neuen Bundesbürger. Die Haltung der SPD zur Wiedervereinigung war gespalten: Während ein Teil der SPD um Willy Brandt sie vorbehaltlos befürwortete, warnte der SPD-Kanzlerkandidat *Oskar Lafontaine* vor den Kosten und Folgen einer raschen Vereinigung.

Wirtschafts-, Währungs- und Sozialunion

Noch bevor die außenpolitischen Voraussetzungen der staatlichen Vereinigung geklärt waren, wurde durch die Einführung der D-Mark in der DDR die Einheit Deutschlands unumkehrbar. Um die Übersiedlerzahlen und den Einigungsprozess insgesamt unter Kontrolle zu bringen, entschied sich Bundeskanzler Kohl bereits im Februar 1990 gegen die Empfehlung vieler Wirtschaftsexperten dafür, die Wirtschafts- und Währungsunion so schnell wie möglich zu verwirklichen. Um den Erwartungen der DDR-

Bürger entgegenzukommen, einigte man sich auf für sie günstige Wechselkurse: Löhne, Renten und Mieten wurden im Verhältnis 1:1 umgestellt, Sparguthaben bis 6000 Mark ebenfalls 1:1, darüber hinausgehende Beträge 2:1.
Der *Staatsvertrag zur Wirtschafts-, Währungs- und Sozialunion* zwischen der Bundesrepublik Deutschland und der DDR wurde am 18. Mai 1990 unterzeichnet, im Juni von der Volkskammer (gegen die Stimmen der PDS und der Fraktion von Bündnis 90), vom Bundestag und vom Bundesrat ratifiziert, und trat am 1. Juli 1990 in Kraft. Einen Tag später wurde die D-Mark als offizielle Währung in der DDR eingeführt. Was die in der DDR lebenden Menschen seit Jahrzehnten ersehnt hatten, war Wirklichkeit geworden: Mit „richtigem" Geld konnten sie die begehrten Westwaren, vor allem Autos, kaufen. Sozusagen über Nacht wurde aber auch die gesamte Wirtschaft der DDR dem internationalen Wettbewerb ausgesetzt, dem die meisten Betriebe nicht gewachsen waren. Ein gewaltiger Modernisierungsschock erfasste Wirtschaft und Gesellschaft (➧ M 3).

Der Einigungsvertrag

Anfang Juli 1990 begannen in Ostberlin die Verhandlungen der beiden deutschen Regierungen über den zweiten Staatsvertrag zur deutschen Einheit unter der Leitung von Bundesinnenminister *Wolfgang Schäuble* und DDR-Staatssekretär *Günther Krause*. Die Übernahme der bundesdeutschen Rechtsordnung in Ostdeutschland erforderte komplizierte Regelungen. Erhebliche Probleme bereiteten besonders die Frage der Finanzierung der Einheit und die Regelung der Rechtsansprüche all derer, die in der DDR enteignet worden waren („Rückgabe vor Entschädigung"). Darüber hinaus musste die Frage der Verfassung geklärt werden, das Grundgesetz sah zwei Möglichkeiten vor: Artikel 23 ermöglichte den Beitritt „weiterer Teile Deutschlands" zum Geltungsbereich des Grundgesetzes; nach der (ursprünglichen) Präambel sollten die politischen Vertreter Deutschlands eine neue Verfassung erarbeiten, sobald die „Einheit und Freiheit Deutschlands" vollendet sei. In einer Sondersitzung der Volkskammer wurde am 23. August 1990 der Beitritt nach Artikel 23 des Grundgesetzes beschlossen. Über zwei Drittel der Abgeordneten stimmten dafür, nur die Partei des Demokratischen Sozialismus (PDS), die Nachfolgerin der SED, und das *Bündnis 90* stimmten für die Option einer neuen Verfassung. Der „Runde Tisch" der DDR (siehe S. 153) hatte sich bereits am 12. März 1990 gegen die Übertragung des Grundgesetzes durch Beitritt der DDR ausgesprochen.
Am 31. August 1990 wurde der *Einigungsvertrag* in Ostberlin unterzeichnet und am 20. September von Volkskammer und Bundestag mit großer Mehrheit verabschiedet. Die im Juli von der Volkskammer wieder ins Leben gerufenen (seit 1952 aufgelösten) Länder Brandenburg, Mecklenburg-Vorpommern, Sachsen, Sachsen-Anhalt und Thüringen traten mit Wirkung vom 3. Oktober 1990 der Bundesrepublik bei.

3.4 Chancen und Probleme des vereinigten Deutschlands

▲ *„Und zugenäht". Zeichnung von Borislav Sajtinac zur deutschen Wiedervereinigung, die erstmalig im „Zeitmagazin" vom 13. April 1990 veröffentlicht wurde.*

Juni 1990
Die noch von der Volkskammer der DDR eingesetzte Treuhandanstalt übernimmt ca. 8000 Volkseigene Betriebe, um sie zu privatisieren oder stillzulegen

Seit 1990
Mit der Wiedervereinigung nimmt die Zahl rechtsextremistisch motivierter Straftaten stark zu, „Höhepunkte" sind die Anschläge von Hoyerswerda (September 1991) und Rostock-Lichtenhagen (August 1992)

Dezember 1994
Die Treuhandanstalt wird aufgelöst, ihre verbliebenen Aufgaben übernehmen verschiedene Nachfolgeeinrichtungen; die Schulden der Treuhandanstalt gehen in den Bundeshaushalt ein

M1

Entwicklung der Arbeitslosigkeit 1991–2001

Jahres-durch-schnitt	Arbeitslose insgesamt	Arbeitslose Männer	Arbeitslose Frauen	Offene Stellen	Arbeitslosenquote[1] insgesamt	Arbeitslosenquote[1] Männer	Arbeitslosenquote[1] Frauen
	1000				%		
Deutschland							
1991	2602,2	1280,6	1321,6	362,8	7,3	6,4	8,5
1992	2978,6	1411,9	1566,7	356,2	8,5	7,1	10,2
1993	3419,1	1691,6	1727,6	279,5	9,8	8,6	11,3
1994	3698,1	1863,1	1835,0	284,8	10,6	9,5	12,0
1995	3611,9	1850,6	1761,3	321,3	10,4	9,6	11,4
1996	3965,1	2111,5	1853,5	327,3	11,5	11,0	12,1
1997	4384,5	2342,4	2042,1	337,1	12,7	12,2	13,3
1998	4279,3	2272,7	2006,6	421,6	12,3	11,9	12,8
1999	4099,2	2159,8	1939,4	456,4	11,7	11,3	12,2
2000	3888,7	2052,8	1835,8	514,0	10,7	10,5	10,9
2001	3851,6	2063,4	1788,3	506,1	10,3	10,4	10,2
Früheres Bundesgebiet							
1991	1689,4	897,7	791,7	331,4	6,3	5,8	7,0
1992	1808,3	982,8	825,5	323,5	6,6	6,2	7,2
1993	2270,3	1277,1	993,3	243,3	8,2	8,0	8,4
1994	2556,0	1461,6	1094,3	233,6	9,2	9,2	9,2
1995	2564,9	1463,7	1101,2	266,5	9,3	9,3	9,2
1996	2796,2	1616,5	1179,7	270,4	10,1	10,4	9,9
1997	3020,9	1740,7	1280,2	281,5	11,0	11,2	10,7
1998	2904,3	1640,8	1263,5	342,2	10,5	10,6	10,3
1999	2755,5	1535,5	1220,0	386,2	9,9	9,9	9,8
2000	2529,4	1398,1	1131,3	451,9	8,7	8,8	8,5
2001	2478,0	1378,8	1099,2	440,3	8,3	8,6	7,9
Neue Länder und Berlin-Ost							
1991	912,8	382,9	530,0	31,4	10,3	8,5	12,3
1992	1170,3	429,1	741,1	32,7	14,8	10,5	19,6
1993	1148,8	414,5	734,3	36,2	15,8	11,0	21,0
1994	1142,1	401,4	740,6	51,1	16,0	10,9	21,5
1995	1047,0	386,9	660,1	54,8	14,9	10,7	19,3
1996	1168,8	495,0	673,8	56,8	16,7	13,7	19,9
1997	1363,6	601,7	761,9	55,6	19,5	16,6	22,5
1998	1374,9	631,9	743,1	79,4	19,5	17,4	21,8
1999	1343,7	624,3	719,4	70,2	19,0	17,1	20,9
2000	1359,3	654,7	704,6	62,1	18,8	17,7	19,9
2001	1373,7	684,6	689,1	65,9	18,9	18,4	19,4

1) *Bezogen auf abhängige zivile Erwerbspersonen*

Statistisches Bundesamt (Hrsg.), Datenreport 2002, Bonn 2002, S. 99

1. *Recherchieren Sie nach regionalen Unterschieden bei der Arbeitslosigkeit der neuen Länder. Welche Faktoren sind dafür ausschlaggebend?*
2. *Vergleichen Sie die Anteile der Geschlechter: Warum liegt die Arbeitslosenquote der Frauen in den neuen Bundesländern höher als in den alten?*

M2

Der Osten holt auf

Die Entwicklung in den neuen Ländern, gemessen am alten Bundesgebiet:

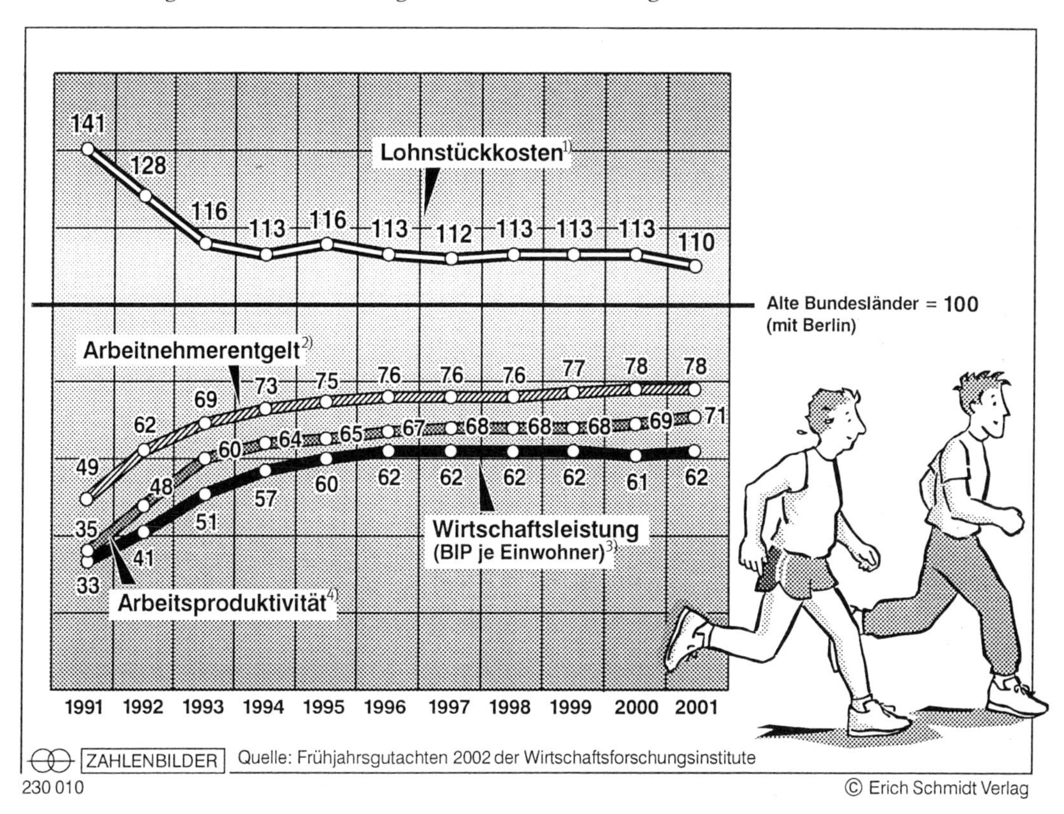

1) *Lohnstückkosten: Arbeitskosten je Produktionswerteinheit (gesamte Arbeitskosten / Produktionsausstoß)*
2) *Arbeitnehmerentgelt: Bruttolöhne bzw. -gehälter zuzüglich Sozialbeiträge der Arbeitgeber*
3) *Bruttoinlandsprodukt (BIP): Wert aller in einer bestimmten Periode erzeugten Sachgüter und Dienstleistungen, die nicht im inländischen Produktionsprozess verbraucht werden*
4) *Arbeitsproduktivität: Messgröße für die Entwicklung der Produktion im Verhältnis zum Arbeitseinsatz (Anzahl der Beschäftigten und deren Arbeitsstunden)*

1. *Nach einer anfänglich schnellen Steigerung hat sich die ostdeutsche Entwicklung seit Mitte der Neunzigerjahre verlangsamt. Versuchen Sie, Gründe dafür zu nennen.*
2. *Ostdeutsche Arbeitnehmer fordern die 1:1-Angleichung der Löhne und Gehälter an das Westniveau. Wirtschaftswissenschaftler und Politiker warnen vor einer schnellen Angleichung (Stand 2004: ca. 80 %). Sammeln Sie Pro- und Contra-Argumente und begründen Sie Ihre eigene Meinung, indem Sie die Daten aus der Grafik berücksichtigen.*

▲ *Eine Mitarbeiterin der „Bundesbeauftragten für die Unterlagen des Staatssicherheitsdienstes der ehemaligen DDR" rekonstruiert zerrissene Stasi-Unterlagen in der ehemaligen Bezirksverwaltung des Ministeriums für Sicherheit in Leipzig, Foto von Jens Rötzsch, 1994.*

M3
DDR-Nostalgie

Der ostdeutsche Historiker Stefan Wolle war 1990 an der Auflösung der Stasi beteiligt; in den 1990er-Jahren wirkte er als Sachverständiger an den beiden Enquête-Kommissionen des Bundestages zur „Aufarbeitung von Geschichte und Folgen der SED-Diktatur in Deutschland" mit.

Viele Menschen haben in der DDR glücklich und zufrieden gelebt und den Zusammenbruch ihres Staates als Katastrophe erlebt. Da sind zunächst die Mitarbeiter der Partei, des Staatsapparats, die Offi-5 ziere der „bewaffneten Organe" von der Stasi bis zur Nationalen Volksarmee. Selbst wenn es ihnen heute materiell besser geht, stehen sie subjektiv auf der Stufenleiter des sozialen Erfolgs ein ganzes Stück weiter unten. Die neue Demokratie und den 10 Rechtsstaat erleben sie als tägliche Demütigung. Dies betrifft leider nicht nur die Stützen des alten Systems. […]

Das Leben in der DDR war armselig, provinziell, kleinkariert und unfrei – aber es war auch ohne we-15 sentliche Risiken. Im Schatten der Mauer blühten manche kleinen Biotope. Westbesucher empfanden DDR-Reisen oft als Reise in die Kindheit. Da gab es noch selbstgebackenen Kuchen, der Weihnachtsbaum wurde mit der Säge aus dem Winterwald ge-20 holt und das Geschirr im Abwaschbecken mit der Hand gewaschen. Und diese DDR-Nostalgie grassiert heute nicht nur unter den Günstlingen des untergegangenen Systems. „Man lebte bescheidener, aber glücklicher", werden eines Tages die 25 Großmütter ihren Enkeln erzählen. Und schon heute stimmen Intellektuelle und Künstler in das Klagelied von der verlorenen Idylle mit ein.

Mit äußerstem Geschick spielt die PDS auf der Klaviatur der Legenden. Da ist zunächst die auch im 30 Westen gern kolportierte Meinung, die BRD-Kolonisatoren seien wie eine Dampfwalze übers Land gegangen. Sie hätten alles niedergemacht, was es in der DDR an sozialen Errungenschaften gegeben hätte. Das Gegenteil ist der Fall. Die Sozial- und 35 Bildungseinrichtungen der DDR befanden sich Ende der Achtzigerjahre in einem katastrophalen Verfallszustand. Dort, wo tüchtige Kommunalpolitiker am Werk sind, werden heute Schulen, Bibliotheken, Sozialeinrichtungen, Krankenhäuser, Seni-40 orenheime und anderes großzügig renoviert oder neu eröffnet. Auch die Infrastruktur hat sich entscheidend verbessert. Während man früher zwanzig Jahre und länger auf einen Telefonanschluss warten musste, erfüllt die Telekom die Anschluss-45 wünsche kurzfristig. Im Straßenbau, bei der Abwasserentsorgung oder der Versorgung mit Erdgas ist in den letzten vier Jahren mehr geschehen als in vierzig Jahren Sozialismus. […] Ein Blick über die östlichen Grenzen reicht aus, um sich auszumalen, 50 wie die Situation ohne die Finanzhilfe aus den westlichen Bundesländern aussähe. Natürlich gibt es in den neuen Bundesländern einen Berg sozialer Probleme. Doch ist es eine Perversion des Denkens, deswegen gerade jene Partei zu wählen, wel-55 che die wirtschaftliche und soziale Katastrophe zu verantworten hat.

Eine weitere Legende lautet, die intellektuelle Elite der DDR sei ins gesellschaftliche Abseits getrieben worden. Dabei sei das wertvolle Potenzial der SED 60 schnöde beiseite geschoben worden. Insbesondere die Art und Weise der vom Westen betriebenen „Geschichtsaufarbeitung" würde die Menschen verbittern. Die Kritik an der untergegangenen DDR würde den Menschen ihre Identität rauben und 65 ihre Biografien zerstören. Richtig ist, dass viele

Menschen einen Teil ihres Lebens für den Staat DDR gearbeitet haben, ohne dabei Privilegien oder wesentliche Vorteile zu erhalten. Es gab wirklich die Auffassung, die DDR wäre der bessere deut- 70 sche Staat, weil er aus antifaschistischen Wurzeln gesprossen wäre. Und es gab immer wieder die Illusion, der Sozialismus könnte demokratisch reformiert werden. [...] Doch diese zarten Pflänzchen wurden von der Partei und der Stasi zertrampelt. 75 Für Personen, die wegen ihres Eintretens für den Demokratischen Sozialismus in der DDR gemaßregelt oder sogar eingesperrt wurden, ist es besonders empörend, wie die PDS den Begriff des „Sozialismus" okkupiert hat. [...]

80 Die vielleicht wichtigste westliche Fehlwahrnehmung ist die Meinung, die PDS sei politisch links oder linksradikal. Tatsächlich ist sie in ihrer Ideologie reaktionär, und in der praktischen Alltagspolitik bedient sie eher die Ängste des Kleinbürgers vor 85 der modernen Gesellschaft, als dass ihre Konzepte in die Zukunft weisen. [...] Zum Teil geht es um Partikularinteressen wie Renten und Eigentumsansprüche. Zum anderen Teil geht es um die Rettung von Lebensgeschichten. Welcher Ex-Funktionär 90 oder Stasi-Spitzel schaut morgens gerne in den Spiegel und sagt sich: „Du warst zeit deines Lebens ein opportunistischer Karrierist und Heuchler." Es ist natürlich viel schöner, sich zu sagen: „Auch wenn das sozialistische Experiment gescheitert ist, 95 so war es doch ein erhabener Traum." Ihre Neigung zu den Ideen von Rosa Luxemburg, Alexander Dubcek oder Robert Havemann hat die Masse derjenigen, die heute mit tragischem Tremolo von der gescheiterten Utopie reden, bis 1989 jedenfalls 100 sehr gut verborgen.

Frankfurter Allgemeine Zeitung, 27. Juli 1994, S. 23

1. *Prüfen Sie die Vorwürfe, die Wolle an die ehemaligen und heutigen Träger der sozialistischen Ideologie richtet.*
2. *Gibt es eine „DDR-Nostalgie"? Wie steht der Autor dazu?*
3. *Untersuchen Sie die zeitliche Bedingtheit des Textes. Gelten seine zentralen Aussagen noch oder haben sich im Verlauf des Einigungsprozesses zwischenzeitlich wesentliche Veränderungen ergeben?*

▲ *„Daran müssen wir noch arbeiten", Karikatur von Rainer Schwalme, 1992.*

M4
Bilanz der Vereinigung

Der Sozialwissenschaftler Klaus Schroeder zieht zehn Jahre nach der deutschen Vereinigung Bilanz.

Die Vereinigungsbilanz fällt nach zehn Jahren in der Gesamtschau widersprüchlich aus: Wir leben nun in einem Staat, der für alle gleiche Rechte garantiert, aber auch Pflichten einfordert; gleichzeitig 5 verfügt der größte Teil der Bevölkerung in Ost und West inzwischen über annähernd gleiche materielle Ressourcen. So gesehen ist die „innere Einheit" inzwischen erreicht, aber andererseits sind sich die Deutschen in Ost und West immer noch weitge- 10 hend fremd geblieben, und es fehlt an der Akzeptanz unterschiedlicher Lebensläufe und Einstellungen. In ihrem Selbstverständnis, ihrer sozialen Struktur und den Mentalitäten von großen Teilen der Bevölkerung unterscheiden sich die beiden 15 Teilgesellschaften nach wie vor deutlich. [...]

Auch wenn die Zustimmung der Ostdeutschen zur parlamentarischen Demokratie wie zur neuen Gesellschaftsordnung bisher nur schwach ausgeprägt ist, will jedoch nur eine kleine Minderheit zurück in 20 die DDR. Viele ehemalige DDR-Bewohner sind

eher verunsichert, fühlen sich fremdbestimmt, [...] als dass sie Institutionen und Werte des vereinten Deutschlands prinzipiell ablehnen. [...]
Gewiss, der Preis der Einheit war und ist hoch, nicht nur wegen der sich bald auf zwei Billionen DM[1)] summierenden Transfers für den „Aufbau Ost“, sondern auch für nahezu jeden Ostdeutschen und eine deutlich geringere Zahl von Westdeutschen, für die sich das Leben in vielerlei Beziehung gleichsam über Nacht änderte. Aber: Die Chancen, die sich durch die Vereinigung für die meisten Ostdeutschen und für die deutsche Gesellschaft insgesamt eröffnet haben, sind ungleich höher als die Verluste und Risiken. Die hohen Transfers sind auch und nicht zuletzt Ausdruck nachholender Gerechtigkeit für das ungleiche und nicht selbst zu verantwortende Schicksal der Deutschen in Ost und West nach 1945. [...]
Wie die anhaltenden und leider noch zunehmenden Differenzen zwischen Ost und West zeigen, lässt sich mit Geld zwar vieles, aber nicht alles bewerkstelligen. Finanzielle Solidarität ist eine notwendige, aber keine hinreichende Voraussetzung für das Zusammenwachsen der Deutschen, denen es auch nach dem ersten Jahrzehnt staatlicher Einheit an einer gemeinsamen Identität fehlt. Die letzten zwölf Jahre gesamtdeutscher Vorgeschichte und die damit verbundenen Verbrechen eignen sich nur zur Abgrenzung, während die Erfolgsgeschichte der Bundesrepublik bisher allein den Westdeutschen als positiver Bezugspunkt offen steht. So bleibt neben einem antitotalitären Konsens, der Diktaturen jeglicher Art prinzipiell ablehnt, der gemeinsamen jahrhundertelangen Geschichte, der Sprache sowie einem allgemeinen kulturellen, aber nicht völkischen Selbstverständnis als Deutsche vorerst nur der gemeinsame Blick auf die Vereinigung selbst. Auf das in den letzten zehn Jahren Geschaffene können die Deutschen in Ost und West mit einigem Recht durchaus stolz sein, denn schließlich ist erreicht worden, was kaum noch für möglich gehalten wurde: Deutschland hat sich friedlich und in Freiheit vereint, bisher keine Großmachtallüren gezeigt und ist fest verankert in der westlichen Werte- und Staatengemeinschaft. Dennoch muss es vorrangige Aufgabe sein, die Akzeptanz und das Vertrauen in die Institutionen des demokratischen Verfassungsstaates auch in Ostdeutschland zu erhöhen; hierzu gibt es keine Alternative.

1) *entspricht 1,02 Billionen Euro*

Klaus Schroeder, Der Preis der Einheit. Eine Bilanz, München 2000, S. 258 ff.

1. *Vergleichen Sie die wesentlichen Aussagen von M 3 und M 4. Prüfen Sie die Unterschiede*
   a) *auf einen möglichen Perspektivenwandel, der durch die zeitliche Differenz bedingt ist,*
   b) *auf verschiedene Sichtweisen bedingt durch die unterschiedliche Herkunft der Autoren.*
2. *Diskutieren Sie den Aspekt der „nachholenden Gerechtigkeit“ für Ost- und Westdeutsche.*
3. *Bewerten Sie die Bilanz, die der Autor zieht.*

M5
Grund zur Freude

Der ostdeutsche Schriftsteller Günter de Bruyn zieht zehn Jahre nach der Wiedervereinigung seine persönliche Bilanz:

Zwar könnte die Aufzählung der Fehler, Dummheiten und Widrigkeiten, die die zehn Jahre des wiedervereinigten Deutschland begleitet haben, Seiten füllen, aber trotzdem lautet meine Bilanz: Die Wiedervereinigung war gut und richtig, und sie ist, bei allem Störenden, für mich noch immer ein Grund zur Freude. In den wesentlichsten Teilen, nämlich nach außen hin, sind meine Wünsche nach verantwortungsbewusster und nicht größenwahnsinniger Politik erfüllt worden. Die Enttäuschungen liegen im Inneren: Gewalt, Toleranzmangel, Extremismus, mit denen ich so wenig gerechnet habe wie mit der DDR-Nostalgie und Einheitsunlust westdeutscher Intellektueller, die besonders unangenehm ist, wenn sie prahlerisch mit nationaler und europäischer Verantwortungslosigkeit begründet wird. – Aber zur Freiheit, die ich täglich preise, gehört schließlich das Unangenehme auch.

Die Zeit vom 28. September 2000

Recherchieren Sie in Zeitungen/Zeitschriften, im Internet und in Ihrem persönlichen Umfeld nach aktuellen Bewertungen der Wiedervereinigung.

▲ *Ehemaliges Schwermaschinenkombinat „Ernst Thälmann", Magdeburg. Foto von Jörn Vanhöfen, 1997.*

Umbau der Wirtschaft

Die Folgen der vierzigjährigen kommunistischen Herrschaft waren schwerer zu bewältigen und benötigten mehr Zeit, als Politiker und Experten ursprünglich vermutet hatten. Die Transformation der ostdeutschen Planwirtschaft in eine Wettbewerbswirtschaft war eine Aufgabe ohne Vorbild. So erwiesen sich die meisten ehemaligen Staatsbetriebe als völlig veraltet und unproduktiv, ihre Produkte und Dienstleistungen als nicht konkurrenzfähig, zumal die Ostdeutschen zunächst nur Westwaren kauften und 1991 die bisher belieferten Märkte in Osteuropa völlig wegbrachen.

Die Stilllegung, Sanierung und Privatisierung der Betriebe nach marktwirtschaftlichen Gesichtspunkten ließen die Arbeitslosigkeit dramatisch anwachsen (➧ M 1) und erforderten gewaltige Geldsummen. Die mit dieser einzigartigen Aufgabe noch von der letzten Volkskammer der DDR beauftragte Treuhandanstalt mit Sitz in Berlin übernahm im Sommer 1990 8500 Staatsunternehmen mit etwa 45 000 Einzelbetrieben und 4,1 Millionen Beschäftigten sowie rund 60 Prozent der Fläche der DDR. Als die Treuhandanstalt, das zeitweilig größte Unternehmen der Welt, im Winter 1994 ihre Tätigkeit beendete, hatte sie 3700 Betriebe als nicht sanierungsfähig stillgelegt und über 15 000 Firmen mit 1,5 Millionen Arbeitsplätzen privatisiert. Durch die Übernahme der Altschulden der früheren DDR-Betriebe und Finanzhilfen aller Art für private Investoren hinterließ die Treuhandanstalt 140 Milliarden Euro Schulden, die den Bundeshaushalt seither jährlich mit etwa 8,7 Milliarden Euro belasten. Trotz der weiterhin bestehenden Ungleichheiten ist der Strukturwandel der ostdeutschen Wirtschaft bereits ein gutes Stück vorangekommen (➧ M 2).

Finanzielle Lasten

Der wirtschaftliche Umbau und die schrittweise Angleichung der Lebensverhältnisse an den westlichen Standard erforderte die Modernisierung der gesamten Infrastruktur in Ostdeutschland (Straßen, Autobahnen, Wohnungen, Telefon-

▲ *Berlin, Potsdamer Platz. Foto von 1998.*

netz, Eisenbahn, Energieversorgung, Gesundheitswesen, Schulen, Hochschulen). Die dafür notwendigen Mittel mussten ganz überwiegend aus dem Bundeshaushalt aufgebracht werden. Zwischen 1990 und 1999 betrugen die öffentlichen Finanztransfers in die neuen Länder fast 0,77 Billionen Euro abzüglich ca. 150 Milliarden Euro steuerlichen Rückflusses. Hunderte Milliarden Euro werden nach übereinstimmenden Schätzungen der Experten noch mindestens zehn Jahre lang notwendig sein, um das Ziel annähernd gleicher Lebensverhältnisse in Ost und West zu verwirklichen.

Lebensgefühl im Umbruch

Die Übernahme der westdeutschen Gesellschaftsordnung erwies sich für die neuen Bundesbürger als eine gewaltige Umstellung ihres gesamten Alltagslebens. Vom Kindergarten bis zur Altersversorgung hatte sich alles geändert. Viele Bürger im Osten fühlten sich deklassiert und von den „Wessis“ überrollt, auf der anderen Seite sahen sich zahlreiche Bürger in der alten Bundesrepublik durch die Erwartungen ihrer Landsleute im Osten überfordert. Die Unterschiede in der Lebenserfahrung und im Lebensgefühl zwischen den Deutschen in Ost und West waren doch tiefergehend, als die Menschen in Ost und West in den Monaten der Euphorie 1989/90 angenommen hatten. Manche reagierten auf den extrem hohen Anpassungsdruck mit DDR-Nostalgie, was in Westdeutschland Unverständnis hervorrief (➧ M 3 und M 4).

Anstieg des Rechtsextremismus

Nach der Wiedervereinigung stieg in Deutschland die Zahl der rechtsextremistisch und rassistisch motivierten Straftaten. „Höhepunkte“ waren die Anschläge von Hoyerswerda (September 1991) und Rostock-Lichtenhagen (August 1992), bei denen Rechtsradikale unter dem Applaus der zuschauenden Anwohner Asylbewerber aus Moçambique, Vietnam und anderen Ländern angriffen. In Teilen Ostdeutschlands entstanden sogenannnte „national befreite Zonen“, in denen sich Ausländer ihres Lebens nicht mehr sicher sein konnten bzw. können.

Politisch machte sich die nationalistische Entwicklung bei den Landtagswahlen bemerkbar – nicht nur in Ostdeutschland. So stimmten 1996 in Baden-Württemberg 9,1 % der Wähler für die Republikaner, 2001 waren es noch 4,4 %. In Sachsen-Anhalt konnte die rechtsextremistische *Deutsche Volksunion* (DVU) 1998 beängstigende 12,9 % der Stimmen erreichen, 2002 war sie nicht mehr vertreten. Dafür verzeichneten die rechtsextremistischen Parteien in Brandenburg und Sachsen 2004 große Stimmengewinne: Die DVU bekam in Brandenburg 6,1 % der Stimmen (1999: 5,3 %) und die NPD in Sachsen 9,2 % (1999: 1,4 %).

Die Ursachen dafür werden kontrovers diskutiert: Einige Kommentatoren führen sie auf eine bereits zu DDR-Zeiten vorhandene allgemeine Ausländerfeindlichkeit zurück. Diese sei vor dem Hintergrund der Asyldebatte seit 1990[1] und den wirtschaftlichen und sozialen Problemen, die die Menschen in den neuen Bundesländern infolge der Wiedervereinigung zu tragen haben, noch verstärkt worden. Dabei zeigt sich jedoch, dass fremdenfeindliche Einstellungen nicht unmittelbar mit dem konkreten Bevölkerungsanteil von Ausländern zusammenhängen: Die Bundesländer mit sehr geringem Ausländeranteil (z. B. Sachsen-Anhalt und Mecklenburg-Vorpommern) waren zwischen 1992 und 1994 im Gegensatz zu Bundesländern wie Nordrhein-Westfalen, Baden-Württemberg oder Bayern, die einen Großteil der Asylbewerber Anfang der Neunzigerjahre aufnahmen[2], vergleichsweise stark mit fremdenfeindlichen Brandanschlägen belastet. Neuere Studien haben zudem ergeben, dass es entgegen früherer Vermutungen keinen engen Zusammenhang zwischen Arbeitslosigkeit und rechtsextremistischer/fremdenfeindlicher Gewalt gibt. Dagegen lässt sich das Bild des typischen rechtsextremen Gewalttäters zeichnen, der männlich, meist unter 30 Jahre alt ist, seine Taten – oft unter Alkoholeinfluss – in der Gruppe verübt und meist einen niedrigen Bildungsgrad aufweist.
Der Rechtsextremismus ist kein ostdeutsches Phänomen (siehe S. 116). Die Strukturen rechtsextremer und gewaltbereiter Organisationen wurden meist mit dem Personal und dem Geld der bestehenden westdeutschen Organisationen aufgebaut. Doch treffen in Teilen Ostdeutschlands rechtsextremistische Einstellungen zum Teil auf Zustimmung in der Bevölkerung. Sozialwissenschaftliche Untersuchungen vermuten den Grund hierfür in einer fehlenden Ausprägung der Zivilgesellschaft: In Westdeutschland findet sich ein breit gespanntes Netz von gesellschaftlich integrativ wirkenden Organisationen wie Kirchen, Gewerkschaften, Verbänden und Vereinen. In Ostdeutschland konnten sich diese in der DDR-Gesellschaft zum einen nicht fest verankern. Zum anderen fielen nach der Wende die wesentlichen Grundlagen der sozialen Integration weg: der Betrieb, das Arbeitskollektiv und die Partei mit ihren zahlreichen Organisationen. Die Folgen sind Vereinzelung und das Gefühl der Ungleichwertigkeit, das verstärkt wird durch die hohe Arbeitslosenquote. Sie ist im Osten doppelt so hoch wie im Westen. Zusätzlich zeigt sich ein Misstrauen gegenüber jeder Art institutionalisierten Zusammenschlusses. Diese Faktoren zusammengenommen begünstigen fremdenfeindliche, rassistische, antisemitische und undemokratische Einstellungen in Teilen Ostdeutschlands.

[1] *Das starke Anwachsen der Asylbewerberzahlen seit 1990 löste heftige politische Kontroversen aus und führte zu einer Einschränkung des Asylrechts: Am 6. Dezember 1992 beschloss der Bundestag die Änderung von Artikel 16 des Grundgesetzes: Nach der sogenannten Drittstaatenregelung genießen Asylbewerber kein Asyl mehr, die aus einem EU-Land oder aus einem sicheren Drittland (jährlich neu von der Bundesregierung festzulegen) nach Deutschland einreisen; seit Mai 1993 dürfen auf Flughäfen Bewerber mit „offensichtlich unbegründeten Anträgen" durch Verwaltungsbeamte abgeschoben werden.*
[2] *Insgesamt lag der Verteilungsschlüssel von Asylbewerbern auf die einzelnen Bundesländer in diesen Jahren bei ca. 20 % Ost und 80 % West.*

▲ *„Auch, weil wir Wirkung wollen, trotzdem nur wir selbst sind, werden wir von der Uniformiertheit der Intoleranten nicht akzeptiert. ... und jemand sagt, es wäre Frieden!*
Beate Bachmann, 18 Jahre, Meliorationstechniker[1] mit Abitur
Eva-Maria Bachmann, 19 Jahre, Baufacharbeiter mit Abitur"
Foto von Bernd Lasdin, 5. März 1987, Neubrandenburg.

[1] *Melioration: Bodenverbesserung in der Landwirtschaft*

▲ *„Der ist beglückt, der sein darf, was er ist.", ein Zitat von Friedrich von Hagedorn, welches heute wesentlich leichter zu realisieren ist als damals, auch wenn sich die Menschen nicht unbedingt verändert haben. Wir können uns verwirklichen.*
Eva-Maria Bachmann, 29 Jahre, Bauleiterin
Beate Bachmann, 28 Jahre, Vertriebsmitarbeiterin"
Foto von Bernd Lasdin, 13. Dezember 1997, Neubrandenburg.

Fotografien als Quelle

„Es ist fotografiert worden, also existiert es!", hat der 1906 geborene österreichische Fotograf Karl Pawlek prägnant formuliert. In der Tat scheinen Fotografien eine große Annäherung an die Wirklichkeit und damit einen hohen dokumentarischen Wert zu erreichen. Seit Ende des 19. Jahrhunderts erlaubt die Technik auch Aufnahmen außerhalb eines Studios, sodass uns Fotos eine Fülle alltagsgeschichtlicher Informationen geben: Wie sahen Städte, Straßen, Fabriken, Wohnungen und ihre Einrichtungen aus, wie kleideten sich die Menschen, welche Werkzeuge benutzten sie?
Aber die scheinbare Authentizität der Bilder lässt leicht vergessen, dass auch Fotos vielen Einflüssen der Bildgestaltung und der Bildwiedergabe ausgesetzt sind:
– Der Fotograf bestimmt durch die Wahl des Motivs, des gezeigten Bildausschnittes und der Perspektive den Ausschnitt der Wirklichkeit, den der Betrachter sieht.
– Die verwendete Technik (Objektivart, Belichtungszeit, Schwarzweiß- oder Farbfotografie u. a.) beeinflusst die Wirkung des Bildes.
– Retuschen, Montagen und andere Manipulationen können im Nachhinein das ursprüngliche Bild verfälschen.
Deshalb müssen auch Fotografien unter bestimmten Fragestellungen interpretiert werden, will man sie als historische Quellen nutzen.

Hinweise zum Umgang mit Fotografien

- *Zur Bildbeschreibung:* Beschreiben Sie möglichst genau, was Sie sehen (Personen, Objekte, Umgebung).
- *Zur Bildanalyse:* Benennen Sie Thema und Inhalt der Fotografie.

Untersuchen Sie die Darstellungsmittel (Perspektive, Ausschnitt, Schwarzweiß- oder Farbbild, Schnappschuss oder gestelltes Bild, Profi- oder Amateuraufnahme). Sammeln Sie Informationen zu Entstehungszeit und -ort, Fotograf, Auftraggeber, Adressaten. Sind Mittel der Bildbearbeitung (Retusche, Montage o. a.) erkennbar?
- *Zur Bildinterpretation:* Fassen Sie Ihre Ergebnisse zusammen, indem Sie den historischen Kontext berücksichtigen.

Welche Informationen über die dargestellte Zeit lassen sich der Fotografie entnehmen?
Welche Botschaft, welche Deutung seines Motivs vermittelt das Foto beabsichtigt oder unbeabsichtigt?

Ein vergleichendes Fotoprojekt zur „Wende"
Einzelfotografien zeigen jeweils nur eine Momentaufnahme der Realität, Bildreihen oder -serien ermöglichen dagegen einen Vergleich des Dargestellten.
Der Fotograf Bernd Lasdin begann zu DDR-Zeiten eine Portraitreihe, in der er Menschen aus Neubrandenburg und Umgebung sich selbst „inszenieren" ließ – jenseits des offiziell geschönten Bildes[1)]: Er fotografierte sie in ihren Wohnungen an einem selbst gewählten Ort und ließ sie ein schriftliches Selbstzeugnis zu dem Bild verfassen. Zehn Jahre nach der „Wende" fotografierte er die Protagonisten in der gleichen Weise ein zweites Mal. Aus den entstandenen Bildreihen lassen sich so Einblicke in die individuellen Bewältigungsstrategien der Betroffenen herauslesen: Welche Veränderungen in der Alltagswelt werden spürbar, wie wird der Wandel der Lebensverhältnisse und Orientierungen der Menschen deutlich?

1. *Beschreiben und kommentieren Sie die abgebildeten Fotografien von Lasdin. Welche Veränderungen erscheinen Ihnen bedeutsam? Wie passen in Ihren Augen Bilder und Bildunterschriften zusammen? Welche Rückschlüsse ziehen Sie aus den Bildern auf die individuelle Verarbeitung der „Wende"?*
2. *Suchen Sie in Ihrem Familienbestand verschiedene Fotografien von wiederkehrenden Anlässen (z. B. Familienfeiern, Weihnachten) und analysieren Sie die Veränderungen.*
3. *Initiieren Sie in Ihrem Kurs, in Ihrem persönlichem Umfeld ein ähnliches Projekt. Anlässlich Ihres zehnjährigen Abitur-Jubiläums ließe sich z. B. die zweite Fotoreihe verwirklichen.*

1) *Bernd Lasdin, Zeitenwende. Portraits aus Ostdeutschland 1986–1998, Bremen 1998. Lasdin hat im gleichen Zeitraum und mit der gleichen Methode auch Menschen aus Schleswig-Holstein fotografiert: Bernd Lasdin, Westzeit-Story. Portraits aus Westdeutschland 1989–1999, Bremen 1999.*

▲ *„Hier essen wir nicht nur, sondern feiern auch Feste in fröhlicher Runde, erziehen unsere Kinder und lernen das Einmaleins mit ihnen, quatschen im Dunst der Wochenendvorbereitungen mit und ohne Freunde oder diskutieren noch in Arbeitskluft steckend – vor allem – wir können auch mal mit der Faust auf'n Tisch hauen. Unser Leben geht nie an diesem Tisch vorbei. (Christine Krug)*
Rudolf Krug, 41 Jahre, Tierarzt; Christine Krug, 37 Jahre, Hausfrau; Petra, 15 Jahre; Dörte, 13 Jahre; Martin, 11 Jahre; Katharina, 10 Jahre"
Foto von Bernd Lasdin, 5. März 1987, Neubrandenburg.

▲ *„Zehn Jahre später – nur älter geworden? Beileibe nicht. Die Familie ist allen Wirren zum Trotz fester geworden und Zentrum für Kinder und Schwiegerkinder gewandet und geblieben. Das alte System war auf Lüge gegründet. Hoffentlich haben wir uns nicht selbst belogen. Das neue System ist auf Betrug gegründet. Hoffentlich betrügen wir uns nicht selbst. Fazit: Trau keinem Staat, trau Deiner Familie wenn Du kannst. (Rudolf Krug)*
Rudolf Krug, 51 Jahre, arbeitsloser Tierarzt; Christine Krug, 47 Jahre, Pensionswirtin; Dörte Krug, 22 Jahre, Studentin; Martin Krug, 20 Jahre, Azubi; Katharina Krug, 19 Jahre, Hebammenschülerin; Theresa Krug, 8 Jahre, Schülerin; Marko Schluppner, 23 Jahre, Maurer (Verlobter von Dörte); Martina Krüger, 18 Jahre, Schülerin (Freundin von Martin)"
Foto von Bernd Lasdin, 12. Mai 1997, Alt-Rehse.

3.5 Deutschland und seine Nachbarn

▲ *30 Jahre nach dem Kniefall des damaligen deutschen Bundeskanzlers Willy Brandt 1970 vor dem Mahnmal für das Warschauer Ghetto wurde dort in Anwesenheit des deutschen Bundeskanzlers Gerhard Schröder ein Denkmal enthüllt, das an dieses Ereignis erinnert (vgl. das Foto S. 91 und die Darstellung auf S. 100 f.).*
Foto vom 6. Dezember 2000.

1950
Die DDR erkennt mit dem Görlitzer Vertrag die Oder-Neiße-Linie als Westgrenze Polens an

Januar 1963
Frankreich und die Bundesrepublik Deutschland schließen einen Freundschaftsvertrag

1970
Im Warschauer Vertrag bestätigt die Bundesrepublik Deutschland die Oder-Neiße Grenze Polens; künftige Gebietsveränderungen werden von beiden Staaten ausgeschlossen

November 1990
Im Grenzvertrag mit Polen erkennt das wiedervereinigte Deutschland die polnische Westgrenze an

Juni 1991
Im deutsch-polnischen Freundschaftsvertrag vereinbaren beide Länder eine verstärkte Zusammenarbeit auf politischem, sozialem und kulturellem Gebiet

M1

Deutsch-französischer Freundschaftsvertrag vom 22. Januar 1963

In einer gemeinsamen Erklärung werden die Ziele der deutsch-französischen Zusammenarbeit dem Vertragstext vorangestellt. Gegen den Willen Adenauers beschloss der deutsche Bundestag im Ratifikationsgesetz vom 15. Juni 1963 eine zusätzliche Präambel zu dem Vertragswerk.

Der Bundeskanzler der Bundesrepublik Deutschland, Dr. Konrad Adenauer, und der Präsident der Französischen Republik, General de Gaulle, haben sich [...]

5 - in der Überzeugung, dass die Versöhnung zwischen dem deutschen und dem französischen Volk, die eine jahrhundertealte Rivalität beendet, ein geschichtliches Ereignis darstellt, das das Verhältnis der beiden Völker zueinander von
10 Grund auf neu gestaltet,
- in dem Bewusstsein, dass eine enge Solidarität der beiden Völker sowohl hinsichtlich ihrer Sicherheit als auch hinsichtlich ihrer wirtschaftlichen und kulturellen Entwicklung miteinander
15 verbindet,
- angesichts der Tatsache, dass insbesondere die Jugend sich dieser Solidarität bewusst geworden ist, und dass ihr eine entscheidende Rolle bei der Festigung der deutsch-französischen Freund-
20 schaft zukommt,
- in der Erkenntnis, dass die Verstärkung der Zusammenarbeit zwischen den beiden Ländern einen unerlässlichen Schritt auf dem Wege zu dem vereinigten Europa bedeutet, welches das
25 Ziel beider Völker ist,

mit der Organisation und den Grundsätzen der Zusammenarbeit zwischen den beiden Staaten, wie sie in dem heute unterzeichneten Vertrag niedergelegt sind, einverstanden erklärt. [...]

30 *A. Auswärtige Angelegenheiten*

1. Die beiden Regierungen konsultieren sich vor jeder Entscheidung in allen wichtigen Fragen der Außenpolitik [...].

B. Verteidigung

35 [...] 1. Auf dem Gebiet der Strategie und der Taktik bemühen sich die zuständigen Stellen der beiden Länder ihre Auffassungen einander anzunähern [...].

C. Erziehungs- und Jugendfragen

40 [...] 2. Der deutschen und französischen Jugend sollen alle Möglichkeiten geboten werden, um die Bande, die zwischen ihnen bestehen, enger zu gestalten und ihr Verständnis füreinander zu vertiefen. Insbesondere wird der Gruppenaustausch wei-
45 ter ausgebaut.

Auswärtiges Amt (Hrsg.), Außenpolitik der Bundesrepublik Deutschland, Köln 1995, S. 275 ff.

1. *Erläutern Sie die Ziele des Vertrages.*
2. *Begründen Sie, welche Bedeutung in diesem Zusammenhang die Jugendarbeit hat. Informieren Sie sich über heutige deutsch-französische Jugendprojekte.*

M2

Erweiterung des deutsch-französischen Abkommens 1988

Anlässlich des 25. Jahrestages des Elysée-Vertrages vereinbaren die Regierungen in Bonn und Paris eine Verstärkung ihrer Zusammenarbeit.

1. Die Einsetzung des deutsch-französischen Rates für Verteidigung und Sicherheit [...]
Der deutsch-französische Rat für Verteidigung und Sicherheit wird mindestens zweimal im Jahr zusam-
5 mentreffen [...].
Es geht dabei sowohl darum, die bilaterale Zusammenarbeit im Bereich von Sicherheit und Verteidigung zu verstärken wie auch auf politischer Ebene eine Institution zu schaffen, die der Zusammenar-
10 beit neue Impulse verleiht.
Dies geschieht in der Überzeugung, dass das politische Einigungswerk unvollständig bleiben wird, solange es nicht auch Sicherheit und Verteidigung umfasst. [...]

15 2. In Übereinstimmung mit der Entscheidung, die anlässlich der 50. deutsch-französischen Konsultationen in Karlsruhe getroffen wurde, wird ab 1988 ein deutsch-französischer Großverband in Form einer Brigade aufgestellt. [...]

20 3. Die Schaffung des deutsch-französischen Finanz- und Wirtschaftsrates [...]
Dem deutsch-französischen Finanz- und Wirtschaftsrat gehören die Finanz- und Wirtschaftsmi-

nister sowie die Gouverneure der beiden Zentralbanken an. Er tritt viermal im Jahr zusammen, abwechselnd in Frankreich und in der Bundesrepublik Deutschland. Er berichtet den Staats- und Regierungschefs der beiden Länder bei jedem deutsch-französischen Gipfeltreffen über seine Tätigkeit. Er kann den beiden Regierungen alle Fragen vorlegen, die eine Entscheidung seitens der beiden Regierungen erfordern. [...]

4. Der Kulturrat, dessen Schaffung beim Gipfel in Frankfurt im Oktober 1986 grundsätzlich beschlossen worden war, wird durch einen Notenwechsel nunmehr offiziell eingesetzt. [...] Er hat die Aufgabe, der deutsch-französischen Zusammenarbeit in dem Bereich von Kunst und Kultur einen neuen Impuls zu verleihen.

Europa-Archiv, Folge 5/1988, S. D136–D138

1. *Nennen Sie die Bereiche, in denen eine Zusammenarbeit vereinbart wird.*
2. *Informieren Sie sich über den Stellenwert, den die deutsch-französischen Beziehungen für die heutige Bundesregierung haben.*
3. *Vergleichen Sie den Text mit dem deutsch-polnischen Grenzsvertrag (M 5).*

M3
„Lebensnotwendige Einbindung Deutschlands"

In einem Artikel der Wochenzeitung „Die Zeit" analysiert der ehemalige Bundeskanzler Helmut Schmidt die Bedeutung der besonderen Beziehungen zwischen Deutschland und Frankreich.

Gegenseitiges Vertrauen und enge Zusammenarbeit zwischen Frankreich und Deutschland liegen aber im wohlverstandenen nationalen Interesse, im strategischen Interesse beider Nationen. Deutschland in einen größeren Verband einzubinden war, seit dem Schuman-Plan[1] 1950, eines der beiden strategischen Ziele der europäischen Integration. Das andere strategische Motiv war die gemeinsame Abwehr der sowjetischen Expansion und des aus Moskau gelenkten Kommunismus; dieses Motiv ist seit einem Jahrzehnt obsolet. Adenauer akzeptierte bereits Anfang der Fünfzigerjahre die wirtschaftliche und politische Einbindung Deutschlands, keiner seiner Nachfolger hat sie infrage gestellt. Seit mindestens einem Vierteljahrhundert haben die Staatslenker Frankreichs akzeptiert, dass diese Strategie nur bei gleichartiger Selbsteinbindung ihres Landes möglich bleibt.

De Gaulle hatte zwar einen französischen Führungsanspruch für Europa behauptet, gleichwohl hat sein Elysée-Vertrag 1962 über enge politische Zusammenarbeit mit Deutschland gute Früchte getragen. Unter Pompidou und Brandt entwickelte sich die Zusammenarbeit noch verhalten. Unter Giscard d'Estaing und mir kam sie voll zur Geltung – man wird für die gemeinsamen sieben Jahre in den Archiven keine Meinungsverschiedenheiten zwischen uns beiden finden, wohl aber eine Anzahl von erfolgreichen gemeinsamen Initiativen. So blieb es auch zwischen Mitterand und Kohl, jedenfalls bis 1989. Das Tandem Paris-Bonn, die *bonne entente* (Giscard d'Estaing) war über viele Jahrzehnte nicht nur das Fundament der europäischen Integration, sondern auch ihr Motor.

Helmut Kohls Wort, bei der europäischen Integration gehe es um Krieg oder Frieden, mag etwas zu dramatisch gewesen sein, aber im Prinzip hat er Recht: Wenn es zum Stillstand der Integration kommen sollte, wenn der Stillstand gar von uns Deutschen mitverschuldet würde, wenn die Europäische Union verwässert werden sollte zu einer bloßen Freihandelszone vom Nordmeer bis zum Schwarzen Meer plus einigen zusätzlichen institutionellen Randverzierungen, dann ist für später eine politische Isolierung Deutschlands nicht mehr auszuschließen. Das würde in der Tat große Gefährdungen mit sich bringen, denn einige unter Deutschlands neun unmittelbaren Nachbarn, die alle nach Einwohnerzahl und Sozialprodukt deutlich kleiner sind als wir, würden auf die eine oder andere Weise enger miteinander kooperieren wollen als mit uns. Ein gefährliches intraeuropäisches Gleichgewichtsspiel nähme abermals seinen Anfang. Wenn unsere Nachbarn – in Zukunft werden sie alle Mitgliedstaaten der EU sein – uns misstrauen und außerdem die Leistungsfähigkeit Deutschlands überschätzen sollten oder wenn wir selbst unsere Kräfte überschätzen sollten – in beiden Fällen drohte uns Unheil.

[1] *vgl. Kapitel. 4.1, S. 184 ff.*

▶ *„Die Unterschrift des Jahres". Karikatur von H. E. Köhler aus der „Frankfurter Allgemeinen Zeitung" vom 8. Dezember 1970. Am Tag zuvor war der Warschauer Vertrag unterschrieben worden.*

60 Wer als Deutscher die europäische Geschichte der letzten zweihundert Jahre – Napoleon, Bismarck, die beiden Weltkriege und die unsäglichen Naziverbrechen – in seinem Bewusstsein hält, für den kann es keinen Zweifel geben: Die dauerhafte Ein-65 bindung Deutschlands in den europäischen Einigungsprozess liegt im wohlverstandenen patriotischen, im langfristigen strategischen Interesse der Deutschen, sie ist eine Lebensnotwendigkeit. Sie liegt desgleichen im vitalen Interesse unserer fran-70 zösischen Nachbarn (und notabene: ebenso im vitalen Interesse der Polen). Sie kann aber nur dann dauerhaft gelingen, wenn auch die französische Nation sich in gleicher Weise einbindet, gleichfalls aus wohlverstandenem französischem Patriotismus. [...]
75 Die politischen Führungspersonen beiderseits des Rheins dürfen aber diese Einsicht nicht bloß stillschweigend für gegeben halten. Vielmehr müssen sie die Notwendigkeit wieder öffentlich erläutern. [...] Die Freundschaft wächst nur langsam, deshalb 80 muss die Gemeinsamkeit des grundlegenden strategischen Interesses immer wieder ins öffentliche Bewusstsein gehoben werden.

Die Zeit, 12. August 1999, S. 8

1. *Erläutern Sie, wie Schmidt die Notwendigkeit einer deutsch-französischen Zusammenarbeit begründet.*
2. *Schmidt spricht von der Gefahr einer politischen Isolierung Deutschlands. Halten Sie dieses Szenario für begründet?*

M4
Es begann in Polen

Der Kniefall von Bundeskanzler Willy Brandt in Warschau vor dem Denkmal für die 56 065 jüdischen Opfer des Ghetto-Aufstandes von 1943 gegen die NS-Besatzungsmacht wurde zum Symbol der Aussöhnung zwischen Deutschen und Polen. Das Foto vom 7. Dezember 1970 ging um die Welt (vgl. S. 91). Der ehemalige Bundespräsident Richard von Weizsäcker ordnet dieses Ereignis 30 Jahre später historisch ein.

Am 7. Dezember 1970 wurde der Warschauer Vertrag unterschrieben. Er enthielt die Anerkennung der Oder-Neiße-Grenze. Es war der schmerzhafteste Gang einer deutschen Bundesregierung. Hier, 5 im Verhältnis zu Polen, zu den alten deutschen Provinzen, zu den Verbrechen im Krieg, zu den Vertreibungen ging es um weit mehr als um nüchternen politischen Verstand. Die Gefühle der Völker, die Kraft der humanen Moral, das Herz der 10 Nachbarn standen auf dem Spiel. [...]
Mit dem 7. Dezember 1970 überschritten Polen und Deutsche in ihrem Verhältnis zueinander eine tiefe Talsohle. Nahezu 200 Jahre lang war es abwärts gegangen. Drei Teilungen war unser östlicher 15 Nachbar unterworfen worden. Er hatte seine politische Selbstständigkeit an Russland, Preußen und Österreich verloren. Doch auch ohne Staat gab diese stolze Nation ihre Identität niemals preis. Erst am Ende des Ersten Weltkrieges wurde Polen wie-20 der ein selbstständiger Staat. Und darum vergingen nur zwanzig Jahre, bis Polen das erste Opfer der

Angriffskriege wurde, die Hitler gegen fast alle deutschen Nachbarn vom Zaun brach. Wir jungen deutschen Soldaten wussten von Geschichte und 25 Schicksal der Polen wenig bis nichts, als wir am 1. September 1939 die Grenze überschritten.
Am Ende des Krieges wurde Polen den Siegern zugerechnet. Aber was für ein Sieg war es? Kein anderes Land hatte im Verhältnis zu seiner Bevölke- 30 rung so viele Opfer durch Krieg und Besetzung und Holocaust zu beklagen. Mit seinen Grenzen wurde es nach Westen verschoben. Ungezählte Polen mussten ihre Heimat im Osten verlassen, um neue Wurzeln im Westen zu schlagen, dies nun 35 aber in den alten deutschen Provinzen, aus denen die Deutschen vertrieben waren. Das dadurch erzeugte, unlösbar erscheinende Spannungsverhältnis zwischen Polen und Deutschland entsprach präzise der sowjetischen Absicht. Es sollte eine ständige 40 Anlehnung Warschaus an das zutiefst misstrauische Moskau erzwingen, in dessen Hand nun die Herrschaft über Polen lag.
Kurz nach der Staatsgründung der DDR anerkannte die SED-Führung formell die neue polni- 45 sche Westgrenze[1]. Dies entsprach keineswegs der Stimmung unter den Bürgern der DDR, aber einem Wink aus der Sowjetunion. Zwischen Bonn und Warschau dagegen vergingen Jahrzehnte ohne nennenswerte amtliche Kontakte.
50 Und doch wuchs in der Gesellschaft selbst allmählich der Wille zur Überwindung der Feindschaft. [...] Die Regierung Brandt/Scheel ergriff die politische Initiative. Es galt, die unabänderlich gewordenen Folgen des Krieges nicht mehr infrage zu stel- 55 len. Unter Wahrung der Zukunftsperspektive der deutschen Einheit kam es, nach dem Moskauer Vertrag, zum historischen Warschauer Vertrag.
Die Brücke war damit gebaut. Am Horizont der Völker zeichnete sich in ersten Umrissen die Per- 60 spektive für ein neues gemeinsames Europa ab. Nun konnte die Konferenz für Sicherheit und Zusammenarbeit in Europa 1975 nach Helsinki einberufen werden. Sie wurde zum Kernstück der Ost- und Entspannungspolitik. Im dritten der „Körbe"[2] 65 der Schlussakte bekannten sich die Unterzeichnerstaaten zu Freiheitsrecht für alle ihre Bürger. Daraus reiften die ersten und kräftigsten Früchte in Polen.
Lech Wałęsa gründete mit seinen Freunden die Solidarność-Bewegung[3]. Als bald darauf in Polen das 70 Kriegsrecht ausgerufen wurde und die gerade erst geknüpften politischen Beziehungen nahezu einfroren, kam wiederum Hilfe aus der Gesellschaft. Zahllose Gemeindepfarrer saßen jetzt an dem von ihnen ganz ungewohnten Steuer von beladenen Lastwa- 75 gen, um polnischen Gemeinden materielle Hilfe und Zeichen von Verbundenheit zu bringen. Aller Unterdrückung zum Trotz setzte sich der mutige Wille zur Freiheit schließlich durch. Im kommunistischen Machtbereich erhielt Polen mit Tadeusz Ma- 80 zowiecki den ersten frei gewählten Regierungschef. Wenige Monate später fiel die Mauer in Berlin. Der Kalte Krieg kam zu seinem Ende.
Nun also geht es um das ganze Europa. Jede Nation unseres Kontinents ist willkommen, die sich zu 85 Demokratie und Menschenrechten bekennt. Dabei gibt es in aller Nüchternheit noch mancherlei Probleme zu verhandeln und zu entscheiden. Dies gilt auch für Polen. Doch haben beim jetzigen europäischen Neubeginn unsere deutschen Beziehungen 90 zu Polen in ihrer historisch symbolischen Bedeutung ebenso wie in der konkreten Politik ein vergleichbares Gewicht wie, seit fünfzig Jahren, unser Verhältnis zu Frankreich. [...] Es war die Tat von Willy Brandt am 7. Dezember 1970, die den 95 Grundstein im deutsch-polnischen wie im europäischen Bezug schuf. Nun gilt es, die Osterweiterung der Europäischen Union mit Polen als Mitglied ihrem Ziel zuzuführen: der Vollendung Europas.

Die Zeit, 7. Dezember 2000, S. 5

1. *Erläutern Sie die Bedeutung von Willy Brandts Kniefall in den deutsch-polnischen Beziehungen.*
2. *Diskutieren Sie den Stellenwert, den Weizsäcker dem deutsch-polnischen Verhältnis für die europäische Integration gibt.*

---

1) *im Görlitzer Vertrag von 1950*

2) *Die auf der Konferenz behandelten Themen wurden in sogenannte Körbe gegliedert.*

3) *im September 1981 gegründete Dachorganisation unabhängiger polnischer Gewerkschaften, die unter dem Vorsitz Lech Wałęsas für das Recht auf Bildung unabhängiger Gewerkschaften und ein Streikrecht im kommunistischen Polen kämpfte; im Zuge der Auseinandersetzung zwischen Solidarnosc und kommunistischem Staat verhängte die polnische Regierung 1981 das Kriegsrecht und verbot die Gewerkschaft. Walesa und seine Mitstreiter arbeiteten im Untergrund weiter und erreichten 1989 mit einem „Gesellschaftsvertrag" die Öffnung Polens zu stärker demokratisch-pluralistischen Strukturen sowie die Wiederzulassung der Solidarność.*

M5
Deutsch-polnischer Grenzvertrag

Aus dem Grenzvertrag zwischen der Bundesrepublik Deutschland und der Republik Polen vom 14. November 1990:

Artikel 2
Die Vertragsparteien erklären, dass die zwischen ihnen bestehende Grenze jetzt und in Zukunft unverletzlich ist und verpflichten sich gegenseitig zur 5 uneingeschränkten Achtung ihrer Souveränität und territorialen Integrität.

Artikel 3
Die Vertragsparteien erklären, dass sie gegeneinander keinerlei Gebietsansprüche haben und solche 10 auch in Zukunft nicht erheben werden.

Presse- und Informationsamt der Bundesregierung (Hrsg.), Bulletin Nr. 134, 16. November 1990, S. 1394

Bewerten Sie die Bedeutung des Grenzvertrages im Vergleich zum Warschauer Vertrag von 1970.

M6
Der lange Weg nach Westen

Der renommierte Historiker Heinrich August Winkler ordnet die deutsche Nachkriegsgeschichte in den internationalen Zusammenhang ein.

So wie die Sozialdemokraten sich auf den Boden von Adenauers Westintegration gestellt hatten, ehe Willy Brandt erst Außenminister und dann Bundeskanzler werden konnte, so mussten die Unions- 5 parteien die Brandtschen Ostverträge akzeptieren, bevor sie in der Lage waren, wieder an die Macht zu gelangen. In den Achtzigerjahren spielte der gesamtdeutsche Nationalstaat im politischen Denken der Bundesrepublik keine erhebliche Rolle mehr. 10 [...] Die DDR hatte sich in den frühen Siebzigerjahren vom Bekenntnis zur *einen* deutschen Nation gelöst und die Theorie von den zwei deutschen Nationen, der neuen sozialistischen und der alten kapitalistischen, verkündet. Die Deutsche Demo- 15 kratische Republik war unter den Mitgliedsländern des Warschauer Paktes der Ideologiestaat schlechthin: ein Staat ohne nationale Identität und darum mehr als alle anderen auf den „proletarischen Internationalismus" als Ersatzidentität angewiesen. *Beide* 20 deutsche Staaten beschritten also Sonderwege: die DDR einen „internationalistischen", die Bundesrepublik einen „postnationalen". Der erste Sonderweg war eine bloße Parteidoktrin; der zweite entwickelte sich zu einem Lebensgefühl. [...]
25 Im Jahre 1945 endete der antiwestliche Sonderweg des Deutschen Reiches. 1990 endeten der postnationale Sonderweg der alten Bundesrepublik und der internationalistische Sonderweg der DDR. Das wiedervereinigte Deutschland ist keine „postnatio- 30 nale Demokratie unter Nationalstaaten", sondern ein demokratischer, postklassischer Nationalstaat unter anderen. Die neue Bundesrepublik ist nicht weniger souverän als andere Mitgliedsländer der Europäischen Union, die ebenfalls Souveränitäts- 35 rechte an diese supranationale Gemeinschaft wie an eine andere, die atlantische Allianz, übertragen haben. Dies ist ein Stück jener *europäischen* Normalisierung Deutschlands, die sich 1999, unter der Verantwortung einer rot-grünen Bundesregierung [...] 40 in der Beteiligung der Bundeswehr am internationalen Einsatz im Kosovo niederschlug. [...]
Deutschlands Weg nach Westen war lang und auf weiten Strecken ein Sonderweg. [...] Die Deutschen bedürfen der Vergegenwärtigung ihrer Ge- 45 schichte aber nicht nur um ihrer selbst willen. Sie sind diese Anstrengung auch dem gemeinsamen Projekt Europa schuldig.
Eine europäische Identität wird sich nicht gegen die Nationen herausbilden, sondern nur mit ihnen und 50 durch sie. Sie alle, die europäischen Nationen diesseits und jenseits des ehemaligen Eisernen Vorhangs, haben Anlass, sich mit ihrer Geschichte und ihren Mythen, den älteren wie den neueren, selbstkritisch auseinanderzusetzen.

Heinrich August Winkler, Der lange Weg nach Westen, Bd. 2: Deutsche Geschichte vom „Dritten Reich" bis zur Wiedervereinigung, München 2000, S. 652-657

1. *Analysieren Sie das besondere Verhältnis Deutschlands zur „Nation", das Winkler sieht.*
2. *Diskutieren Sie die Zukunftsperspektiven des deutschen „Nationalstaats".*
3. *Vergleichen Sie M 3 und M 6 und nehmen Sie Stellung zu den geäußerten Standpunkten.*

Deutschland und Frankreich

Die deutsch-französische Verständigung seit den späten Fünfzigerjahren war Voraussetzung und Antriebskraft für den erfolgreichen Prozess der westeuropäischen Integration. Eine unheilvolle Epoche war damit zu Ende gegangen, in der innerhalb von 70 Jahren Deutsche und Franzosen drei Kriege gegeneinander geführt hatten.

In der unmittelbaren Nachkriegszeit hatte die vierte Siegermacht Frankreich noch vergeblich versucht, Westdeutschland auf Dauer wirtschaftlich und politisch in Abhängigkeit zu halten. Das war nicht im Interesse der neuen Weltmacht USA, die den politischen, wirtschaftlichen und militärischen Zusammenschluss Westeuropas einschließlich der Deutschen wollte, um den sowjetischen Kommunismus einzudämmen. In Frankreich setzte sich die Einsicht durch, dass die Sicherheit des Landes gegenüber Deutschland angesichts des alles überwölbenden Ost-West-Konflikts am besten durch enge bilaterale Zusammenarbeit und die Schaffung einer Europäischen Gemeinschaft zu garantieren war. „Kontrolle durch Integration“ war das Ziel der französischen Deutschlandpolitik. Dieses Ziel verfolgte auch Bundeskanzler Adenauer, der zusammen mit Staatspräsident Charles de Gaulle 1962 die Grundlagen für die deutsch-französische Aussöhnung legte und damit zugleich die endgültige Einbindung Deutschlands in die westliche Staatengemeinschaft verankerte (▶ M 1 und M 2). Trotz gelegentlicher Interessengegensätze in sicherheitspolitischen (Atommacht Frankreich) und europapolitischen Fragen hielten alle Nachfolgeregierungen beider Länder an diesen Prinzipien fest. Das seit der Wiedervereinigung von 1990 auch politisch stärker gewordene Deutschland wurde für Frankreich nicht zum Problem, weil es in die größer werdende Europäische Union fest eingebunden blieb (▶ M 3).[1]

▲ *Der französische Staatspräsident Charles de Gaulle und der deutsche Bundeskanzler Konrad Adenauer bei einer Kundgebung für die europäische Einigung am 4. September 1962 in Bonn.*

Deutschland und Polen

Seit dem Zusammenbruch der kommunistischen Herrschaft in der Sowjetunion und Ostmitteleuropa Anfang der Neunzigerjahre bestimmen Normalität und politische Freundschaft das Verhältnis zwischen Deutschland und der Republik Polen – zumindest auf der offiziellen Ebene der Regierungen. In vielerlei Hinsicht gilt die

[1] *Zur Reaktion Frankreichs und anderer Staaten auf die deutsche Wiedervereinigung siehe auch Kap. 3.2, S. 158.*

deutsch-französische Aussöhnung als Vorbild für die seither gepflegten deutsch-polnischen Beziehungen. Selbstverständlich war und ist dies nicht angesichts der historischen Belastung in den politischen Beziehungen der beiden Länder zueinander.
Schon lange vor 1939 war das beiderseitige Verhältnis stets von schweren Konflikten, Misstrauen und Ablehnung geprägt. Hitlers Vernichtungskrieg und der brutalen deutschen Besatzungspolitik während des Zweiten Weltkrieges fiel fast ein Drittel der polnischen Bevölkerung zum Opfer. Die Vertreibung und Zwangsumsiedlung von Millionen Deutscher nach 1945 aus ihrer angestammten Heimat östlich von Oder und Neiße durch die von Kommunisten beherrschte polnische Regierung betrachtete die übergroße Mehrheit der Polen als einen Akt der Wiedergutmachung für das von Deutschen verursachte Leid. Dass dies ein großes Unrecht war, überdeckte die offizielle Propaganda aller kommunistischen Regierungen bis 1989, die nur in einem Punkt nahezu die gesamte polnische Bevölkerung auf ihrer Seite hatten: in der Forderung nach einer endgültigen Anerkennung der Oder-Neiße-Linie als polnische Westgrenze durch Deutschland. Die DDR erfüllte auf Bestreben der sowjetischen Vormacht diesen Wunsch 1950 mit dem *Görlitzer Vertrag*. Zu einer wirklichen Annäherung zwischen den Bürgern der beiden kommunistischen „Bruderländer" kam es jedoch nicht.
In den polnisch-westdeutschen Beziehungen während des Kalten Krieges bestimmten die Nichtanerkennung der Westgrenze Polens durch Bonn und die Mobilisierung der Bevölkerung gegen die angebliche westdeutsche Bedrohung durch Warschau die offizielle Politik. Erst seit dem Warschauer Vertrag von 1970 durch die Regierung Brandt/Scheel begann sich das polnisch-westdeutsche Verhältnis zu verbessern (➧ M 4). Dazu trugen beachtliche wirtschaftliche und finanzielle Hilfen der Bundesregierungen unter Helmut Schmidt und Helmut Kohl ebenso bei wie die Bemühungen der Kirchen beider Länder um Versöhnung. Auch die „Pakethilfe" in den Jahren 1980/83, an der breite Bevölkerungskreise der Bundesrepublik beteiligt waren, sowie die in Westdeutschland mit Respekt verfolgte Freiheitsbewegung der polnischen „Solidarität" unter dem Gewerkschaftsführer *Lech Wałęsa* schufen begehbare Brücken. Seit der endgültigen Anerkennung der polnischen Westgrenze durch die Regierung des wiedervereinigten Deutschland unter Bundeskanzler Helmut Kohl im Jahre 1990 und dem ein Jahr später abgeschlossenen Freundschaftsvertrag (➧ M 5) bilden beide Länder eine zukunftsorientierte Interessengemeinschaft – auch und gerade im Rahmen der *Europäischen Union*, in der die Bundesrepublik in den letzten Jahren als Fürsprecher des zukünftigen Mitglieds Polen wirkte.
Die anfänglichen Reaktionen einiger europäischer Staaten gegenüber einem wiedervereinigten Deutschland haben gezeigt, dass auch 50 Jahre nach Ende des Zweiten Weltkrieges die deutsche Politik im besonderen Maße Rücksicht auf die Ängste ihrer europäischen Nachbarn nehmen muss. Doch scheint die Politik eines „deutschen Sonderwegs" in Zeiten der europäischen Einigung überwunden und sind die Deutschen ebenso wie ihre Nachbarn gefordert, eine gemeinsame europäische Identität aufzubauen (➧ M 6).

4 Auf dem Weg zur Einigung Europas

4.1 Europäische Integration

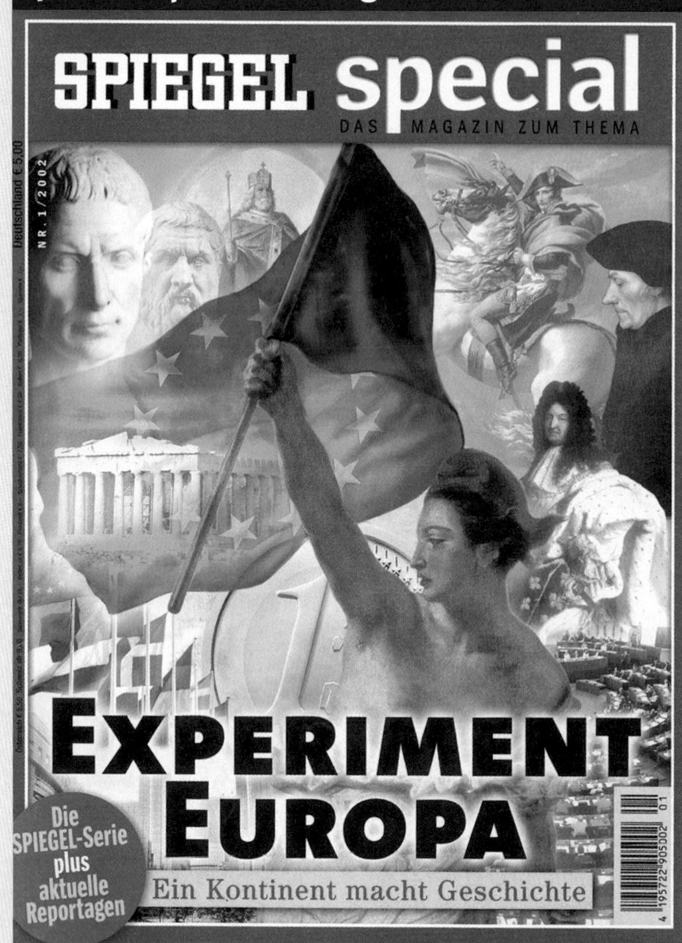

▲ *Titelblatt des „Spiegel Spezial"-Heftes „Experiment Europa" Nr. 1/2002.*
Erklären Sie, welche Bedeutung die auf dem Spiegel-Titelblatt abgebildeten Motive und Personen für Europa haben oder hatten.

1949
Zehn westeuropäische Staaten gründen den Europarat

1951
Die Bundesrepublik, Frankreich, Italien und die Benelux-Staaten gründen die Europäische Gemeinschaft für Kohle und Stahl (EGKS)

1957
Mit den Römischen Verträgen wird die Bildung der Europäischen Wirtschaftsgemeinschaft (EWG) und der Europäischen Atomgemeinschaft (Euratom) beschlossen

1967
EWG, Euratom und EGKS werden in der Europäischen Gemeinschaft (EG) zusammengefasst

1979
Ein europäisches Währungssystem wird geschaffen (ECU); zum ersten Mal wählen die Bürger von neun Mitgliedstaaten das Europäische Parlament direkt

1991/1992
In Maastricht einigen sich die zwölf Mitgliedstaaten der EG auf den Vertrag über die Europäische Union

1993
Der Vertrag von Maastricht tritt in Kraft; die EU löst die EG ab

1998
Beginn der Beitrittsverhandlungen mit Polen, der Tschechischen Republik, Ungarn und anderen

1999
Beginn der „Wirtschafts- und Währungsunion"

2000
Im Vertrag von Nizza wird die Reform der EU-Institutionen beschlossen

1. Januar 2002
Der Euro gilt als alleiniges Zahlungsmittel in zunächst 12 Ländern der EU (Eurozone)

M1

Erste Weichenstellung für die europäische Integration

Aus der Regierungserklärung des französischen Außenministers Robert Schuman vom 9. Mai 1950:

Der Friede der Welt kann nicht geschützt werden, wenn nicht schöpferische Maßnahmen in einem Maße getroffen werden, die den Gefahren entsprechen, welche ihn bedrohen. Der Beitrag, den ein organisiertes und lebendiges Europa zur Zivilisation leisten kann, ist für die Aufrechterhaltung friedlicher Beziehungen unentbehrlich. [...] Solange Europa nicht vereint war, haben wir Krieg gehabt. Europa wird nicht mit einem Schlag und auch nicht durch eine Konstruktion des Ganzen gebildet werden; es wird durch konkrete Verwirklichungen gebildet, die zunächst eine Solidarität der Tatsachen schaffen. Die Vereinigung der europäischen Nationen erfordert, dass der jahrhundertealte Gegensatz zwischen Frankreich und Deutschland ein Ende nimmt. [...] Die französische Regierung schlägt vor, die Gesamtheit der französisch-deutschen Produktion von Kohle und Stahl unter eine gemeinsame oberste Autorität innerhalb einer Organisation zu stellen, die der Mitwirkung anderer Staaten offensteht. [...] Die Solidarität der Produktion, die auf diese Weise geknüpft wird, wird dartun, dass jeder Krieg zwischen Frankreich und Deutschland nicht nur undenkbar, sondern materiell unmöglich wird.

Keesings Archiv der Gegenwart vom 9. Mai 1950, S. 2372

Arbeiten Sie die zentralen Argumente des französischen Außenministers heraus. Worin liegt – in französischer Sicht – die zukunftsweisende Bedeutung der geplanten Montan[1]-Union?

[1] Montanindustrie: Gesamtheit der bergbaulichen Industrieunternehmen

M2

Die Ziele der Europäischen Union

Artikel B des Vertrages über die Europäische Union vom 7. 2. 1992:

Die Union setzt sich folgende Ziele:
- Die Förderung eines ausgewogenen und dauerhaften wirtschaftlichen und sozialen Fortschritts, insbesondere durch Schaffung eines Raumes ohne Binnengrenzen, durch Stärkung des wirtschaftlichen und sozialen Zusammenhalts und durch Errichtung einer Wirtschafts- und Währungsunion, die auf längere Sicht auch eine einheitliche Währung nach Maßgabe dieses Vertrags umfasst;
- die Behauptung ihrer Identität auf internationaler Ebene, insbesondere durch eine gemeinsame Außen- und Sicherheitspolitik, wozu auf längere Sicht auch die Festlegung einer gemeinsamen Verteidigungspolitik gehört, die zu gegebener Zeit zu einer gemeinsamen Verteidigung führen könnte;
- die Stärkung des Schutzes der Rechte und Interessen der Angehörigen ihrer Mitgliedstaaten durch Einführung einer Unionsbürgerschaft;
- die Entwicklung einer engen Zusammenarbeit in den Bereichen Justiz und Inneres;
- die volle Wahrung des gemeinschaftlichen Besitzstands und seine Weiterentwicklung, wobei [...] geprüft wird, inwieweit die durch diesen Vertrag eingeführten Politiken und Formen der Zusammenarbeit mit dem Ziel zu revidieren sind, die Wirksamkeit der Mechanismen und Organe der Gemeinschaft sicherzustellen.

Die Ziele der Union werden nach Maßgabe dieses Vertrags entsprechend den darin enthaltenen Bedingungen und der darin vorgesehenen Zeitfolge unter Beachtung des Subsidiaritätsprinzips, wie es in Artikel 3b des Vertrags zur Gründung der Europäischen Gemeinschaft bestimmt ist, verwirklicht.

Presse- und Informationsamt der Bundesregierung (Hrsg.), Bulletin Nr. 16, 12. Februar 1992, S. 114

1. *Welche der aufgeführten Ziele sind leichter, welche schwerer zu verwirklichen? Begründen Sie Ihre Ansicht.*
2. *Erläutern Sie den Begriff der „Subsidiarität" im Zusammenhang mit der europäischen Einigung.*

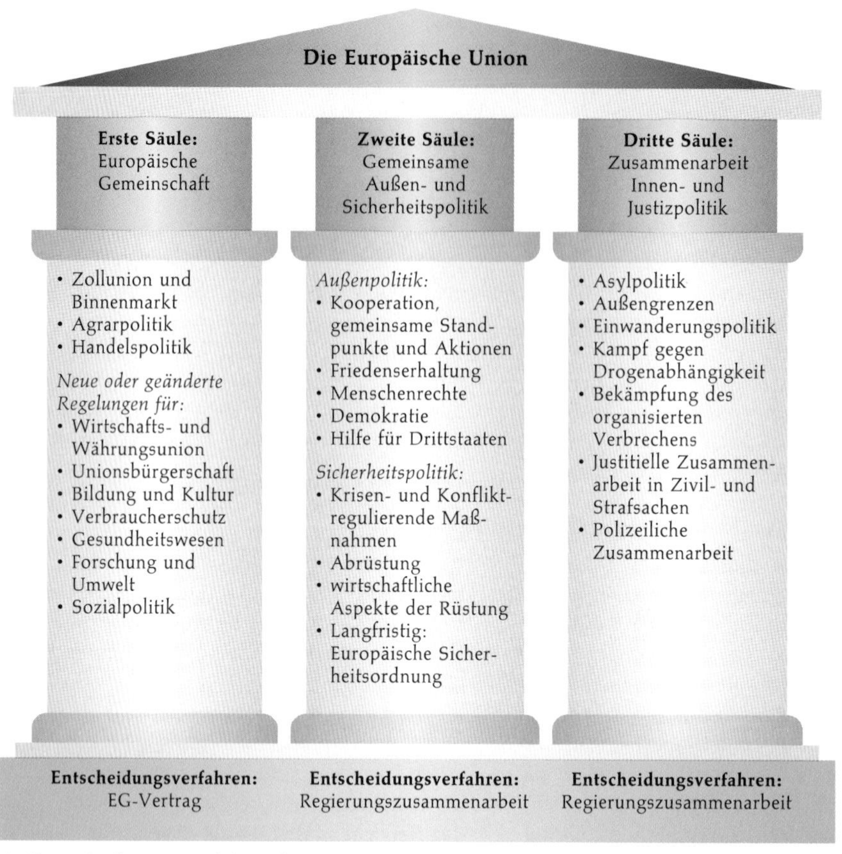

▲ *Die „3-Säulen-Konstruktion" der EU nach dem Vertrag über die Europäische Union von 1992.*

M3

Vom Staatenverbund zur Föderation

Bundesaußenminister Joschka Fischer (Die Grünen) hält am 12. Mai 2000 in der Berliner Humboldt-Universität eine Rede zur Europäischen Integration:

Man kann es gegenwärtig fast mit den Händen greifen, dass zehn Jahre nach dem Ende des Kalten Krieges und mitten im Beginn des Zeitalters der Globalisierung die europäischen Probleme und Herausforderungen sich zu einem Knoten geschürzt haben, der innerhalb der bestehenden Vorgaben nur noch sehr schwer aufzulösen sein wird: Die Einführung der gemeinsamen Währung, die beginnende Osterweiterung der EU, die Krise der letzten EU-Kommission, die geringe Akzeptanz von europäischem Parlament und europäischen Wahlen, die Kriege auf dem Balkan und die Entwicklung einer gemeinsamen Sicherheits- und Außenpolitik definieren nicht nur das Erreichte, sondern bestimmen auch die zu bewältigenden Herausforderungen. [...]

Die Erweiterung wird eine grundlegende Reform der europäischen Institutionen unverzichtbar machen. Wie stellt man sich eigentlich einen Europäischen Rat mit dreißig Staats- und Regierungschefs vor? Dreißig Präsidentschaften? Wie lange werden Ratssitzungen dann eigentlich dauern? Tage oder gar Wochen? Wie soll man in dem heutigen Institutionengefüge der EU zu Dreißig Interessen ausgleichen, Beschlüsse fassen und dann noch handeln? Wie will man verhindern, dass die EU damit endgültig intransparent, die Kompromisse immer unfasslicher und merkwürdiger werden, und die Akzeptanz der EU bei den Unionsbürgern schließlich weit unter den Gefrierpunkt sinken wird?

Fragen über Fragen, auf die es allerdings eine ganz einfache Antwort gibt: den Übergang vom Staatenverbund der Union hin zur vollen Parlamentarisierung in einer Europäischen Föderation, die Robert Schuman bereits vor 50 Jahren gefordert hat. Und d.h. nichts Geringeres als ein europäisches Parlament und eine eben solche Regierung, die tatsächlich die gesetzgebende und die exekutive Gewalt innerhalb der Föderation ausüben. Diese Föderation wird sich auf einen Verfassungsvertrag zu gründen haben.

Freilich erhebt sich gegen diese einfache Lösung sofort der Vorwurf der nicht vorhandenen Machbarkeit. Europa sei kein neuer Kontinent, sondern voll mit unterschiedlichen Völkern, Kulturen, Sprachen und Geschichten. Die Nationalstaaten seien nicht wegzudenkende Realitäten, und je mehr die Globalisierung und Europäisierung bürgerferne Superstrukturen und anonyme Akteure schaffen, umso mehr werden die Menschen an ihren Sicherheit und Geborgenheit vermittelnden Nationalstaaten festhalten.

Nun, alle diese Einwände teile ich, denn sie sind richtig. Deshalb wäre es ein nicht wieder gutzumachender Konstruktionsfehler, wenn man die Vollendung der politischen Integration gegen die vorhandenen nationalen Institutionen und Traditionen und nicht unter deren Einbeziehung versuchen würde. Ein solches Unternehmen müsste unter den historisch-kulturellen Bedingungen Europas scheitern. Nur wenn die europäische Integration die Nationalstaaten in eine solche Föderation mitnimmt, wenn deren Institutionen nicht entwertet oder gar verschwinden werden, wird ein solches Projekt trotz aller gewaltigen Schwierigkeiten machbar sein. Anders gesagt: die bisherige Vorstellung eines europäischen Bundesstaates, der als neuer Souverän die alten Nationalstaaten und ihre Demokratien ablöst, erweist sich als ein synthetisches Konstrukt jenseits der gewachsenen europäischen Realitäten. Die Vollendung der europäischen Integration lässt sich erfolgreich nur denken, wenn dies auf der Grundlage einer Souveränitätsteilung von Europa und Nationalstaat geschieht. […]

Was hat man sich nun unter dem Begriff der „Souveränitätsteilung" vorzustellen? Wie gesagt, Europa wird nicht in einem leeren politischen Raum entstehen, und ein weiteres Faktum unserer europäischen Realität sind deshalb die unterschiedlichen politischen Nationalkulturen und deren demokratische Öffentlichkeiten, getrennt zudem noch durch die allfälligen Sprachgrenzen. Ein europäisches Parlament muss deswegen immer ein Doppeltes repräsentieren: ein Europa der Nationalstaaten und ein Europa der Bürger. Dies wird sich nur machen lassen, wenn dieses europäische Parlament die unterschiedlichen nationalen politischen Eliten und dann auch die unterschiedlichen nationalen Öffentlichkeiten tatsächlich zusammenführt. […] Die Souveränitätsteilung von Föderation und Nationalstaaten setzt einen Verfassungsvertrag voraus, der festlegt, was europäisch und was weiterhin national geregelt werden soll.

www.auswaertiges-amt.de/www/de/diplo/de/Infoservice/Presse/Reden/2000/ 000512-EuropaeischeIntegration.html

1. *Erklären Sie, was Fischer unter einer „europäischen Föderation" versteht und wie er diese gegenüber einem „europäischen Bundesstaat" abgrenzt.*
2. *Recherchieren Sie, wie die EU-Partner auf Fischers Rede reagierten.*

M4
Thesen zur europäischen Integration

Im Jahre 2002 formuliert der frühere Bundeskanzler Helmut Schmidt Thesen zur politischen Bedeutung der EU:

1) Die Nationen Europas stehen im 21. Jahrhundert vor neuartigen Herausforderungen. Diese entspringen einer in der Geschichte einmalig schnellen Vermehrung der auf der Erde lebenden Menschen und einer sich anbahnenden globalen Klimaveränderung. Beide Prozesse bergen in sich die Tendenz zu regionalen und lokalen Kriegen sowie zu massenhaften Wanderungsströmen in Richtung Europa und Nordamerika. Außerhalb Europas werden alte und neue Weltmächte mit Vehemenz danach streben, die Folgen globaler Gefährdungen auf andere abzuwälzen. Die gleichzeitige Globalisierung der Finanzmärkte gefährdet die ökonomische und politische Selbstbestimmung einzelner Staaten. Die technologische Globalisierung gefährdet Arbeitsplätze und Wohlstand in Europa.

2) Die europäischen Nationalstaaten werden einzeln, jeder für sich allein, diesen Herausforderungen nicht gewachsen sein. Zu ihrer Selbstbehauptung ist eine Bündelung der Kräfte notwendig. In diesem Sinne wird die Europäische Union zu einer Notgemeinschaft. [...]

6) Dabei sind die am Beginn des Integrationsprozesses und in den darauf folgenden Jahren maßgebenden strategischen Prinzipien festzuhalten, nämlich – in historischer Reihenfolge – erstens die politische und ökonomische Abwehr sowjetischer und kommunistischer Bedrohung, zweitens die Einbindung Deutschlands in den politischen und wirtschaftlichen Zusammenhang der europäischen Demokratien und drittens das Prinzip des gemeinsamen ökonomischen und sozialen Vorteils durch den gemeinsamen, offenen Markt.

Das erste dieser drei Prinzipien hat seinen Gegenstand weitgehend verloren, es erscheint als obsolet. Das zweite Prinzip und das dritte Prinzip bleiben wichtig, sie werden in der Union allgemein bejaht und verfolgt. Jetzt tritt als zusätzliches strategisches Motiv die Notwendigkeit gemeinsamer Selbstbehauptung hinzu, das heißt das Prinzip der vollen Handlungsfähigkeit der Europäischen Union nach außen. [...]

9) Der gemeinsame Markt hat sich als großer Erfolg für alle Beteiligten erwiesen. Der Erfolg wird noch einmal wachsen als Folge der gemeinsamen Währung. [...] Doch braucht die EU für die Zukunft eine eigene Finanzaußenpolitik, nicht nur gegenüber dem Weltwährungsfonds, sondern auch, um die ökonomisch gewichtigen Staaten der Welt zu einer gemeinsamen Ordnung auf den globalen Finanzmärkten zu bewegen – einschließlich einer funktionierenden Aufsicht über verantwortungslos spekulierende Finanzhäuser.

10) Die Amerikaner haben außerordentliche Verdienste um den Wiederaufbau in Europa und in der Abschreckung sowjetischer Drohung. Seit dem Verschwinden der Sowjetunion hat das Verhältnis der USA und ihrer politischen Klasse zu Europa jedoch an Eindeutigkeit verloren. [...] Für die Zukunft ist es kaum zu erwarten, dass Washington eine weitere Stärkung der EU mit Zustimmung begleiten wird. Die EU wird sich bemühen müssen, ihre außenpolitische und strategische Abhängigkeit von Amerika schrittweise zu verringern, gleichwohl aber die Partnerschaft des Verteidigungsbündnisses aufrechtzuerhalten. [...]

12) Die Herstellung einer gemeinsamen Außen- und Sicherheitspolitik wird durch die geplante Erweiterung der EU zusätzlich erschwert werden. Gleichwohl ist die Aufnahme einer Reihe von Staaten im Osten Mitteleuropas aus moralischen Gründen der Solidarität sowie aus geopolitischen Gründen geboten. Sie sollte schrittweise erfolgen, um eine Überforderung der EU zu vermeiden. Sie sollte keinesfalls vor der Vollendung der jetzt anstehenden Strukturreform der EU beginnen, denn dadurch würde die ohnehin diffizile Reform noch zusätzlich erschwert. [...]

14) Die Union ist kein Staat. Sie ist deshalb auch kein Bundesstaat, sie sollte auch keiner werden wollen. Sie ist jedoch auch kein klassischer Staatenbund. Nach ihrer Aufgabenstellung und nach ihren Strukturen ist die EU etwas völlig Neues, ein dynamisches Unikat, das im Begriff ist, seine Aufgaben zu verändern und zu erweitern. Dabei darf die EU die Nationalstaaten nicht aushöhlen. Der Nationalstaat ist – und bleibt für lange Zeit – der bei Weitem wichtigste Ankergrund für die politische Selbstidentifikation der Bürger Europas. Deshalb müssen die Organe der EU und vor allem das Parlament ihre Aktivitäten endlich dem Subsidiaritätsprinzip[1] unterwerfen [...].

Helmut Schmidt, Die Selbstbehauptung Europas. Perspektiven für das 21. Jahrhundert, München 2002, S. 239 ff.

1. *Arbeiten Sie die historischen und gegenwärtigen Motive der europäischen Einigung heraus.*
2. *Erläutern Sie, welche weltpolitischen Veränderungen der letzten Jahre eine gemeinsame Außen- und Sicherheitspolitik der Europäer notwendig machten. Bewerten Sie diese Einschätzung.*
3. *Vergleichen Sie Schmidts Thesen mit der Position Fischers (M 3). Stellen Sie Unterschiede und Gemeinsamkeiten fest. Wie ist Ihre Meinung dazu?*

[1] *Der EG-Vertrag Artikel 3b sieht vor, dass die Gemeinschaft nur tätig werden soll, wenn ein Ziel auf europäischer Ebene besser erreicht werden kann als auf der Ebene der einzelnen Mitgliedstaaten.*

Motive der Einigung

Bereits in den Zwanzigerjahren, kurz nach der Katastrophe des Ersten Weltkrieges, propagierte eine Reihe von privaten Organisationen in vielen Ländern des Kontinents die Überwindung des Nationalstaates und die Idee eines politisch geeinten Europa. Weitblickende Persönlichkeiten aus Politik und Wirtschaft setzten sich für Völkerverständigung und wirtschaftliche Zusammenarbeit ein. Erinnert sei an die 1924 von *Graf Coudenhove-Kalergi* gegründete *Paneuropa-Union* oder an *Aristide Briand* und *Gustav Stresemann*, die Außenminister Frankreichs und Deutschlands. Später propagierten viele Widerstandskämpfer gegen das verbrecherische NS-Regime die Idee eines föderierten Europa für die Zeit nach der Befreiung.
Der Prozess der westeuropäischen Integration nach dem Zweiten Weltkrieg war die Antwort auf eine Reihe existentieller Herausforderungen, denen sich die westlichen Staaten gegenübergestellt sahen:

1. Der wirtschaftliche Wiederaufbau des vom Kriege zerstörten Europa war ohne eine Zusammenfassung aller Kräfte nicht möglich.
2. Die Furcht vor den hegemonialen Bestrebungen der sowjetischen Militärmacht verlangte ebenso nach geeigneten Maßnahmen wie das Interesse des Westens an einer geregelten Zusammenarbeit mit der Bundesrepublik zur Stärkung der westlichen Welt.
3. Viele Europäer hofften außerdem, dass ein vereintes (West-)Europa sich als dritte Kraft zwischen den Weltmächten etablieren und deren gefährliche Konfrontation verhindern könnte.
4. Für die Menschen in der Bundesrepublik schließlich bot der europäische Zusammenschluss die Chance zur Wiedergewinnung internationaler Reputation und einer neuen Identität nach einer Zeit des übersteigerten Nationalismus. Ein vereintes Westeuropa versprach sowohl einen Ausgleich mit Frankreich als auch eine mitspracheberechtigte Partnerschaft mit den USA.

Freilich blieb die europäische Integration bis 1989 auf den westlichen Teil Europas begrenzt. Erst seit dem Zusammenbruch des Kommunismus eröffnete sich auch den Völkern in Mittel-, Ost- und Südosteuropa die Chance, in den Einigungsprozess miteinbezogen zu werden. Seit 1998 laufen die Verhandlungen der Europäischen Union mit den beitrittswilligen Ländern aus dem früheren sowjetischen Machtbereich.

Erste Schritte: OEEC und Europarat

Die erste europäische zwischenstaatliche Einrichtung, die 1948 zur Verwaltung der Marshall-Plan-Hilfe gegründete *OEEC (Organization for European Economic Cooperation; Organisation für europäische wirtschaftliche Zusammenarbeit)*, verfolgte originär wirtschaftliche Zielsetzungen.
Ein erster Schritt zur politischen Einigung Westeuropas war dann der 1949 von zehn westeuropäischen Staaten gegründete *Europarat*. Im Gegensatz zu den hoch gesteckten Erwartungen vieler namhafter Vertreter der *Europäischen Bewegung*, einer überparteilichen Bürgerinitiative zur Schaffung der „Vereinigten Staaten von Europa", blieb der Europarat jedoch ein Beratungsorgan von Parlamentariern *(Beratende Versammlung)* und Regierungsvertretern *(Ministerrat)* ohne Entscheidungsbefugnis. Vor allem England war nicht bereit, hoheitliche Befugnisse auf die in Straßburg tagende Organisation zu übertragen.

Die mittlerweile 44 Mitgliedsländer (Stand 2002) verfügen mit dem Europarat über eine Einrichtung zur Förderung der zwischenstaatlichen Zusammenarbeit vor allem auf dem Gebiet der Rechtspolitik, die in über 170 Abkommen (Konventionen) ihren Niederschlag gefunden hat. Die Straßburger Organisation setzt sich dafür ein, dass ihre Mitglieder die Grundsätze von Demokratie und Rechtsstaatlichkeit einhalten. Ihr wichtigstes Instrument ist die *Europäische Menschenrechtskonvention* von 1950. Sie bietet jedem Bürger der Mitgliedsländer die Möglichkeit, vor dem *Europäischen Gerichtshof für Menschenrechte* gegen die Verletzung seiner Freiheitsrechte durch staatliche Instanzen Klage zu erheben.

Wie für die Bundesrepublik Anfang der Fünfzigerjahre bot der Europarat seit den Neunzigerjahren den ehemaligen kommunistischen Ländern Europas ein symbolträchtiges Forum für ihre Hinwendung zu Demokratie und Rechtsstaatlichkeit. Ungarn trat als erster Staat des ehemaligen Ostblocks 1992 der Europäischen Menschenrechtskonvention bei.

Die Europäische Gemeinschaft für Kohle und Stahl (EGKS)

Am 9. Mai 1950 schlug der französische Außenminister *Robert Schuman* vor, die französische und deutsche Schwerindustrie einer unabhängigen (supranationalen) Behörde mit Sitz in Luxemburg zu unterstellen und damit dem Einfluss der nationalen Regierungen zu entziehen. Der jahrhundertealte Gegensatz zwischen Frankreich und Deutschland sollte dadurch ein Ende finden. Der Schuman-Plan war auf die französischen Ziele der Sicherheit vor Deutschland und der Nutzung des deutschen Industriepotentials für den eigenen wirtschaftlichen Wiederaufbau abgestimmt. Für die Bundesrepublik bedeutete er einen wichtigen Schritt auf dem Weg zur politischen und wirtschaftlichen Gleichberechtigung (➧ M 1).

Die am 18. April 1951 von Frankreich, der Bundesrepublik Deutschland, Italien und den Benelux-Staaten gegründete *Europäische Gemeinschaft für Kohle und Stahl (EGKS, Montanunion)* wurde zum Vorbild für alle weiteren Integrationsbemühungen in Westeuropa. Schneller als erwartet entstand in dem besonders wichtigen Montanbereich ein „Gemeinsamer Markt“ ohne Zoll- und Handelsschranken. Politisch erfüllte die EGKS wichtige Aufgaben: Die Bundesrepublik wurde als gleichberechtigter Partner eingebunden in ein System nicht diskriminierender Kontrollen und Zusammenarbeit, das die wirtschaftliche Kraft Westeuropas insgesamt förderte.

Die Europäische Wirtschaftsgemeinschaft

Die Hoffnung vieler Europäer, dass die wirtschaftlichen Sachzwänge von selbst zu einer politischen Union der Mitgliedsländer führen würden, erfüllte sich nicht. Die nationalstaatlichen Egoismen gewannen erneut an Boden, als es wirtschaftlich in Westeuropa in den späten Fünfzigerjahren wieder aufwärts ging und die Furcht vor der Sowjetunion abnahm. Der rasche Abbau von Handelshemmnissen – d.h. die Schaffung einer Zollunion mit freiem Warenverkehr zwischen den Mitgliedern und einem gemeinsamen Außenzoll gegenüber Drittstaaten – schien den sechs EGKS-Gründungsstaaten ein ausreichend ehrgeiziges Ziel zu sein. Das Ergebnis war die Gründung der *Europäischen Wirtschaftsgemeinschaft (EWG)* und der *Europäischen Atomgemeinschaft (Euratom)* durch die *Römischen Verträge* vom 25. März 1957. Langfristig sollte daraus ein gemeinsamer Markt mit einer Wirtschafts- und Währungsunion entstehen. Als Sitz der EWG-Kommission bestimmte man Brüssel.

Erfolge und Rückschläge begleiteten den weiteren Integrationsprozess. Bereits 1968 war die *Zollunion* verwirklicht. Großbritannien wollte längst Mitglied werden, was der französische Staatspräsident Charles de Gaulle jedoch zweimal zu verhindern wusste, weil er in Großbritannien das „trojanische Pferd" der USA sah (1961, 1967). Er widersetzte sich auch allen Bestrebungen, nationalstaatliche Souveränitätsrechte auf Brüssel zu übertragen. Obwohl die Verträge etwas anderes vorsahen, wurde 1966 das *Einstimmigkeitsprinzip* im Ministerrat für alle „wichtigen Fragen" festgeschrieben, was künftige Entscheidungsprozesse sehr erschwerte. Nach de Gaulles Rücktritt und angesichts des erkennbaren wirtschaftlichen Erfolges der *Europäischen Gemeinschaft (EG)* – so hieß der Zusammenschluss von EKGS, EWG und Euratom seit 1967 – kam es ab 1973 zu einer regelrechten Beitrittswelle. Sie endete vorerst 1995 mit dem Beitritt Finnlands, Schwedens und Österreichs zur *Europäischen Union* (Bezeichnung seit 1992), die nunmehr 15 Mitglieder umfasst und deren Wirtschaftskraft unmittelbar hinter den USA rangiert.
Einfacher wurde die Angleichung der unterschiedlichen Interessen durch die Nord- und Süderweiterung der EU allerdings nicht. Ein besonders schwieriges Feld blieb die *Agrarpolitik* der Gemeinschaft. Durch Marktordnungen, garantierte Mindestpreise und Abnahmegarantien war die Versorgung der Bevölkerung zwar absolut gesichert, und die europäischen Landwirte behielten ihre Existenzgrundlage. Damit verbunden war jedoch stets eine Überproduktion von Agrarerzeugnissen, deren Finanzierung knapp die Hälfte des EU-Haushaltes verschlang (Stand 2002).
Wirtschaftlich gesehen ein Riese, blieb die EG ein politischer Zwerg. Daran änderten auch institutionelle Reformen wie die Einführung regelmäßiger Treffen der Staats- und Regierungschefs *(Europäischer Rat)* und der Außenminister nichts.
Das 1979 auf Initiative des damaligen deutschen Bundeskanzlers Helmut Schmidt und des französischen Staatspräsidenten *Valéry Giscard d'Estaing* eingeführte *Europäische Währungssystem (EWS)* mit einer eigenen *Währungseinheit (ECU)* bildete den ersten Schritt zur Schaffung einer stabilen Währungszone. Als weiterer Lichtblick im europäischen Einigungsprozess erwies sich die seit 1979 praktizierte Direktwahl des *Europäischen Parlamentes*, das allerdings nur über ein sehr begrenztes Kontroll- und Budgetrecht gegenüber den beiden anderen wichtigen EU-Organen, Europäische Kommission und Ministerrat, verfügte. Insgesamt schien der Integrationsprozess jedoch zu erlahmen.

Europäischer Binnenmarkt

Mitte der Achtzigerjahre besann sich die Gemeinschaft darauf, immer noch bestehende Hemmnisse zu beseitigen, die der Freizügigkeit von Personen, Waren, Dienstleistungen und Kapital entgegenstanden: unterschiedliche technische Normen, Verbrauchssteuern, Zulassungsbedingungen für Berufe und Dienstleistungen etc. Unter dem Druck der Konkurrenz aus USA und Japan auf den Weltmärkten beschlossen die EG-Staaten, bis zum 31. Dezember 1992 den *europäischen Binnenmarkt* zu vollenden. Als Motor dieser Entwicklung betätigte sich die EG-Kommission unter der Präsidentschaft des Franzosen *Jacques Delors* (1985–1995).
Rund 300 Maßnahmen zur Rechtsangleichung in den zwölf Mitgliedstaaten waren nötig, um dieses ehrgeizige Ziel zu erreichen. Möglich wurde die Schaffung des Binnenmarktes vor allem durch den Verzicht auf die Vereinheitlichung aller nationalen Vorschriften. Stattdessen einigte man sich auf das Prinzip der Einführung von Mindeststandards (zum Beispiel beim Lebensmittelschutz) und der gegenseitigen Anerkennung von Qualitätsvorschriften (was in einem Mitgliedsland zulässig ist, soll auch in den anderen

gelten). Für den Normalbürger wurde der Binnenmarkt sichtbar durch die Aufhebung der Pass- und Warenkontrollen an den Grenzen, was freilich für die Kriminalitätsbekämpfung neue Probleme schuf. Auch die gegenseitige Anerkennung von Diplomen und beruflichen Qualifikationen erleichtert nunmehr die Mobilität der Bürger innerhalb der EU.

Die Europäische Union

Der epochale Umbruch des Jahres 1989, der Deutschland die Wiedervereinigung und Osteuropa die Freiheit brachte, beschleunigte auch den Prozess der europäischen Einigung. Ende 1991 einigten sich die zwölf Staats- und Regierungschefs auf einer Gipfelkonferenz im holländischen Maastricht auf eine umfassende politische Zusammenarbeit im Rahmen der Gemeinschaft und vor allem auf die Schaffung einer einheitlichen europäischen Währung, seit 1995 „Euro" genannt. Der „Vertrag über die Europäische Union" wurde am 7. Februar 1992 in Maastricht unterzeichnet und trat 1993 in Kraft (➧ M 2). Er gilt als die bedeutendste Weichenstellung für ein gemeinsames Europa seit den Römischen Verträgen von 1957.
Vor allem auf Betreiben der Bundesrepublik wurden strenge wirtschaftliche Anforderungen („Konvergenzkriterien") an die beitrittswilligen Mitglieder gestellt:
- relative Preisstabilität,
- Begrenzung der Staatsverschuldung,
- stabile Wechselkurse,
- Angleichung der langfristigen Zinssätze.

Die Währungsunion sollte nämlich zu einer Stabilitätsgemeinschaft und nicht zu einer Inflationsgemeinschaft führen. Ursprünglich hatte nur Luxemburg keine Probleme, diese Hürden zu überspringen. Doch durch strikte Sparprogramme und Privatisierungen von Staatseigentum gelang es schließlich bis zum Jahre 2000 zwölf EU-Staaten, den strengen Anforderungen zu genügen. Nur Dänemark, Schweden und Großbritannien blieben bislang noch der Eurozone fern.
Die Wirtschafts- und Währungsunion wurde in einem stufenweisen Prozess eingeführt: wichtige Etappen waren die Errichtung der *Europäischen Zentralbank* mit Sitz in Frankfurt am Main (1. Juni 1998), die nach dem Vorbild der Deutschen Bundesbank in völliger Unabhängigkeit von den nationalen Regierungen über die Stabilität der Währung wacht, und die *Einführung des Euro* als Bargeld zum 1. Januar 2002 (nachdem er bereits seit 1999 im bargeldlosen Zahlungsverkehr der Mitglieder der Eurozone die nationalen Währungen ersetzt hatte).
Neben seinen wirtschaftlichen Vereinbarungen legte der Maastrichter Vertrag auch die Grundlage für eine *gemeinsame Außen- und Sicherheitspolitik (GASP)* und eine intensive Zusammenarbeit in der Innen- und Rechtspolitik der Mitglieder. Inzwischen wurde der Vertrag bereits erweitert, 1999 wurde das Amt des „Hohen Vertreters" der GASP geschaffen; als eine Art „Außenminister" vertritt seither der Spanier *Javier Solana* die EU auf internationaler Ebene. Auf der Grundlage der Verträge von Amsterdam (1997) und Nizza (2000) wurde seit Januar 2003 mit der Einrichtung EU-eigener Friedenstruppen für krisen- und konfliktregulierende Maßnahmen begonnen.
Für die Bundesrepublik hat das Bundesverfassungsgericht mit seinem Urteil vom 12. Oktober 1993 ausdrücklich die fortdauernde Souveränität der EU-Mitglieder festgestellt: Alle Staaten bleiben Herren der geschlossenen Verträge, der Maastrichter Vertrag begründet lediglich einen „Staatenverbund". In ihm gilt das Prinzip der Subsidiarität, mit anderen Worten: Die EU kann nur Aufgaben an sich ziehen, die von ihren Mitgliedern nicht allein auf nationalstaatlicher Basis geregelt werden können.

Osterweiterung und innere Reformen der Europäischen Union

Mit ihren gegenwärtig 25 Mitgliedstaaten repräsentiert die EU einen gemeinsamen Markt für insgesamt 380 Millionen Verbraucher. Sie ist zu einem Kraftzentrum in Europa und der Welt geworden, an dem sich seit Anfang der Neunzigerjahre die jungen Demokratien im östlichen Teil des Kontinents orientieren.

Seit dem Zusammenbruch des sowjetischen Machtsystems signalisierten die Reformstaaten Mittel- und Osteuropas ihr elementares Interesse, nicht in eine Pufferzone zwischen dem reichen Westeuropa und den zerfallenden Machtstrukturen der ehemaligen Sowjetunion zu geraten. Das Bewusstsein der Zugehörigkeit zu Europa war auch während der kommunistischen Herrschaft in der Bevölkerung dieser Länder lebendig geblieben. Ihre Hinwendung nach Brüssel verstehen sie daher als „Rückkehr nach Europa". Seit 1998 bzw. 2000 verhandelte die EU mit den beitrittswilligen Ländern über die Einzelheiten und die konkreten Aspekte der Übernahme von mehr als 16 000 europäischen Rechtsakten. Die endgültige Mitgliedschaft in der EU hängt davon ab, dass jene Länder durch tiefgreifende innere Reformen die Beitrittskriterien der EU erfüllen (Demokratie, Marktwirtschaft, Übernahme der EU-Rechtsakte, Einverständnis mit den

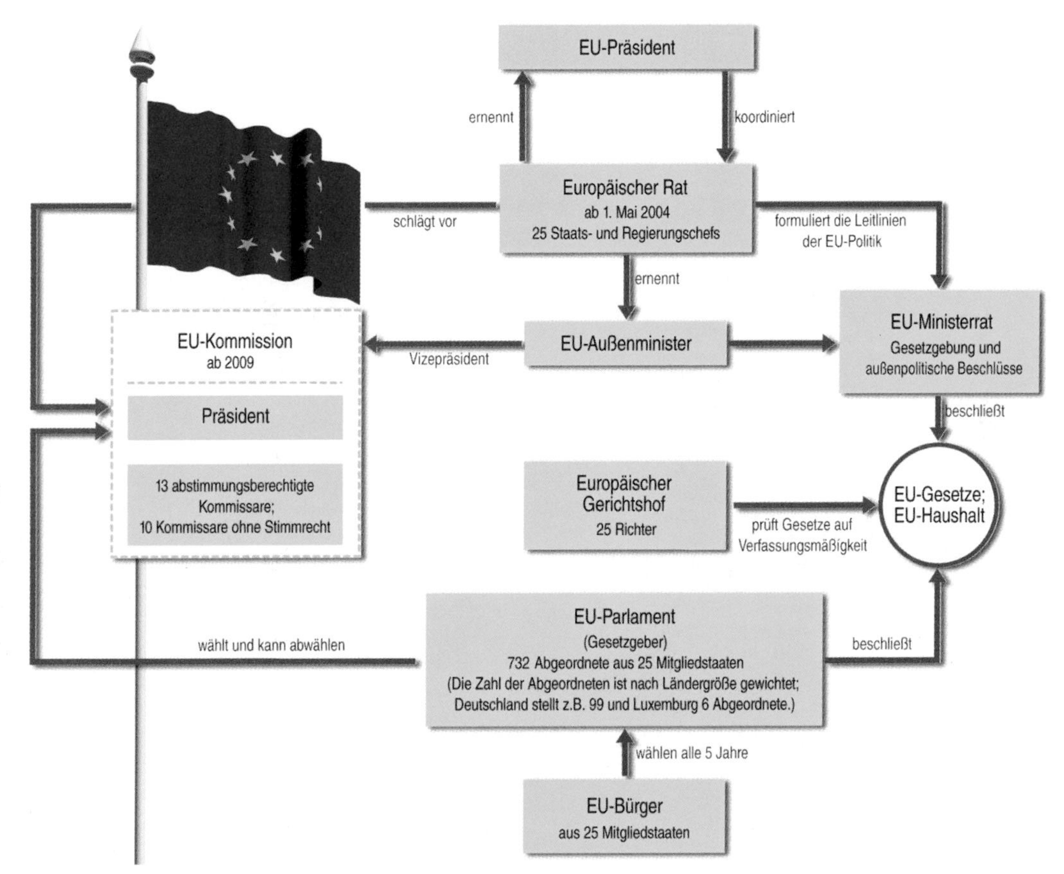

▲ *Die EU-Organe nach dem Verfassungsentwurf von 2003.*
Nach: Frankfurter Allgemeine Zeitung vom 18. Juni 2003.

Zielen der Wirtschafts- und Währungsunion). Mit milliardenschweren Hilfsprogrammen förderte die EU seither die Beitrittskandidaten, die ihrerseits große Anstrengungen unternahmen, die nötigen Veränderungsprozesse in ihren Ländern zu organisieren und zu finanzieren.
Seit Dezember 2002 sind die Beitrittsverhandlungen mit zehn Staaten abgeschlossen: Am 1. Mai 2004 traten Estland, Lettland, Litauen, Polen, die Tschechische Republik, Slowakei, Ungarn, Slowenien, Malta und Zypern der EU bei. Die Beitrittskandidaten Bulgarien und Rumänien sollen 2007 aufgenommen werden. Die Türkei erhielt im Dezember 1999 den Kandidatenstatus; die Beitrittsverhandlungen wurden ebenso wie mit Kroatien im Oktober 2005 aufgenommen. Genaue Beitrittstermine stehen für beide Staaten nicht fest. Mazedonien bekam im Dezember 2005 den Status eines Beitrittskandidaten verliehen. Mit den übrigen Staaten des westlichen Balkans (Albanien, Serbien, Montenegro, Bosnien und Herzegowina) verhandelt die EU über Stabilisierungs- und Assoziierungsabkommen.
Zu Beginn des neuen Jahrhunderts steht die EU damit vor einer ihrer größten Herausforderungen. Ihre Erweiterung muss einhergehen mit einem „Umbau" der institutionellen Struktur, damit dieser „Staatenverbund" handlungsfähig bleibt und seine demokratische Legitimation stärkt (➧ M 3 und M 4). Dazu zählen so extrem komplizierte und politisch brisante Fragen wie die Stimmengewichtung der heutigen und künftigen Mitglieder im Ministerrat, die Verteilung der Sitze im Europa-Parlament auf die einzelnen Länder, der Ausbau der Kompetenzen des Europäischen Parlamentes, die Verkleinerung der Kommission, die Eröffnung einer verstärkten Zusammenarbeit eines Teiles der EU-Mitglieder als Schrittmacher der Integration etc. Auf einer Gipfelkonferenz beschlossen die Staats- und Regierungschefs der EU in Nizza Ende 2000 die Grundzüge einer solchen EU-Reform, die in den nächsten Jahren verwirklicht werden muss.
Seit Februar 2002 berieten in Brüssel 105 Delegierte aus 28 europäischen Ländern in einem „Konvent für Europa" über eine Architektur für die Gemeinschaft, die in eine Verfassung Europas münden sollte. Der frühere französische Staatspräsident Giscard d'Estaing stand an der Spitze dieses Konvents, der Mitte 2003 seinen Verfassungsentwurf vorlegte. Nach weiteren Verhandlungen wurde der endgültige Entwurf einer europäischen Verfassung am 29. Oktober 2004 von den nunmehr 25 Staats- und Regierungschefs der EU unterzeichnet. Der Verfassungsvertrag muss allerdings noch durch die Parlamente der Mitgliedsstaaten oder durch nationale Referenden ratifiziert werden. Frankreich und die Niederlande haben in ihren Volksabstimmungen vom Mai bzw. Juni 2005 den Entwurf abgelehnt. Schweden, Dänemark und Großbritannien haben ihre geplanten Referenden bis auf weiteres verschoben. Damit ist der Ausgang des Ratifizierungsverfahrens offen.

4.2 Europäische Herausforderungen: der Zerfall Jugoslawiens

▲ *„Lob der Torheit", Zeichnung von Borislav Sajtinac. Der aus Jugoslawien stammende und seit 1969 in München lebende Künstler kommentiert mit diesem Bild vom November 1991 den Bürgerkrieg in seiner früheren Heimat.*

- *Erläutern Sie die Aussage des Bildes. Beachten Sie dabei den Hintergrund und die Symbole.*

1991/1992
Slowenien und Kroatien erklären im Juni 1991 ihre Unabhängigkeit von der Sozialistischen Föderativen Republik Jugoslawien; Makedonien und Bosnien-Herzegowina folgen dem Beispiel, lediglich Serbien und Montenegro bleiben im jugoslawischen Staatsverband; ein Bürgerkrieg beginnt

1992
Slowenien, Kroatien, Bosnien-Herzegowina werden durch die EG anerkannt; aus dem jugoslawischen Bürgerkrieg wird ein Krieg in Bosnien-Herzegowina

1995
Makedonien wird von der EU anerkannt; die NATO greift in Bosnien-Herzogowina ein; Bosnien-Herzegowina, Kroatien und Serbien schließen in Dayton/Ohio Frieden

1996
Die EU erkennt die Bundesrepublik Jugoslawien an

1999
Die NATO entschließt sich – ohne Mandat des UN-Sicherheitsrats – zu Luftangriffen gegen Serbien

2003
Die Bundesrepublik Jugoslawien existiert nicht mehr; die beiden verbliebenen Teilrepubliken gründen den Staatenbund „Serbien und Montenegro"

2006
Die Bevölkerung Montenegros entscheidet sich in einer Volksabstimmung für die Unabhängigkeit von Serbien

M1
Europäischer Appell

In einer Erklärung der „Europäischen Politischen Zusammenarbeit (EPZ)" vom 26. März 1991 heißt es zu Jugoslawien:

Die Gemeinschaft und ihre Mitgliedstaaten beobachten die Lage in Jugoslawien mit größter Sorge. Sie unterstützen die derzeitigen Bemühungen um eine durch Dialog herbeigeführte Lösung der Verfassungskrise in diesem Land und appellieren an alle betroffenen Parteien, auf Gewaltanwendung zu verzichten sowie im Einklang mit der Charta von Paris[1] für ein neues Europa die Menschenrechte und die Grundsätze der Demokratie in vollem Umfang zu achten.
Die Gemeinschaft und ihre Mitgliedstaaten bringen unter Hinweis auf ihre früheren Erklärungen die Überzeugung zum Ausdruck, dass der Prozess, die jugoslawische Gesellschaft an für ganz Jugoslawien zufriedenstellende demokratische Reformen heranzuführen, auf einem politischen Dialog zwischen allen betroffenen Parteien beruhen sollte. Ein solcher Prozess wird die volle Entfaltung der bereits zwischen der Gemeinschaft und den jugoslawischen Bundesbehörden bestehenden Zusammenarbeit ermöglichen. Nach Auffassung der Zwölf hat ein geeintes, demokratisches Jugoslawien die besten Aussichten, sich harmonisch in das neue Europa einzugliedern.

Angelika Volle und Wolfgang Wagner (Hrsg.), Der Krieg auf dem Balkan. Die Hilflosigkeit der Staatenwelt. Beiträge und Dokumente aus dem Europa-Archiv, Bonn 1994, S. 135 f.

Erörtern sie die Haltung der Europäer. Beachten Sie dabei die politische Entwicklung in Ostmitteleuropa 1989/90.

1) Schlussdokument des KSZE-Treffens vom 21. November 1990, in dem u. a. die Durchsetzung von Demokratie, Rechtsstaatlichkeit und Meinungsfreiheit sowie der Schutz der Menschenrechte vereinbart wird

M2
Serbische Vorstellungen und Ziele

Einblick in das Denken der politisch und intellektuell führenden Schicht Serbiens bieten die öffentlichen Erklärungen der Intellektuellen, der Lehrer, Professoren, Schriftsteller und Künstler. Auf dem Ersten Kongress serbischer Intellektueller von 1986 wird folgende Petition an das jugoslawische und serbische Parlament beschlossen:

Wie die Geschichtswissenschaft und die noch immer unauslöschliche Erinnerung zeigt, hält die Vertreibung des serbischen Volkes aus Kosovo und Metohija[2] bereits seit drei Jahrhunderten an. Nur die Protektoren[3] der Tyrannen haben sich geändert: das Osmanische Reich, die Habsburger Monarchie, das faschistische Italien und Nazi-Deutschland wurden durch den albanischen Staat und die herrschenden Institutionen im Kosovo ersetzt. An die Stelle von Zwangsislamisierung und Faschismus ist stalinistischer Chauvinismus getreten. Neu ist einzig die Verschmelzung von Stammeshass und Genozid[4] unter der Maske des Marxismus.

1994 findet der Zweite Kongress serbischer Intellektueller in Belgrad statt; sie erklären dort:

1. In Sorge über die grobe Zerstückelung alter europäischer Staaten macht der Kongress serbischer Intellektueller Bosniens und Herzegowinas darauf aufmerksam, dass dies zu Konflikten führen kann, die Europa großen Schaden zufügen werden. Für alles, was sich daraus ergeben könnte, tragen die Serben keine geschichtliche Verantwortung.
2. Das serbische Volk akzeptiert keine staatliche Gemeinschaft, die von den Interessen der Großmächte, des europäischen katholischen Klerikalismus und des wiedererweckten Panislamismus bestimmt wird, sondern nur jene, die sich aus dem ethnischen und historischen Recht eines jeden Volkes auf der Erde ergibt.
3. Der Kongress der serbischen Intellektuellen Bosniens und Herzegowinas ist der Ansicht, dass unter solchen geschichtlichen Umständen die einzige Lö-

2) Kleine Provinz, die zu Serbien gehört
3) Beschützer
4) Völkermord

sung für Bosnien und Herzegowina darin besteht, dass es zu einer dreiteiligen staatlichen Gemein-
35 schaft wird, in der die Serben souverän an ihre Grenzen treten werden.

In einer 1994 auf dem Zweiten Kongress der serbischen Intellektuellen veröffentlichten Resolution heißt es:

40 Seit der Abspaltung Sloweniens, Kroatiens, Makedoniens sowie Bosniens und Herzegowinas von der Sozialistischen Föderativen Republik Jugoslawien ist die serbische Frage wieder offen, da die serbischen Länder unter den neuen Staaten aufge-
45 teilt sind und das serbische Volk entrechtet und erneut dem Genozid ausgeliefert ist. [...] Dem serbischen Volk ist der Krieg aufgezwungen worden. [...] Die Lösung der serbischen Frage ist ausschließlich möglich durch Anwendung derselben Rechte
50 und Prinzipien, die auch anderen Völkern die Bildung eigener Staaten ermöglicht haben. Deswegen fordern wir, dass auch den Serben ermöglicht wird, auf ihrem ethnischen Raum einen modernen demokratischen Rechtsstaat aufzubauen. [...] Es gibt
55 keine Alternative zum einheitlichen Staat des serbischen Volkes.

Erster Text: Imanuel Geiss unter Mitarbeit von Gabriele Intemann, Der Jugoslawienkrieg, Frankfurt am Main 1993, S. 97; zweiter und dritter Text: Osteuropa. Zeitschrift für Gegenwartsfragen des Ostens, Bd. 44, 1994, S. A 645 ff.

1. *Fassen Sie die Motive und Ziele der Serben zusammen. Welche politischen Möglichkeiten zur Umsetzung der Ziele werden angeführt?*
2. *Wie beurteilen Sie die politische Lage nach diesen Erklärungen?*

M3

Wie die Vereinten Nationen auf Kriegsverbrechen reagierten – Beispiele

EG-Beobachter stellen 1992 fest, dass in bosnischen Lagern rund 20 000 Frauen und Mädchen vergewaltigt wurden. In den Internierungslagern gab es auch sexuelle Gewalt gegen Männer. Die meisten Opfer waren Muslime, die meisten Täter Serben. Die Vereinten Nationen reagieren darauf wie folgt:

Am 18. Dezember verurteilte der UN-Sicherheitsrat mit Resolution 798 die systematische Vergewaltigung insbesondere muslimischer Frauen in Bosnien-Herzegowina als „Akte unaussprechlicher Bru-
5 talität" und verlangte die sofortige Schließung aller Internierungslager. Am gleichen Tag billigte die Generalversammlung auf Initiative der islamischen Staaten mit 102 Stimmen bei 57 Enthaltungen eine Resolution, in der sie den Sicherheitsrat auffor-
10 derte, alle notwendigen Mittel einzusetzen, um die territoriale Integrität Bosnien-Herzegowinas wiederherzustellen. Ferner solle er das Waffenembargo lockern, damit sich die bosnischen Muslime Waffen zur Selbstverteidigung beschaffen könnten. Die
15 USA stimmten der Resolution mit der Begründung zu, dass in Bosnien deutliche Schritte notwendig seien. In einem Bericht des US-Außenministeriums hieß es, zwar habe jede der drei Kriegsparteien gegen die Menschenrechte verstoßen, „aber die Gräu-
20 eltaten der Kroaten und Muslime verblassen vor den wohlkalkulierten, grausamen Morden und anderen Missetaten der serbischen und bosnisch-serbischen Streitkräfte".

Die Vereinten Nationen beauftragen 1992 den ehe-
25 *maligen Ministerpräsidenten von Polen, Tadeusz Mazowiecki, die Menschenrechtsverletzungen im ehemaligen Jugoslawien zu untersuchen; in seinem Bericht heißt es:*

In Bosnien-Herzegowina wird das Ziel, ethnisch
30 homogene Regionen zu schaffen, durch Vertreibung der muslimischen und kroatischen Bevölkerung erreicht. Mord, Gewalt, Raub und Niederbrennen der Häuser sind die Methoden. Vernichtet werden Moscheen, Kirchen und Kulturgüter; Fried-
35 höfe werden vom Erdboden getilgt. Im Verlauf meiner Erkundungsmission sind wir durch Dörfer gefahren, in denen Haus nach Haus systematisch

▲ *Srebrenica, Foto vom 18. Dezember 1996. Die ostbosnische Stadt steht für eines der größten Kriegsverbrechen auf europäischem Boden seit dem Zweiten Weltkrieg – und das Versagen der UNO im Krieg um Bosnien-Herzegowina. Srebrenica gehörte zu einer UN-Schutzzone, die im Juli 1995 von bosnischen Serben eingenommen wurde. Zu diesem Zeitpunkt befanden sich 40 000 Menschen in der Stadt. Die Blauhelm-Soldaten mussten danach machtlos zusehen, wie Tausende Bosniaken (Muslime) auf der Flucht vor den serbischen Einheiten erschossen wurden. In Massengräbern wurden (bis 1998) etwa 1 000 Leichen geborgen; etwa 8 000 Bosniaken gelten seitdem als vermisst.*

angezündet worden war. Wir begegneten Menschen, deren nächste Angehörige vor ihren Augen 40 getötet worden waren. Die Menschen in Bosnien-Herzegowina leiden auf allen Seiten, doch die größten Opfer hat die muslimische Bevölkerung zu beklagen. Das gesammelte Beweismaterial lässt keinen Zweifel an der Verantwortung: Sie fällt vor al-45 lem auf die serbischen politischen und militärischen Führer in Bosnien-Herzegowina. Und es ist offenkundig, dass diese Politik der „ethnischen Säuberung" nicht ohne Unterstützung staatlicher Behörden der Republik Serbien und des Kommandos 50 der Jugoslawischen Volksarmee realisiert werden konnte.
Die Ziele dieser Politik sind in beträchtlichem Maße schon erreicht. Massenhaft flieht die muslimische und auch die kroatische Bevölkerung aus 55 den serbisch kontrollierten Gebieten. Tausende von Menschen befinden sich in Internierungslagern, alle vom Tod bedroht.

Erster Text: Archiv der Gegenwart 62. Jg., 1993, S. 37555
Zweiter Text: Die Zeit, 11. Dezember 1992

Diskutieren Sie, ob die Vereinten Nationen angemessen auf die Menschenrechtsverletzungen (M 4 und M 5) reagierten. Beachten Sie dabei deren Handlungsspielraum.

M4
Wurde Völkerrecht gebrochen?

Die Entscheidung der NATO, ohne UN-Mandat im Kosovo militärisch einzugreifen, ist völkerrechtlich umstritten. Der Amerikaner Andrew B. Denison, der als Publizist und Dozent im Bereich der Außen- und Sicherheitspolitik in Deutschland lebt, meint:

Im Falle Kosovo, wie auch anderswo, wird das Völkerrecht zum Opfer seiner eigenen Widersprüche. Auf der einen Seite stehen die Menschenrechte, die – dem Völkerrecht nach (UNO-Charta, Menschen-5 rechtserklärung, Genozidkonvention) – zu achten sind. Auf der anderen Seite: das Nichteinmischungsgebot, ja auch das Gewaltverbot der UNO-

Charta. Schon dieser Widerspruch bedeutet, dass es für bestimmte, gerade auch gravierende internationale Probleme keine eindeutigen Antworten im Völkerrecht gibt.

Darüber hinaus, und besonders auch im Rahmen der UNO, steht das Völkerrecht vor einem fundamentalen Dilemma: Seine Durchsetzung ist auch von der Zustimmung solcher Staaten abhängig, die weder Menschenrechte noch Demokratie respektieren. Diese Widersprüche des Völkerrechts bedeuten, dass die eigenen Interessen – ob humanitäre, strategische oder sonstige – sowie die Interessen der engsten Partner weiterhin wichtigste Basis der Entscheidungsfindung für Staaten wie Deutschland sein müssen – gerade auch in Krisenfällen wie Kosovo.

[...] Welches Präzedens[1] will man schaffen? Dass Regierungen Menschen vertreiben und vernichten können, solange eine Vetomacht im Sicherheitsrat[2] bereit ist, dies zu dulden? Oder, dass solche gravierenden Verletzungen von Frieden und Freiheit – vor allem solche vor der eigenen Haustür – nicht ohne Weiteres von den umliegenden Staaten hingenommen werden? Wenn man über Präzedenzfälle redet, dann nicht nur über die völkerrechtlichen.

[...] Das Völkerrecht, die UNO und die Prinzipien, die dahinter stehen, werden nur geschwächt, wenn sich in den stärksten Rechtsstaaten dieser Welt die Meinung verbreitet, dass das Völkerrecht zum Haupthindernis geworden ist bei dem Versuch, eindeutig rechtbrechenden Staaten wie Jugoslawien, Irak oder Nordkorea Grenzen zu setzen. In unserer unvollkommenen Welt wird das Völkerrecht eher dadurch gestärkt, dass man nicht darauf besteht, es auch dann streng anzuwenden, wenn es im eklatanten Widerspruch zum Schutz der Menschenrechte und zu den unmittelbaren Interessen der etablierten Rechtsstaaten steht.

Der stellvertretende Direktor des Instituts für Friedensforschung und Sicherheitspolitik an der Universität Hamburg, Reinhard Mutz, schreibt:

[...] Soll ein Staat, der das Recht bricht, durch Zwang von außen zur Ordnung gerufen werden, muss es eine Ordnung sein, die alle Staaten in gleicher Weise bindet. Die Charta und die Konventionen der Vereinten Nationen konstituieren eine solche Ordnung. Oder die Dokumente der Organisation für Sicherheit und Zusammenarbeit in Europa, nicht aber Bündnisverträge oder Gremienbeschlüsse militärischer Bündnisse. [...]

Der höhere moralische Standard und der größere Respekt vor den Menschenrechten, so wird behauptet, verleihe der westlichen Welt ein besonderes Interventionsprivileg. Nun ist Moral eine auslegbare Größe. Und Menschenrechte haben etwas mit Menschenbildern zu tun, die von Kultur zu Kultur variieren. Sollte einer weltanschaulich geprägten Gruppe von Staaten – der westlichen – erlaubt sein, nach Ermessen gegen Dritte Gewalt zu gebrauchen, wie wäre dann anderen Staaten – z.B. den islamischen – derselbe Anspruch zu bestreiten?

[...] Jahrhunderte verfassungspolitischer Anstrengung haben Europa die Demokratie und den Rechtsstaat beschert. Sie schützen den Bürger vor despotischer Herrschaft. Demselben Ziel dient auf der internationalen Ebene das Völkerrecht. Es ist ein ebenso kostbares Gut und erfordert denselben Respekt. Der Westen legt die Axt an das Fundament seiner eigenen Zivilisation, wenn er es bewusst untergräbt. Wo der Zweck die Mittel nicht heiligt, schänden die Mittel den Zweck. Unzulängliche Normen müssen geändert werden. Dazu existieren vereinbarte Verfahren. Das gilt wiederum für das innerstaatliche wie für das internationale Recht.

Beide Texte aus: Blätter für deutsche und internationale Politik 43. Jg., 1998, H. 12, S. 1457 f. und 1466 f.

1. *Vergleichen Sie die Positionen. Nehmen Sie dazu Stellung.*
2. *Am 16. Oktober 1998 stimmte der Deutsche Bundestag dem Einsatz bewaffneter Streitkräfte zu. Informieren Sie sich über die Debatte und über die Haltung der einzelnen Parteien.*
3. *Informieren Sie sich über die aktuelle Entwicklung im Kosovo, die Entscheidungen des Haager UN-Tribunals gegen die Kriegsverbrecher und das wirtschaftliche Engagement der EU in Südosteuropa.*

---

1) *Beispiel gebender Musterfall*

2) *Am Veto Russlands und der VR China scheiterte das UN-Mandat für ein militärisches Eingreifen der Staatengemeinschaft im Kosovo-Konflikt.*

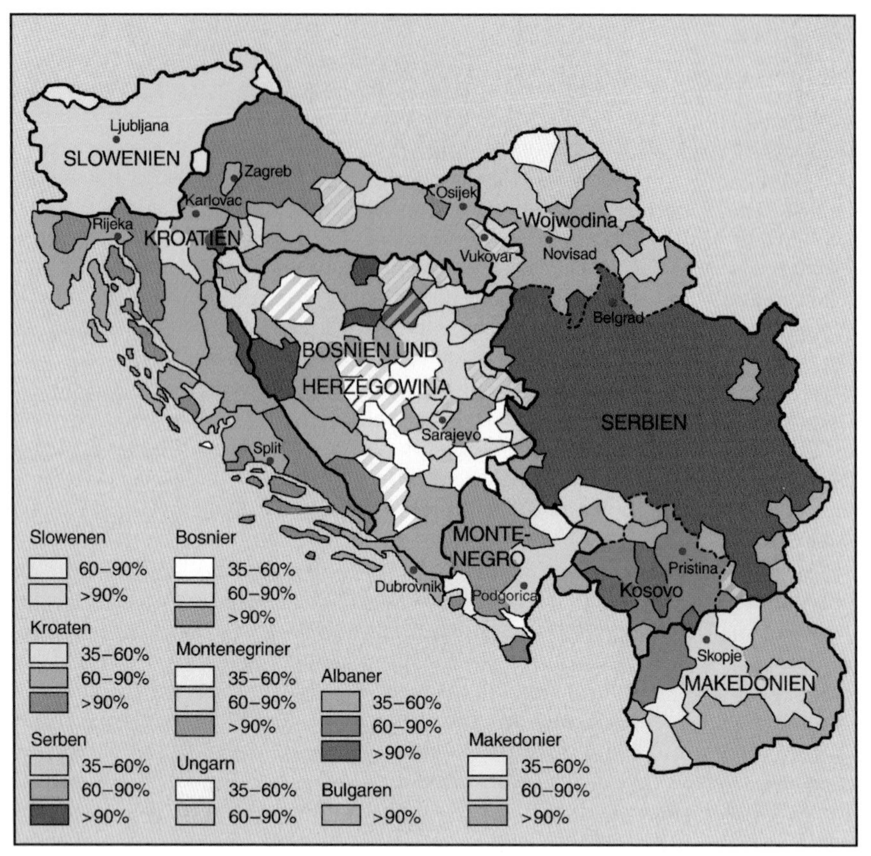

▲ *Nationalitäten im ehemaligen Jugoslawien.*
Das 1918 ins Leben gerufene „Königreich der Serben, Kroaten und Slowenen", das 1929 den Namen Jugoslawien (wörtlich übersetzt: „Südslawien") erhielt, verdankte seine Entstehung dem Zusammenbruch zweier Vielvölkerreiche: des Osmanischen Reiches und der Habsburgermonarchie. Die Slowenen, Kroaten und ein Teil der Serben waren seit der Spätantike vom römischen Christentum beeinflusst worden, dagegen gehörte die Mehrzahl der Serben, Bosnier, Albaner sowie andere Völkerschaften zum oströmischen Einflussbereich (Byzanz) und hatten über 500 Jahre unter türkischer (muslimischer) Oberherrschaft gelebt. Die Angaben in der Karte beruhen auf einer Volkszählung des Jahres 1981.

Die Auflösung des Vielvölkerstaates

Völlig anders als in Polen, Ungarn, Bulgarien und der Tschechoslowakei reagierten die Menschen in der „Sozialistischen Föderativen Republik Jugoslawien" auf den Zusammenbruch des Ostblocks. Der Zerfall dieses Vielvölkerstaates, der zur Zeit des Kalten Krieges als Puffer zwischen den Blöcken gedient hatte, beschleunigte sich nach dem Tode von *Josip Broz Tito* (1980). Er hatte ihn von Belgrad aus 35 Jahre lang autoritär regiert – und zusammengehalten. Nun entwickelten sich aus den starken wirtschaftlichen Unterschieden zwischen den einzelnen Republiken und der bisherigen Bevorzugung von Serben bei der Besetzung von Führungspositionen in Partei, Wirtschaft und Militär, gewaltige Probleme. 1989 lösten sich die ersten Teilrepubliken aus der alten Föderation.

Vom Bürgerkrieg zum internationalen Konflikt

Zwei Tage nachdem Slowenien und Kroatien ihre Unabhängigkeit von Belgrad erklärt hatten (27. Juni 1991), versuchte die vor allem von Serben geführte jugoslawische Bundesarmee den Zerfall aufzuhalten: Ein Bürgerkrieg begann. Er griff bald von Slowenien auf Kroatien und dann auf Bosnien-Herzegowina über. Ohne Rücksicht darauf zu nehmen, dass die meisten Republiken Jugoslawiens in sich selbst wieder kleine Vielvölkergebilde darstellen, betrieben nun nationalistische Politiker wie *Slobodan Milošević* in Serbien und *Franjo Tudjman* in Kroatien eine Politik der Verdrängung und Vertreibung von Minderheiten. Sie fanden dabei in Wahlen Mehrheiten.

Im Krieg um Bosnien-Herzegowina wurde deutlich, welche Auswirkungen diese nationalistischen Ziele hatten. In der seit 1991 unabhängigen und 1992 völkerrechtlich anerkannten Republik lebten etwa 4,5 Millionen Serben, Bosniaken (Muslime), Kroaten und Menschen anderer Ethnien. Jeder zweite Bewohner besaß mindestens einen Verwandten aus einer anderen als der eigenen Nationalität, und rund 16 Prozent der Kinder stammten 1991 aus Mischehen. Unbeeindruckt davon sollte dieser kleine multiethnische Staat und dessen multikulturelle Gesellschaft nun zerstört werden.

Dabei haben alle kämpfenden Parteien grausame Verbrechen begangen, die verharmlosend als „ethnische Säuberungen" bezeichnet wurden (➧ M 3). Mithilfe von systematischen Vertreibungen, Plünderungen, Brandstiftungen, Vergewaltigungen und Internierungslagern versuchten sie, ethnisch gemischte Gebiete in allein von einem Volk bewohnte Gebiete umzuwandeln. Die Folgen: Über eine Million Menschen flohen ins Ausland (600 000 in EU-Staaten, davon fast die Hälfte nach Deutschland), eine weitere Million Binnenflüchtlinge irrte im Lande umher und 250 000 Menschen starben in dem bis 1995 dauernden Krieg.

Internationale Schlichtungsbemühungen

Zunächst hatte sich der Westen bemüht, den Zerfall Jugoslawiens aufzuhalten (➧ M 1). Die serbischen Nationalisten interpretierten dies als Aufforderung, Slowenen und Kroaten gewaltsam zu unterwerfen (➧ M 2). Die internationale Anerkennung der Republiken Slowenien, Kroatien und Bosnien-Herzegowina stoppte die Gewalt nicht. Mit verschiedenen Mitteln wie dem Abbruch von diplomatischen Beziehungen, Beschränkung des Handels und Verbot von Waffenlieferungen versuchte die internationale Gemeinschaft, die Kriegsparteien friedlich zu stimmen. Mehrfach wurden Waffenstillstandsverhandlungen geführt und Friedenspläne erarbeitet. Von Anfang an bemühte sich die UNO, den Krieg mit Schutztruppen *(Blauhelm-Soldaten)* einzugrenzen und humanitäre Hilfe bereitzustellen. Aber erst im Februar 1994 erteilte der UN-Sicherheitsrat den im ehemaligen Jugoslawien stationierten 33 000 Soldaten ein Mandat für Kampfeinsätze. Für die NATO wurde es der erste bewaffnete Einsatz seit ihrer Gründung. Als dann im März 1995 Moskau mit Belgrad ein Abkommen über militärische Zusammenarbeit abschloss, schien eine internationale Lösung des Konflikts noch schwerer. Unter dem Druck der Amerikaner konnte auf der *Bosnien-Konferenz im amerikanischen Dayton* im November 1995 ein Friedenskompromiss gefunden werden. Bosnien-Herzegowina blieb ein Staat, wurde aber in zwei Einheiten aufgeteilt: in eine muslimisch-kroatische Föderation und eine serbische Republik. Als Garant für die Einhaltung des Friedens wurde eine internationale Truppe unter der Führung der NATO einberufen. Ab 2004 führte die EU die friedensunterstützende Operation weiter.

◀ *Foto vom 9. April 1999. Albanische Flüchtlinge aus dem Kosovo haben sich auf dem Marktplatz von Kukes (Albanien) zum Schlafen gelegt. Nach Schätzungen des UN- Flüchtlingskommissariats sind infolge des Kosovo-Konflikts mehr als 1,36 Mio. Menschen geflohen – vor allem in die Nachbarländer Montenegro, Albanien und Makedonien. Diese waren mit der Versorgung der Flüchtlinge stark überfordert.*

Der Kosovo-Konflikt

Da bis Mitte 1996 die wesentlichsten Teile des Dayton-Vertrages umgesetzt worden waren, hoben EU und UNO die Sanktionen gegenüber der Bundesrepublik Jugoslawien wieder auf. Die Lage wurde erneut kritisch, als Kosovo sich endgültig aus dem jugoslawischen Staatsverband lösen wollte. Der Provinz Kosovo, die als Wiege der serbischen Kultur gilt, war 1989 der Autonomiestatus entzogen worden, danach hatten die Serben begonnen, die dort lebenden Albaner – immerhin über 80% der etwa 2,1 Mio. Einwohner – systematisch zu diskriminieren. Bis 1995 waren sie nahezu vollständig aus dem öffentlichen Leben verdrängt worden.

In Dayton hatte man es versäumt, die Kosovo-Frage zu lösen. Erst als es 1998 zu Kämpfen zwischen der „Albanischen Befreiungsarmee Kosova“ (UCK) und serbisch-jugoslawischen Sicherheitskräften kam, wurde der Westen aktiv. Er befürchtete, dass ein Krieg im Kosovo sich auf Griechenland, die Türkei und den Mittleren Osten ausweiten könnte. Die internationale Gemeinschaft drohte mit NATO-Lufteinsätzen und zwang die Serben und Kosovo-Albaner im Februar 1999 in Frankreich (Rambouillet und Paris) zu Verhandlungen. Die Friedensbemühungen scheiterten aber, da der serbische Präsident Milošević die geforderte Stationierung von NATO-Streitkräften in Ex-Jugoslawien ablehnte.

Als weitere serbisch-jugoslawische Angriffe gegen die Kosovo-Albaner folgten und neue „ethnische Säuberungen“ drohten, begann die NATO am 24. März 1999 die Bundesrepublik Jugoslawien zu bombardieren. Erstmals seit ihrer Gründung griff die NATO einen anderen Staat ohne UN-Mandat an, und erstmals seit dem Zweiten Weltkrieg beteiligten sich deutsche Soldaten an Kampfeinsätzen. Der Einsatz war völkerrechtlich umstritten, da Russland und die VR China im UN-Sicherheitsrat ihr Veto eingelegt hatten (▶ M 4).

Elf Wochen lang bombardierte die NATO Ex-Jugoslawien. Gleichzeitig eskalierte der Krieg im Kosovo. Die Zahl der Flüchtlinge wuchs bis Mitte Juni 1999 auf etwa 1,36 Millionen. Nach westlichen Schätzungen wurden etwa 5 000 serbische Soldaten getötet, nach jugoslawischen Angaben 576 Sicherheitskräfte und 2 000 Zivilisten. Erst am 3. Juni 1999 willigten Milošević, die jugoslawische Bundesregierung und das serbische Parlament in einen von der EU, USA und Russland vorgelegten Friedensplan ein. Kosovo wurde unter die Aufsicht der UNO gestellt. Eine international zusammengesetzte Friedenstruppe von 50 000 Mann (darunter 8 500 Bundeswehr-Soldaten) besetzte das Land, die serbisch-jugoslawischen Streitkräfte zogen ab und die Flüchtlinge kehrten zögernd in ihre Heimat zurück. Gegen verantwortliche Politiker und Militärs begann im Juni 2001 der Prozess wegen Kriegsverbrechen vor dem Haager UN-Tribunal. Mehr als 40 Staaten, internationale Organisationen und regionale Zusammenschlüsse beschlossen einen Stabilitätspakt für Südosteuropa, der diese Region langfristig friedlicher, demokratischer und wohlhabender machen soll.

5 Weltpolitik: von der Bipolarität zur Multipolarität

5.1 Internationale Krisen und Konflikte

▲ *Filmplakat von 1963. Dieser aufwändig gestaltete Agentenfilm brachte den Kalten Krieg auch ins Kino.*

1962
Während der Kuba-Krise steht die Welt am Rande eines Atomkriegs

1965–1975
Die US-Politik scheitert im Vietnam-Krieg: Ganz Vietnam wird kommunistisch

1968
Truppen des Warschauer Paktes beenden gewaltsam den „Prager Frühling“

M1

Die Lösung der Kuba-Krise

Als die UdSSR 1962 Mittelstreckenraketen auf Kuba in Stellung bringen, verhängen die USA eine Seeblockade. Daraufhin schreibt der sowjetische Staatschef Nikita Chruschtschow am 26. Oktober 1962 an den amerikanischen Präsidenten John F. Kennedy:

Wie können Sie [...] diese völlig falsche Interpretation geben, die Sie jetzt verbreiten, dass einige Waffen in Kuba Offensivwaffen sind, wie Sie sagen? Alle Waffen dort – das versichere ich Ihnen – sind defen- 5 siver Art; sie sind ausschließlich zu Verteidigungszwecken in Kuba gedacht, und wir haben sie auf Bitten der kubanischen Regierung nach Kuba entsandt. Und Sie behaupten, es seien Offensivwaffen. [...]
Sie haben nun piratenhafte Maßnahmen der Art 10 angekündigt, die man im Mittelalter praktiziert hat, als man Schiffe überfiel, die internationale Gewässer befuhren; und Sie haben das eine „Quarantäne" um Kuba genannt. Unsere Schiffe werden wahrscheinlich bald die Zone erreichen, in der Ihre 15 Kriegsmarine patrouilliert. Ich versichere Ihnen, dass die Schiffe, die gegenwärtig nach Kuba unterwegs sind, die harmlosesten, friedlichsten Ladungen an Bord haben. [...]
Lassen Sie uns deshalb vernünftig sein, Herr Präsi- 20 dent. Ich versichere Ihnen, dass die Schiffe, die nach Kuba unterwegs sind, keinerlei Rüstungsgüter an Bord haben. Die Waffen, die zur Verteidigung Kubas notwendig sind, sind bereits dort. Ich will nicht behaupten, dass es überhaupt keine Waffen- 25 lieferungen gegeben hat. Nein, es hat solche Lieferungen gegeben. Aber nun hat Kuba die notwendigen Verteidigungswaffen bereits erhalten. [...]
Wenn der Präsident und die Regierung der Vereinigten Staaten zusichern würden, dass die Verei- 30 nigten Staaten sich selbst nicht an einem Angriff auf Kuba beteiligen werden und andere von einem solchen Vorgehen abhalten; wenn Sie Ihre Kriegsmarine zurückrufen würden – das würde sofort alles ändern. Ich spreche nicht für Fidel Castro, aber 35 ich glaube, er und die Regierung Kubas würden vermutlich eine Demobilisierung verkünden und würden das kubanische Volk aufrufen, ihre friedliche Arbeit aufzunehmen. Dann würde sich auch die Frage der Waffen erübrigen; denn wo keine Be- 40 drohung ist, stellen Waffen für jedes Volk nur eine Belastung dar. [...]
Lassen Sie uns deshalb staatsmännische Klugheit beweisen. Ich schlage vor: Wir erklären unsererseits, dass unsere Schiffe mit Kurs auf Kuba keine 45 Waffen an Bord haben. Sie erklären, dass die Vereinigten Staaten weder mit eigenen Truppen eine Invasion in Kuba durchführen werden noch andere Truppen unterstützen werden, die eine Invasion in Kuba planen könnten. Damit hätte sich die Präsenz 50 unserer Militärexperten in Kuba erübrigt.

Kennedys Antwort vom 27. Oktober 1962:

Sehr geehrter Herr Vorsitzender,
Ich habe Ihren Brief vom 26. Oktober mit großer Sorgfalt gelesen und begrüße Ihre Absichtser- 55 klärung, eine sofortige Lösung des Problems anzustreben. Was jedoch als Erstes getan werden muss, ist, die Arbeit an den offensiven Raketenstützpunkten in Kuba einzustellen und alle Waffensysteme in Kuba, die sich offensiv einsetzen lassen, zu ent- 60 schärfen, und dies unter angemessenen Vorkehrungen der Vereinten Nationen.
Unter der Voraussetzung, dass dies umgehend geschieht, habe ich meinen Vertretern in New York Anweisungen erteilt, die es ihnen ermöglichen, an 65 diesem Wochenende – in Zusammenarbeit mit dem amtierenden Generalsekretär der Vereinten Nationen und Ihren Vertretern – eine Einigung über eine dauerhafte Lösung der Kuba-Frage zu erarbeiten, die sich an den Vorschlägen in Ihrem 70 Brief vom 26. Oktober orientiert. Wie ich Ihren Brief verstanden habe, enthalten Ihre Vorschläge [...] folgende Schlüsselelemente:
1) Sie würden sich bereit erklären, diese Waffensysteme unter angemessener Beobachtung und Über- 75 wachung der Vereinten Nationen abzuziehen, und sich verpflichten, geeignete Sicherheitsvorkehrungen vorausgesetzt, die weitere Einfuhr solcher Waffensysteme nach Kuba zu unterbinden.
2) Wir unsererseits würden uns bereit erklären – 80 nachdem die Vereinten Nationen geeignete Vorkehrungen getroffen haben, die Erfüllung und Einhaltung dieser Verpflichtungen sicherzustellen –,
a) die Quarantäne-Anordnungen, die derzeit gelten, umgehend aufzuheben; und
85 b) Garantien gegen eine Invasion Kubas zu geben.
Ich bin zuversichtlich, dass andere Länder der westlichen Hemisphäre bereit wären, das gleiche zu tun.
Wenn Sie Ihren Vertretern entsprechende Anwei-

sungen erteilen, gibt es keinen Grund, weshalb wir nicht in der Lage sein sollten, diese Vereinbarungen innerhalb einiger Tage zustande zu bringen und sie der Welt bekannt zu geben. Die Wirkung, die eine solche Klärung für den Abbau der Spannungen in der Welt hätte, würde es uns ermöglichen, auf eine umfassendere Vereinbarung über „andere Rüstungen" hinzuarbeiten, wie Sie es in Ihrem zweiten Brief vorschlagen, den Sie veröffentlicht haben. Ich möchte noch einmal erklären, dass die Vereinigten Staaten sehr daran interessiert sind, die Spannungen abzubauen und den Rüstungswettlauf zu beenden; und sollte Ihr Brief signalisieren, dass Sie bereit sind, Gespräche über eine Entspannung bezüglich der NATO und des Warschauer Paktes zu führen, sind wir gerne bereit, mit unseren Verbündeten über jeden sachdienlichen Vorschlag nachzudenken. Doch der erste wesentliche Schritt – lassen Sie mich dies betonen – ist die Einstellung der Arbeiten an den Raketenstützpunkten in Kuba und das Einleiten von Maßnahmen, diese Waffen zu entschärfen, und zwar unter wirksamen internationalen Garantien.

Bernd Greiner, Kuba-Krise. 13 Tage im Oktober, Nördlingen 1988, S. 319 ff. und 382 f.

1. *Arbeiten Sie die zentralen Argumente Chruschtschows heraus.*
2. *Mit welchen Formulierungen deutete Chruschtschow ein Nachgeben der sowjetischen Seite an?*
3. *Welche Strategien entwickelte US-Präsident Kennedy, um die Situation zu entschärfen?*

M2

Grenzen des Selbstbestimmungsrechts: die „Breschnew-Doktrin"

Die ideologische Begründung des Einmarsches der Truppen des Warschauer Pakts und der Unterdrückung des „Prager Frühlings" liefert der sowjetische Parteichef Leonid Breschnew in einer Rede vom 12. November 1968.

Die KPdSU ist stets dafür eingetreten, dass jedes sozialistische Land die konkreten Formen seiner Entwicklung auf dem Wege des Sozialismus unter Berücksichtigung der Besonderheiten seiner nationalen Bedingungen bestimmt. Genossen, bekanntlich bestehen aber auch allgemeine Gesetzmäßigkeiten des sozialistischen Aufbaus. Ein Abweichen von ihnen könnte zu einer Abkehr vom Sozialismus selbst führen. Und wenn die inneren und äußeren dem Sozialismus feindlichen Kräfte die Entwicklung irgendeines sozialistischen Landes auf die Restauration der kapitalistischen Ordnung zu lenken versuchen, wenn eine Gefahr für den Sozialismus in diesem Land, eine Gefahr für die Sicherheit der gesamten sozialistischen Staatengemeinschaft entsteht, ist das nicht nur ein Problem des Volkes des betreffenden Landes, sondern ein allgemeines Problem, um das sich alle sozialistischen Staaten kümmern müssen.

Es ist verständlich, dass eine Aktion zur Vereitelung einer Gefahr für die sozialistische Ordnung wie die militärische Hilfe für ein Bruderland eine außerordentliche, notgedrungene Maßnahme ist. Sie kann nur durch direkte Aktionen der Feinde des Sozialismus inner- und außerhalb des Landes hervorgerufen werden, durch Aktionen, die die gemeinsamen Interessen des sozialistischen Lagers gefährden.

Leonid Breschnew, Auf dem Wege Lenins, Band 2, Berlin 1971, S. 343 ff.

1. *Wie verhält sich die „Breschnew-Doktrin" zu wesentlichen Prinzipien des Völkerrechts (Souveränität, Nichteinmischung und Unverletzbarkeit des Territoriums)?*
2. *Stellen Sie fest, welche Auswirkung die „Breschnew-Doktrin" auf die Politik der Staaten des Warschauer Paktes hatte.*

◀ *„O. K. Mr. Präsident, wir reden miteinander." Karikatur aus der britischen Zeitung „Daily Mail" von 1962. Das „H" auf den Bomben ist das Zeichen für Wasserstoff.*

Die Kuba-Krise

Das Zurückweichen der USA vor den sowjetischen Drohungen in der Berlin-Krise des Sommers 1961 (siehe Seiten 70 und 136) veranlasste den sowjetischen Staats- und Parteichef Nikita Chruschtschow zur Fortsetzung seines Konfrontationskurses in unmittelbarer Nachbarschaft der amerikanischen Weltmacht.

Nach einem jahrelangen Guerillakrieg gegen das korrupte Regime des Diktators *Batista* auf der unter amerikanischem Einfluss stehenden Karibikinsel *Kuba* übernahm der kommunistische Revolutionär *Fidel Castro* 1959 die Macht in Havanna. Die Enteignung des gesamten US-Besitzes (Raffinerien, Unternehmen, Landwirtschaft) beantworteten die USA mit einem Handelsembargo und dem Abbruch der diplomatischen Beziehungen. Unterstützung fand Castro bei Chruschtschow, der im Sommer 1960 ein Militärabkommen mit Kuba abschloss. Im April 1961 scheiterte eine von US-Präsident *John F. Kennedy* geförderte Invasion von Exilkubanern zur Entmachtung Castros, dessen Position dadurch erheblich gestärkt wurde. Der sowjetische Parteichef wollte die günstige Gelegenheit nutzen, um sich in Lateinamerika eine Operationsbasis in der westlichen Hemisphäre zu schaffen.

Seit Mitte Oktober 1962 hatte die US-Regierung durch Luftaufnahmen ihres Geheimdienstes den Beweis in Händen, dass auf Kuba sowjetische Mittelstreckenraketen in Stellung gebracht wurden, die die gesamte amerikanische Ostküste bedrohten. Nach mehreren Krisensitzungen ordnete Kennedy eine Seeblockade an. In einer Fernsehansprache am 22. Oktober informierte der amerikanische Präsident erstmals die Weltöffentlichkeit von der Existenz sowjetischer Angriffsraketen auf Kuba und von der Forderung seiner Regierung, die Raketen wieder abzubauen. Zu diesem Zeitpunkt bewegten sich 18 sowjetische Frachter, begleitet von U-Booten, auf die Blockadelinie amerikanischer Zerstörer zu; nach einer Überprüfung konnten zwei die Sperre passieren, die übrigen drehten ab und kehrten zurück.

Noch war die Krise nicht entschärft. Der US-Geheimdienst meldete, dass die auf Kuba bereits vorhandenen Raketen in Kürze einsatzbereit seien. Außerdem wurde am 27. Oktober ein US-Spionageflugzeug über Kuba abgeschossen. Kennedy verzichtete jedoch auf eine weitere militärische Eskalation. Nach einem geheimen Briefwechsel, in dem Chruschtschow den Verzicht der USA auf eine Landung auf Kuba sowie den Abbau der US-Raketen in der Türkei gefordert hatte, erklärte sich der sowjetische Parteichef am 28. Oktober öffentlich zum Abbau und Rücktransport der Raketen bereit (➧ M 1). Kennedy seinerseits verzichtete auf alle Invasionspläne und zog darüber hinaus wenige Monate später die in der Türkei stationierten US-Raketen ab. Dieser „Tausch" fiel ihm umso leichter, als der Abzug dieser veralteten Raketen bereits beschlossene Sache war. Das amerikanische Krisenmanagement hatte funktioniert, weil es das Nachgeben der Sowjetunion nicht ausnutzte und an einer Politik des Ausgleichs bei Anerkennung der gegenseitigen Interessensphären festhielt.

Der Vietnam-Krieg

In *Vietnam* hatte sich noch zu Beginn des Zweiten Weltkrieges der Führer der revolutionären kommunistischen Befreiungsbewegung *Vietminh*, *Ho Chi Minh*, auf amerikanische Hilfe gegen die französische Kolonialmacht gestützt. Nach der Kapitulation Japans, das zeitweilig Indochina erobert hatte, verkündete er am 2. September 1945 die Gründung der *Demokratischen Republik Vietnam*. Unter Bruch eines Abkommens mit Ho Chi Minh versuchte Frankreich jedoch, seine frühere Kolonialherrschaft mit Waffengewalt wiederherzustellen.

Im Verlauf des im November 1946 ausgebrochenen *Indochinakriegs* erhielt die Armee der Vietminh Waffen von Rotchina und der Sowjetunion. Das militärisch unterlegene Frankreich wurde finanziell durch die USA unterstützt. Auf der *Genfer Indochina-Konferenz* 1954 wurde das Land entlang dem 17. Breitengrad „vorläufig" zur Sicherung eines Waffenstillstandes geteilt.

Süd-Vietnam unterstand der korrupten und autoritären Regierung *Diem*. Dieser weigerte sich, die in Genf vereinbarten gemeinsamen Wahlen aus Furcht vor einem Sieg der Kommunisten in Gesamtvietnam durchzuführen. *Nord-Vietnam* entwickelte sich innerhalb weniger Jahre mit sowjetischer und chinesischer Hilfe zu einem mit Gewalt und Terror herrschenden kommunistischen Einparteien-System. Mithilfe der südvietnamesischen Guerillabewegung *Vietcong* wollte Ho Chi Minh den Süden zurückerobern.

Indochina galt nunmehr als strategisch bedeutsames Objekt im Duell der Ideologien. Unter dem Druck der weltpolitischen Konfrontation mit dem Kommunismus verwickelten sich die USA zusehends in den innervietnamesischen Bürgerkrieg. Die wachsende Zahl von amerikanischen „Militärberatern", die Präsident Kennedy nach Saigon schickte, konnte jedoch das von großen Teilen der südvietnamesischen Bevölkerung abgelehnte Regime Diem nicht stabilisieren. Schließlich ordnete der neue US-Präsident *Lyndon B. Johnson* seit Februar 1965 den massiven Einsatz amerikanischer Bodentruppen und die Bombardierung Nord-Vietnams an. Die Zustimmung des US-Kongresses dazu hatte er nach einem nie ganz aufgeklärten, wahrscheinlich provozierten Angriff auf zwei US-Kriegsschiffe *(Tonking-Zwischenfall)* erhalten.

Der Krieg eskalierte rasch, 1969 waren 550 000 US-Soldaten in Vietnam stationiert. Amerikanische Napalm-Bomben und chemische Kampfmittel verwüsteten das Land, ohne ihren militärischen Zweck der Zerstörung der Nachschubwege vom Norden in den Süden zu erfüllen; die Zivilbevölkerung in den Städten und den Dörfern im Norden und im Süden litt unter den amerikanischen Bombardements ebenso wie unter dem Guerillakampf der kommunistischen Vietcong.

Der inneramerikanische und weltweite Protest gegen das Vorgehen der USA in Vietnam sowie das offenkundige Versagen der amerikanischen Truppen im Dschungelkrieg ver-

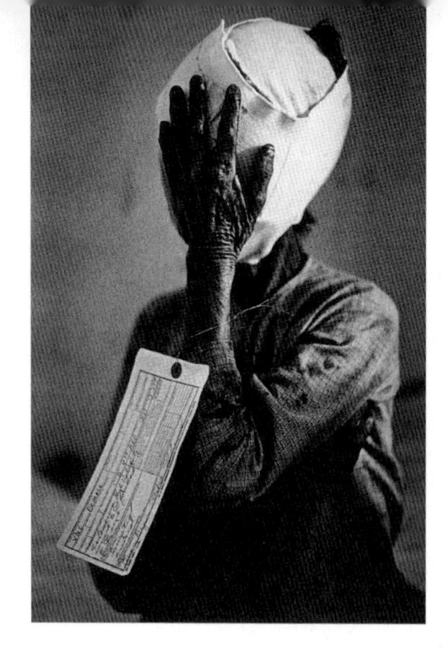

◀ *Kriegsopfer aus Vietnam, Foto von 1965.*
Die Amerikaner setzten in Vietnam Napalm und das Entlaubungsmittel Agent Orange ein; beides forderte eine große Opferzahl unter der Zivilbevölkerung wie diese von Napalm verbrannte vietnamesische Frau.

anlassten Präsident Johnson zur Beendigung der Bombardierung Nord-Vietnams (1968). Nachdem der Krieg auch noch auf Laos und Kambodscha übergegriffen hatte (1971), erbrachten Geheimverhandlungen des US-Sicherheitsberaters *Henry Kissinger* mit Vertretern Nord-Vietnams in Paris schließlich Anfang 1973 einen Waffenstillstand und den Rückzug der US-Truppen. Der Krieg endete aber erst im April 1975 mit der Besetzung Saigons durch Nord-Vietnam. Die offizielle Wiedervereinigung des Landes zur *Sozialistischen Republik Vietnam* wurde am 24. Juni 1976 vollzogen.
Nach amerikanischen Angaben kostete der Vietnam-Krieg über 1,1 Millionen Soldaten, darunter 55 000 Amerikaner, das Leben. Die Opfer unter der Zivilbevölkerung werden auf über 2 Millionen geschätzt. Nach der Niederlage verschwanden rund 200 000 Südvietnamesen in Umerziehungslagern. Das Besitzbürgertum wurde enteignet, Millionen Menschen als landwirtschaftliche Arbeiter in „Neue Wirtschaftszonen" deportiert. Die staatssozialistische Umgestaltung von Wirtschaft und Gesellschaft Süd-Vietnams und die sich rapide verschlechternden Lebensverhältnisse trieben schätzungsweise eine Million Vietnamesen in die Flucht.
Trotz des Debakels der amerikanischen Eindämmungspolitik in Vietnam kam es auch in Indochina zu keiner direkten Konfrontation der beiden Supermächte. Das Interesse beider Atommächte an einer Entspannungspolitik auf der Basis des Status quo war stärker als die Versuchung, die zeitweilige Schwäche der anderen Seite militärisch auszunutzen.

Die gewaltsame Unterdrückung des „Prager Frühlings"

Anfang 1968 wurde in der Tschechoslowakei der Slowake *Alexander Dubçek* an die Spitze der Kommunistischen Partei gewählt. Dubcek wollte einen „Kommunismus mit menschlichem Antlitz" praktizieren und unter anderem die Einparteiendiktatur über alle Bereiche des gesellschaftlichen Lebens aufheben sowie oppositionelle Parteien zulassen. Der neue Reformkurs wurde von der Bevölkerung begeistert aufgenommen.
Der sowjetische Parteichef Leonid Breschnew fürchtete allerdings Auswirkungen auf andere Staaten des Ostblocks und sah die absolute Vorherrschaft seines Landes in Gefahr. Als die tschechoslowakische Regierung trotz aller Einschüchterungsmaßnahmen ihre Demokratisierungspolitik fortsetzte, marschierten Truppen aus der Sowjetunion, der DDR, Polen und Ungarn am 20. August 1968 in das Land ein. Die führenden Köpfe des „Prager Frühlings" wurden verhaftet, die Abhängigkeit der „sozialistischen Bruderrepublik" von Moskau wiederhergestellt.
Der sowjetische Parteichef rechtfertigte die Intervention des Warschauer Pakts im Nachhinein mit der sogenannten *Breschnew-Doktrin*. Danach war die Sowjetunion berechtigt, Abweichungen „vom Weg des Sozialismus" notfalls mit militärischer Gewalt zu unterdrücken (▶ M 2). Wie schon beim Aufstand in Ungarn 1956 nahmen die USA das Vorgehen der Sowjets in deren Einflussbereich tatenlos hin.

5.2 Der Ost-West-Dialog zwischen Entspannung und Politik der Stärke

▲ *Kurz nach dem Mauerbau im August 1961 stehen sich am Checkpoint Charlie, der Sektorengrenze Berlins, sowjetische und amerikanische Panzer direkt gegenüber.*

1956
Der sowjetische Parteichef Chruschtschow propagiert die Abkehr vom Stalinismus und das Prinzip der „friedlichen Koexistenz"

1968
Der Atomwaffensperrvertrag verhindert die unkontrollierte Verbreitung von Atomwaffen

1972
Der SALT-I-Vertrag begrenzt erstmals das atomare Wettrüsten zwischen den USA und der Sowjetunion

1975
Die erste KSZE-Konferenz endet mit der Schlussakte von Helsinki

1979
Die NATO reagiert mit dem Nachrüstungs-Doppelbeschluss auf die nukleare Aufrüstung der UdSSR; sowjetische Truppen marschieren in Afghanistan ein

M1
Friedliche Koexistenz

Die von Parteichef Nikita Chruschtschow weiterentwickelte Doktrin von der "friedlichen Koexistenz" wird 1961 in das Parteiprogramm der KPdSU aufgenommen.

Die friedliche Koexistenz der sozialistischen und kapitalistischen Staaten ist eine objektive Notwendigkeit der Entwicklung der menschlichen Gesellschaft. Der Krieg kann und darf nicht als Mittel zur Lösung internationaler Streitfragen dienen. Friedliche Koexistenz oder ein katastrophaler Krieg – nur so wird die Frage von der Geschichte gestellt. Sollten sich die imperialistischen Aggressoren dennoch erdreisten, einen neuen Weltkrieg zu entfesseln, so werden die Völker eine Ordnung, die sie in verheerende Kriege stürzt, nicht länger dulden. Sie werden den Imperialismus hinwegfegen und zu Grabe tragen.
Friedliche Koexistenz setzt voraus: Verzicht auf Kriege als Mittel zur Lösung von Streitfragen zwischen den Staaten, Entscheidung dieser Fragen durch Verhandlungen; Gleichberechtigung, Verständigung und Vertrauen unter den Staaten, Berücksichtigung der Interessen des anderen; Nichteinmischung in die inneren Angelegenheiten, jedem Volk muss das Recht zugestanden werden, alle Fragen seines Landes selbstständig zu entscheiden; strikte Respektierung der Souveränität und der territorialen Integrität aller Länder; Ausbau der wirtschaftlichen und kulturellen Zusammenarbeit auf der Grundlage der vollständigen Gleichheit und des gegenseitigen Vorteils.

Landeszentrale für politische Bildung Baden-Württemberg (Hrsg.), Aspekte der Sicherheitspolitik, in: Politik und Unterricht, Heft 3/1985, S. 18

1. *Unterscheiden Sie zwischen eindeutigen und mehrdeutigen Aussagen der Doktrin.*
2. *Welches Ziel verfolgte die Sowjetunion mit dieser Doktrin?*

M2
KSZE-Schlussakte von Helsinki

Die Schlussakte vom 1. August 1975 stellt ausdrücklich kein völkerrechtlich verbindliches Abkommen, sondern eine Absichtserklärung dar.

I. Souveräne Gleichheit, Achtung der der Souveränität innewohnenden Rechte
Die Teilnehmerstaaten werden gegenseitig ihre souveräne Gleichheit und Individualität sowie alle ihrer Souveränität innewohnenden und von ihr umschlossenen Rechte achten, einschließlich insbesondere des Rechtes eines jeden Staates auf rechtliche Gleichheit, auf territoriale Integrität sowie auf Freiheit und politische Unabhängigkeit. Sie werden ebenfalls das Recht jedes anderen Teilnehmerstaates achten, sein politisches, soziales, wirtschaftliches und kulturelles System frei zu wählen und zu entwickeln sowie sein Recht, seine Gesetze und Verordnungen zu bestimmen. [...]
II. Enthaltung von der Androhung oder Anwendung von Gewalt
Die Teilnehmerstaaten werden sich in ihren gegenseitigen Beziehungen sowie in ihren internationalen Beziehungen im Allgemeinen der Androhung oder Anwendung von Gewalt, die gegen die territoriale Integrität oder politische Unabhängigkeit irgendeines Staates gerichtet oder auf irgendeine andere Weise mit den Zielen der Vereinten Nationen und mit der vorliegenden Erklärung unvereinbar ist, enthalten. [...]
III. Unverletzlichkeit der Grenzen
Die Teilnehmerstaaten betrachten gegenseitig alle ihre Grenzen sowie die Grenzen aller Staaten in Europa als unverletzlich und werden deshalb jetzt und in der Zukunft keinen Anschlag auf diese Grenzen verüben. [...]
V. Friedliche Regelung von Streitfällen
Die Teilnehmerstaaten werden Streitfälle zwischen ihnen mit friedlichen Mitteln auf solche Weise regeln, dass der internationale Frieden und die internationale Sicherheit sowie die Gerechtigkeit nicht gefährdet werden. [...]
VI. Nichteinmischung in innere Angelegenheiten
Die Teilnehmerstaaten werden sich ungeachtet ihrer gegenseitigen Beziehungen jeder direkten oder indirekten, individuellen oder kollektiven Einmischung in die inneren oder äußeren Angelegenheiten enthalten, die in die innerstaatliche Zuständig-

keit eines anderen Teilnehmerstaates fallen. […]

45 *VII. Achtung der Menschenrechte und Grundfreiheiten*

Die Teilnehmerstaaten werden die Menschenrechte und Grundfreiheiten, einschließlich der Gedanken-, Gewissens-, Religions- oder Überzeugungsfreiheit 50 für alle ohne Unterschied der Rasse, des Geschlechts, der Sprache oder der Religion achten.

Helmut Krause und Karlheinz Reif (Bearb.), Die Welt seit 1945 (Geschichte in Quellen), München 1980, S. 691 ff.

1. *Stellen Sie gegenüber: Welche Teile des Dokuments entsprechen vorwiegend den sowjetischen, welche den westlichen Interessen?*
2. *Begründen Sie, warum die KSZE-Schlussakte große Bedeutung für die Oppositionsbewegung in den osteuropäischen Staaten hatte.*

M3

Ronald Reagan und die Politik der Stärke

Der amerikanische Präsident Ronald Reagan rechtfertigt im Januar 1984 seine Politik in einer Fernsehansprache.

Die Geschichte lehrt uns, dass Kriege beginnen, wenn Regierungen glauben, dass der Preis einer Aggression niedrig ist. Um den Frieden zu erhalten, müssen wir und unsere Verbündeten stark genug 5 sein, jeden potentiellen Aggressor überzeugen zu können, dass Krieg keinen Vorteil, sondern nur die Katastrophe bringen würde. […]

Die Abschreckung ist von entscheidender Bedeutung für die Erhaltung des Friedens und den Schutz 10 unserer Lebensform, aber die Abschreckung ist nicht Anfang und Ende unserer Politik gegenüber der Sowjetunion. Wir müssen und werden die Sowjets in einen Dialog einbinden, der so ernsthaft und konstruktiv wie möglich ist und der der Förde- 15 rung des Friedens in den Unruhegebieten der Welt dienen, den Stand der Rüstungen verringern und ein konstruktives Arbeitsverhältnis schaffen wird. […] Stärke und Dialog gehen Hand in Hand.

Europa-Archiv, 39. Jahrgang (1984), S. D 109 ff.

Überlegen Sie, weshalb die außen- und militärpolitische Strategie Reagans unter den NATO-Mitgliedern umstritten war.

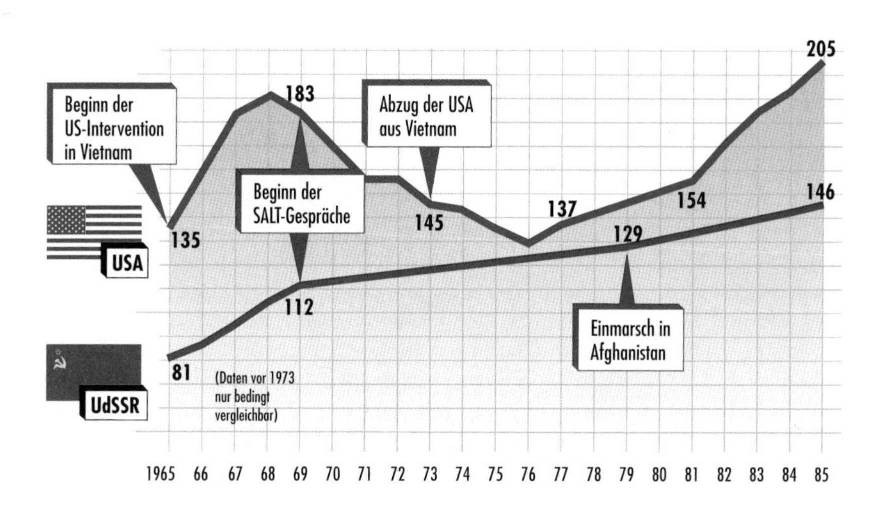

▲ *Verteidigungsausgaben der Supermächte in Mrd. Dollar (in Preisen von 1980).*

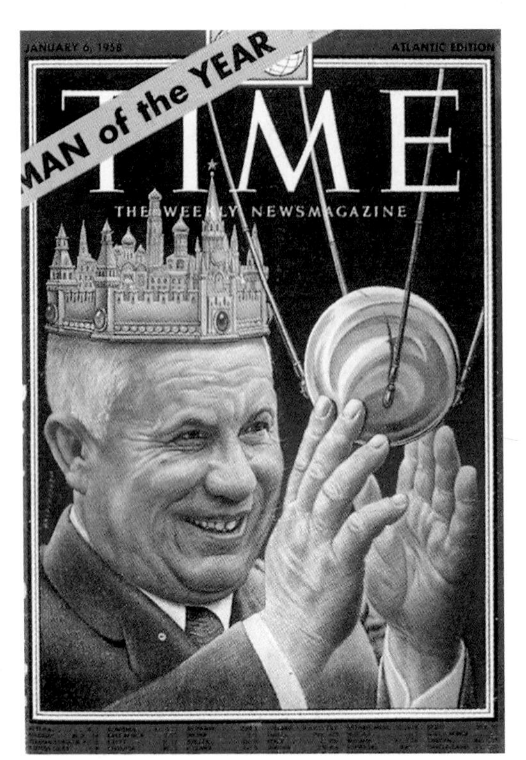

▲ *Als es der Sowjetunion 1957 gelang, mit dem „Sputnik“ den ersten künstlichen Satelliten auf eine Erdumlaufbahn zu bringen, zeigte sich die amerikanische Öffentlichkeit derart beeindruckt, dass das Nachrichtenmagazin TIME den sowjetischen Parteichef Nikita Chruschtschow zum „Mann des Jahres“ erklärte. Die Sowjetunion schien den technischen Rückstand aufgeholt zu haben.*

Das Gleichgewicht des Schreckens

Im Zuge der innenpolitischen Abkehr von den Auswüchsen des Stalinismus formulierte der sowjetische Staats- und Parteichef Chruschtschow 1956 die sowjetische Doktrin von der „friedlichen Koexistenz“ mit dem Westen neu (▶ M 1). Aus dem von Lenin und Stalin proklamierten taktischen Prinzip, das eine Atempause bis zum nächsten, für unvermeidlich gehaltenen Weltkrieg sichern sollte, entwickelte er das Modell einer dauerhaften Vermeidung von Weltkriegen. Ein friedliches Nebeneinander von Staaten mit unterschiedlicher Gesellschaftsordnung galt hinfort wegen der atomaren Gleichrangigkeit der Sowjetunion mit den USA als möglich und nötig. Trotzdem sollte der ideologische Kampf bis zum Sieg des Kommunismus im Weltmaßstab fortgesetzt werden; „friedliche“ Revolutionen in Ländern der Dritten Welt oder der weltweite Wettbewerb um Einflusszonen durften weiterhin stattfinden.

Die Chancen dafür standen gut, seitdem die Sowjetunion am 4. Oktober 1957, für die internationale Öffentlichkeit überraschend, den ersten künstlichen Weltraum-Satelliten („Sputnik“) gestartet hatte. Damit verfügte die Sowjetunion über Interkontinentalraketen, die direkt auf die USA zielen konnten. Die USA hatten ihre atomare Überlegenheit definitiv verloren.

Das Umdenken beginnt

Angesichts des nuklearen „Patts“ zwischen den beiden Supermächten setzte US-Präsident Kennedy auf ein Arrangement mit der Sowjetunion. Künftig sollte primär mit konventionellen Waffen die Ost-West-Trennungslinie gesichert werden (hauptsächlich durch die europäischen Verbündeten der USA), um die Gefahr einer nuklearen Katastrophe weitgehend auszuschließen.

Das weltweite „Gleichgewicht des Schreckens“ hielt einerseits den militärischen Rüstungswettlauf in Gang (ständige Modernisierung der Waffentechnik, Anhäufung von immer mehr Vernichtungspotentialen, die Fähigkeit zur Kriegführung musste glaubhaft gemacht werden, damit es nicht dazu kam), förderte aber andererseits im Laufe der Sechzigerjahre die Bereitschaft zu Rüstungskontrollverhandlungen und einer begrenzten Kooperation. Eine Mischung von Gegnerschaft (Ideologie), Rivalität (Außenbeziehungen) und partieller Interessenidentität (Sicherheit) kennzeichnete hinfort die Beziehungen zwischen beiden Supermächten.

Erste Rüstungskontrollvereinbarungen bezogen sich auf die Beendigung von überirdischen Kernwaffentests (*Atomteststoppabkommen* 1963) zum Schutz von Menschen und Umwelt vor einer weiteren radioaktiven Verseuchung und auf die Nichtverbreitung von

Kernwaffen (*Atomwaffensperrvertrag* 1968). Diesem Vertrag traten bis zum Jahr 2000 187 Staaten – darunter auch die Kernwaffenstaaten China und Frankreich – bei. Völlige Sicherheit gegen eine Ausbreitung der atomaren Waffen bietet dieses Abkommen aber nicht, wie das 1991 aufgedeckte geheime Kernwaffenprogramm des Irak gezeigt hat.

Sicherheit durch Kooperation?

Mit dem Amtsantritt von US-Präsident Richard Nixon Anfang 1969 begann in den Beziehungen beider Supermächte eine Phase der Entspannung. Auch der sowjetische Parteichef Breschnew war aus verschiedenen Gründen an verbesserten Beziehungen interessiert:

1. Das Wettrüsten in Ost und West ließ einen Konsens über die Sicherheitspolitik geboten erscheinen.
2. Die Rivalität mit China um die Führungsrolle in der kommunistischen Welt und die sich seit 1971 abzeichnende Hinwendung Chinas zu den USA (vgl. S. 232) verlangten nach einem erweiterten außenpolitischen Handlungsspielraum.
3. Vor allem aber sollte amerikanische Technologie bei der dringend notwendigen Modernisierung des zurückgebliebenen Landes helfen.

Vor dem Hintergrund dieser Interessenlage schlossen beide Weltmächte eine Reihe von Verträgen zur Rüstungsbegrenzung und Rüstungskontrolle sowie des wirtschaftlichen Austausches. Das allgemeine Klima der Ost-West-Beziehungen entspannte sich, und insbesondere in Europa wuchs die Hoffnung auf einen gesicherten Frieden im Rahmen des Status quo.

Von besonderer Bedeutung war der 1972 abgeschlossene *SALT-I-Vertrag (Strategic Arms Limitation Talks)* über die Begrenzung der vorhandenen nuklearen Abwehr- und Angriffssysteme und über die Kontrolle des Rüstungswettlaufes. Der bizarren Logik der Rüstungsstrategen im Atomzeitalter folgend sollte sich aus der erstmals festgeschriebenen gegenseitigen Vergeltungsfähigkeit ein Zugewinn an globaler Sicherheit ergeben. Doch weder die Zahl noch die Zerstörungskraft der atomaren Sprengköpfe wurden festgelegt, und viele Bestimmungen waren bewusst vage gehalten. So war letztlich die Tatsache des Vertragsabschlusses wichtiger als dessen Inhalt.

Auch der 1979 von US-Präsident *Jimmy Carter* und Breschnew in Wien unterzeichnete SALT-II-Vertrag schrieb lediglich eine leicht abgesenkte Obergrenze für die Trägersysteme vor, ließ jedoch die Zahl der nuklearen Sprengköpfe und anderer Waffensysteme (U-Boote) für beide Seiten offen. Gänzlich ohne Ergebnis blieben die seit 1973 in Wien laufenden Verhandlungen zwischen dem Warschauer Pakt und der NATO über eine beiderseitige und ausgewogene Truppenreduzierung *(MBFR, Mutual Balanced Force Reductions)* in Europa. Bis 1989 konnten sich beide Seiten noch nicht einmal in der Frage einer Bestandsaufnahme der vorhandenen Rüstungspotentiale einigen.

Der KSZE-Prozess

Einen Höhepunkt der Ost-West-Entspannung stellte die *Konferenz über Sicherheit und Zusammenarbeit in Europa (KSZE)* dar, zu der sich seit November 1972 35 Länder zusammengefunden hatten und die am 1. August 1975 mit der Unterzeichnung der *Schlussakte von Helsinki* vorläufig endete (➧ M 2). Die Unterzeichnerstaaten (alle europäischen Länder außer Albanien sowie die USA und Kanada) gingen damit die politisch-moralische Verpflichtung ein, ihre Beziehungen auf friedlicher Basis unter Verzicht auf Gewaltandrohung, im Rahmen der gegebenen Grenzen und bei

Respektierung der Menschenrechte im Inneren zu entwickeln. Die Sowjetunion erhielt mit der Anerkennung der Grenzen in Europa ihren Hegemonialanspruch im Ostblock bestätigt, die Westmächte pochten vor allem auf verbesserte Freizügigkeit für die Menschen im sozialistischen Teil Europas. Seither mussten die kommunistischen Diktaturen Reiseerleichterungen und Familienzusammenführung gewähren und den Austausch von Informationen erleichtern. Auch wenn sie weiter an ihrer Praxis der Verfolgung Andersdenkender festhielten, konnten sie nicht länger verhindern, dass sich in der Tschechoslowakei *(Charta 77)*, in Polen *(Solidarność)* und später auch in der DDR Bürgerrechtler auf die Prinzipien von Helsinki beriefen. Bereits auf der ersten KSZE-Folgekonferenz in Belgrad (Oktober 1977/März 1978) kam es zum Streit zwischen der Sowjetunion und US-Präsident Carter über die Umsetzung der Menschenrechte – ein Signal für die Krise, in welche die Ost-West-Beziehungen mittlerweile wieder geraten waren.

▲ *„Helsinki und die Folgen", Karikatur aus dem „Deutschen Allgemeinen Sonntagsblatt" vom 19. Oktober 1975.*

Rückfall in den Kalten Krieg

Mitte der Siebzigerjahre ließen in den USA Verteidigungsmüdigkeit nach dem Vietnam-Debakel und der erzwungene Rücktritt Präsident Nixons das Land in eine politische Krise schlittern. Währenddessen versuchte die Sowjetunion zusammen mit Kuba, durch die Unterstützung marxistischer Befreiungsbewegungen in Angola, Moçambique, Äthiopien, im Süd-Jemen, in der Karibik und im Mittleren Osten ihren weltpolitischen Einfluss zu stärken.

Ausschlaggebend für das sich Ende der Siebzigerjahre rasch wieder verschlechternde Verhältnis zwischen beiden Supermächten war jedoch in erster Linie die massive sowjetische Aufrüstungspolitik. Mit einer neuen Generation von Interkontinentalraketen,

zusätzlichen atomgetriebenen U-Booten und den neuen Mittelstreckenraketen SS-20 versuchte die Sowjetunion ihre militärische Position, insbesondere in Europa, zu verbessern.
Erst zwei Jahre nachdem Bundeskanzler Helmut Schmidt erstmals auf die Gefahr eines sowjetischen militärischen Übergewichts in Europa hingewiesen hatte, einigte sich die NATO am 12. Dezember 1979 auf den „Nachrüstungs-Doppelbeschluss“. In der amerikanischen Innenpolitik gewannen die Gegner der Entspannung wieder an Einfluss. Den SALT-II-Vertrag von 1979 über weitere Maßnahmen zur Rüstungskontrolle ließ der Senat scheitern, und Präsident Carter kündigte die Erhöhung des Verteidigungshaushaltes ab 1981 an.

Politik der Stärke

Der *Einmarsch sowjetischer Truppen in Afghanistan* am 27. Dezember 1979 beendete schließlich die Ära der Entspannungspolitik für mehrere Jahre. Trotz mehrmaliger Warnungen aus Washington beschloss das Politbüro in Moskau, die zwei Jahre zuvor durch eine Revolution an die Macht gekommene prokommunistische Regierung in Afghanistan gegen eine islamisch-fundamentalistische Oppositionsbewegung mit Waffengewalt zu schützen. Der Westen befürchtete, dass Moskau mittelfristig die Ölvorkommen am Persischen Golf unter seine Kontrolle bringen wollte. Die Regierung Carter beantwortete die sowjetische Aggression mit einer Reihe von Sanktionsmaßnahmen (Stopp von Weizenlieferungen und Gütern der Hochtechnologie, Landeverbot für sowjetische Flugzeuge in den USA, Boykott der Olympischen Spiele 1980 in Moskau) und drohte mit militärischer Gewalt, sollte die Sowjetunion am Persischen Golf tätig werden.
Noch entschiedener setzte seit Anfang 1981 der neue republikanische US-Präsident *Ronald Reagan* auf eine Politik der Stärke gegenüber der Sowjetunion. Mit einem gigantischen Rüstungsprogramm, zu dem auch die Planungen für ein weltraumgestütztes Raketenabwehrsystem *(Strategic Defense Initiative, SDI)* gehörte, wollte er die Sowjetunion zu Verhandlungen zwingen (▶ M 3). Der US-Verteidigungshaushalt wuchs bis 1985 um 60 Prozent auf knapp 287 Milliarden Dollar an. Dieser harte Kurs fand die Zustimmung einer großen Mehrheit der Amerikaner, die Reagan im November 1984 ein zweites Mal zum Präsidenten wählten. Der Afghanistan-Konflikt endete 1989 mit dem Rückzug der sowjetischen Truppen. Ein erneut aufbrechender Bürgerkrieg führte in den Neunzigerjahren zur Machtübernahme islamischer Fundamentalisten *(Taliban)*. Da die amerikanische Regierung die Taliban verdächtigte, die Verantwortlichen für die islamistischen Terrorangriffe auf die USA in September 2001 unterstützt zu haben, wurde das Taliban-Regime 2002 durch einen NATO-Einsatz unter Führung der USA zerschlagen.

5.3 Das Ende der Sowjetunion und des Kalten Krieges

1985
Der neu gewählte KP-Chef der Sowjetunion Michail Gorbatschow beginnt seine Politik von Glasnost und Perestroika

1987
Der INF-Vertrag verpflichtet die beiden Supermächte erstmals zum Abbau von Raketen

1991
Der Warschauer Pakt löst sich auf; nach einem gescheiterten Putsch zerfällt die UdSSR in elf unabhängige Republiken (GUS)

1991/1993
In den START-Verträgen schrauben die Supermächte ihr Atomwaffenpotential deutlich zurück

Mai/Juni 2002
Russland wird Vertragspartner der NATO und Vollmitglied der G 8-Staaten

▲ *Von der Konfrontation zur Partnerschaft: US-Präsident Ronald Reagan und der sowjetische Parteichef Michail Gorbatschow begegnen sich im November 1985 in Genf bei der ersten ihrer fünf Gipfelkonferenzen.*

M1

Das Ende der Sowjetunion

Der Staatspräsident der untergehenden Sowjetunion Michail Gorbatschow trat nach einer Abschiedsrede am 25. Dezember 1991 einen Tag später zurück.

[...] Das Schicksal hat es so gefügt, dass es sich bereits bei meiner Amtsübernahme zeigte, dass es im Land Probleme gab. Gott hat uns viel geschenkt: Land, Erdöl, Gas und andere Naturreichtümer. 5 Und auch viele talentierte und kluge Menschen. Und dabei leben unsere Menschen schlechter als in den anderen entwickelten Ländern. Wir bleiben sogar immer weiter hinter ihnen zurück. Der Grund dafür war schon zu sehen – die Gesellschaft befand 10 sich in der Schlinge eines bürokratischen Kommandosystems. Die Gesellschaft musste der Ideologie dienen und dabei die furchtbare Last des Wettrüstens tragen. [...] Alle Versuche von halbherzigen Reformen [...] scheiterten nacheinander. Das Land 15 verlor immer mehr an Perspektive. So konnte man nicht weiterleben. Es musste alles grundlegend verändert werden. [...] Mir war klar, dass die Einleitung von solchen großen Reformen in einer solchen Gesellschaft wie der unseren eine äußerst 20 schwere und auch in bestimmter Hinsicht eine riskante Sache ist. Und auch heute bin ich noch von der historischen Richtigkeit der demokratischen Reformen überzeugt, die im Frühjahr 1985 eingeleitet wurden.

25 Der Prozess der Erneuerung des Landes und der grundlegenden Veränderungen in der Weltgemeinschaft hat sich komplizierter erwiesen, als man voraussagen konnte. Trotzdem muss man das Vollbrachte gebührend einschätzen. Die Gesellschaft 30 wurde frei. Und das in politischer und geistiger Hinsicht. Und das ist die größte Errungenschaft. [...] Es wurde ein totalitäres System beseitigt, das ein weiteres Aufblühen und Wohlergehen des Landes verhinderte. Es wurde ein Durchbruch zu de- 35 mokratischen Veränderungen vollzogen. Freie Wahlen, eine freie Presse, Religionsfreiheit, wirkliche Machtorgane und ein Mehrparteiensystem wurden zur Realität. Die Menschenrechte wurden als oberstes Prinzip anerkannt. Es wurde mit dem 40 Übergang zu einer vielseitigen Wirtschaft begonnen. Alle Formen des Eigentums werden als gleichberechtigt anerkannt, im Rahmen der Bodenreform ist die Bauernschaft wiedererstanden. Farmen wurden gegründet, Millionen Hektar Land werden 45 an Land- und Stadtbewohner übergeben. Die wirtschaftliche Freiheit des Produzenten wurde gesetzlich verankert. Das Unternehmertum, die Gründung von Aktiengesellschaften und die Privatisierung gewannen immer mehr an Kraft. Es muss 50 daran erinnert werden, dass der Übergang zur Marktwirtschaft im Interesse des Menschen erfolgt. [...] Wir leben in einer anderen Welt: Der „Kalte Krieg" ist vorbei. Das Wettrüsten wurde gestoppt. Die wahnsinnige Militarisierung unseres Landes, 55 die unsere Wirtschaft, das gesellschaftliche Bewusstsein und die Moral zugrunde richtete, wurde beendet. Die Gefahr eines Weltkrieges wurde beseitigt. [...] Wir öffneten uns der Welt und verzichteten auf die Einmischung in fremde Angelegenhei- 60 ten sowie auf den Einsatz von Truppen außerhalb unseres Landes. Und man antwortete uns mit Vertrauen, Solidarität und Respekt. Wir wurden zu einer der wichtigsten Stützen bei der Umgestaltung der modernen Zivilisation auf friedlicher und de- 65 mokratischer Basis. Die Völker und Nationen haben die reale Freiheit erhalten, den Weg ihrer Entwicklung selbst zu bestimmen. Die Suche nach einer demokratischen Reformierung unseres Vielvölkerstaates führte uns an die Schwelle eines 70 neuen Unionsvertrages. Ich möchte von ganzem Herzen all jenen danken, die in all diesen Jahren mit mir für die gerechte und gute Sache eingetreten sind. Sicherlich war eine Reihe von Fehlern vermeidbar. Vieles hätte man besser machen kön- 75 nen. Aber ich bin überzeugt, dass unsere Völker in einer aufblühenden und demokratischen Gesellschaft leben werden.

Bundeszentrale für politische Bildung (Hrsg.), Die Sowjetunion 1953–1991, in: Informationen zur politischen Bildung, Bonn, Heft 236/1992, S. 38

Der amerikanische Diplomat und Sicherheitsexperte Raymond L. Garthoff vertritt die These, die Politik Gorbatschows sei keine Antwort auf die Herausforderung Ronald Reagans gewesen, sondern durch die Einsicht bedingt, dass die Welt nicht der marxistisch-leninistischen Ideologie entspreche. Nehmen Sie anhand des Redetextes zu dieser These Stellung.

M2
„Wir sind nicht länger mehr Gegner"

Der amerikanische Präsident Bush sen. und der russische Präsident Jelzin unterzeichnen Anfang 1992 in Camp David eine gemeinsame Erklärung.

Zum Abschluss dieses historischen Treffens zwischen einem amerikanischen Präsidenten und dem Präsidenten eines neuen und demokratischen Russland stimmen wir [...] überein, dass eine Reihe von Prinzipien die Beziehungen zwischen Russland und Amerika leiten sollten:
Erstens, dass Russland und die Vereinigten Staaten sich nicht länger als potentielle Gegner betrachten. Von heute an wird ihre Beziehung durch Freundschaft und Partnerschaft charakterisiert sein, die auf gegenseitigem Vertrauen und Respekt und einer gemeinsamen Verpflichtung zu Demokratie und wirtschaftlicher Freiheit beruht.
Zweitens, dass wir daran arbeiten werden, irgendwelche Überreste von Kalter-Kriegs-Feindseligkeit zu beseitigen, eingeschlossen Schritte zur Verringerung unserer strategischen Arsenale.
Drittens, dass wir alles in unserer Macht Stehende tun werden, um gegenseitiges Wohlbefinden unserer Völker zu fördern und die Bindungen so weit als möglich auszubauen, die unsere Völker jetzt vereinen. [...]
Viertens, dass wir aktiv freien Handel, Investitionen und wirtschaftliche Zusammenarbeit zwischen unseren beiden Ländern fördern.
Fünftens, dass wir jede Anstrengung unternehmen, die Förderung der von uns geteilten Werte der Demokratie, der Herrschaft des Rechts, der Respektierung der Menschenrechte einschließlich der Rechte von Minderheiten, der Respektierung von Grenzen und der friedlichen Veränderung weltweit zu unterstützen.
Sechstens, dass wir aktiv zusammenarbeiten, die Ausbreitung von Massenvernichtungswaffen und dazugehöriger Technologie zu verhindern und die Ausbreitung von konventionellen Waffen auf der Grundlage von zu vereinbarender Prinzipien zu beschränken, regionale Konflikte friedlich beizulegen und Terrorismus entgegenzutreten, Rauschgifthandel zu stoppen und der Umweltschädigung vorzubeugen.
Mit der Annahme dieser Prinzipien beginnen die Vereinigten Staaten und Russland heute eine neue Ära in ihren Beziehungen. In dieser neuen Ära streben wir nach Frieden, einem anhaltenden Frieden, der auf dauerhaften gemeinsamen Werten beruht.

Süddeutsche Zeitung, 3. Februar 1992, S. 27

Nennen Sie Gründe für das Ende des Kalten Kriegs.

M3
„Grauer Krieg"

Der Politologe Heinrich Kreft, Forschungsbeauftragter des Auswärtigen Amtes, beschreibt die Veränderungen in der amerikanischen Außenpolitik nach den Terroranschlägen vom 11. September 2001 in New York und Washington.

Der Terrorismus ist für die amerikanische Außenpolitik zu einer strategischen Herausforderung geworden. Die Terrorangriffe waren u.a. Folge der tiefen Veränderungen, die insbesondere durch die Globalisierung[1] hervorgerufen wurden. Die technologische Revolution in den Bereichen Information und Kommunikation hat in bestimmten Bereichen zu einer Machtverschiebung von Regierungen und Staaten hin zu Individuen und Gruppen geführt. Globalisierung führt damit tendenziell zur Privatisierung von Macht, und Terrorismus ist nichts anderes als die Privatisierung des Krieges.
Präsident Bush[2] hat zu Recht davor gewarnt, dass der Kampf gegen den internationalen Terrorismus lang, oftmals nicht wahrnehmbar und ohne klares Ende sein werde. Weder die USA, deren militärische Überlegenheit ohne historische Parallele ist, noch die NATO waren (und sind) in der Lage, derartige Angriffe abzuschrecken, weil die Attentäter keine Furcht um ihr Land haben mussten. Ein massiver Vergeltungsschlag ist geradezu Teil ihrer Strategie. In der Auseinandersetzung mit dem Terror gibt es kein Gleichgewicht des Schreckens. Es gibt ein Ungleichgewicht des Terrors, dass sich allein militärisch nicht ausgleichen lässt. [...]

[1] Prozess, in dessen Verlauf der Umfang und die Intensität weltweiter, die nationalen Grenzen überschreitender Wirtschafts-, Kommunikations- und Politikbeziehungen rasch zunimmt
[2] Georg W. Bush: amerikanischer Präsident seit 2001, Sohn von Georg Bush (➧ M2)

▶ *Die Zwillingstürme des World Trade Centers am 11. September 2001 – getroffen von zwei entführten Flugzeugen, die von den islamistischen Terroristen Mohammed Atta und Marwan al-Shehhi gesteuert wurden. Durch den Einsturz der beiden Türme starben ca. 3 000 Menschen.*

25 War der Kalte Krieg durch das Gegeneinander zweier konventionell und nuklear hochgerüsteter Blöcke gekennzeichnet, ist der „Graue Krieg" ein heißer und vor allem asymmetrischer Krieg ohne Fronten, Armeen und Regeln. Hier stehen sich ei-30 nerseits die hochgerüsteten USA bzw. der Westen und ein Gegner gegenüber, der nur schemenhaft bekannt und lokalisierbar ist. [...]

Im „Grauen Krieg" kommt es aber noch mehr als im Kalten Krieg auf die Stabilisierung der inneren 35 Verhältnisse an, um die Brutstätten des Terrorismus zu isolieren und auszumerzen. Dazu gehören verstärkte Anstrengungen, um weltweit, und insbesondere im Nahen Osten, Lösungen für die dortigen Konflikte zu finden. Ganz generell gehört dazu 40 auch die Förderung von Demokratie und Entwicklung insbesondere in Regionen wie Zentralasien, großen Teilen der arabischen Welt und Nordafrika, wo Unterdrückung, Armut und eine gescheiterte Modernisierung die Stabilität untergraben. [...]

45 Der Kalte Krieg begann langsam und kaum wahrnehmbar für die breitere Öffentlichkeit, als Präsident Truman im März 1947 seine historische Rede vor beiden Häusern des Kongresses hielt. [...]

Der „Graue Krieg" hingegen begann mit einem ka-50 tastrophalen Angriff. Anders als Harry Truman musste Präsident Bush die amerikanische Bevölkerung nicht mühselig auf die neue Herausforderung einstimmen. Er stand unter dem öffentlichen Druck, und nicht nur der notorischen Falken, die De-facto-55 Kriegserklärung der Terroristen anzunehmen. Einiges deutet darauf hin, dass nunmehr der Kampf gegen den Terrorismus zum neuen organisatorischen Prinzip der amerikanischen Politik wird. [...]

Das Ende des Sowjetkommunismus und des Kal-60 ten Krieges, eine dank fortschreitender Integration selbstbewusstere EU sowie innenpolitische Veränderungen in den USA hatten in den Neunzigerjahren die transatlantischen Gemeinsamkeiten in der Wahrnehmung vieler unterhöhlt. Der 11. Septem-65 ber und die folgende europaweite Solidarität, die in den USA mit Dankbarkeit zur Kenntnis genommen wurde, zeigt, dass das transatlantische Fundament noch intakt ist. [...] Allerdings gibt es auch deutliche Wahrnehmungsunterschiede dies- und 70 jenseits des Atlantiks. So ist in den USA eine Mehrheit einschließlich des Präsidenten und seiner Administration der Meinung, sich in einem Krieg gegen eine existenzielle Bedrohung zu befinden, was in Europa allenfalls von einer Minderheit so 75 empfunden wird. Dort wird die amerikanischen Politik und vor allem die Rhetorik der Administration („Achse des Bösen") heftig kritisiert und von einigen als Indiz für amerikanische Kriegstreiberei betrachtet.

Heinrich Kreft, Vom Kalten zum „Grauen Krieg" – Paradigmenwechsel in der amerikanischen Außenpolitik, in: Aus Politik und Zeitgeschichte B 25/2002, S. 16 ff.

1. *Skizzieren Sie, mit welchen Merkmalen Kreft jeweils den Kalten bzw. „Grauen" Krieg definiert. Welche Unterschiede werden deutlich?*
2. *Kommentieren Sie die politische Bedeutung des internationalen Kampfes gegen den Terrorismus und die Gefahren, die sich möglicherweise aus ihm ergeben.*
3. *Informieren Sie sich über die unterschiedliche Beurteilung des Ereignisses in den USA, in Europa und in Deutschland.*

Historische Wende in der Sowjetunion

Im Rüstungswettlauf mit der überlegenen amerikanischen Wirtschaftsmacht konnte die Sowjetunion nicht mithalten. Sie hatte stets wesentlich mehr Mittel in den Rüstungssektor gelenkt, als ihre Volkswirtschaft verkraften konnte. Eine schwere Schädigung der Leistungskraft und Innovationsfähigkeit der sowjetischen Volkswirtschaft war die Folge. Außerdem sank der Lebensstandard der Bevölkerung weiter ab – teilweise unter das Niveau der Zarenzeit. Auch nach Breschnews Tod 1982 gaben seine beiden nur kurz amtierenden Nachfolger *Juri Andropow* (1982–1984) und *Konstantin Tschernenko* (1984–1985) der sowjetischen Politik keine neuen Impulse.

Der Wendepunkt kam erst mit dem Amtsantritt des neuen Generalsekretärs der KPdSU Michail Gorbatschow am 11. März 1985. Mit einer Politik der „Offenheit" (Glasnost) und der „Umgestaltung" (Perestroika) versuchte er, die gefährliche ökonomische Krise seines Landes zu beheben. Dazu wollte er den Rüstungswettlauf mit den USA beenden sowie die Ost-West-Beziehungen rasch verbessern. Abschaffen wollte er den Sozialismus sowjetischer Prägung nicht, sondern ihn reformieren und leistungsfähiger gestalten. Ein erster Schritt zur Einführung des Parlamentarismus in der Sowjetunion war die Wahl zum *Kongress der Volksdeputierten* (März 1989). Erstmals seit der Machtübernahme der Bolschewiki konnten die Wähler zwischen mehreren Kandidaten frei und geheim entscheiden. Im März 1990 wurde Gorbatschow in das neugeschaffene Amt eines Präsidenten der UdSSR gewählt. Die Freiheit zur öffentlichen Kritik an den Missständen im Land und an der Kommunistischen Partei und ihren Funktionären *(Nomenklatura)* entwickelte nun eine Dynamik, die im selben Jahr das Machtmonopol der KPdSU beendete.

Abkehr von der Weltmachtpolitik?

Auf dem Gebiet der Außenpolitik führte das von Gorbatschow seit 1985 proklamierte „neue Denken" zu einem völligen Bruch mit der bisherigen Militär- und Sicherheitspolitik der Sowjetunion. Zum ersten Mal gab die sowjetische Führung zu, dass die inneren Probleme des Landes wesentlich durch die Hochrüstungspolitik zur Demonstration des eigenen Weltmachtanspruches verursacht worden waren. Gorbatschow machte eine Reihe von Vorschlägen zur Beendigung des Wettrüstens, sprach sich für gute Beziehungen zu den USA aus, betonte erstmals den Gedanken der „gemeinsamen Sicherheit" und forderte die gemeinsame Ausgestaltung des „europäischen Hauses". Um die gesellschaftliche und wirtschaftliche Erneuerung in die Wege zu leiten, betonte er den Wunsch nach enger wirtschaftlicher Zusammenarbeit mit den westlichen Industrieländern.

In relativ kurzer Zeit wandelten sich die sowjetisch-amerikanischen Beziehungen tiefgreifend. Nach mehreren Gipfeltreffen Gorbatschows mit US-Präsident Reagan unterzeichneten beide Regierungschefs in Washington am 8. Dezember 1987 den *INF-Vertrag (Intermediate Nuclear Forces)* über eine weltweite Beseitigung aller landgestützten Mittelstreckenraketen mit einer Reichweite zwischen 500 und 5500 km. Die Sowjetunion musste 1500, die USA 500 Systeme verschrotten. Erstmals hatten beide Staaten einen wirklichen Abrüstungserfolg erzielt. Die Beendigung der Unterstützung sozialistischer Regime in der Karibik, in Afrika und Asien (1986), der Rückzug aus Afghanistan (1988/89), die Ankündigung einer einseitigen Truppenverringerung um 500 000 Soldaten vor der UNO (1989) und vor allem die Anerkennung der nationalen Unabhängigkeit der bisherigen Ostblockstaaten (1987/1988) fügten sich in die von Gorbatschow schrittweise verwirklichte Politik der Annäherung an die USA. Der neuen sowjetischen Führung war es ernst mit ihrem Wunsch, ihr Land politisch und wirtschaftlich in die Weltgemeinschaft zu integrieren.

Erfolgreiche Abrüstungsverhandlungen

Nach dem Sieg der Reformkräfte in den Staaten des Ostblocks waren die Hindernisse für die jahrzehntelang stagnierenden Gespräche über konventionelle Abrüstung weggefallen. Am 19. November 1990 unterzeichneten die NATO- und Warschauer-Pakt-Staaten anlässlich der *KSZE-Folgekonferenz* in Paris den *Vertrag über konventionelle Streitkräfte in Europa (KSE-Vertrag)*. Vereinbart wurden ein drastischer Waffenabbau sowie ein detailliertes Überprüfungssystem. Außerdem wurden für die einzelnen Regionen zwischen Atlantik und Ural verbindliche Rüstungsobergrenzen festgelegt.
Im Juli 1991 einigten sich die Sowjetunion und die USA nach neunjähriger Verhandlungszeit auf eine Reduzierung ihrer interkontinentalen Atomraketen um knapp 40 Prozent *(START-I-Vertrag)*. Einen weiteren einschneidenden Abbau der atomaren Vernichtungswaffen brachte schließlich der im Januar 1993 unterzeichnete *START-II-Vertrag*, der die Beseitigung von etwa zwei Dritteln aller Nuklearwaffen bis zum Jahr 2003 festschreibt. Damit wird in etwa der Stand der späten Fünfzigerjahre wieder erreicht.
Mit diesen Abkommen wurde der Rüstungswettlauf zwischen den beiden Supermächten und ihren Verbündeten beendet – die logische Konsequenz des in der *Charta von Paris* für ein neues Europa am 21. November 1991 von 34 Staats- und Regierungschefs feierlich verkündeten Endes der Feindschaft zwischen Ost und West. Die Ära des Ost-West-Konflikts war zu Ende (▶ M 2 und M 3).

Putschversuch

In der Sowjetunion verstand es Gorbatschow zunächst virtuos, sich an die Spitze der inneren Demokratisierungsprozesse zu stellen und dafür auch den Beifall der gebannt zuschauenden westlichen Öffentlichkeit zu erhalten. Allerdings verfügte er über kein Konzept für den dringend notwendigen Umbau der sowjetischen Planwirtschaft. Die beharrenden Kräfte erwiesen sich stärker als das geforderte „neue Denken". Die Versorgungslage der Bevölkerung wurde immer schlechter, Streiks und Demonstrationen sorgten zunehmend für Unruhe im Land. Zur wirtschaftlichen Krise kamen die lang vernachlässigten Nationalitätenprobleme. Die Unionsrepubliken – allen voran die Balten und Kaukasier – strebten nach größerer Selbstständigkeit. Gorbatschow plante, den sowjetischen Staat auf eine neue Grundlage zu stellen im Sinne einer Dezentralisierung und der Anerkennung der Unabhängigkeit der Sowjetrepubliken. Ein neuer Unionsvertrag sollte am 20. August 1991 in Moskau unterzeichnet werden. Dazu kam es aber nicht mehr. Einen Tag zuvor putschte eine Gruppe orthodox-kommunistischer Politiker aus dem engsten Mitarbeiterkreis Gorbatschows gegen den amtierenden Staatschef. Unter der Federführung des Geheimdienstes (KGB) setzten die Verschwörer Gorbatschow fest und verhängten den Ausnahmezustand über das Land. Panzer fuhren in Moskau auf. Gorbatschow weigerte sich, den Putschisten die geforderten Vollmachten zu übertragen. In Moskau und Leningrad demonstrierten mehrere hunderttausend Menschen gegen den Staatsstreich. An die Spitze des Widerstandes stellte sich der Reformer *Boris Jelzin*, der im Juni 1991 vom Volk zum Präsidenten der Russischen Sowjetrepublik, dem Kernland der UdSSR, gewählt worden war. Dank seines energischen Handelns brach der Putsch am 21. August 1991 zusammen. Jelzin war jetzt der populärste Politiker der Sowjetunion. Er verbot die kommunistische Partei in Russland und beschleunigte die Ansätze zur Auflösung der Sowjetunion.

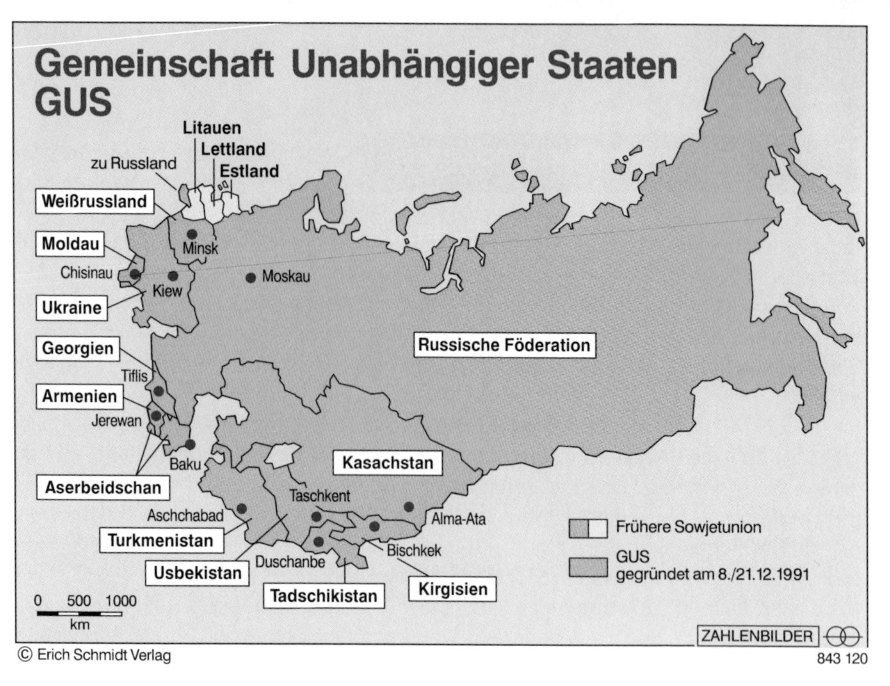

▲ *Mitgliedsstaaten der Gemeinschaft Unabhängiger Staaten (GUS).*
Georgien trat der GUS erst 1994 bei. Aserbeidschan und Moldau unterzeichneten zwar das Gründungsabkommen, ratifizierten den Vertrag jedoch erst 1993 bzw. 1994.

Von der Sowjetunion zur Gemeinschaft Unabhängiger Staaten

Der gescheiterte Putschversuch der Reformgegner besiegelte das Ende der zentralistisch geführten Sowjetunion. Zahlreiche Sowjetrepubliken, darunter die baltischen Staaten, die Ukraine und Moldawien, lösten sich von Moskau und verboten die kommunistische Partei. Am 21. Dezember 1991 gründeten 11 nunmehr unabhängige Republiken die *Gemeinschaft Unabhängiger Staaten (GUS)* und erklärten gleichzeitig die UdSSR als aufgelöst. Russland als gewichtigstes Mitglied der GUS übernahm deren Sitz in der UNO. Fünf Tage später trat Gorbatschow als Präsident der Sowjetunion zurück (▶ M 1).
Der nunmehr im Mittelpunkt der internationalen Aufmerksamkeit stehende russische Staatspräsident Jelzin versuchte in mehreren Anläufen, mit einer Art wirtschaftlicher Schocktherapie das Land zu stabilisieren. Der reformwillige Jelzin sah sich jedoch im Parlament *(Duma)* einer Opposition aus altkommunistischen und nationalistischen Kräften gegenüber, die um ihre Privilegien fürchteten. Im Oktober 1993 konnte Jelzin mit der Unterstützung der Armee einen erneuten Putschversuch der die Duma beherrschenden Reformgegner niederschlagen. Die Mehrheit der Russen wollte keine Rückkehr zu den alten Verhältnissen und wählte Jelzin 1996 ein zweites Mal zum Staatspräsidenten. Dieser verlor allerdings die Unterstützung der Reformer und Demokraten, als er sich für den Einsatz militärischer Mittel gegen die auf Autonomie von Russland drängende Provinz *Tschetschenien* entschied. Jelzins Politik kreiste hinfort primär um den eigenen Machterhalt, den er vor allem den „Oligarchen" verdankte – neureichen Unternehmern, die aus der Privatisierung der ehemaligen Staatsbetriebe Profit geschlagen hatten und jetzt großen politischen Einfluss ausübten. Als der kranke Jelzin Ende 1999 von seinem Amt zurücktrat, hinterließ er ein Land mit starken Gegensätzen zwischen Arm und Reich, dessen staatliche Einrichtungen noch keineswegs den Standards eines Rechtsstaates entsprachen. Positiv war Jelzin allerdings anzurechnen, dass er den

Rückfall Russlands in eine Diktatur verhindert hatte. Der von Jelzin protegierte Nachfolger im Amt des Staatspräsidenten, *Wladimir Putin* (seit März 2000), ein früherer KGB-Offizier, fand die Unterstützung der Mehrheit der russischen Bevölkerung, weil er die Fortsetzung wirtschaftlicher Reformen sowie Sicherheit und Ordnung („Diktatur des Gesetzes") versprach und in der Tschetschenienfrage mit harter Hand russische Interessen durchsetzte. In der Außenpolitik sucht er seit seinem Amtsantritt einen engen Kontakt zu Westeuropa und den USA.
Um ihr neues Raktenabwehrsystem NMD installieren zu können, kündigten die USA im Dezember 2001 den 1972 mit der damaligen UdSSR geschlossenen ABM-Vertrag[1] zur Begrenzung nationaler Raketenabwehrsysteme. Trotzdem gab es zwischen beiden Seiten weiterhin Abrüstungsbemühungen, die im Mai 2002 in einen Abrüstungsvertrag mündeten, der die Zahl der strategischen Nuklearsprengköpfe auf beiden Seiten reduziert. Zum gleichen Zeitpunkt wurde Russland vertraglicher Partner der NATO, mit der es bereits im Mai 1997 ein Abkommen „über gegenseitige Beziehungen, Zusammenarbeit und Sicherheit" abgeschlossen hatte. Im Juni 2002 wurde auf einem Gipfeltreffen beschlossen, dass Russland künftig Vollmitglied der G 8[2] sein wird.

Demokratische Revolution im Ostblock

Die von Moskau ausgehenden Reformimpulse der Achtzigerjahre stärkten die oppositionellen Bürgerrechtsbewegungen in den Mitgliedstaaten des Warschauer Paktes. Als ab 1989 die sowjetische Außenpolitik angesichts innenpolitischer Schwierigkeiten die Entwicklung wieder bremsen wollte, war es zu spät: Das Ende der kommunistischen Parteidiktaturen war nicht mehr aufzuhalten. Vorreiter dieser Entwicklung waren Polen und Ungarn, wo unter Mitwirkung kommunistischer Reformkräfte 1989 bzw. 1990 in freien Wahlen die Grundlagen für Demokratie, Rechtsstaat und Marktwirtschaft gelegt wurden. Auch die DDR, die Tschechoslowakei, Bulgarien, Rumänien, Jugoslawien und Albanien befreiten sich meist friedlich von ihren kommunistischen Regimen. Im Juni und Juli 1991 wurden der Rat für gegenseitige Wirtschaftshilfe und das Militärbündnis des Warschauer Paktes aufgelöst. Seit 1999 sind Polen, Ungarn und die Tschechische Republik Mitglieder der NATO. Diese und weitere Länder Ostmitteleuropas unternahmen in den 1990er-Jahren erhebliche Anstrengungen beim Aufbau von Rechtsstaat, Demokratie und Marktwirtschaft sowie der Schaffung einer sich in Parteien, freien Verbänden und Gewerkschaften organisierenden Bürgergesellschaft. Als wichtige Faktoren für das Gelingen des Transformationsprozesses in den postkommunistischen Ländern erwiesen sich die Ablösung der alten Eliten von der Macht, der innere Zusammenhalt der Bevölkerung und deren Bereitschaft, soziale Härten wie Arbeitslosigkeit längere Zeit hinzunehmen, die Privatisierung der ehemaligen Staatsbetriebe sowie die positive Einstellung zum wirtschaftlichen Wettbewerb und das Bemühen, am Weltmarkt Fuß zu fassen.
Insbesondere Polen, Ungarn, die Tschechische und die Slowakische Republik – beide Länder haben sich 1993 friedlich aus dem seit 1918 bestehenden gemeinsamen Staatenverband der Tschechoslowakei getrennt – sind Beispiele für den gelungenen Systemwechsel.

---

[1] ABM = Anti-Ballistic-Missile, Raketenabwehrsysteme

[2] Gruppe der größten Industrieländer: USA, Deutschland, Frankreich, Großbritannien, Japan, Italien, Kanada (seit 1976), Russland (eingeschränktes Mitglied seit 1997); die Staatschefs und Fachminister dieser Länder treffen sich einmal im Jahr, um Fragen der Wirtschaft und Außenpolitik abzustimmen.

5.4 Herausbildung neuer Machtzentren: China und Japan

CHINA

FLÄCHE: 9 596 960 qkm
(etwas kleiner als die USA,
etwa 27-mal so groß wie Deutschland)

REGIERUNGSFORM:
Kommunistische Volksrepublik

EINWOHNER: 1 273 111 290

VOLKSGRUPPEN:
91 % Han-Chinesen, verschiedene Minderheiten

1949
Der Vorsitzende der Kommunistischen Partei Chinas (KPCh), Mao Zedong, proklamiert die Volksrepublik China (VR China)

1950
Mit dem Bodenreformgesetz beginnt die Kollektivierung der Landwirtschaft

1961
Die KPCh räumt nach schweren Hungersnöten das Scheitern des „Großen Sprungs nach vorn" ein

1966–1969
Die „Große Proletarische Kulturrevolution" soll einen neuen sozialistischen Menschentypus schaffen

1976
Nach dem Tod Mao Zedongs wird ein Reformkurs eingeleitet

4. Juni 1989
Die Demokratiebewegung wird durch ein Massaker auf dem Tiananmen-Platz in Peking blutig niedergeschlagen

1993
In der Verfassung wird der Begriff „Planwirtschaft" durch „sozialistische Marktwirtschaft" ersetzt

JAPAN

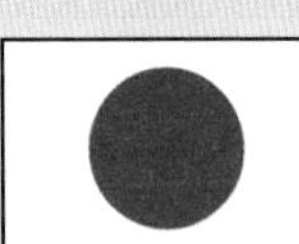

FLÄCHE: 377 835 qkm
(etwas größer als Deutschland)

REGIERUNGSFORM:
Parlamentarische Monarchie

EINWOHNER: 126,8 Millionen

VOLKSGRUPPEN:
99,4 % Japaner, 0,6 % Koreaner

1945
Mit der Unterzeichnung der Kapitulationsurkunde geht am 2. September die Regierungsgewalt in Japan praktisch auf die amerikanische Besatzungsmacht über

1947
Japan wird parlamentarische Monarchie

1952
Ende der amerikanische Besatzungszeit

1960–1970
Das japanische „Wirtschaftswunder" erreicht seine größten Erfolge

seit 1985
Das Wirtschaftswachstum verlangsamt sich; seit 2004 befindet sich die Wirtschaft in einem leichten Aufschwung

M1

Die weltgeschichtliche Bedeutung der chinesischen „Tripelrevolution“

Der Historiker Jürgen Osterhammel beginnt sein Kapitel über „Die Volksrepublik China in der Welt (1949–1989)“ mit folgenden Überlegungen:

Immer wieder haben Zeitgenossen und später Historiker das chinesische Jahr 1949 mit dem russischen Epochendatum 1917 verglichen. In der Tat hatte es in den drei Jahrzehnten nach der Oktober- 5 revolution nirgends auf der Welt in einem der großen Staaten eine ähnlich tief greifende Umwälzung gegeben. Die chinesische war neben der französischen und der russischen Revolution eine der drei „total revolutions“ (Chalmers Johnson) der 10 neueren Geschichte. Sie stürzte ein ancien régime und ersetzte es durch ein Neues Regime; sie war das Resultat krisenhafter Entwicklungen in Wirtschaft und Gesellschaft und bewirkte nach der Errichtung einer revolutionären Staatsmacht eine ra- 15 dikale Veränderung der sozialökonomischen Strukturen; sie führte schließlich zu einer Neubestimmung der Stellung des Landes im internationalen System, ja, zu einer partiellen Neuordnung dieses Systems selbst.

20 Alle drei großen Revolutionen waren in diesem Sinne Tripelrevolutionen: Sie besaßen eine politische, eine sozialökonomische und eine nationale Komponente. Ihre Resultate – wie weit auch immer die Realität hinter der utopischen Programmatik 25 zurückbleiben oder sie grausam blamieren mochte – waren ein neuartig organisierter, sich auf neue Legitimationsprinzipien berufender und seinem Vorgänger an Durchsetzungskraft nach innen wie nach außen überlegener Staat, eine nach neuen Kri- 30 terien geschichtete, neue Produktionsweisen und neue soziale Typen begünstigende Gesellschaft und ein neuartiger, sich in neuen Verhaltensweisen zur internationalen Umwelt äußernder Begriff der Nation. […]

35 Der letzte der drei Aspekte, der national-internationale, war für die chinesischen Revolutionäre wichtiger als für ihre Vorläufer in Frankreich und auf andere Weise hochbedeutend als für die Bolschewiki[1]. […] Wie in China, so war in Frankreich der 40 Revolutionsprozess mit militärischer Massenmobilisierung größten Stils verbunden; in Frankreich allerdings nach, in China vor der Errichtung des Neuen Regimes. Dort richtete sich die militärische Dynamik nach außen, hier nach innen und heizte 45 einen Bürgerkrieg an, der mehr Opfer forderte als Terreur und Revolutionskriege zusammen. […] Anders jedoch als in Russland war in China der Sieg der revolutionären Partei und Bewegung Resultat, nicht Ursache eines Bürgerkrieges. […] Die Haupt- 50 ursachen für diese Differenz lagen in der relativen Schwäche der gegenrevolutionären Impulse in China und in der ungleich bedeutenderen Rolle militärischer Mobilisierung. […]

Die in der Weltgeschichte der Revolutionen nahezu 55 beispiellose innere Stärke des Neuen Regimes bestimmte auch seinen Umgang mit der nationalen Frage, dem dritten Aspekt der Tripelrevolution. […] Dass es […] nicht zur Auflösung des Einheitsstaates kam, lag entscheidend an der kulturellen und 60 ethnischen Homogenität der Chinesen. […] Die nationale Frage Chinas war keine Nationalitätenfrage. Sie war eine Frage der Befreiung von äußeren Eingriffen, eine Frage der nationalen Selbstbestimmung.

Jürgen Osterhammel, China und die Weltgesellschaft. Vom 18. Jahrhundert bis in unsere Zeit, München 1989, S. 343 ff.

1. *Erklären Sie Osterhammels Begriff der „Tripelrevolution“.*
2. *Arbeiten Sie die Gemeinsamkeiten und Unterschiede der drei „total revolutions“ heraus.*
3. *Inwiefern war die chinesische Revolution von 1949 eine Frage der „nationalen Selbstbestimmung“? Informieren Sie sich.*
4. *Osterhammel behauptet, dass es 1949 in China keine Nationalitätenfrage gab. Informieren Sie sich, ob diese Aussage auch heute noch zutrifft.*

[1] *Mitglieder einer Gruppierung innerhalb der Sozialdemokratischen Arbeiterpartei Russlands, die sich unter Lenin zu den Trägern der russischen Oktoberrevolution entwickelten*

M2

Danwei – die Grundeinheit im chinesischen Alltag

Der China-Referent am Hamburger Institut für Ostasienkunde, Oskar Weggel, beschreibt 1994 die von den Kommunisten eingeführte Struktur der chinesischen Gesellschaft.

Die Einwohner der Volksrepublik China sind in erster Linie nicht Individuen, sondern Mitglieder kleiner überschaubarer Gemeinschaften – der „Danweis". Am Telefon meldet sich der Teilnehmer zuerst mit seiner Danwei und dann erst mit seinem Namen. Danwei (Betonung auf der letzten Silbe!) ist diejenige „Grundeinheit" (so die wörtliche Übersetzung), in der jeder sein berufliches und zum Teil auch sein persönliches Leben führt, auf dem Land also beispielsweise das Dorf (früher die „Produktionsmannschaft"), in der Stadt das Wohnviertel, die Fabrik oder aber die Universitätsfakultät. Am vollkommensten findet sich die Danwei immer noch auf den Dörfern ausgeprägt, da Produktions- und Konsumtionssphäre dort noch weitgehend zusammenfallen, während beide Bereiche in den Städten immer häufiger bereits auseinanderbrechen, insofern der Einzelne sowohl einer Wohn- als auch einer Arbeitsdanwei angehört. […]
Lange Zeit wies die Danwei nicht nur die Arbeit zu, verteilte Löhne, Prämien sowie die vom Einwohnermeldeamt ausgestellten Reis-, Baumwoll- und Speiseöl-Bezugsscheine, sondern bestimmte auch, welches von ihren Mitgliedern eine Höhere oder gar eine Hochschule besuchen durfte, oder wer dem Milizdienst beizutreten hatte. In Zeiten politischer Großkampagnen (Kulturrevolution!) sorgte sie für die Durchführung politischer Schulungsaufgaben, schritt gegen „vulgäre Schallplattenmusik und schlechte Bücher" ein, organisierte den gemeinsamen Kampf gegen Mücken, Fliegen und andere Plagen und bemühte sich auch schon einmal um die Rückgabe eines Radios, das einem ihrer Mitglieder gestohlen worden war. […]
Die gesellschaftliche Kontrolle innerhalb der Danwei war vor allem in maoistischer Zeit nahezu perfekt: Der Einheit und ihren Mitgliedern blieb kein Geheimnis in den eigenen Reihen verborgen. „Informelle Kommunikation", also Flüsterpropaganda, Neugierde und Getuschel, waren allgegenwärtig. Niemand blieb ungetröstet. Ob er dies nun wollte oder nicht, niemand aber auch ungeschoren, wenn er sich etwas hatte zuschulden kommen lassen. […]
Im Zeichen der neuen, auf den Einzelhaushalt – und weniger auf die Danwei als solche – abstellenden (reformerischen) Politik hat sich diese „Danwei-Öffentlichkeit" zwar etwas verflüchtigt, bleibt aber immer noch spürbar genug.

Oskar Weggel, China, 4. Auflage, München 1994, S. 52ff.

1. *Welche Folgen der wirtschaftlichen Modernisierung lassen sich nur schwer innerhalb der bestehenden Danwei-Ordnung lösen? Begründen Sie, warum.*
2. *Erörtern Sie, unter welchen Voraussetzungen die „Danwei-Öffentlichkeit" eine Gefahr für die kommunistische Herrschaft werden könnte.*

M3

Die „Große Proletarische Kulturrevolution" will einen „neuen Menschen" schaffen

Studenten der Universität Bejing (Peking) bilden im August 1966 eine Rote Garde und verbreiten am 23. 9. 1966 folgendes Programm in der offiziellen Presseagentur der Regierung, „Xinhua" („Neues China"):

1. Jeder Bürger soll manuelle Arbeit verrichten.
2. In allen Kinos, Theatern, Buchhandlungen, Omnibussen usw. müssen Bilder Mao Zedongs aufgehängt werden.
3. Überall müssen Zitate Mao Zedongs anstelle der bisherigen Neonreklamen angebracht werden.
4. Die alten Gewohnheiten müssen verschwinden.
5. Die Handelsunternehmungen müssen reorganisiert werden, um den Arbeitern, Bauern und Soldaten zu dienen.
6. Eine eventuelle Opposition muss rücksichtslos beseitigt werden.
7. Luxusrestaurants und Taxis haben zu verschwinden.
8. Die privaten finanziellen Gewinne sowie die Mieten müssen dem Staat abgegeben werden.
9. Die Politik hat vor allem den Vorrang.
10. Slogans müssen einen kommunistischen Charakter aufweisen.

20 11. Die revisionistischen Titel haben zu verschwinden.
12. In allen Straßen sollen Lautsprecher aufgestellt werden, um der Bevölkerung Verhaltensmaßregeln zu vermitteln.
25 13. Die Lehre Mao Zedongs muss schon im Kindergarten verbreitet werden.
14. Die Intellektuellen sollen in Dörfern arbeiten.
15. Die Bankzinsen müssen abgeschafft werden.
16. Die Mahlzeiten sollen gemeinsam eingenom-
30 men werden, und es soll zu den Sitten der ersten Volkskommunen im Jahr 1958 zurückgekehrt werden.
17. Auf Parfüms, Schmuckstücke, Kosmetik und nichtproletarische Kleidungsstücke und Schuhe
35 muss verzichtet werden.
18. Die Erste Klasse bei den Eisenbahnen und luxuriöse Autos müssen verschwinden.
19. Die Verbreitung von Fotografien von so genannten hübschen Mädchen soll eingestellt wer-
40 den.
20. Die Namen von Straßen und Monumenten müssen geändert werden.
21. Die alte Malerei, die nicht politische Themen zum Gegenstand hat, muss verschwinden.
45 22. Es kann nicht geduldet werden, dass Bilder verbreitet werden, die nicht dem Denken Mao Zedongs entsprechen.
23. Bücher, die nicht das Denken Mao Zedongs wiedergeben, müssen verbrannt werden.

Bundeszentrale für politische Bildung (Hrsg.), Informationen zur politischen Bildung Nr. 198: Die Volksrepublik China, Bonn 1990, S. 20

1. *Gegen wen und was richtet sich dieses Programm?*
2. *Bewerten Sie die Methoden.*

M4
War die „Kulturrevolution" eine Revolution?

In einer „Resolution über einige Fragen in unserer Parteigeschichte seit Gründung der VR China" von 1981 heißt es zur „Kulturrevolution":

Die Praxis hat bewiesen, dass die „Kulturrevolution" keine Revolution war und sein konnte und dass sie keinerlei gesellschaftlichen Fortschritt gebracht hat, dass sie nicht „den Feind durcheinander
5 gebracht" hat, sondern nur uns selbst, und nicht von „landesweitem Chaos" zu „landesweiter Ordnung" führte oder führen konnte. Nach der Errichtung der Staatsmacht in der Form der demokratischen Diktatur des Volkes in unserem Land, und
10 insbesondere nach der grundlegenden Vollendung der sozialistischen Umgestaltung, d.h. nachdem die Ausbeuterklassen als Klassen vernichtet waren, waren die Aufgaben der sozialistischen Revolution zwar noch nicht vollendet, doch von Inhalt und
15 Methoden her unterschied sich die weitere Revolution nun völlig von der vorhergegangenen. [...] Im Sozialismus besitzt eine große politische Revolution, in der „eine Klasse eine andere stürzt", weder eine wirtschaftliche noch eine politische Basis. Sie
20 vermag kein konstruktives Programm zu bieten, sondern lediglich zu ernster Unordnung, Zerstörung und Rückschritt zu führen.

Zit. nach: Ludwig Bernlochner (Hrsg.), Geschichte und Geschehen II (Oberstufe, Ausgabe A/B), Stuttgart 1995, Seite 491

1. *In der Resolution heißt es an anderer Stelle, die Kulturrevolution von Mai 1966 bis Oktober 1976 habe Partei, Land und Volk die schwerwiegendsten Rückschläge und Verluste seit Gründung der Volksrepublik gebracht. Benennen Sie die Stellen im Textauszug, in der diese Aussage angedeutet wird.*
2. *Bestimmen Sie die innenpolitische Funktion dieser Resolution.*

M5
Wirtschaftsentwicklung der VR China

a) Wirtschaftsleistung und -struktur, Außenhandel und Bevölkerungswachstum

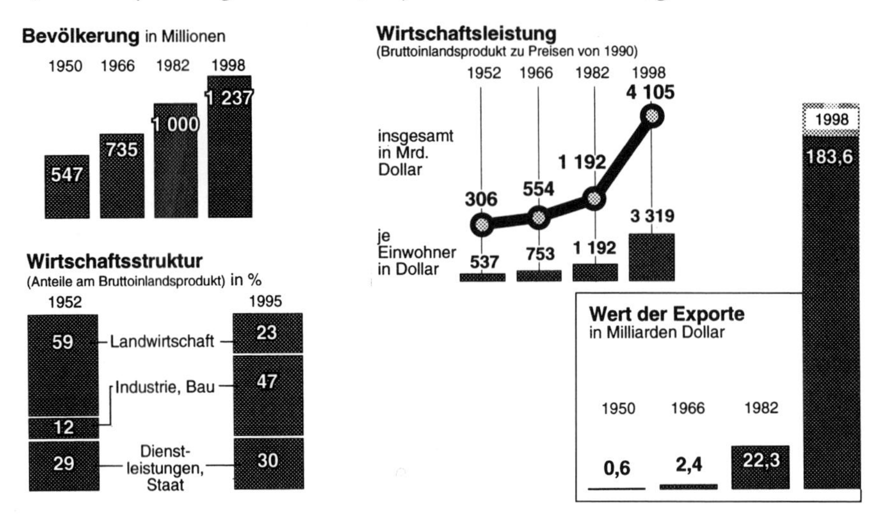

b) Beschäftigungsentwicklung (Zahlen in Mio.)

Jahr	Anzahl aller Beschäftigten	davon auf dem Land	davon in den Städten und Gemeinden	Beschäftigte in Privatunternehmen und im Einzelgewerbe (Land und Stadt)
1978	401,52	306,38	95,14	0,15
1980	423,61	318,36	105,25	0,81
1984	481,97	359,68	122,29	3,39
1985	498,73	370,65	128,08	4,50
1986	512,82	379,90	132,93	4,83
1987	527,83	390,00	137,83	5,69
1988	543,34	400,67	142,67	6,59
1989	553,29	409,39	143,90	6,48
1990	567,40	420,10	147,30	22,75
1991	583,60	430,93	152,68	24,92
1992	594,32	438,02	156,30	27,00
1993	602,20	442,56	159,64	33,31
1994	614,70	446,54	168,16	44,24
1995	623,88	450,42	173,46	55,70

Carsten Herrmann-Pillath/Michael Lackner (Hrsg.), Länderbericht China. Politik, Wirtschaft und Gesellschaft im chinesischen Kulturraum, 2. durchgesehene Auflage, Bonn 2000, S. 624

1. *Suchen Sie in den Daten zur wirtschaftlichen Entwicklung Zäsuren und begründen Sie diese.*
2. *Beschreiben Sie die Beschäftigungsentwicklung in der Stadt und auf dem Land bzw. die Anteile der staatlichen und privaten Betriebe und nennen Sie Ursachen für den Wandel.*
3. *Der Historiker Jürgen Osterhammel bemerkte einmal, „in China – und nur in China – entpuppt sich eine sozialistische Revolution als Geburtshelferin einer kapitalistischen Wettbewerbsgesellschaft". Bieten die Wirtschaftsdaten Hinweise für diese Bemerkung?*

M6
Appell chinesischer Dissidenten

Am 16. Mai 1995 richten 45 chinesische Intellektuelle folgenden Appell an den Staats- und Parteichef Jian Zemin sowie an Parlamentspräsident Qiao Shi. Mehrere Unterzeichner werden danach verhaftet.

Seit einigen tausend Jahren war es in China die gängige Praxis, nur eine einzige Autorität anzuerkennen. Gegenüber anderen, „zweiten" Stimmen herrscht gegenwärtig immer noch Intoleranz vor. 5 1955 wurden Hu Feng und seine Freunde als „konterrevolutionäre Gruppe" verurteilt, nachdem sie ihren Vorgesetzten ihre künstlerischen und kulturellen Ansichten vorgetragen hatten – mehr als 2000 Menschen waren davon betroffen. 1957 wurden als 10 Reaktion auf den Aufruf zur „Berichtigungskampagne" und zur freien Meinungsäußerung alle diejenigen Intellektuellen als „Rechtsabweichler" verurteilt, die es gewagt hatten, ehrlich ihre Meinung zu äußern; am Ende stellten sie mindestens elf Prozent 15 aller chinesischen Intellektuellen dar, wenigstens 550 000 Personen.

Im Jahrzehnt danach brachte die „Kulturrevolution", die 1966 begann, großes Unglück über die Massen, in dessen Folge die Dissidenten ausgeschaltet wur- 20 den. 1978 begann die Lage sich zu verbessern, die genannten Fälle sind im großen Ganzen rehabilitiert worden. Die Atmosphäre wurde toleranter, und die Wirtschaftsentwicklung beschleunigte sich.

Aber der Mangel an Toleranz, die unverzichtbar 25 ist, wenn sie Reform, Öffnung und Modernisierung im vollen Sinn erreichen wollen, ließ dieses Unterfangen in die welterschütternde menschliche Tragödie des 4. Juni 1989[1] und eine Reihe darauf folgender Ereignisse umschlagen. Dadurch wurden die 30 Grundrechte der Bürger verletzt. Um das Jahr der Toleranz der Vereinten Nationen würdig zu begehen, sollten wir unser Möglichstes tun, den Geist der Toleranz zu verbreiten. Für die moderne Zivilisation und Kultur ist das unverzichtbar. Und wir 35 sollten die echte Verwirklichung des in der UN-Charta festgelegten Ziels „der Förderung und Unterstützung des Respekts für die Grund- und Freiheitsrechte des Menschen für alle, ohne Unterschied der Rasse, des Geschlechtes, der Sprache 40 oder der Religion" anstreben[2].

Zu diesem Zweck hoffen wir, dass die Behörden

1. alle Ansichten, einschließlich der Ideologien, der politischen Ideen und der Religionen, im Geist der Toleranz behandeln und nicht länger diejenigen als 45 „feindliche Elemente" betrachten, die unabhängige Ideen und unabhängige Meinungen haben, sie nicht unterdrücken, bestrafen, unter Aufsicht oder unter Hausarrest halten oder sie sogar inhaftieren;

2. die Ereignisse des „4. Juni" in realistischem Geist 50 neu bewerten und diejenigen freilassen, die wegen ihrer Verwicklung darin noch immer im Gefängnis sind, und entschlossen der unrühmlichen Tradition ein Ende machen, Autoren ins Gefängnis zu stecken, weil sie etwas geschrieben haben, was die 55 Behörden als feindselig betrachten – in einer Tradition, die seit alters in China besteht.

Toleranz ist mit solch neuzeitlichen Vorstellung wie Demokratie, Freiheit, Menschenrechte und Rechtsstaatlichkeit eng verbunden; sie ergänzen einander. 60 Sie ist auch Voraussetzung für die politische Demokratisierung. Toleranz wird durch die Achtung der Menschenrechte und der Freiheit verkörpert und durch moralische Normen und das Gesetz begrenzt. Gegenwärtig findet man aber überall in 65 China dekadente Strömungen, Verfilzung von Geld und Macht sowie Veruntreuung öffentlichen Besitzes und Korruption. […]

Die Welt braucht Toleranz. China braucht Toleranz. Wir hoffen, dass mit den verschiedenen Akti- 70 vitäten zum UN-Jahr der Toleranz die in China seit alten Zeiten bestehende Intoleranz sich allmählich verringern und dass die Toleranz allmählich zum gemeinsamen geistigen Reichtum unseres ganzen Landes und unserer Nation wird.

Frankfurter Rundschau vom 27. Mai 1995

1. *Nennen Sie mögliche Gründe dafür, weshalb die Partei- und Staatsführung eine Veränderung der politischen Struktur befürchtet.*
2. *Informieren Sie sich im aktuellen Menschenrechtsbericht der Bundesregierung über die gegenwärtige Situation.*

---

[1] *Siehe dazu Seite 233 f.*

[2] *Am 10. Dezember 1993 hat die UN-Vollversammlung eine Resolution verabschiedet, in der die Ausrufung des Jahres 1995 zum UN-Jahr der Toleranz angekündigt wurde.*

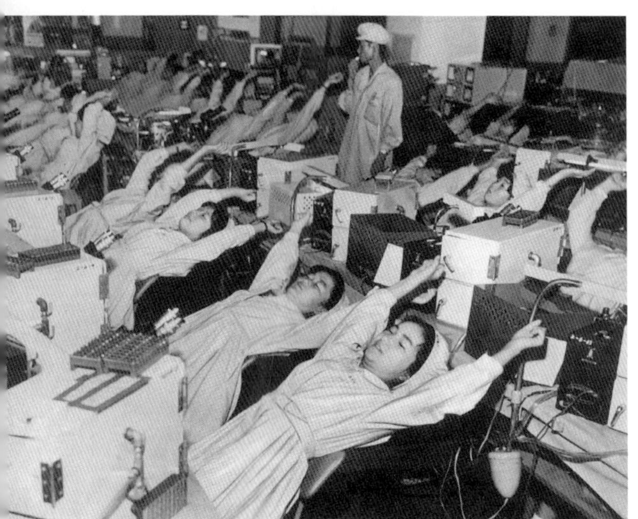

▲ *Entspannungsübungen am Arbeitsplatz in Japan. Foto vom 17. August 1960.*

M7

Über die Beziehung zwischen Angestellten und Betrieb

Der japanische Soziologe Nakane Chie schreibt:

Ich finde es viel zu einfach zu glauben, dass die japanische Art und Weise des Denkens, die Art der menschlichen Beziehungen sich wie die europäische ändert oder sich der europäischen nähert, nur 5 deshalb, weil Japan zu einem Industriestaat geworden ist. Obwohl die Japaner in einem modernen System leben, unterscheiden sie sich doch von den Europäern, und seit der Meiji[1]-Restauration haben sie sich in wesentlichen Dingen kaum geändert [...]. 10 Die Besonderheit der Gruppe zeigt sich deutlich bei der Betrachtung der großen Unternehmen. Es bilden nicht nur die Angestellten eine sogenannte blockierte Gesellschaft – neu Hinzugekommene haben einen Status vergleichbar mit dem der neuge- 15 borenen Familienmitglieder oder des adoptierten Schwiegersohnes –, sondern mit der Zuweisung einer Dienstwohnung, mit den Gratulationsgeldern bei Hochzeit und Geburt oder der Überbringung von Trauergeldern übt die Firma ihren Einfluss 20 auch auf das Privatleben der Angestellten aus, anders gesagt, ihr Einfluss reicht bis in die Familie. Und was interessant ist, je größer ein Unternehmen, je moderner es ist, umso deutlicher zeigt sich die Tendenz. Was in der Verwaltung der Betriebe 25 seit der Meiji-Zeit unverändert geblieben ist, ist das Verhältnis zum Menschen, das heißt zu den Betriebsangehörigen. Diese Beziehung zwischen Betriebsführung und Angestellten ist eher vergleichbar einer Beziehung, die durch das Schicksal 30 bestimmt ist, als einem zwischen Betriebsführung und Angestellten abgeschlossenen Arbeitsvertrag. Es handelt sich hier sozusagen um eine menschliche Beziehung, die der Ehebeziehung vergleichbar ist.

Bernd Röcker, Der Aufstieg Japans zur Welt- und Wirtschaftsmacht, Stuttgart 1996, S. 80

Überlegen Sie, welche Vor- und Nachteile die skizzierten Arbeitsverhältnisse in Zeiten des Wirtschaftswachstums und der Rezession haben.

[1] *Moderne Zeit; für Japan beginnt sie um 1868*

M8

Über Arbeitsethos und -leistung

Manfred Pohl, der Leiter der Japan-Abteilung des Instituts für Asienkunde in Hamburg, schreibt:

Jahrzehntelang haben die Japaner selbst und sogenannte „Japan-Kenner" in den USA und Europa liebevoll den Mythos von einem hohen japanischen Arbeitsethos gepflegt, das spezifische kulturelle 5 Hintergründe habe. Die rauschhafte Begeisterung, mit der angeblich Japaner ihren täglichen Pflichten nachkommen, wurde immer wieder westlichen Arbeitnehmern als Vorbild hingestellt. Tatsächlich jedoch arbeiten die weitaus meisten japanischen Be- 10 schäftigten keineswegs mit größerer Hingabe als ihre westlichen Kollegen. Gruppendruck und Anpassungsbereitschaft, aber vor allem auch die Notwendigkeit, in einer wettbewerbsorientierten Arbeitswelt den eigenen Arbeitsplatz zu erhalten, 15 zwingen vielmehr die Japaner täglich zu einer langen „Verweildauer" im Betrieb bzw. Büro: Vor dem Chef mag keiner gehen, aus Angst, die Karriere zu gefährden; daraus ergeben sich für Japans Betriebe de facto weit längere Jahresarbeitszeiten als in den 20 USA oder in Europa, man bleibt länger am Arbeitsplatz, obwohl diese Zeit statistisch nicht erfasst wird. Hinzu kommt die strenge Trennung in „Männerwelt“ (= Betrieb) und „Frauenwelt“ (= Familie und Kindererziehung), die den Tageslauf eines 25 Mannes ganz auf die Firma hin orientiert, so dass vielfach auch gar nicht der Wunsch aufkommt, so schnell wie möglich wieder zu Hause zu sein. Es trifft auch zu, dass der gesetzliche Urlaubsanspruch nicht voll ausgeschöpft wird. Die Gründe: Teils 30 spart man die Urlaubstage für den Krankheitsfall – die Betriebsleitungen üben hier Druck aus –, teils setzt ein Arbeitnehmer sich in schlechtes Licht gegenüber seinen Kollegen, wenn er den vollen Urlaub nimmt – der Gruppendruck ist hier äußerst 35 wirkungsvoll. Zusätzlich zu den bestehenden „traditionellen“ Zwängen kam in der zweiten Hälfte der 90er-Jahre des 20. Jahrhunderts die akute Sorge vor Arbeitsplatzverlust im Gefolge der schwelenden Wirtschaftskrise.

40 Lange Anwesenheit am Arbeitsplatz und Urlaubsverzicht dürfen jedoch keineswegs einfach mit höherer Arbeitsleistung gleichgesetzt werden. Am Arbeitsplatz anwesend zu sein, wird als „fleißig“ gewertet. Die Arbeitsproduktivität ist z.B. in den 45 USA und besonders in Deutschland – bei rechnerisch jährlich weit weniger Arbeitsstunden – höher als in Japan.

Manfred Pohl, Japan, 4. völlig neubearbeitete Auflage, München 2002, S. 215 f.

1. *Erklären Sie, mit welchen Argumenten der „Mythos des japanischen Arbeitsethos“ widerlegt wird.*
2. *Welche Schlussfolgerungen können daraus z.B. deutsche Arbeitgeber im Hinblick auf das „japanische Erfolgsmodell“ ziehen?*

M9
Beschäftigungsstruktur Japans

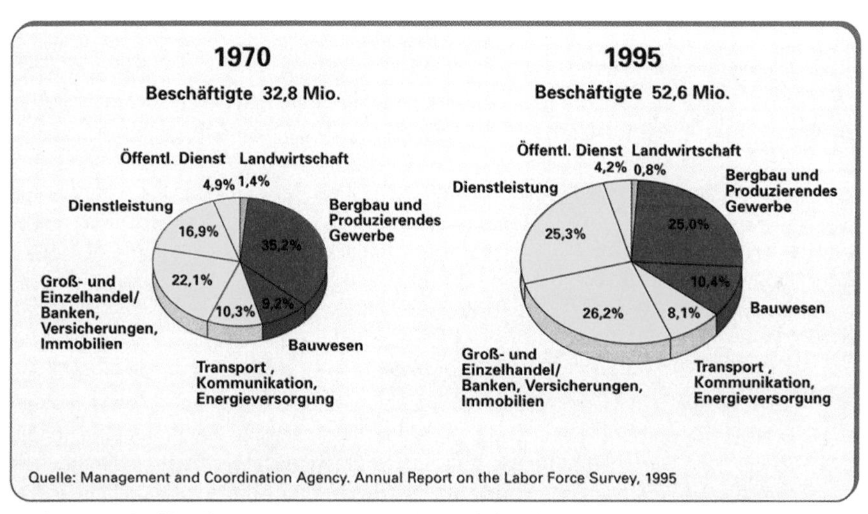

Nach: Manfred Pohl und Hans Jürgen Mayer (Hrsg.), Länderbericht Japan. Geographie – Geschichte – Politik – Wirtschaft – Gesellschaft – Kultur, 2. akt. und erw. Auflage, Bonn 1998, Anlage Abb. 6

Arbeiten Sie die wichtigsten Veränderungen der japanischen Wirtschaftsstruktur heraus.

Die Volksrepublik China unter Mao

Die Machtübernahme der *Kommunistischen Partei Chinas (KPCh)* unter der Führung *Mao Zedongs* und die Staatsgründung der Volksrepublik China (VR China) brachten 1949 eine tiefgreifende Änderung des politischen Systems und der bestehenden Wirtschafts- und Sozialstrukturen mit sich (▸ M 1): Die KPCh übernahm die politische Führung in Staat, Gesellschaft und Wirtschaft. Dominierende Gesellschaftsschichten wie die der Grundherren und Kaufleute wurden zerschlagen. Durch Umverteilungsmaßnahmen (*Bodenreform* 1949/50) und durch die Kollektivierung der Landwirtschaft und Verstaatlichung der wichtigsten Industrien in der zweiten Hälfte der Fünfzigerjahre änderten sich die Eigentums- und die sozialen Verhältnisse grundlegend. Nachdem die Sowjetunion den industriellen Aufbau der VR China zunächst unterstützt hatte, kam es 1960 über ideologische und ökonomische Fragen zum Bruch zwischen beiden Ländern. Die chinesische Staats- und Parteiführung bestritt vor allem den ideologischen Führungsanspruch der KPdSU. Auch auf wirtschaftlichem Gebiet grenzte man sich ab: Zunächst hatte die KPCh nach dem sowjetischen Vorbild den Schwerpunkt auf den industriellen Ausbau des Landes gelegt („Großer Sprung nach vorn"), entschied sich dann jedoch für verstärkte Anstrengungen im Bereich der Landwirtschaft. Nach dem Ende der chinesisch-sowjetischen Zusammenarbeit strebte die VR China noch stärker nach wirtschaftlicher, ideologischer und militärischer Autarkie. Dies gelang jedoch nur sehr unzureichend. Planungsfehler in der Landwirtschaft und Naturkatastrophen führten zu einer derart drastischen Unterversorgung, dass zwischen 1960 und 1962 etwa 30 Millionen Chinesen an den Folgen von Hunger starben.
Schon seit 1958 wurden mehrere „Kampagnen" zur kollektiven Umerziehung des Volkes durchgeführt, die einen neuen Typ des „sozialistischen Menschen" begründen sollten (▸ M 2). Einen Höhepunkt dieser Bewegung stellte die „Große Proletarische Kulturrevolution" von 1966 bis 1976 dar (▸ M 3): Die literarischen und künstlerischen Traditionen des Landes sollten radikal umgewertet werden. Schulen und Universitäten blieben mehrere Jahre geschlossen und zahlreiche Kulturgüter wie Tempel, Statuen und Bilder wurden zerstört. Von der Parteilinie abweichendes Verhalten von Künstlern und Intellektuellen wurde mit sozialer Ausgrenzung, mit der Deportierung in Straflager oder gar mit der Todesstrafe geahndet. So wurden zwischen 1949 und 1978 schätzungsweise mehr als 100 Millionen Chinesen politisch verfolgt, bis zu zehn Millionen verloren ihr Leben (▸ M 4).

Reformen nach Maos Tod

Nach Maos Tod (1976) und der Ausschaltung seiner engsten Vertrauten wurden unter der Leitung *Deng Xiaopings* umfangreiche Reformen eingeleitet: Nach Ansicht der neuen Parteiführung befand sich China noch im „Anfangsstadium des Sozialismus". Der Lebensstandard der Bevölkerung sollte erhöht werden. Als Mittel dazu sollten die sogenannten „vier Modernisierungen" dienen:

- Zukünftig sollte vor allem die *Konsumgüterindustrie* gefördert werden. Auch Firmen aus dem „kapitalistischen Ausland" sollten beim Aufbau der Industrie ihr Wissen zur Verfügung stellen und im Land investieren dürfen.
- Zur Steigerung der *landwirtschaftlichen Produktion* erhielten die Bauern kleinere Anteile des Ackerlandes zur privaten Nutzung.
- In den Schulen und Hochschulen sollte nicht mehr die ideologische Schulung im Vordergrund stehen. Leistung und Begabung wurden aufgewertet, um Anschluss an den Stand der *Wissenschaft* und *Technik* zu finden.

- Die *Armee* sollte mit modernsten technischen Geräten und Waffen ausgerüstet werden, die notfalls auch aus dem Ausland bezogen werden mussten.

Die chinesische Wirtschaft sollte in ein dezentralisiertes, leistungs- und exportorientiertes System verändert werden. Planwirtschaftliche Merkmale bleiben dabei neben marktwirtschaftlichen bestehen. Private bzw. nichtstaatliche Betriebe wurden zugelassen. Ausländische Investitionen, Im- und Exporte banden China zunehmend in den Weltmarkt ein. Seit Dezember 2001 ist China Mitglied der *Welthandelsorganisation (WTO)*.

Die Rechnung scheint bisher aufzugehen (➧ M 5): In den frühen Neunzigerjahren wurde China mit zweistelligen Zuwachsraten beim Bruttoinlandsprodukt ein führendes Wachstumsland und konnte ausländische Kapitalinvestitionen im Land stark vergrößern (2000: 41 Milliarden Dollar). Zwischen 1978 und 1995 erreichte China eine Verzwanzigfachung seines Außenhandelsvolumens. Trotz dieser Erfolge lebt jedoch weiterhin fast ein Drittel der chinesischen Bevölkerung, etwa 350 Millionen Menschen (2002), unter dem internationalen Lebensminimum von einem Dollar Kaufkraft pro Tag und Person. Verschärft wird die soziale Frage durch eine wachsende Arbeitslosigkeit: Die weiter bestehenden Staatsbetriebe verlieren im Vergleich mit den nichtstaatlichen Betrieben ihre Wettbewerbsfähigkeit und müssen Mitarbeiter entlassen. Die nichtstaatlichen Betriebe können die Arbeitslosen nicht aufnehmen. Es ist daher dringend notwendig, ein staatliches Sozialsystem – das bisher völlig fehlt – aufzubauen, um die Versorgung der Arbeitslosen und Armen sicherzustellen. Ein weiteres Problem sind die wachsenden Umweltbelastungen, die aus dem starken Industriewachstum resultieren.

Außenpolitik mit innenpolitischen Vorbehalten

Nach der Staatsgründung der VR China war Maos politischer Gegenspieler *Chiang Kaishek* nach Taiwan geflohen. Er hatte dort eine nationalchinesische Regierung gebildet und den Anspruch erhoben, das gesamte chinesische Volk zu vertreten. In der Hoffnung, die VR China international isolieren und innenpolitisch schwächen zu können, versagten die westlichen Staaten der VR die politische Anerkennung und sprachen Chinas ständigen Sitz im UN-Sicherheitsrat der *Republik China* (Taiwan) zu.

Nach dem Bruch mit Moskau wurde die VR China Atommacht (China unternahm 1964 den ersten Atombombenversuch im Land). Die bipolare Weltordnung der Nachkriegszeit verlor ihr Gleichgewicht und es begannen diplomatische Versuche, die Isolation der VR China zu überwinden. 1971 wurde sie bei gleichzeitigem Ausschluss Taiwans in die UN aufgenommen. Ein Jahr später empfing Mao den amerikanischen Präsidenten *Richard Nixon*. Dieser außenpolitische Erfolg hatte auch eine innenpolitische Funktion: Man wollte die wirtschaftlichen und technischen Errungenschaften der westlichen Welt besser nutzen, um die eigenen ökonomischen Schwächen zu überwinden. Dies ist der VR China gelungen.

Nicht ohne innenpolitische Folgen: In der Hoffnung auf eine ähnliche demokratische Öffnung wie in den osteuropäischen Staaten entwickelte sich auch in China eine Demokratiebewegung. Ihren ersten Höhepunkt fand sie im Mai 1989. Während des Besuchs Michail Gorbatschows – des ersten hohen sowjetischen Staatsbesuchs seit dem Bruch mit Moskau – demonstrierten in Beijing (Peking) eine Million Menschen friedlich für mehr Demokratie. Die Staats- und Parteiführung reagierte kompromisslos. Am 4. Juni 1989 wurde eine von Studenten initiierte Großdemonstration auf dem Platz des Himmlischen Friedens in Beijing niedergeschlagen. Zwischen 500 und 1500 Demonstranten kamen ums Leben, Zehntausende wurden verhaftet, Tausende zu langjährigen Haftstrafen und Hunderte zum Tode verurteilt. Die internationale Gemeinschaft reagierte auf das Blutbad mit diplomatischen und wirtschaftlichen Sanktionen, die aber kurze Zeit später wieder aufgehoben wurden.

Wann werden die Menschenrechte anerkannt?

Bis heute gehören Menschenrechtsverletzungen zu den konfliktträchtigsten Fragen im Verhältnis zwischen dem Westen und China. Unter Verweis auf eine Tradition, die kollektive vor individuelle Interessen stellt, hat China bisher die UN-Menschenrechtskonventionen abgelehnt. Die heute gültige Verfassung von 1982 stellt die aufgeführten Grundrechte unter die Schranke der „Interessen des Staates, der Gesellschaft und des Kollektivs" (Artikel 51). Eine unabhängige Instanz zur Entscheidung von Interessenkonflikten – wie das Bundesverfassungsgericht in Deutschland – besteht nicht: Was Staats- oder Kollektivinteressen sind, entscheiden Staats- oder Parteiorgane.

Die Todesstrafe wird in der VR China in exzessiver Weise vollstreckt. Die Menschenrechtsorganisation *amnesty international* geht allein für das Jahr 2001 von mindestens 4015 verhängten und 2468 vollstreckten Todesurteilen aus. Tausende sind willkürlich, ohne Gerichtsverfahren in Haft, oft weil sie in friedlicher Weise ihre Rechte auf freie Meinungsäußerung, Versammlungs- oder Religionsfreiheit wahrgenommen haben (▶ M 6). Misshandlungen und Folter sind in den Gefängnissen weitverbreitet.

▲ *Foto vom 26. April 2001. Chinesische Polizisten in der Provinz Jiangsu eskortieren Angeklagte auf dem Weg zum Gericht. Die öffentliche Parade soll der Abschreckung dienen. Zum gleichen Zweck finden innerhalb sogenannter „Anti-Kriminalitäts-Kampagnen" vor wichtigen Ereignissen oder Feiertagen wie dem traditionellen chinesischen Neujahrsfest häufig Massenhinrichtungen, zum Teil in voll besetzten Stadien, statt.*

Der Aufstieg Japans nach 1945

▲ *Der zerstörte Stadtkern von Hiroshima nach dem Atombombenabwurf vom 6. August 1945.*

Der militärische Versuch Japans, zwischen 1927 und 1945 eine Weltmachtstellung zu erreichen und in Asien ein riesiges Kolonialreich aufzubauen, forderte etwa 20 Millionen Opfer. Von den Amerikanern bereits besiegt, musste Japan nach den Atombombenabwürfen auf Hiroshima und Nagasaki die „bedingungslose Kapitulation" am 2. September 1945 unterzeichnen.

Die amerikanischen Besatzer reformierten Japan unter dem Motto „Demokratie und Dezentralisierung" und beeinflussten die Verfassungsentwicklung. 1947 wurde Japan eine parlamentarische Monarchie. Zu den wichtigsten Neuerungen gehörten die Einführung des Frauenwahlrechtes und die politische Entmachtung des Kaisers *(Tenno)*. Hatte die Vorkriegsverfassung dem Tenno, wörtlich übertragen „Herrscher des Himmels", noch eine gottgleiche Position zugewiesen, so bezeichnete die neue Verfassung ihn nur noch als „Symbol Japans und der Einheit des japanischen Volkes".

Erst 1951 wurde in San Francisco ein Friedensvertrag zwischen Japan und den USA sowie 47 weiteren Nationen geschlossen. Japan verzichtete darin auf alle territorialen Ansprüche außerhalb der Grenzen von 1868. In einem gleichzeitig geschlossenen Vertrag mit den USA stimmte Japan dem Verbleiben amerikanischer Truppen auf japanischem Gebiet zu. Nach der Annahme des Friedensvertrages durch das Parlament erhielt Japan im April 1952 seine volle Souveränität zurück. Die VR China und die Sowjetunion akzeptierten die territorialen Regelungen des Vertrages jedoch nicht. Moskau und Tokio einigten sich dann 1956 über die Beendigung des Kriegszustandes. Im selben Jahr wurde Japan in die Vereinten Nationen aufgenommen. Zu normalen Beziehungen kam es zwischen Japan und der Sowjetunion bzw. Russland trotz Wirtschaftsbeziehungen nicht. Der Grund: Moskau weigert sich bis heute, die Kurilen-Inseln zurückzugeben. Die VR China nahm erst 1972 diplomatische Beziehungen zu Japan auf. Seit dem Abschluss eines Friedens- und Freundschaftsvertrages (1978) besteht zwischen Japan und China eine wirtschaftliche Zusammenarbeit. Die wichtigsten politischen und wirtschaftlichen Partner sind aber die Vereinigten Staaten und die übrigen westlichen Industrienationen. Auf die Weltpolitik nahm die alte und neue Großmacht Japan nur indirekt Einfluss: Sie hat bis heute keinen Sitz im UN-Sicherheitsrat, verfügt über keine Atomwaffen und würde im Falle eines militärischen Angriffs vom Beistand der USA abhängen. Trotzdem übernahm das Land seit den 1980er-Jahren internationale Verantwortung. Es beteiligte sich an allen wichtigen Konferenzen der führenden Wirtschaftsnationen, vermittelte z. B. 1982 im Iran-Irak-Krieg und hatte 2002 eine führende Rolle bei den internationalen Anstrengungen zum Wiederaufbau Afghanistans („Geberkonferenz" von Tokio).

Japans „Wirtschaftswunder"

Betrug das Bruttoinlandsprodukt Japans am Ende der Besatzungszeit 1952 etwa ein Drittel des französischen oder englischen, so war es in den späten 1970er-Jahren bereits so groß wie das Frankreichs und Englands zusammengenommen und mehr als halb so groß wie das der Vereinigten Staaten. Innerhalb einer Generation

war Japans Anteil an der Weltproduktion von zwei bis drei Prozent auf etwa zehn Prozent gewachsen – und wuchs ständig weiter.
Die Liste der Industriegüter, in denen Japan mit der Zeit zum führenden Anbieter auf dem Weltmarkt wurde, war überwältigend: Kameras, Küchengeräte, Fernseher und Radios, Musikinstrumente, Motorräder und vieles andere mehr. Im Laufe der 1970er-Jahre produzierten japanische Stahlwerke so viel wie die gesamte amerikanische Stahlindustrie. Und zwischen 1960 und 1984 stieg Japans Anteil an der Weltproduktion von Autos von ein auf 23 Prozent. Inzwischen hat man sich längst der „High Technology" zugewandt: Computer, Telekommunikationssysteme, Industrieroboter, die Luft- und Raumfahrt, Mikroelektronik (Chips) sowie die Biotechnologie bestimmen heute den Wirtschaftsstandort Japan. Weltweit konnten japanische Firmen durch Preis und Qualität die anderen Anbieter be- bzw. verdrängen und zugleich den eigenen Binnenmarkt von ausländischen Produkten weitgehend freihalten.

▲ *„Mythos Japan. Japan obenauf – die deutsche Wirtschaft am Boden." Titelbild von E. Sokol für „Stern" vom 24. Oktober 1981.*

Was waren die „Geheimnisse" des Erfolgs?

Die Frage, wie der kleine Inselstaat im Fernen Osten – Japan hat 126 Mio. Einwohner (Stand: 2002), ist aber nur etwas größer als die Bundesrepublik – nach dem verlorenen Krieg zur zweitgrößten Wirtschaftsmacht der Welt hinter den USA werden konnte (➧ M 9), ist schwer zu beantworten. Folgende Gründe werden für das „japanische Wirtschaftswunder" genannt:

- Das *duale System* der Wirtschaft: Wenige riesige Großkonzerne konnten sich auf ein dichtes Netz kleiner und kleinster Zulieferer, Zwischenhändler oder Servicebetriebe stützen. Mehr als 80 Prozent aller gewerblichen Arbeitnehmer Japans arbeiteten in Klein- und Mittelbetrieben (1991). Die Arbeitsbedingungen in diesen Firmen unterschieden sich stark von denen in großen Unternehmen. Es gab keine industrieweiten Tarifverträge, die – wie z. B. in der Bundesrepublik – für alle Betriebe einer Branche gleichermaßen gelten. Die Einkommen der Mitarbeiter in Kleinbetrieben lagen daher weit unter denen von Großbetrieben.
- Hohe Investitionsraten: In den 1960er-Jahren machten Kapitalinvestitionen in Industrieanlagen 20 % des Bruttosozialproduktes aus.
- Hohe Sparquoten: Die Notwendigkeit der Japaner, für ihre Altersversorgung selbst zu sparen, verschaffte den Banken und Versicherungen enorm viel Kapital, welches sie als günstige Kredite an die Industrieunternehmen geben konnten. Dies brachte ihnen Kostenvorteile gegenüber der ausländischen Konkurrenz.
- Niedrige Verteidigungsausgaben: Japan begab sich nach 1945 unter den Schutz der USA und konnte daher auf eigene hohe Verteidigungsausgaben verzichten.

- Die staatliche Unterstützung der Wirtschaft durch das „Ministerium für internationalen Handel und Industrie" ermöglichte langfristige Unternehmensplanungen.
- Übernahme der besten Technik und der fortschrittlichsten Produktionsmethoden aus dem Westen.
- Einfuhr von billigen (industriellen) Rohstoffen und Ausfuhr von teuren (hochwertigen) Fertigwaren.
- Ein großer Binnenmarkt: Ausländischen Firmen wurde es schwergemacht, mit ihren Produkten in Japan Fuß zu fassen.
- Hohe Aufwendungen für Forschung und Entwicklung: Die von der Industrie geförderte Forschung zielte dabei direkt auf Marktverwertung; sie sollte sich rasch bezahlt machen.
- Hohes Ausbildungsniveau der Arbeitskräfte: 1992 gingen fast 96 Prozent der Schülerinnen und Schüler zur Oberschule (in der Bundesrepublik besuchten 1992 etwa 70 Prozent aller Schulpflichtigen Realschulen, Gymnasien oder Gesamtschulen).
- Unterordnung persönlicher Wünsche unter das Gemeinwohl und eine hohe Arbeitsdisziplin (➧ M 7 und 8).

Strukturelle Herausforderungen

Wie die übrigen Industriestaaten wurde Japan zu Beginn der 1970er-Jahre von der Ölpreisentwicklung überrascht (vgl. S. 242). Der „Ölschock" stürzte das von Rohölimporten abhängige Land in eine erste tiefe Rezession. Die Zeit der zweistelligen Wachstumsraten war vorbei. Die Antwort darauf war der Abbau energieintensiver Industrien wie dem Schiffbau und die Förderung neuer, energiesparender Technologien. Den Japanern gelang es so, die Folgen der Ölkrise schneller zu überwinden als die westliche Welt.

In den 1980er-Jahren sorgten die Banken für einen künstlichen Wirtschaftsboom, der Anfang der 1990er-Jahre wie eine Seifenblase platzte. Es stellte sich heraus, dass die Banken große Darlehen ohne ausreichende Sicherheiten vergeben hatten. Zahlreiche kreditabhängige Industrie- und Handelsunternehmen mussten wegen hoher Schulden und ausbleibender Überbrückungskredite schließen. Seit Anfang der 1990er-Jahre steht Japan vor weiteren Herausforderungen: Handelspartner wie die USA erzwangen nach jahrelangen Auseinandersetzungen die schrittweise Öffnung des japanischen Marktes. Das Land muss sich seitdem verstärkt auf die für alle Industrienationen offene Marktwirtschaft umstellen. Diese Wandlung erforderte weitere Rationalisierungen der Unternehmen. Gleichzeitig hat Japan – wie die anderen Industrienationen – mit einer Veränderung der Wirtschaftsstruktur zu tun, weil immer mehr Großunternehmen (z.B. im Automobil-Sektor) ihre Produktion ins Ausland verlagern. Die Folgen sind – trotz mehrerer staatlicher Konjunkturprogramme – eine wachsende Arbeitslosigkeit (1985 betrug die Arbeitslosenquote 2,6%, 2001 schon 5,4%), geringere Staatseinnahmen und eine wachsende öffentliche Verschuldung. Das noch vor zehn Jahren bewunderte japanische Modell wird inzwischen von vielen in Frage gestellt. Die Zukunft wird zeigen, wie das Land den Übergang von der Industrie- zu einer Dienstleistungsgesellschaft bewältigen wird.

5.5 Probleme der Einen Welt

▲ *Zaire 1994, Foto von Sebastião Salgado.*
Ruandische Flüchtlinge warten in einem Flüchtlingslager in Zaire stundenlang auf die Wasserausgabe an einem Tanklastwagen. 1994 waren in Ruanda zwischen den beiden Bevölkerungsgruppen der Tutsi und Hutu blutige Konflikte ausgebrochen, in deren Verlauf nach UN-Schätzungen fast eine Million Menschen, vor allem Tutsi, ermordet wurden. Hunderttausende flüchteten innerhalb des Landes oder in die Nachbarländer.

1945 – 1960
Die meisten Kolonien erlangen ihre Unabhängigkeit

1960
Die OPEC entsteht als Zusammenschluss der Rohölstaaten

1993
Das GATT-Abkommen zielt auf eine Liberalisierung des Welthandels

1995
Die Welthandelsorganisation WTO nimmt als Nachfolgerin des GATT ihre Arbeit auf

M1

Abschied vom weißen Mann

Vor allem im Süden und Osten Afrikas hatten sich im Zeitalter des Kolonialismus viele Europäer angesiedelt. Hingegen siedelten im Westen nur wenige Weiße. Die Freigabe der Kolonien in die Unabhängigkeit verlief hier deshalb weit weniger gewaltsam. Ein Beispiel liefert Ghana, das sich 1957 als erstes schwarzafrikanisches Land von Großbritannien löste. Der schwarze Führer der Convention People's Party, Kwame Nkrumah, erlebte die ersten Wahlen am 8. Februar 1951 im Gefängnis. Er berichtet darüber.

Ursprünglich war es nicht meine Absicht, mich für die Wahl aufstellen zu lassen, bis ich einsah, dass es wohl schwer fallen dürfte, meine Entlassung zu erwirken, bevor ich nicht meine Strafe verbüßt hätte. Wenn ich dagegen die Wahl gewänne, müsste es andererseits den Behörden schwer fallen, mich weiterhin im Gefängnis zu halten.
So bestand ich also zunächst darauf, dass mein Name auf die Wahlliste gesetzt wurde. Hiergegen erhob sich viel Widerspruch, ich blieb jedoch hartnäckig, denn das Gesetz gab mir in dieser Beziehung Recht. Kein Mensch konnte es mir verbieten zu kandidieren. [...]
Als meine Aufstellung für die Wahl bekannt wurde, erhob sich größter Jubel im ganzen Land, denn die Regierung würde – so glaubte man allgemein – gezwungen sein, meine Kollegen und mich unter dem Druck der öffentlichen Meinung zu entlassen, sofern ich gewählt werden würde. Für die Nacht, die auf die Wahl folgte, wurden von der Gefängnisverwaltung besondere Vorkehrungen getroffen, denn es ging ein Gerücht um, ganz Accra[1] werde sich auf den Weg machen, um mich aus dem Gefängnis zu befreien. Es blieb jedoch alles ruhig.
Der Direktor des Gefängnisses hatte angeordnet, dass man mir die Wahlergebnisse stündlich mitteilen solle. Ungefähr um vier Uhr morgens kam die Nachricht durch, ich sei im Bezirk Zentral-Accra gewählt worden. Aber nicht nur das, ich hatte die höchste Stimmenzahl erhalten [...], nämlich 22 780 von 23 122 möglichen Stimmen. [...]
Am Morgen des 12. Februar zwischen elf und zwölf Uhr ließ mich der Gefängnisdirektor holen und teilte mir mit, ich solle mich bereit machen, das Gefängnis innerhalb der nächsten Stunde zu verlassen. [...] Als sich um ein Uhr die Tore des Gefängnisses hinter mir schlossen, wurde mir klar, warum sich die Regierung bemüht hatte, die Nachricht meiner Entlassung so geheim zu halten. Ich glaube kaum, dass ich jemals zuvor in meinem Leben eine derart zusammengeballte Menschenmenge gesehen habe. [...]
Dies war der größte Tag meines Daseins, mein Tag des Sieges, und die Menschen um mich waren meine Krieger. Kein General hätte stolzer sein können auf seine Armee als ich, und keine Armee hätte ihrem Führer mehr Anhänglichkeit bewahren können.
Vom James-Fort-Gefängnis bahnte sich die Prozession ihren Weg zum Stadion, und zur Bewältigung dieser Entfernung, die man normalerweise in fünfzehn Minuten zurücklegt, benötigten wir zwei Stunden. Im Stadion, dem Geburtsort meiner Partei, wurde das übliche Sühneopfer vorgenommen. Man opferte ein Schaf, und ich musste siebenmal mit nackten Füßen durch das Blut schreiten, um mich von der Befleckung durch das Gefängnis zu reinigen ...
Am Tage nach meiner Entlassung wurde ich vom Gouverneur eingeladen, ihn morgens um neun Uhr aufzusuchen. [...] Er hieß mich willkommen und fragte mich, wie es mir ginge. Als wir beide Platz nahmen, hatte ich das Gefühl, dass er mir gegenüber wohl ebenso vorsichtig und misstrauisch sein mochte wie ich ihm gegenüber. Wir verloren jedoch keine Zeit, sondern kamen gleich zum Wesentlichen ...
Ich verließ das Schloss mit dem Auftrag des Gouverneurs, die Regierung zu bilden. Als ich die Stufen hinabschritt, kam es mir vor, als wäre das Ganze ein Traum, aus dem ich bald erwachen würde, um mich im Gefängnis wieder zu finden – auf dem Boden kauernd und einen Topf mit Reisbrei verzehrend.

Peter Alter und Erhard Rumpf (Hrsg.), Afrika. Geschichte – Politik – Gesellschaft, Stuttgart 1988, S. 37 ff.

1. *Beschreiben Sie das Verhältnis zwischen der britischen Kolonialverwaltung und dem Führer der Unabhängigkeitspartei.*
2. *Nicht überall verlief der Unabhängigkeitsprozess so friedlich. Informieren Sie sich in Arbeitsgruppen beispielsweise über den Freiheitskampf in Algerien oder Kenia, und berichten Sie in Ihrem Kurs darüber.*

[1] *Hauptstadt Ghanas*

M2

Warum sind wir reich?
Warum sind die anderen arm?

Gerhard Drekonja-Kornat, Professor für außereuropäische Geschichte an der Universität Wien, zieht 2002 Bilanz über Theorien zur Ungleichheit in der Welt:

Die Frage, warum wir in den reifen Industriestaaten reich sind, während eine ganze Reihe von Gesellschaften in Afrika, Asien und Lateinamerika arm bleiben, kann jetzt nicht mehr mit der These von 5 der imperialistischen Ausbeutung der Dritten Welt bequem beantwortet werden. Stattdessen ist vielschichtig zu argumentieren. [...]
Warum also sind wir reich? Vom lieben Gott kommt das „europäische Wunder" bestimmt nicht 10 [...]: Seit rund eintausend Jahren war die jüdisch-christliche Denkweise, welche die westliche Zivilisation gebar, die treibende Kraft auf dem Kontinent, dank ihres geradlinigen Vorwärtsdenkens [...], dem technische, institutionelle und geistige Errun- 15 genschaften entsprangen. [...] Unterm Strich: Geografie ist nützlich; Ressourcen helfen; jedoch entscheidend ins Gewicht fällt die Kulturökonomie einer Gesellschaft, die erzieht, ausbildet, Freiräume für Kritik gewährt, ein Minimum an Gleichheit ga- 20 rantiert und Bürokratie und Korruption unter Kontrolle hält. [...] Zwischen 20 000 und 30 000 Dollar beträgt heute das Pro-Kopf-Einkommen in den reifen Industriestaaten, während die erfolgsarmen Teilstücke der Dritten Welt bei 4000 und weniger 25 dahindümpeln. Dritte-Welt-Staaten blieben arm, weil sie (Hypothek des Kolonialismus) Nachzügler waren, Bürgerkriege ausfochten, Caudillos[1] und Diktatoren ausgeliefert blieben, der Korruption nie Herr wurden, kein unternehmerisches Bürgertum 30 entwickelten, bei Ausbildung versagten, Gleichheit vergaßen, keine autonome Wissenskultur aufbauten. Daher konnten auch vier Dekaden mit Entwicklungshilfe nichts ausrichten, weil gute Gaben keine effiziente Modernität herbeizaubern können. 35 Erst die Eigenanstrengung bringt qualitative Sprünge. Solche Einsichten stechen besonders ins Auge, wenn man bedenkt, dass einige starke Leistungen in der Dritten Welt nicht etwa mit Entwicklungshilfe, sondern ohne sie oder gar gegen den 40 Widerstand aus den Metropolen gelangen, nämlich bei Raketentechnologie oder Atomrüstung, wie die Beispiele des Irak, Argentiniens und Brasiliens und neuerdings auch von Indien und Pakistan bezeugen: In diesen verbotenen Bereichen wurden Kräfte 45 konzentriert, Wissen gebündelt, vorwärtsschauend gehandelt – und plötzlich sind Hochleistungen auch in der Dritten Welt möglich! [...] Nach fünfhundert Jahren Modernitätsschöpfung, die auf Kosten der Peripherie geht, gibt es massiven Hass. Und 50 erstmals Gegenschläge aus dem fundamentalistischen Islam. [...] Jetzt wird die Entscheidung fällig: Entweder wir „Westler" wehren uns entschieden, igeln uns ein [...]; oder wir bemühen uns ernsthaft um *European values* und versuchen, im Rahmen 55 ernsthafter postkolonialer Politik die besten Elemente unseres Erbes – Freiheit, Gleichheit, Brüderlichkeit – allen zugänglich zu machen. Angesichts des grimmigen Hasses auf unsere säkulare Modernität mag es für die zweite Möglichkeit allerdings 60 schon zu spät sein [...].

Blätter für deutsche und internationale Politik, Heft 1, 2002, S. 85 ff.

1. *Auf dem G8-Gipfel vom Juni 2002 in Kanada wurde von den Regierungschefs der größten Industriestaaten ein „Aktionsplan für Afrika" verabschiedet, der eine Ausweitung der Entwicklungshilfe und den Ausbau rechtsstaatlicher Strukturen in den afrikanischen Staaten vorsieht. Afrikanische und Nicht-Regierungs-Organisationen kritisieren diesen Plan als „karikativen Symbolismus". Informieren Sie sich über Einzelheiten dieses Plans und bewerten Sie die Maßnahmen vor dem Hintergrund von Drekonja-Kornats Ausführungen.*
2. *Welche politischen und ökonomischen Konsequenzen für eine Entwicklungspolitik können aus M 2 abgeleitet werden?*

[1] *spanischer Begriff für Diktator*

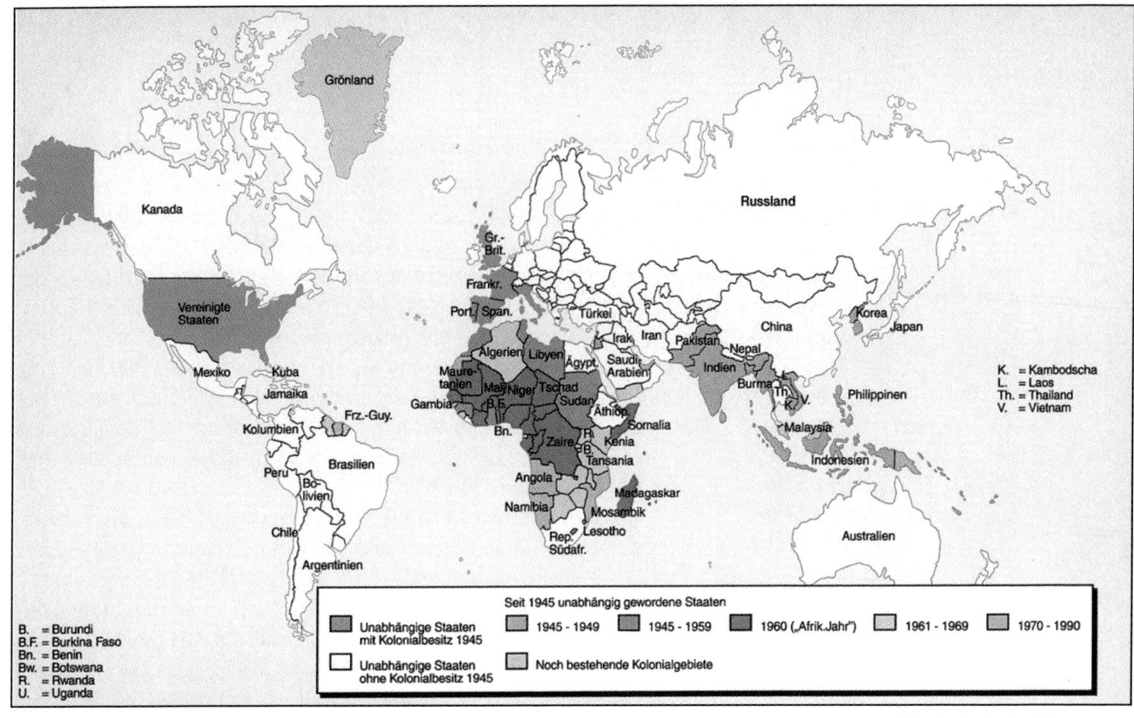

▲ *Die Entkolonialisierung seit 1945.*

Dekolonisation: die Weltherrschaft Europas endet

Letztlich ist der sogenannte *Nord-Süd-Konflikt*[1)] eine Hinterlassenschaft des Ausgreifens der Europäer über alle Kontinente seit der frühen Neuzeit. Die Errichtung von *Kolonien*, vor allem in Asien und Afrika, erreichte im 19. Jahrhundert ihren Höhepunkt. Bereits damals leisteten die einheimischen Bevölkerungen vereinzelt Widerstand. Die weitverbreitete öffentliche Kritik am Kolonialismus weckte schließlich in den vom Zweiten Weltkrieg erschöpften europäischen Ländern die Bereitschaft zum Rückzug.

Unterstützung fanden die immer zahlreicher werdenden *Unabhängigkeitsbewegungen* bei der 1945 gegründeten UNO (vgl. S. 13). Unter Berufung auf das Selbstbestimmungsrecht der Völker (Artikel 73 der UN-Charta) setzte sie sich mit Nachdruck für eine *Dekolonialisierung* ein. Die meisten Kolonien erlangten zwischen 1945 und 1960 ihre Selbstständigkeit (▸ M 1). Erbitterte Befreiungskriege fanden vor allem in *Indochina* (1946–1954) und *Algerien* (1954–1962) gegen die französische Kolonialherrschaft statt. Am längsten wehrten sich Spanien und Portugal gegen die Entlassung ihres außereuropäischen Besitzes. In einigen britischen Kolonien hielten sich nach der Unabhängigkeit zunächst weiße Minderheitsregimes an der Macht. In *Rhodesien/Zimbabwe* übernahm die schwarze Mehrheit schließlich nach einem blutigen siebenjährigen Bürgerkrieg 1980 die Regierung. Der ehemalige Guerillaführer *Mugabe* bemühte sich zunächst um die Einrichtung einer *multiracial society*. In den letzten Jahren vertrieb er jedoch die weißen Farmer aus dem Land und behauptete bei den Parlamentswahlen 2002 nur durch Manipulationen seine Macht. In *Südafrika* endete die Politik der Rassentrennung (Apartheid) erst mit freien Wahlen im Jahr 1994. Als erster Schwarzer wurde Friedensnobelpreisträger *Nelson Mandela* Präsident des Landes (bis 1999).

---

1) *Der Begriff bezeichnet das Konfliktverhältnis zwischen Entwicklungs- und Industrieländern, das sich aus den unterschiedlichen wirtschaftlichen, sozialen und politischen Entwicklungschancen beider Ländergruppen ergibt.*

Unterschiedliche Interessen der Entwicklungsländer

Die Staaten der Dritten Welt betonen häufig ihren Zusammenhalt und ihre Solidarität, vor allem, um ihren Forderungen gegenüber den westlichen Industrieländern mehr Nachdruck zu verleihen. Dies kann allerdings nicht die wachsende Diskrepanz innerhalb der Entwicklungsländer verbergen.

Beispielsweise zählt zu ihnen die Gruppe der am wenigsten entwickelten Länder *(Least Developed Countries = LLDC)*. Kennzeichnend für diese Länder sind besonders niedrige Einkommen, kaum vorhandene Industrialisierung und eine extrem hohe Quote an Analphabeten. 2002 zählten 49 Staaten (die meisten in Afrika) zu diesen ärmsten Ländern der Erde, in denen etwa 500 Millionen Menschen, also etwa 10 % der Weltbevölkerung, leben.

Im Gegensatz zur „Unterschicht" der ökonomisch besonders benachteiligten Länder stellen die *Schwellenländer* die „Oberschicht". Dank ihrer wirtschaftlichen Eigendynamik stehen sie bereits an der Schwelle zum Industriestaat. Zu dieser Gruppe zählen beispielsweise die europäischen Entwicklungsländer Griechenland und Portugal, die Türkei, die südostasiatischen Staaten Hongkong, Singapur, Südkorea und Taiwan sowie in Lateinamerika Brasilien und Mexiko. Der wirtschaftliche Fortschritt dieser Länder kommt aber keineswegs allen Teilen der Bevölkerung zugute und eilt häufig einer demokratischen und sozio-kulturellen Entwicklung weit voraus.

Die Sonderrolle der OPEC

Eine Sonderrolle innerhalb der Dritten Welt nimmt die *OPEC (Organization of the Petroleum Exporting Countries)* ein. Mitglied dieses 1960 gegründeten Kartells[1] können nur Staaten werden, die ganz überwiegend auf den Export von Rohöl angewiesen sind. In harten Auseinandersetzungen mit den multinationalen Ölkonzernen setzten die elf (Stand 2002) OPEC-Mitglieder nach und nach ihre eigenen Interessen durch. Mit der Kontrolle über das Erdöl verfügten die OPEC-Staaten – anders als die meisten Länder der Dritten Welt – über einen natürlichen Reichtum, der ihnen die Möglichkeit gab, die westlichen Industrienationen unter Druck zu setzen.

Davon machten die OPEC-Mitglieder aus dem Vorderen Orient und Nordafrika mit einer konsequent gegen Israel gerichteten Politik Gebrauch. Als sich Israel 1973 im *Jom-Kippur*-Krieg ein weiteres Mal gegen seine arabischen Nachbarn behaupten konnte, setzten die arabischen OPEC-Staaten erstmals das Erdöl als politische Waffe ein: Sie verhängten einen Lieferboykott gegen die USA und den europäischen Umschlagstandort Niederlande. Der Preis für Rohöl vervierfachte sich auf zwölf Dollar pro Barrel[2]). Dieser massive Eingriff in die internationale Wirtschaftsordnung schürte Inflationstendenzen in den westlichen Industrieländern und trug zu einer allgemeinen Wirtschaftskrise bei. Allerdings löste er auch einen Denkprozess in den hochindustrialisierten Staaten aus. Wissenschaftler suchen seither nach Wegen zur Energieeinsparung oder zur Nutzung „alternativer" Energien, um die Abhängigkeit von dem nicht erneuerbaren Rohstoff Öl zu lockern.

---

[1] *Zusammenschluss selbstständig bleibender Wirtschaftseinheiten (Staaten oder Unternehmen), die den Wettbewerb untereinander beschränken wollen*

[2] *internationale Maßeinheit für Öl: 159 Liter*

Die Situation der Entwicklungsländer verschlechtert sich

Anders als die OPEC-Mitglieder sind die meisten Staaten der Dritten Welt in einen Teufelskreis der Armut geraten, aus dem kein Entrinnen möglich scheint. 2002 lebten mehr als drei Viertel der Menschheit in Ländern, die gerade 37 % der Weltwirtschaftsleistung produzierten. Ein durchschnittlicher *Bevölkerungszuwachs* von 2,2 % jährlich und eine gewaltige *Auslandsverschuldung* gelten heute als die Hauptprobleme der Entwicklungsländer. 1999 beliefen sich die Auslandsschulden der Entwicklungsländer zusammengenommen auf 1702 Milliarden Dollar (1980: 610 Milliarden Dollar). Für diese krisenhaft angewachsene neue Abhängigkeit gibt es externe und interne Gründe. Während die Preise für die Exportgüter der Entwicklungsländer, in erster Linie Rohstoffe und landwirtschaftliche Erzeugnisse, aufgrund des Überangebots auf dem Weltmarkt immer weniger Erlöse brachten, stiegen die Preise für die notwendigen Importe aus den Industriestaaten. Zu einem wesentlichen Teil schlug auch die Preisexplosion des Erdöls zu Buche.
Mitverantwortlich für die Probleme sind aber ebenso Missbräuche bei der Verwendung von Krediten sowie Fehlinvestitionen. Vielfach werden die internationalen Darlehen nicht für den wirtschaftlichen Aufbau verwendet, sondern fließen über den Rüstungskauf wieder in die Industrieländer und nach China zurück. Erst seit 1992 ist – parallel zu einem allgemeinen Trend – ein deutlicher Rückgang der Waffeneinfuhren festzustellen.
Kriege und Bürgerkriege sind denn auch eine weitere Geißel für die Bevölkerung in vielen Ländern der Dritten Welt. Die meist aus sozialen oder religiösen Gründen ausbrechenden Kämpfe sind zum Teil noch ein Erbe der Kolonialzeit, als die Europäer willkürliche Grenzen zogen.

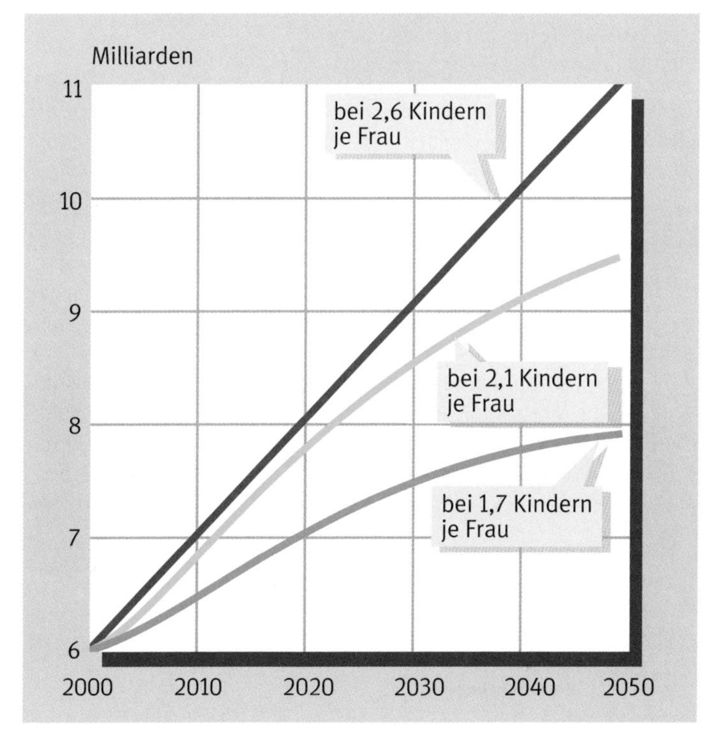

◀ *Weltbevölkerung 2000 bis 2050: drei Varianten.*
Quelle: Bevölkerungsabteilung der Vereinten Nationen; zit. n. Frankfurter Allgemeine Zeitung vom 8. Nov. 2001
- *Welche Konsequenzen ergeben sich für die Politik aus dieser Hochrechnung?*

Die Neue Weltwirtschaftsordnung und die Rolle der UNO

Vonseiten der Entwicklungsländer wird das bestehende Weltwirtschaftssystem als eigentliche Ursache ihres unzureichenden Lebensstandards angesehen. Ungleiche ökonomische und politische Machtverhältnisse verhinderten ein effektives Funktionieren ihrer Volkswirtschaften. Daraus ergab sich die gemeinsam vorgetragene Forderung nach einer *Neuen Weltwirtschaftsordnung (NWWO)*.

Die Diskussion über die Neue Weltwirtschaftsordnung wurde vor allem in den Vereinten Nationen und deren Sonderorganisationen geführt. Neben der *UN-Konferenz für Handel und Entwicklung (UNCTAD)* zählen dazu der *Internationale Währungsfonds (IWF)* und die *Weltbank*. Allein die Weltbank hat 2001 zur Behebung vorübergehender Zahlungsschwierigkeiten, zur Bekämpfung von Armut oder zur Förderung von Privatwirtschaft, Industrie und Umweltschutz Kredite von 17,3 Milliarden Dollar an Entwicklungsländer vergeben. Allerdings knüpfen Weltbank und Weltwährungsfonds ihre Unterstützung an die Zusage von marktwirtschaftlichen Reformen oder Sparmaßnahmen zur Bekämpfung der Inflation. Die Folge sind häufig Kürzungen von Sozialausgaben in den Staatshaushalten der Entwicklungsländer. Seit einigen Jahren wird daher der Ruf nach einer Entschuldungskampagne für die Entwicklungsländer immer lauter, ohne dass sich die beteiligten Organisationen bisher auf konkrete Maßnahmen einigen konnten. Die Kritik von *Nicht-Regierungs-Organisationen (NGOs)* und anderen Globalisierungsgegnern richtet sich seit ihrer Gründung 1995 vor allem gegen die *Welthandelsorganisation (World Trade Organization = WTO)*, die als Unterorganisation der Vereinten Nationen zur Zeit (2002) 144 Mitglieder hat.

Globale Politik	– Anerkennung als gleichberechtigte Partner – Recht auf einen eigenen Entwicklungsweg – Uneingeschränkte Verfügungsmacht über die eigenen Bodenschätze
Handel und Wirtschaft	– Größerer Anteil an der Weltindustrie-Produktion – Abbau von Handelshemmnissen durch die Industrieländer – Förderung der Zusammenarbeit der Entwicklungsländer untereinander
Rohstoffe	– Vereinbarung von Rohstoffabkommen und Kartellen – Verarbeitung von Rohstoffen in den Erzeugerländern
Industrialisierung	– Steigerung der Investitionen im Industriesektor
Technologie	– Technologietransfer aus den Industrieländern zu Vorzugsbedingungen (Patente, Lizenzen etc.)
Dienstleistungen	– Wachstum des Tourismus
Landwirtschaft	– Unterstützung bei der Hebung der Agrarproduktion
Währung und Finanzen	– Verbesserter Zugang zu den Kapitalmärkten – Schutz vor den Folgen von Inflation und Verschuldung
Entwicklungshilfe	– Verwirklichung der staatlichen Entwicklungshilfeziele seitens der Industrieländer: 0,7 % des Bruttosozialprodukts – Erhöhung der Finanzmittel für die internationalen Entwicklungshilfe-Organisationen

Tabelle nach: Dieter Nohlen (Hrsg.), Lexikon Dritte Welt, Reinbek, 6. Auflage 1994, S. 487 und 489

▲ *Die wichtigsten Forderungen der Entwicklungsländer.*

Entwicklungspolitik: Hilfe zur Selbsthilfe

In erster Linie bestimmen humanitäre, außenpolitische und wirtschaftspolitische Motive die Entwicklungspolitik. Zwischen 1960 und 1980 verfolgte die internationale Entwicklungspolitik primär die Strategie der nachholenden Entwicklung und Modernisierung in den Ländern der Dritten Welt. Entwicklung wurde fast ausschließlich mit wirtschaftlichem Wachstum gleichgesetzt, in der Annahme, das Wachstum würde nach unten durchsickern und schließlich die ärmeren Bevölkerungsschichten erreichen. Die erwarteten Erfolge traten jedoch bei der Mehrzahl der Entwicklungsländer nicht ein.

Seit Beginn der Siebzigerjahre diskutierten Geber- und Nehmerländer deshalb eine grundsätzliche Neuorientierung der Entwicklungspolitik. Ausgangspunkt hierfür war die Erkenntnis, dass wirtschaftliches Wachstum allein noch keine umfassende Entwicklung einleiten kann, da es weder Verteilungsprobleme lösen, noch die sozialen Folgen vorherzusehen vermag. Damit einher ging die Einsicht, dass ein stark steigender Energie- und Rohstoffverbrauch in den Ländern der Dritten Welt eine zusätzliche Bedrohung der Umwelt nach sich ziehen würde. In Abkehr von globalen Entwicklungshilfekonzepten lautete die neue Strategie: „Hilfe zur Selbsthilfe durch angepasste Entwicklung". Damit sollen einerseits die jeweiligen soziokulturellen und ökologischen Gegebenheiten berücksichtigt und andererseits Menschenrechte und Demokratisierung gefördert werden.

Parallel zu diesem Umdenken der Industrienationen setzte in den Ländern der Dritten Welt eine verstärkte Rückbesinnung auf die eigenen Traditionen und kulturellen Werte ein. Es entstand ein neues Vertrauen auf die eigene Kraft (Self-Reliance) als selbstbewusste Gegenposition zu der bis dahin fast kritiklosen Übernahme westlicher Zivilisation. Am deutlichsten tritt diese Abkehr von westlichen Lebensformen heute in der islamischen Welt zutage.

In Zeiten der Globalisierung nehmen ökonomische und politische Entwicklungen in einem Teil der Welt zunehmend Einfluss auf Politik und Wirtschaft in anderen Teilen. In diesem Zusammenhang sieht sich auch die Entwicklungspolitik vor neuen Herausforderungen: Die Vergangenheit hat gezeigt, dass externe Faktoren wie Geld, Expertise und Personal Entwicklung allenfalls unterstützen, aber nicht herbeiführen können. Die Entwicklungspolitik muss also Lösungen für weltumspannende Probleme finden, indem sie den Partnerländern hilft, eigenständige Kapazitäten aufzubauen (➧ M 2). Dabei müssen die südlichen Staaten in die Lage versetzt werden, eine aktive Rolle in der sich bildenden *Global Governance* (vgl. S. 16) zu spielen. Dies wird nicht ohne die Zusammenarbeit der staatlichen bzw. überstaatlichen Institutionen mit weltweit operierenden Unternehmen und den zunehmend transnational organisierten NGOs zu bewerkstelligen sein.

Das weltweite Flüchtlingsproblem stellt eine weitere Herausforderung für die Entwicklungspolitik dar: Kriege und politische Verfolgung, Hunger, Armut und Umweltzerstörungen sind die Ursachen für die jährlich steigende Zahl von Flüchtlingen. Man schätzt, dass schon in wenigen Jahren 80–100 Millionen Menschen ihre angestammte Heimat verlassen haben werden, die meisten von ihnen verbleiben in der Dritten Welt. Dennoch müssen die nordamerikanischen und europäischen Regierungen nach politischen und wirtschaftlichen Mitteln und Wegen suchen, wenn sie einen nicht mehr kontrollierbaren Zustrom von Einwanderern vermeiden wollen.

Teamarbeit

Von Abiturientinnen und Abiturienten wird heute überall erwartet, dass sie in einem Team arbeiten können. Das muss man lernen. Eine Gruppe ist nur dann leistungsfähig, wenn ihre einzelnen Mitglieder mit den Regeln der Teamarbeit gut vertraut sind und sich daran halten.

Regeln für die Teamarbeit

ORGANISATION

- Gruppengröße 4–8 Schüler (je nach Thema)
- Thema/Aufgabe(n) klar formulieren
- Zeitplan aufstellen
- Arbeitsschritte gemeinsam planen
- Aufgabenbereiche auf Einzelteams/Einzelne verteilen
- Entscheidungen gemeinsam treffen
- Ergebnisse gegenseitig vorstellen
- Präsentation planen
- Erfahrungen austauschen

Dabei auch „Atmosphärisches“ berücksichtigen:

- Angenehme Arbeitsatmosphäre schaffen
- Arbeitspausen einplanen

KOMMUNIKATION

- Eigene Lernbedürfnisse formulieren
- Fragen zu Stoff, Gruppe, Methodik stellen
- Konflikte in der Gruppe sofort direkt ansprechen

Grundregeln:

- Jedes Mitglied der Gruppe respektieren
- Kompromissbereit und offen sein, aber auch eigene Interessen wahren
- Aktiv zuhören und Blickkontakt halten
- Ich-Botschaften äußern
- Vorwürfe, Angriffe, Unterstellungen vermeiden
- Konstruktive Kritik üben
- Eigene Verbesserungsvorschläge einbringen
- Zuverlässigkeit fordern und selbst beweisen

Mind-Map

Mind-Maps – „Gedankenlandkarten“ – sind eine Möglichkeit, Ideen zu entwickeln, zu ordnen und übersichtlich darzustellen. Sie eignen sich also bestens dazu, Problemlösungen zu finden. Das Arbeiten mit Mind-Maps ist leicht erlernbar. Man benötigt ein Blatt Papier im Querformat und einen Stift. Zunächst wird in der Mitte des Blattes das Thema notiert und umrahmt. Von diesem Zentrum aus laufen Linien in alle Richtungen. Sie stellen die Hauptaspekte des Themas dar und werden mit Stichworten beschriftet. Jeder neue Gedanke erhält eine eigene Linie (Ast).
Danach sind die Nebenaspekte an der Reihe: Den Stichworten werden alle weiteren Ideen zugeordnet, die auf zusätzlichen Verästelungen festgehalten werden. So entsteht allmählich ein übersichtliches Gedankennetz, das jederzeit erweitert werden kann, wenn neue Aspekte auftauchen.
Ein *Vorzug* von Mind-Maps besteht darin, dass diese Methode durch die Verbindung von bildlichem und begrifflichem Denken der Funktionsweise des menschlichen Gehirns entgegenkommt. Dadurch wird die Kreativität angeregt.

Gestaltungsregeln für Mind-Maps

- Blatt im Querformat benutzen
- In Druckschrift schreiben
- Worte, Farben und Symbole benutzen
- Thema in der Mitte platzieren
- Äste und Zweige mit jeweils nur einem Begriff beschriften
- Äste symbolisieren Hauptaspekte, Verzweigungen führen zu Nebenaspekten

TIPP

Beim ersten Arbeiten mit Mind-Maps nicht sofort die zeichnerische Darstellung anstreben, sondern zunächst alle Ideen in einer Liste notieren und daraus dann die Grafik erstellen.

Mind-Maps sind vielfältig einsetzbar: Vorwissen und neue Informationen können geordnet werden, Wichtiges und Nebensächliches lassen sich unterscheiden, Zusammenhänge werden deutlich und Präsentationen gewinnen an Überzeugungskraft.
Außerdem helfen Mind-Maps einer Gruppe, die *Arbeit aufzuteilen*: Dazu erstellt jeder Teilnehmer ein individuelles Mind-Map zum Thema. Die Varianten werden verglichen und zu einem Gruppen-Mind-Map entwickelt. Die Zuordnung der Aufgabenfelder erfolgt beispielsweise dadurch, dass jeder die Bereiche bearbeitet, zu denen er/sie mehrere Begriffe eingebracht hat. Mit unterschiedlichen Farben können sie markiert und so veranschaulicht werden.

▼ *Mind-Map zum Thema „Die Ära Adenauer"*

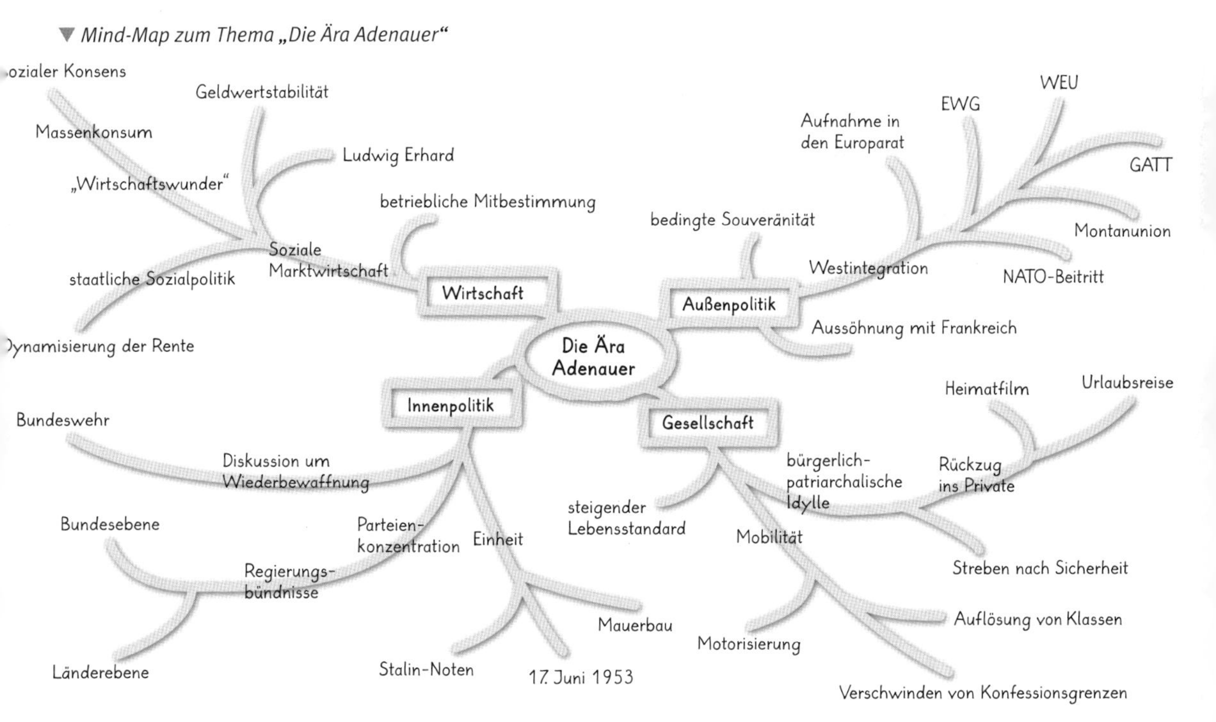

Gruppenpuzzle

Das Gruppenpuzzle ist eine arbeitsteilige Teamarbeit, bei der die Gruppenmitglieder die einzelnen Puzzleteile erarbeiten. Indem sie ihre individuell oder gemeinsam erzielten Resultate verzahnen, entsteht ein in sich geschlossenes Gesamtergebnis.

Phase 1
- ☑ *Stammgruppen* werden gebildet.
- ☑ Arbeitsmaterialien werden ausgegeben.
- ☑ Die Gruppenmitglieder sichten die Materialien und entscheiden, wer für welches Thema Experte werden will.

Phase 2
- ☑ Die Stammgruppen werden vorübergehend aufgelöst und stattdessen *Expertengruppen* (entsprechend der Festlegung in Phase 1) gebildet.
- ☑ Die Experten bearbeiten die Arbeitsmaterialien, diskutieren die Aufgaben und klären offene Fragen.
- ☑ Sie planen die Unterrichtung der Kursmitglieder (Infopapier, Kontrollfragen).

Phase 3
- ☑ Die Expertengruppen werden aufgelöst und jede/r kehrt in die Stammgruppe zurück.
- ☑ Jeder Experte berichtet über seinen Bereich (evtl. anhand des Infopapiers).
- ☑ Am Ende sollte jedes Mitglied der Stammgruppe den Zusammenhang verstanden haben.
- ☑ Die Stammgruppe erarbeitet eine Präsentation zum gesamten Thema.

Phase 4
- ☑ Präsentation

▲ *Verlaufsschema Gruppenpuzzle*

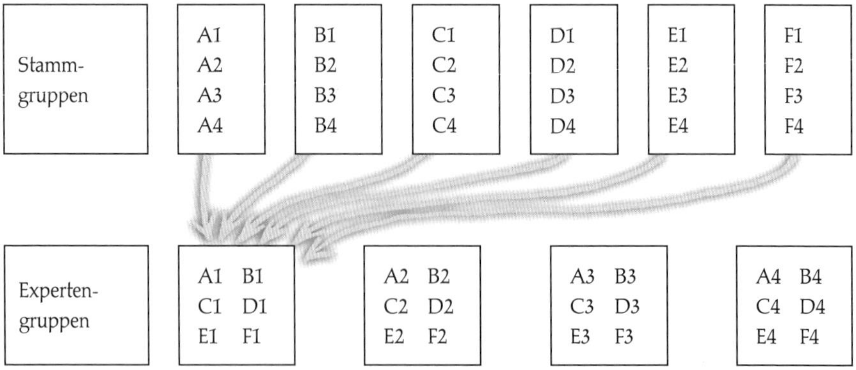

Stamm-gruppen
A1 A2 A3 A4
B1 B2 B3 B4
C1 C2 C3 C4
D1 D2 D3 D4
E1 E2 E3 E4
F1 F2 F3 F4

Experten-gruppen
A1 B1 C1 D1 E1 F1
A2 B2 C2 D2 E2 F2
A3 B3 C3 D3 E3 F3
A4 B4 C4 D4 E4 F4

▲ *Einteilung der Gruppen beim Gruppenpuzzle*
Die Einteilung der Expertengruppen 2, 3 und 4 erfolgt nach dem gleichen Verfahren wie die Bildung der Gruppe 1 und wurde aus Gründen der Übersichtlichkeit in der Grafik nicht dargestellt.

TIPP

1. Die Zahl von vier Mitgliedern pro Stammgruppe sollte nicht überschritten werden. Bei größeren Kursen empfiehlt es sich, gegebenenfalls mehr Stammgruppen zu bilden.
2. Es fördert die Arbeit im Team, wenn die Stammgruppen aus Schülerinnen und Schülern unterschiedlicher Leistungsstärke zusammengesetzt sind.

Moderation
Die Moderationsmethode eignet sich vor allem zur Bearbeitung umfangreicher Problem- und Fragestellungen. Das Interessante an diesem Verfahren ist, dass die Schülerinnen und Schüler weitgehende Entscheidungsfreiheit bei der Gestaltung des Arbeitsprozesses haben. Sie beschließen gemeinsam, welche Schritte sie gehen wollen, wann und wo die Arbeit stattfindet. Die Lehrkraft gibt den zeitlichen Rahmen und die Problemstellung vor, liefert jedoch kein Arbeitsmaterial. Sie moderiert lediglich den Gang der Arbeit, d. h. sie unterstützt die Gruppe bei der Willensbildung. Inhaltlich greift sie aber nicht ein.

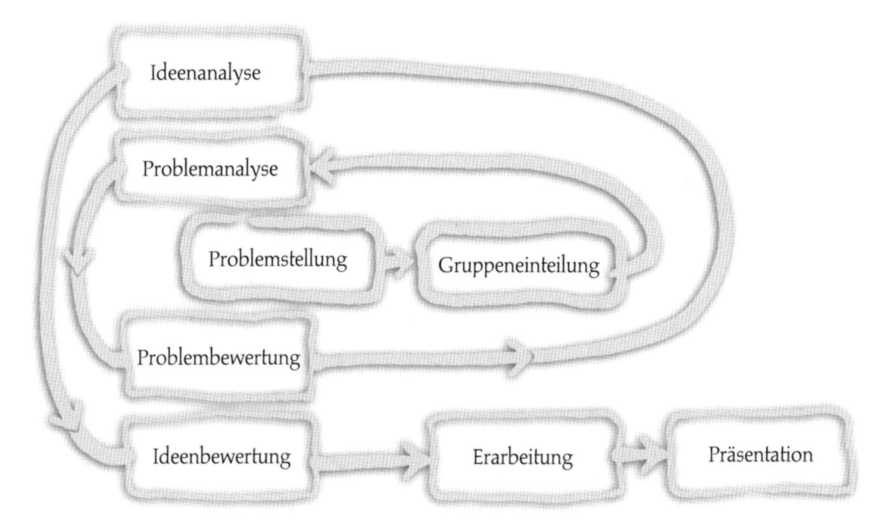

▲ *Moderationsschnecke*

Problemanalyse
Zumnächst sammelt die Gruppe möglichst viele Informationen. Jeder Schüler/jede Schülerin notiert auf Kärtchen Ideen zum Problem (jeweils nur einen Begriff). Diese werden auf einem Tisch ausgebreitet. Die Kärtchen, deren Informationsgehalt miteinander in Beziehung steht, werden zu kleinen Stapeln zusammengefasst. Für jeden entstandenen Stapel wird von der Gruppe eine Deckkarte formuliert, die den Inhalt der darunterliegenden Informationen als Oberbegriff bündelt. Die zunächst unüberschaubare Aufgabe ist damit in Teilbereiche gegliedert.

Problembewertung
Jetzt werden die herausgearbeiteten Bereiche bewertet. Dazu ordnet sie jeder individuell in eine Prioritätenskala ein. Diese hat folgende Stufen:
- in hohem Maße bearbeitungswürdig,
- bedingt bearbeitungswürdig,
- kaum bearbeitungswürdig,
- nicht bearbeitungswürdig.

Die Auswertung ergibt eine Rangordnung der Themenfelder.

Ideenanalyse
Im Anschluss daran suchen die Teilnehmer nach Ideen, um die analysierten und bewerteten Probleme zu bearbeiten. Dabei werden inhaltliche und organisatorische Arbeitsschritte berücksichtigt. Jedes Kursmitglied erhält zwei leere Blätter, schreibt maximal drei Vorschläge untereinander auf und legt sie in die Mitte eines Tisches. Hat ein Schüler keine Ideen mehr, greift er nach einem fremden Blatt auf dem Tisch und liest die notierten Vorschläge. Wenn ihm durch die Lektüre ein neuer Gedanke kommt, schreibt er ihn auf dieses Papier unter die vorhandenen Vorschläge. Abgeschlossen ist dieser Prozess, wenn niemandem mehr etwas einfällt.

Ideenbewertung
Zur Bewertung werden zunächst die gesammelten Blätter von den Teilnehmern vorgelesen und auf einem Poster festgehalten. Jeder sagt seine Meinung zu den einzelnen Vorschlägen. Anschließend werden die mehrheitlich favorisierten Vorschläge herausgefunden und das weitere Vorgehen wird abgesprochen.

Bearbeitung
Der gemeinsamen Festlegung des Problemlösungsweges durch die Moderationsmethode folgt die inhaltliche Arbeit im Team oder in Einzelarbeit. Hierzu wird in Übereinstimmung mit der Lehrkraft ein zeitlicher Rahmen festgelegt. Notwendige Arbeitsmittel beschaffen die Gruppenmitglieder selbst.

Präsentation
Abgeschlossen wird die Arbeit durch eine Präsentation der Ergebnisse.

Spielregeln für die Moderationsmethode
- ☑ Die Bereitschaft zu gemeinsamer Arbeit ist Voraussetzung für den Erfolg.
- ☑ Alle Arbeitsschritte müssen von der Gruppe beschlossen und durchgeführt werden.
- ☑ (Teil-)Ergebnisse werden nicht diskutiert, kritisiert oder kommentiert.
- ☑ Die Lehrkraft moderiert den Arbeitsprozess.
- ☑ Eine Gruppe besteht aus maximal acht Personen.

TIPP
Das zu bearbeitende Modul sollte vom Kurs zu Beginn des Schuljahrs festgelegt werden, sodass die Schüler Zeit haben, sich Informationen zu beschaffen.

Präsentationsformen

Mit mediengestützten Präsentationen können die Ergebnisse von Team- oder Einzelarbeit vorgestellt werden. Es können ganz unterschiedliche Formen einer Präsentation eingesetzt werden. Ziel ist es die Zuhörer informieren und überzeugen zu wollen. Dazu muss eine Präsentation sowohl den Verstand als auch die *Gefühle* des Publikums ansprechen.

„Um sich begreiflich zu machen, muss man zum Auge reden."
(Johann Gottfried Herder)

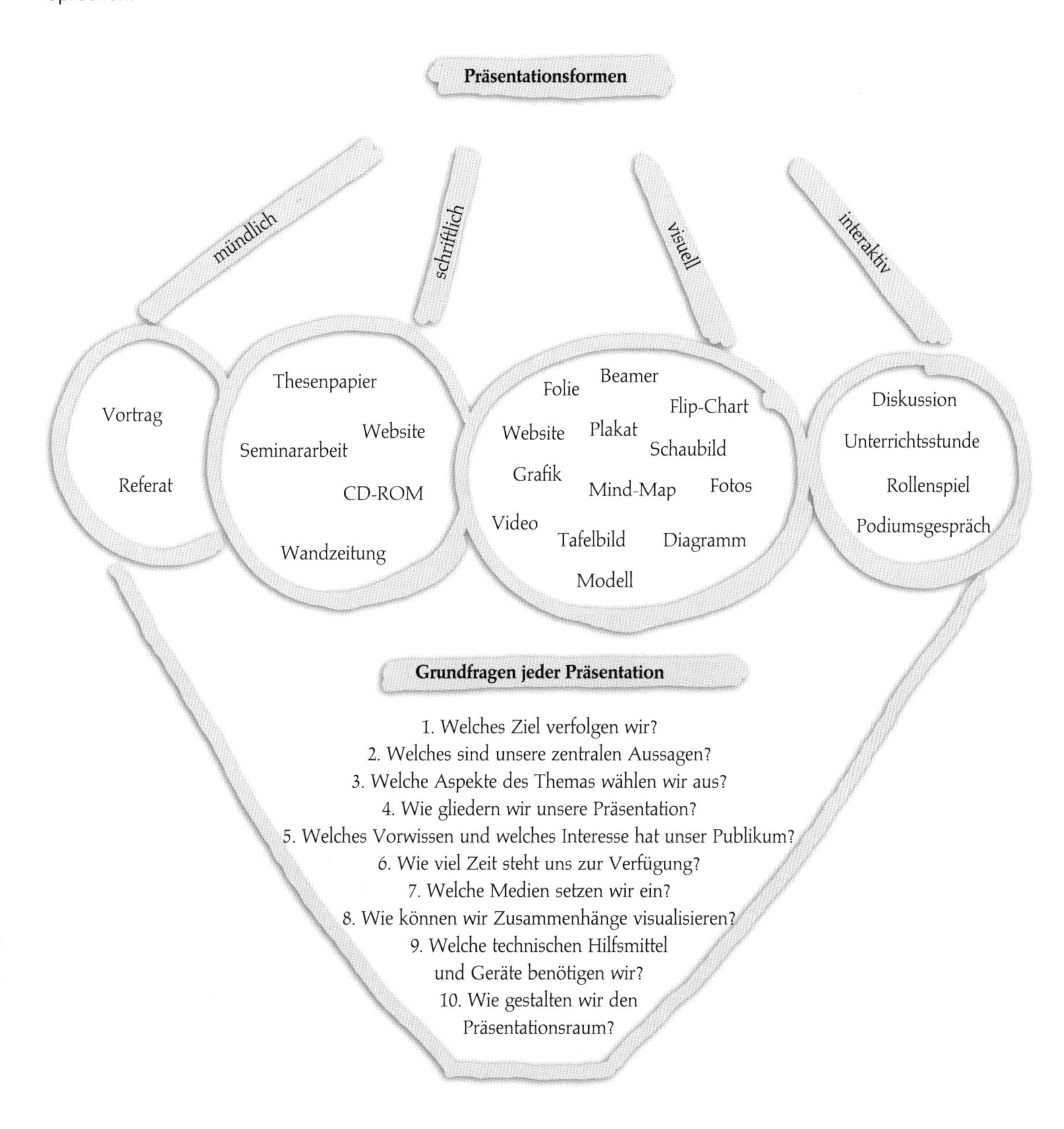

„Beherrsche die Sache, dann folgen die Worte“
(Cato)

Z

Referat

Referate sind in der Oberstufe eine wichtige Möglichkeit der Leistungsmessung. In einem Referat wird ein Publikum über einen fachlich abgegrenzten und inhaltlich bearbeiteten Sachbereich informiert. Wie aber erstellt man ein Referat? Den Ausgangspunkt bildet ein klar formuliertes und eingegrenztes Thema mit einer durchdachten Fragestellung. Informationsbeschaffung, -auswahl und -ordnung führen zu einer sachlichen Gliederung, die die Stofffülle bündelt.

TIPP

Um sich einen Überblick über ein Thema zu verschaffen oder es einzugrenzen, eignet sich ein Mind-Map.

▼ *Arbeitsschritte beim Anfertigen eines Referats*

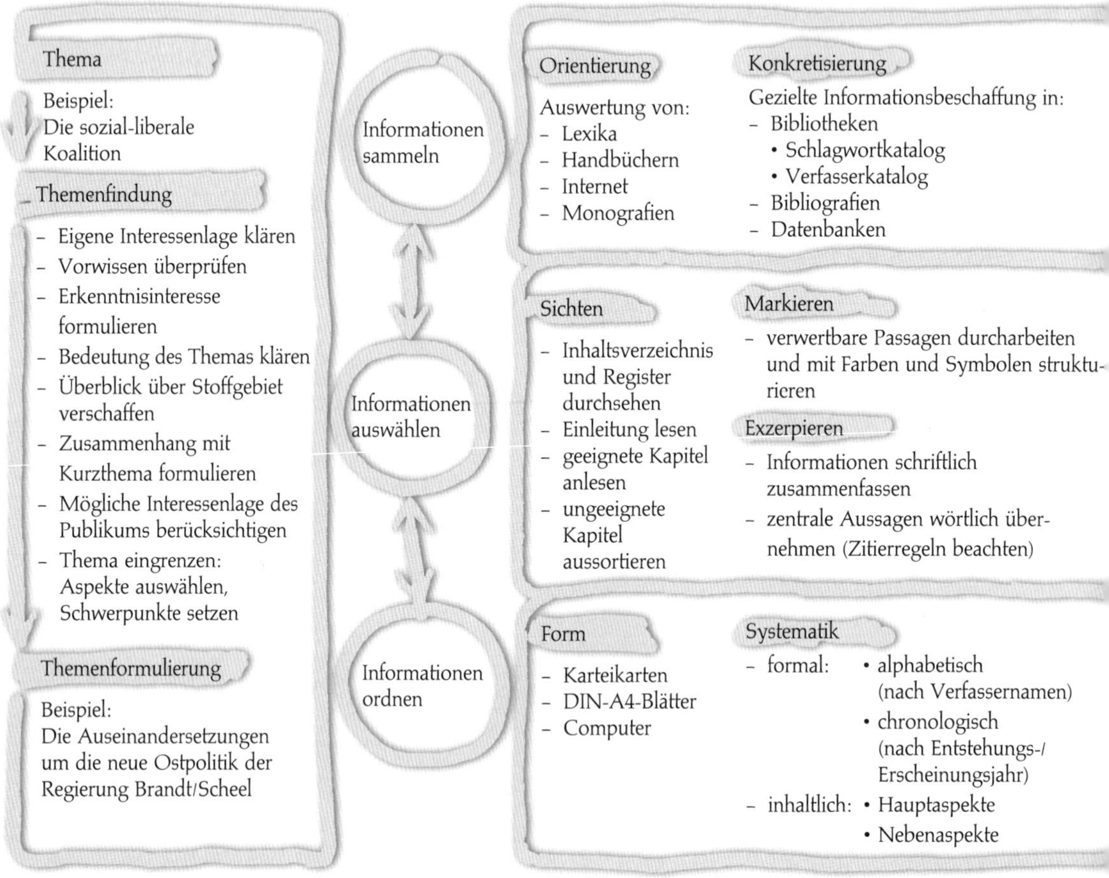

Thema

Beispiel:
Die sozial-liberale Koalition

Themenfindung

- Eigene Interessenlage klären
- Vorwissen überprüfen
- Erkenntnisinteresse formulieren
- Bedeutung des Themas klären
- Überblick über Stoffgebiet verschaffen
- Zusammenhang mit Kurzthema formulieren
- Mögliche Interessenlage des Publikums berücksichtigen
- Thema eingrenzen: Aspekte auswählen, Schwerpunkte setzen

Themenformulierung

Beispiel:
Die Auseinandersetzungen um die neue Ostpolitik der Regierung Brandt/Scheel

Informationen sammeln

Orientierung

Auswertung von:
- Lexika
- Handbüchern
- Internet
- Monografien

Konkretisierung

Gezielte Informationsbeschaffung in:
- Bibliotheken
  - Schlagwortkatalog
  - Verfasserkatalog
- Bibliografien
- Datenbanken

Informationen auswählen

Sichten

- Inhaltsverzeichnis und Register durchsehen
- Einleitung lesen
- geeignete Kapitel anlesen
- ungeeignete Kapitel aussortieren

Markieren

- verwertbare Passagen durcharbeiten und mit Farben und Symbolen strukturieren

Exzerpieren

- Informationen schriftlich zusammenfassen
- zentrale Aussagen wörtlich übernehmen (Zitierregeln beachten)

Informationen ordnen

Form

- Karteikarten
- DIN-A4-Blätter
- Computer

Systematik

- formal:
  - alphabetisch (nach Verfassernamen)
  - chronologisch (nach Entstehungs-/Erscheinungsjahr)
- inhaltlich:
  - Hauptaspekte
  - Nebenaspekte

Jede Präsentation bedarf einer guten Vorbereitung und genauen Planung. Meist gibt es einen festen Termin, an dem das Referat fertig sein muss. Die zur Verfügung stehende Zeit muss daher sinnvoll genutzt werden, die folgenden Fragen können dabei helfen:

- Wie ist mein persönlicher Arbeits- und Leistungsrhythmus?
- Wie ist mein persönliches Arbeitstempo?
- Welche parallel laufenden Arbeiten muss ich erledigen?
- Welche technischen Hilfsmittel benötige ich?
- Wie sind die Zugriffsmöglichkeiten auf Informationen?
- Wie lange benötige ich zur Fertigstellung und technischen Umsetzung meiner Präsentation?
- Welche Zeit steht mir für meine Präsentation zur Verfügung?

Im Einzelnen sollte der Referent vorab klären: Wie sieht mein Präsentationsraum aus? Welche Medien stehen mir zur Verfügung? Welche davon möchte ich einsetzen? Wie gestalte ich meine eigenen Redeunterlagen (z. B. Stichworte auf Karteikarten)? Was mache ich, wenn ich den Faden verliere?

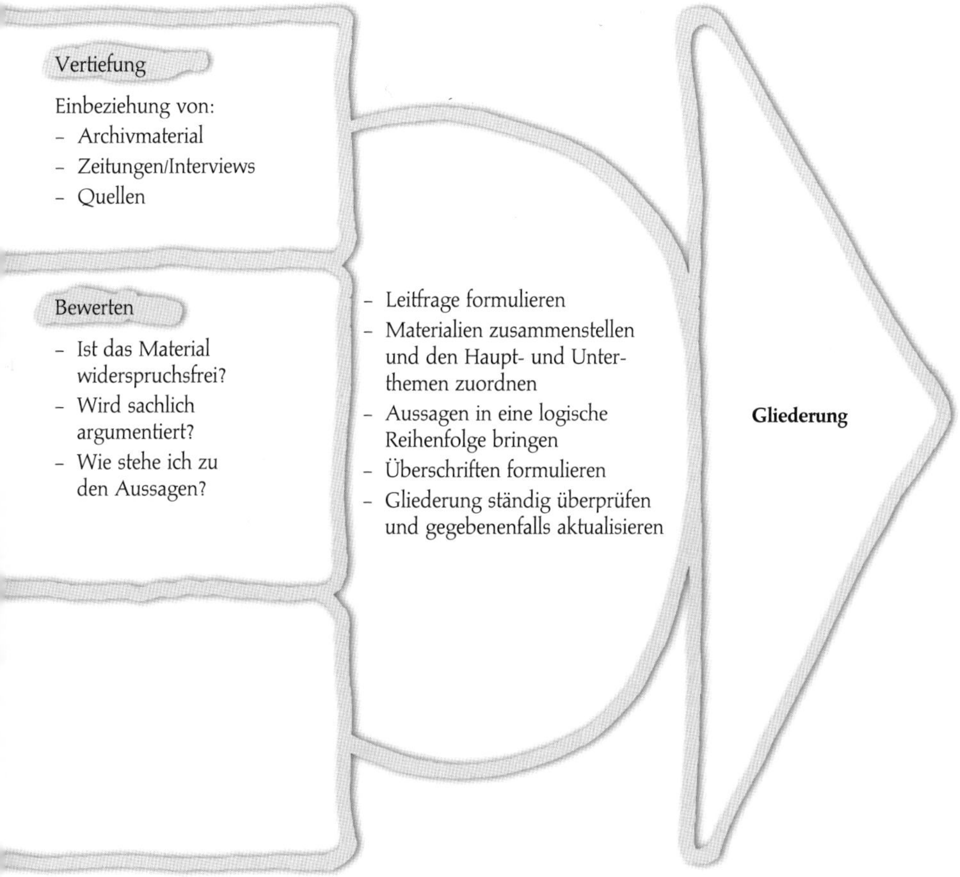

Vertiefung

Einbeziehung von:
- Archivmaterial
- Zeitungen/Interviews
- Quellen

Bewerten

- Ist das Material widerspruchsfrei?
- Wird sachlich argumentiert?
- Wie stehe ich zu den Aussagen?

- Leitfrage formulieren
- Materialien zusammenstellen und den Haupt- und Unterthemen zuordnen
- Aussagen in eine logische Reihenfolge bringen
- Überschriften formulieren
- Gliederung ständig überprüfen und gegebenenfalls aktualisieren

Gliederung

Ein mediengestützter Vortrag sollte immer nach folgendem Muster gegliedert sein:

▼ *Struktur einer Rede*

Neben dem argumentativen Hauptteil, in dem die wesentlichen inhaltlichen Ergebnisse dargelegt werden, kommt der Begrüßung und dem Schluss eine hohe Bedeutung zu, da die Zuhörer diese Teile eines Vortrags besonders aufmerksam wahrnehmen. Die Elemente einer gelungenen Präsentation veranschaulicht die Grafik:

Redestruktur
- motivierende Einleitung
- Formulierung des Redeziels
- logische Argumentation
- resümierender oder offener, weiterführender Schlusssatz

Inhalte
Relevanz und sachliche Richtigkeit

Körpersprache
- Blickkontakt mit Publikum
- Offenheit, Natürlichkeit, Freundlichkeit ausstrahlen
- natürliche Handbewegungen
- Fluchttendenzen vermeiden
- gerader Oberkörper
- ruhiges Stehen

Die gelungene Präsentation

Redetechnik
- Rücksichtnahme auf Zuhörer
  - Verständlichkeit
  - angemessenes Tempo
  - klare Artikulation
  - Stimmmodulation
  - lebendige Sprache
  - Pausen
- anschauliche Sprache
- freies Sprechen

Zuhörer-orientierung
- emotional
- kognitiv

Visualisierung
- keine Effekthascherei
- funktionaler Einsatz von Farben
- Anschaulichkeit, Übersichtlichkeit
- Lesbarkeit von Folien und Plakaten
- maximal 9 Zeilen pro Folie beschreiben

▲ *Elemente einer gelungenen Präsentation*

Protokoll

Protokolle fassen die Ergebnisse einer Diskussion, einer Besprechung oder eines Vortrags zusammen und dokumentieren sie. Mit ihrer Hilfe können sich auch Personen, die bei der Veranstaltung nicht anwesend waren, informieren. Protokolle sind sachlich, knapp und frei von Wertungen. Grundsätzlich werden zwei Formen unterschieden:

Das *Verlaufsprotokoll* hält den genauen Ablauf einer Sitzung in Stichworten fest. Dabei wird der Austausch von Argumenten in sachlicher Form wiedergegeben.
Das *Ergebnisprotokoll* dokumentiert Stundenergebnisse oder Beschlüsse von Gruppensitzungen. Es ist kurz, enthält die wesentlichen Arbeitsresultate und ist thematisch gegliedert.

Alle Protokolle stehen im Präsens und nennen:
- ☑ Ort, Zeit und Thema der Veranstaltung
- ☑ Name des Protokollanten
- ☑ Teilnehmerinnen und Teilnehmer
- ☑ Behandelte Sachverhalte

Thesenpapier

Ein Thesenpapier richtet sich an einen Kreis von Diskussionsteilnehmern. Es soll diese über die Ansichten des Verfassers zu einem Problem unterrichten. Darüber hinaus will es die Adressaten zu einer Diskussion anregen. Dementsprechend ist das Thesenpapier nicht ausgewogen, sondern es präsentiert die Meinung des Autors in zugespitzter Form. Aus einer Fülle von Material werden wenige zentrale Aspekte des Themas ausgewählt.

Z

„Was nicht auf einer einzigen Manuskriptseite zusammengefasst werden kann, ist weder durchdacht noch entscheidungsreif."
(Dwight D. Eisenhower)

Der Aufbau eines Thesenpapiers lässt sich folgendermaßen gestalten:
- ☑ Einführung ins Thema und seine Bedeutung
  Darlegung der Problemstellung
- ☑ Darlegung der Kernthesen mit stützenden Begründungen und Belegen
  Entkräftung möglicher Gegenargumente
- ☑ Schlussfolgerungen

Im Rahmen eines mündlichen Vortrags oder einer Präsentation erläutert, ergänzt und vertieft ein Verfasser sein Thesenpapier.

TIPP

Das Thesenpapier sollte nicht umfangreicher als eine DIN-A4-Seite sein.

Kompetenter Umgang mit Quellen

Auf den folgenden vier Seiten finden Sie kompakt und übersichtlich einige grundlegende Hinweise zur methodischen Arbeit im Geschichtsunterricht.

Eine schriftliche Quelle analysieren und interpretieren

- Klären Sie zunächst Ihnen unbekannte oder unklare Begriffe.
- Sammeln Sie Hinweise und Informationen über
  - den Autor: seine Funktion, seinen Beruf, seine soziale Stellung und Lebensumstände, seine politische Haltung, seinen Bezug zum Thema,
  - die Entstehungszeit der Quelle, die Einordnung in den historischen Kontext (Anlass, Umstände),
  - die Gattung der Quelle (primär: Urkunde, Vertrag, Rede, Brief, Tagebuch, Flugblatt, Denkschrift, Biografien (Lebenserinnerungen), Zeitungsartikel; sekundär: nachträglich verfasste Beschreibung eines Ereignisses oder einer Person; wissenschaftliche Arbeit) und deren spezifische Kennzeichen sowie ihre begrifflichen und sprachlichen Besonderheiten,
  - die Intentionen (Absichten), die Perspektive der Darstellung, die Interessenlage und den Standort des Verfassers, seine Wertungen, Belege, Lücken, Glaubwürdigkeit und Urteilsfähigkeit,
  - die Adressaten des Textes (eventuelle Beeinflussungsversuche durch den Autor?).
- Erarbeiten Sie aus Ihren Notizen strukturiert und prägnant
  - die formalen Merkmale der Quelle, beschreiben Sie in eigenen Worten den Aufbau und Gang der Argumentation,
  - die inhaltlichen Aussagen, um das Verständnis zu klären, und belegen Sie Ihre erläuternden Aussagen mit wichtigen, markant formulierten Zitaten aus der Vorlage. Ziehen Sie ein Fazit.
- Prüfen Sie abschließend kritisch den Gehalt, nennen Sie erkannte Probleme.
  Ordnen Sie die Ergebnisse Ihrer Quellenanalyse in den historischen Kontext ein.

Mit wissenschaftlichen Texten (Sekundärliteratur) arbeiten

- Bestimmen Sie nach dem ersten Lesen das Problem, um das es dem Autor geht, und seine Absicht.
- Gliedern Sie den Text. Unterstreichen Sie wichtige Aussagen. Beschränken Sie sich dabei weitgehend auf das Markieren einzelner Wörter (Schlüsselbegriffe). Fassen Sie in eigenen Worten die wesentlichen Aussagen zusammen. Zitieren Sie dabei kurze, besonders aussagestarke Textstellen und erläutern Sie diese. Formulieren Sie ein abstrahierendes Fazit ohne Wiederholungen.
- Prüfen Sie die Art der Darstellung: Überwiegen Thesen und Beispiele oder werden Argumente sorgfältig entwickelt? Was wird festgestellt? Was wird erklärt? Was will der Autor zeigen? Werden die Aussagen belegt? Ist die Darstellung multiperspektivisch? Wie wird gewertet? Welche Kriterien sind dem Autor dabei wichtig? Formulieren Sie Einwände gegen die Darstellung, falls es Ihnen notwendig erscheint.

Eine Statistik auswerten
Zu unterscheiden sind Zahlentabellen und Diagramme. Sie präsentieren und veranschaulichen ermittelte Daten und zeigen, wie sich Mengen im Laufe einer Zeiteinheit verändern, wie sich eine Gesamtzahl in Teile gliedern lässt oder welchen Anteil bestimmte Gruppen am Ganzen haben. Um gültige Aussagen zu erlangen, benötigen wir möglichst viele, einheitliche, untereinander vergleichbare, lückenlose Angaben über eine Sache oder einen Zusammenhang. Meistens sind die in diesem Buch abgedruckten Tabellen bereits bearbeitet worden. Die ihnen zugrunde liegenden ursprünglichen Rohdaten wurden beispielsweise für eine Region zusammengefasst, in einer überschaubaren Messgröße vereinheitlicht, umgerechnet oder nach bestimmten Gesichtspunkten ausgewählt und sortiert.

- Sammeln Sie zunächst Aussagen zu Thema, Zeit, Raum, Messgrößen sowie ihre Beziehung zueinander.
- Ermitteln Sie die Art der verwendeten Daten. Achten Sie auf Prozentwerte oder Indexierungen (Verhältniszahlen, die sich auf einen gleich 100 gesetzten Wert eines Ausgangsjahres beziehen).
- Vergleichen Sie die Angaben in den einzelnen Zeilen und Spalten miteinander. Achten Sie auf besonders hohe und niedrige Werte. Suchen Sie nach Schwerpunkten und Trends. Beschreiben und erläutern Sie die Veränderungen. Ermitteln Sie Gründe.
- Stellen Sie Ihre Erkenntnisse in den Zusammenhang mit anderen Informationsquellen. Vergleichen Sie die Aussagen miteinander.
- Fassen Sie Ihre Arbeitsergebnisse in einem strukturierten Text prägnant und so klar nachvollziehbar zusammen, dass sie für andere ohne Blick auf das bearbeitete Material verständlich sind.

TIPP

Sie können Statistiken sich selbst und anderen veranschaulichen, indem Sie diese in Diagramme umwandeln. Für den Vergleich absoluter Werte eignen sich Säulen, für langfristige Entwicklungen bieten sich Kurven an und in Kreisen lassen sich gut prozentuale Teile eines Ganzen zeigen.

Historische Karten lesen
Geschichtskarten berücksichtigen räumliche, chronologische, thematische und quantitative Aspekte. Sie setzen geografische Bedingungen in eine Beziehung zu historischen Zuständen und Entwicklungen.

- Worüber informiert die Karte? Auf welche Region und Zeit beziehen sich ihre Aussagen? Zeigt sie einen Zustand oder eine Entwicklung? Welche Bedeutung haben die Zeichen der Legende? Was ist wann wo in welchem Ausmaß vorhanden?
- Formulieren Sie anschließend, welche Schlussfolgerungen sich ziehen lassen, wenn Sie die einzelnen Fakten miteinander verknüpfen und im Zusammenhang betrachten. Ziehen Sie bei Bedarf andere Quellen heran, um Ihre Erkenntnisse abzusichern oder zu erweitern.

Bildquellen interpretieren

Karikaturen

Karikaturen sind gezeichnete Kommentare. Sie gehen von der Realität aus, die sie jedoch subjektiv vereinfachen und verzerrt wiedergeben, um einen zentralen Aspekt hervorzuheben. Sie zeigen Schwächen von Personen, kritisieren Zustände und Entwicklungen, wollen sie vielleicht verändern.
Meist finden Sie unter dem Bild eine kurze Textzeile, beispielsweise die Aussage einer Person, eine bekannte Redewendung, ein mehrdeutiges Stichwort.

- Klären Sie zunächst den Bildinhalt.
- Erläutern Sie dann seinen historischen Kontext, bevor sie schließlich
- die Intention bestimmen und
- die Wirkung kommentieren.

Plakate

Plakate sollen Aufmerksamkeit wecken und müssen auf den ersten Blick wirken. Sie vereinfachen deshalb eine beabsichtigte Aussage.

- Beschreiben Sie die bildliche Darstellung. Achten Sie auf dominierende Farben, die mit ihnen verbundenen Assoziationen und auf Symbole.
- Erläutern Sie den Text und stellen Sie eine Beziehung zwischen ihm und dem Motiv her. Berücksichtigen Sie die Entstehungszeit und den Ort der Veröffentlichung.
- An welche Adressaten wendet sich das Plakat? Wer hat es entwerfen lassen? In welcher Absicht?

TIPP

Schließen Sie aufgrund Ihrer Kenntnisse aus anderen Materialien auf die Mentalität der Zielgruppen. Berücksichtigen Sie dabei den „Zeitgeist".

Fotos[1)]

- Beschreiben Sie möglichst genau, was das Bild zeigt (Personen, Objekte, Umgebung).
- Handelt es sich um eine (zufällige) Amateur- oder um eine (geplante / bestellte) Profiaufnahme?
- In welcher Absicht wurde fotografiert? Für wen? Beachten Sie den Kontext (Entstehungszeit und -ort).
- Entdecken Sie Hinweise auf Manipulationen (Retuschen, Montagen, unpassende Übergänge und Perspektiven)?

1) *Vgl. Methoden-Baustein: Alltagsgeschichte in Fotografien* ➧ *S. 174 f.*

Gemälde

- Ausgangspunkt ist wie bei jeder Bildquelle die genaue Beschreibung des Kunstwerks (Formen, Farben, Bildaufbau, Personen, Gegenstände, Raumbeziehungen, Größenverhältnisse, Perspektive).
- Erklären und deuten Sie danach die verwendeten bildlichen Elemente vor dem historischen Hintergrund des Dargestellten.
- Bestimmen Sie schließlich die Bildaussage des Künstlers (Intention).
- Hatte der Künstler einen Auftraggeber? Aus welchem Anlass und für welchen Zweck entstand das Kunstwerk?
- Berücksichtigen Sie bei jedem Arbeitsschritt Ihre im Kunstunterricht erworbenen spezifischen Kenntnisse oder informieren Sie sich aus der Literatur über Kennzeichen jener Epoche, der das Bild zuzuordnen ist.

Filme

- Fassen Sie zunächst den Gang der Handlung knapp zusammen. Nennen Sie dabei besonders Ort und Zeit. Wird fortlaufend „erzählt" oder gibt es Sprünge?
- Charakterisieren Sie die wichtigsten Personen. Bestimmen Sie ihre Beziehung(en) zueinander.
- Ermitteln und erläutern Sie zeittypische Merkmale des Films. Berücksichtigen Sie allgemeine Grundsätze filmischer Gestaltung. Ziehen Sie ein Filmlexikon zu Rate, um Ihren Blick zu schärfen.
- Informiert der Film sachlich? Prüfen Sie kritisch politische oder ideologische Aussagen vor dem Hintergrund der Entstehungszeit des Films.
- Gab es Reaktionen auf den Film, die Ihnen bei der Interpretation helfen?

TIPP

Ist der Film ein historisches Dokument? Erläutern und begründen Sie Ihr zusammenfassendes Urteil.

Bauwerke

Wir gehen hier davon aus, dass Sie gelegentlich mit Abbildungen von Bauwerken arbeiten. Deshalb zählen wir sie zu den *Bild*quellen.

- Wer war der Auftraggeber des Gebäudes/Bauwerks?
- Welchen Zwecken sollte das Bauwerk dienen?
- Wurde der Bau verwirklicht? Wie lange wurde von wem an dem Bauwerk gearbeitet? Wer bezahlte es?
- Was kennzeichnet das Bauwerk (Stilelemente, Form, Größe, Platzierung, Besonderheiten)?
- In welchem Zusammenhang stehen Stil und Funktion des Baus? Ziehen Sie bei Bedarf für architekturgeschichtliche Aspekte ein Fachbuch oder Speziallexikon heran.
- Welche Reaktionen auf das Bauwerk gab es? Wurde es später verändert? Warum?

Adenauer, Konrad (1876-1967):
1949-63 Bundeskanzler; 1950-66 Bundesvorsitzender der CDU.

Brandt, Willy (1913-1992):
1957-66 Regierender Bürgermeister von Westberlin; 1964-87 Bundesvorsitzender der SPD; 1966-69 Bundesaußenminister; 1969-74 Bundeskanzler; 1971 Friedensnobelpreis.

Breschnew, Leonid (1906-1982):
ab 1964 Erster Sekretär/Generalsekretär der KPdSU; 1977-82 Staatschef in der UdSSR.

Bush, George H.W. (*1924):
1989-94 amerikanischer Präsident (Republikaner).

Bush, George W. (*1946):
seit 2001 amerikanischer Präsident (Republikaner); Sohn von ➧ George H.W. Bush.

Carter, Jimmy (*1924):
1977-80 amerikanischer Präsident (Demokrat).

Castro, Fidel (*1927):
kubanischer Revolutionsführer und kommunistischer Diktator; seit 1959 an der Macht.

Chiang Kaishek (1887-1975):
chinesischer General und Oberbefehlshaber der Truppen; Gegner der kommunistischen Entwicklung Chinas; 1950-75 Staatspräsident der Republik China (Taiwan).

Chruschtschow, Nikita S. (1894-1971):
1953-64 Erster Sekretär des Zentralkomitees der KPdSU; 1964 wurde er aller Ämter enthoben.

Churchill, Sir Winston (1874-1965):
britischer Journalist, Offizier und Politiker; 1940-45 und 1951-55 Premierminister; 1940-55 Führer der Konservativen; 1953 erhielt er den Nobelpreis für Literatur.

Clay, Lucius D. (1897-1978):
1947-49 Militärgouverneur der amerikanischen Besatzungszone in Deutschland.

Deng Xiaoping (1904-1997):
seit 1955 (mit Unterbrechungen wegen Kontroversen mit ➧ Mao) im Politbüro der KPCh; 1977-90 führender Politiker der VR China.

Dubçek, Alexander (1921-1992):
1968-69 Erster Sekretär der tschechoslowakischen KP; 1989-92 Parlamentspräsident.

Erhard, Ludwig (1897-1977):
1949-63 Bundeswirtschaftsminister; 1963-66 Bundeskanzler; 1966-67 Bundesvorsitzender der CDU.

Gaulle, Charles de (1890-1970):
französischer General und Politiker; 1940-45 Führer des „Freien Frankreich", 1945-46 Ministerpräsident und vorläufiger Staatspräsident; 1958 erneut Ministerpräsident und danach bis 1969 Staatspräsident.

Gorbatschow, Michail S. (*1931):
ab 1985 Generalsekretär des Zentralkomitees der KPdSU und 1989-91 Staatspräsident der UdSSR; 1990 Friedensnobelpreis.

Grotewohl, Otto (1894-1964):
SPD-Politiker; 1946 gemeinsam mit ➧ W. Pieck Vorsitzender der SED; 1949-64 Ministerpräsident der DDR.

Heinemann, Gustav (1899-1976):
Mitgründer der CDU, 1949-50 Bundesinnenminister, trat wegen der deutschen Wiederbewaffnung von seinem Ministeramt zurück; seit 1957 Mitglied der SPD; 1969-74 Bundespräsident.

Heuss, Theodor (1884-1963):
Mitgründer der DVP, aus der die FDP hervorging, Mitglied des Landtags von Württemberg-Baden und des Parlamentarischen Rates, beteiligte sich an der Formulierung des Grundgesetzes und war von 1949-59 der erste Bundespräsident der Bundesrepublik Deutschland.

Ho Chi Minh (1890-1969):
Führer der kommunistischen „Front für den Kampf um die Unabhängigkeit Vietnams"; 1954-69 Präsident von Nord-Vietnam.

Honecker, Erich (1912-1994):
von 1971-89 Generalsekretär des Zentralkomitees der SED; 1976-89 auch Staatsratsvorsitzender.

Jelzin, Boris N. (*1931):
Parteifunktionär der KPdSU, 1987 Verlust aller Parteiämter; 1990 Austritt aus der Partei; 1991-98 Präsident der Russischen Sowjetrepublik bzw. der Russischen Föderation.

Johnson, Lyndon B. (1908-1973):
1963-68 amerikanischer Präsident (Demokrat).

Kennedy, John F. (1917-1963, ermordet):
1961-63 amerikanischer Präsident (Demokrat).

Kohl, Helmut (*1930):
Bundesvorsitzender der CDU von 1973-98; 1982-98 Bundeskanzler.

Lenin, Wladimir I. (eigentlich Uljanow, 1870-1924):
gelernter Jurist und bedeutendster kommunistischer Theoretiker nach Marx; Mitbegründer der bolschewistischen Partei und führender Revolutionär während der Oktober-Revolution.

Mandela, Nelson (*1918):
südafrikanischer Politiker; seit 1944 Mitglied des African National Congress (ANC); 1962-90 wegen seines Kampfes gegen die Apartheid inhaftiert, 1991-97 Präsident des ANC, 1994-99 Präsident Südafrikas.

Mao Zedong (1893-1976):
chinesischer Revolutionär und kommunistischer Theoretiker; 1935-76 Vorsitzender der KPCh.

Marshall, George C. (1880-1959):
1947-49 amerikanischer Außenminister; 1950-51 Verteidigungsminister; 1953 Friedensnobelpreis.

Milošević, Slobodan (1941-2006):
1989-97 Vorsitzender der Kommunistischen Partei Serbiens und Präsident Serbiens, von 1997-2000 Präsident der Bundesrepublik Jugoslawien.

Mitterrand, François (1916-1996):
1971-81 Vorsitzender der Sozialistischen Partei Frankreichs; 1981-95 französischer Staatspräsident.

Nixon, Richard M. (1913-1994):
1969-74 amerikanischer Präsident (Republikaner).

Pieck, Wilhelm (1876-1960):
1945 der Vorsitzende der KPD; 1946 mit ➧ Grotewohl Vorsitzender der SED; 1949-60 Präsident der DDR.

Reagan, Ronald (1911-2004):
1981-89 amerikanischer Präsident (Republikaner).

Roosevelt, Franklin D. (1882-1945):
amerikanischer Politiker (Demokrat); 1933-45 Präsident der USA.

Schmidt, Helmut (*1918):
SPD-Politiker; 1969-72 Bundesverteidigungs-, 1972-74 Wirtschafts- und Finanzminister; 1974-82 Bundeskanzler.

Schumacher, Kurt (1895-1952):
1946-52 Vorsitzender der SPD.

Schuman, Robert (1886-1952):
1946-47 französischer Finanzminister; 1947-48 Ministerpräsident; 1955-56 Justizminister; 1958-60 Präsident des Europäischen Parlaments.

Stalin, Jossif W. (eigentlich Dschugaschwili, 1878-1953):
aus Georgien stammender russischer Revolutionär, ab 1922 Generalsekretär der Kommunistischen Partei.

Tito, Josip Broz (1892-1980):
1941 kommunistischer Partisanenführer; 1944-80 Machthaber in Jugoslawien.

Truman, Harry S. (1884-1972):
1945-52 amerikanischer Präsident (Demokrat).

Ulbricht, Walter (1893-1973):
1950-71 Erster Sekretär des Zentralkomitees der SED; 1960-71 auch Vorsitzender des DDR-Staatsrates.

Weizsäcker, Richard von (*1920):
CDU-Politiker; 1981-84 Regierender Bürgermeister von Berlin, 1984-94 Bundespräsident.

Wilson, Woodrow Th. (1856-1924):
Jurist, Historiker und amerikanischer Politiker (Demokrat); 1913-21 Präsident der USA.

Personenregister

Sachregister

Auf eine Kennzeichnung von ideologisch geprägten Begriffen durch Anführungszeichen wurde verzichtet.

Weiterführende Literatur

Der Ost-West-Konflikt und die Teilung Deutschlands

Benz, Wolfgang: Potsdam 1945. Besatzungsherrschaft und Neuaufbau im Vier-Zonen-Deutschland, 4., aktualisierte Neuausgabe, München 2005

Benz, Wolfgang: Die Gründung der Bundesrepublik. Von der Bizone zum souveränen Staat, München 1984

Birke, Adolf M.: Nation ohne Haus. Deutschland 1945-1961, Berlin 1989

Graml, Hermann: Die Alliierten und die Teilung Deutschlands. Konflikte und Entscheidungen 1941 - 1948, Frankfurt/Main 1985

Kleßmann, Christoph: Die doppelte Staatsgründung. Deutsche Geschichte 1945 - 1955, 5. überarbeitete und erweiterte Auflage, Bonn 1991

Morsey, Rudolf: Die Bundesrepublik Deutschland. Entstehung und Entwicklung bis 1969, 4., überarbeitete und erweiterte Auflage, München 2000

Niehuss, Merith/Lindner, Ulrike (Hrsg.): Besatzungszeit, Bundesrepublik und DDR 1945 - 1969, Stuttgart 1998

Wassmund, Hans: Die Supermächte und die Weltpolitik. USA und UdSSR seit 1945, München 1989

Politische und gesellschaftliche Entwicklungen im geteilten Deutschland

Benz, Wolfgang (Hrsg.): Die Geschichte der Bundesrepublik Deutschland (4 Bände), Frankfurt/Main 1989

Doering-Manteuffel, Anselm: Die Bundesrepublik Deutschland in der Ära Adenauer. Außenpolitik und innere Erstarrung 1949 - 1963, Darmstadt ^{2}1988

Fricke, Karl Wilhelm: MfS intern. Macht, Strukturen, Auflösung der DDR-Staatssicherheit, Köln 1991

Grosser, Dieter/Bierling, Stephan/Neuss, Beate (Hrsg.): Bundesrepublik Deutschland und DDR 1969 - 1990, Stuttgart 1996

Judt, Matthias (Hrsg.): DDR-Geschichte in Dokumenten. Beschlüsse, Berichte, interne Materialien und Alltagszeugnisse, Berlin 1998

Kenntemich, Wolfgang/Durniok, Manfred/Karlauf, Thomas (Hrsg.): Das war die DDR. Eine Geschichte des anderen Deutschland, Berlin 1993

Kielmansegg, Peter Graf: Nach der Katastrophe. Eine Geschichte des geteilten Deutschland, Berlin 2000

Kleßmann, Christoph: Zwei Staaten, eine Nation. Deutsche Geschichte 1955 - 1970, 2., überarbeitete und erweiterte Auflage, Bonn 1997

Kleßmann, Christoph/Wagner, Georg (Hrsg.), Das gespaltene Land. Leben in Deutschland 1945 - 1990, München 1993

Mitter, Armin/Wolle, Stefan: Untergang auf Raten. Unbekannte Kapitel der DDR-Geschichte, München 1993

Schroeder, Klaus: Der SED-Staat. Partei, Staat und Gesellschaft 1949 - 1990, München 1998

Steininger, Rolf: Deutsche Geschichte 1945 - 1961. Darstellungen und Dokumente in vier Bänden, Frankfurt/Main 1996 - 2002

Weber, Hermann: Die DDR 1945 - 1990, München ^{2}1993

Weber, Hermann: Geschichte der DDR, 2., aktualisierte und erweiterte Neuausgabe, München 2000

Weber, Jürgen (Hrsg.): Geschichte der Bundesrepublik Deutschland (5 Bände), München 1991 - 1995

Weber, Jürgen: Kleine Geschichte Deutschlands seit 1945, München 2002

Wirsching, Andreas: Abschied vom Provisorium. Geschichte der Bundesrepublik Deutschland 1982 - 1990, München 2006

Wolfrum, Edgar: Die geglückte Demokratie. Geschichte der Bundesrepublik Deutschland von ihren Anfängen bis zur Gegenwart, Stuttgart 2006

Weiterführende Literatur

Die Deutsche Einheit und ihre Folgen

Falter, Jürgen W. u.a.: Sind wir ein Volk? Ost- und Westdeutschland im Vergleich, München 2006

Jesse, Eckard/Mitter, Arnim (Hrsg.): Die Gestaltung der deutschen Einheit. Geschichte, Politik, Gesellschaft, Bonn 1992

Küsters, Hanns Jürgen/Hofmann, Daniel (Hrsg.): Deutsche Einheit. Sonderedition aus den Akten des Bundeskanzleramtes 1989/90. Dokumente zur Deutschlandpolitik, München 1998

Schneider, Wolfgang: Leipziger Demontagebuch, Leipzig ^{4}1992

Süß, Walter: Ende und Aufbruch. Von der DDR zur neuen Bundesrepublik Deutschland, Frankfurt/Main ^{2}1997

Thierse, Wolfgang/Spittmann-Rühle, Ilse/Kuppe, Johannes L. (Hrsg.): Zehn Jahre Deutsche Einheit, Opladen 2000

Auf dem Weg zur Einigung Europas

Calic, Marie-Janine: Der Krieg in Bosnien-Hercegovina, Frankfurt/Main ^{6}2006

Clewing, Konrad/Reuter, Jens: Der Kosovo-Konflikt. Ursachen – Akteure – Verlauf, München 2000

Gasteyger, Curt: Europa von der Spaltung zur Einigung. Darstellung und Dokumentation 1945–2000, Bonn 2001

Geiss, Imanuel unter Mitarbeit von Gabriele Intermann: Der Jugoslawienkrieg, Frankfurt/Main ^{2}1995

Gruner, Wolf D./Woyke, Wichard (Hrsg.): Europa-Lexikon. Länder, Politik, Institutionen, München 2004

Melčić, Dunja (Hrsg.): Der Jugoslawien-Krieg. Handbuch zu Vorgeschichte, Verlauf und Konsequenzen, Opladen ^{2}2006

Schlögel, Karl: Die Mitte liegt ostwärts. Europa im Übergang, München 2002

Weidenfeld, Werner (Hrsg.): Europa-Handbuch, 3. aktualisierte und vollständig überarbeitete Auflage, Gütersloh 2004

Weidenfeld, Werner/Wessels, Wolfgang (Hrsg.): Europa von A bis Z. Taschenbuch der europäischen Integration, Bonn ^{9}2006

Volle, Angelika/Wagner, Wolfgang (Hrsg.): Der Krieg auf dem Balkan. Die Hilflosigkeit der Staatenwelt. Beiträge und Dokumente aus dem Europa-Archiv, Bonn 1994

Weltpolitik

Czempiel, Ernst-Otto: Weltpolitik im Umbruch. Die Pax Americana, der Terrorismus und die Zukunft der internationalen Beziehungen, München ^{4}2003

Hauchler, Ingomar/Messner, Dirk/Nuscheler, Franz (Hrsg.): Globale Trends 2004/2005. Fakten, Analysen, Prognosen, Frankfurt/Main 2003

Herrmann-Pillath, Carsten/Lackner, Michael (Hrsg.): Länderbericht China, Bonn ^{2}2000

Nohlen, Dieter (Hrsg.): Lexikon Dritte Welt. Länder, Organisationen, Theorien, Begriffe, Personen, vollständig überarb. Neuausgabe, Reinbek 2002

Pohl, Manfred: Japan, 4., völlig neu bearbeitete Auflage, München 2002

Pohl, Manfred/Mayer, Hans Jürgen (Hrsg.): Länderbericht Japan, 2., aktualisierte und erweiterte Auflage, Bonn 1998

Weltbank (Hrsg.), Weltentwicklungsbericht 2006. Chancengerechtigkeit und Entwicklung, Bonn 2006

Woyke, Wichard (Hrsg.): Handwörterbuch Internationale Politik, 9. aktualisierte Auflage, Opladen 2005

Bildnachweis

Titel: Montage aus Archiv für Kunst und Geschichte, Berlin und Ullstein-Bild, Berlin
S. 7: Centre Pompidou, Paris
S. 9: Verlagsarchiv
S. 11: David King Collection
S. 13: Verlagsarchiv
S. 17: Otto-Dix-Stiftung, Vaduz
S. 19: Ullstein-Bild, Berlin
S. 22: Verlagsarchiv
S. 23: J. H. Darchinger, Bonn
S. 24: Verlagsarchiv
S. 25: Verlagsarchiv
S. 28: Preußischer Kulturbesitz, Berlin
S. 31: Lilo Sandberg, Berlin
S. 34: Verlagsarchiv
S. 35l: Konrad-Adenauer-Stiftung, St. Augustin
S. 35r: Stadtarchiv Stuttgart
S. 36: Stadtarchiv Reutlingen
S. 38: Verlagsarchiv
S. 40: Verlagsarchiv
S. 43: Deutsches Historisches Museum, Berlin
S. 46: Verlagsarchiv
S. 47: Archiv für Kunst und Geschichte, Berlin
S. 49: Preußischer Kulturbesitz, Berlin
S. 50: Archiv für Kunst und Geschichte, Berlin
S. 52: Verlagsarchiv
S. 53: Verlagsarchiv
S. 54: Deutsches Historisches Museum, Berlin
S. 55: Staatsbibliothek, Bamberg
S. 59: Verlagsarchiv
S. 62: Der Spiegel, Hamburg
S. 63: Haus der Geschichte, Bonn
S. 66: A. R. Penck
S. 68: Institut für Zeitungsforschung, Dortmund
S. 71: Konrad-Adenauer-Stiftung, St. Augustin
S. 75: Deutsches Historisches Museum, Berlin
S. 76l: Deutsches Historisches Museum, Berlin
S. 76r: Haus der Geschichte der Bundesrepublik Deutschland, Bonn
S. 79: Deutsches Historisches Museum, Berlin
S. 80o: Globus Infografik, Hamburg
S. 80u: Verlagsarchiv
S. 81o: Verlagsarchiv
S. 81u: Erich Schmidt Verlag, Berlin
S. 83: Deutsche Presse-Agentur, Frankfurt am Main
S. 85: Archiv Gerstenberg, Wietze
S. 87l: Verlagsarchiv
S. 87r: Konrad-Adenauer-Stiftung, St. Augustin
S. 89: Sven Simon, München
S. 90: Archiv für Kunst und Geschichte, Berlin
S. 91: Archiv für Kunst und Geschichte, Berlin
S. 93: DPA/Süddeutscher Verlag Bilderdienst/AP, München
S. 95: Ullstein-Bild, Berlin
S. 99: Bundesarchiv, Koblenz
S. 101: KNA-Bild, Frankfurt am Main
S. 103: Deutsches Historisches Museum, Berlin
S. 104: Verlagsarchiv
S. 107: Deutsche Presse-Agentur, Frankfurt am Main
S. 109: Verlagsarchiv
S. 110: Ullstein-Bild, Berlin
S. 116: Fritz Wolf/CCC-Cartoon-Caricature-Contor, München
S. 117: Archiv für Kunst und Geschichte, Berlin
S. 118: Verlagsarchiv
S. 120: Achim Beyer, Erlangen
S. 126: Preußischer Kulturbesitz, Berlin
S. 128: Ullstein-Bild, Berlin
S: 131: Ullstein-Bild, Berlin
S. 133: Verlagsarchiv
S. 137: Deutsches Historisches Museum, Berlin
S. 139: Jörn Vanhöven
S. 141: Bundesarchiv, Koblenz
S. 143: Verlagsarchiv
S. 144: Verlagsarchiv
S. 145: Thomas Kläber, Cottbus
S. 149: Deutsches Historisches Museum, Berlin
S. 151: Verlagsarchiv
S. 153: Verlagsarchiv
S. 154: Deutsches Historisches Museum, Berlin
S. 155: Verlagsarchiv
S. 158: Verlagsarchiv
S. 159: Trak Wendisch
S. 160: Verlagsarchiv
S. 161: Deutsches Historisches Museum, Berlin
S. 163: Verlagsarchiv
S. 165: Borislav Sajtinac, Paris
S. 167: Erich Schmidt Verlag, Berlin
S. 168: Jens Rötzsch
S. 169: Rainer Schwalme
S. 171: Jörn Vanhöfen
S. 172: Ullstein-Bild, Berlin
S. 174o: Bernd Lasdin
S. 174u: Bernd Lasdin
S. 175o: Bernd Lasdin
S. 175u: Bernd Lasdin
S. 176: Ullstein-Bild, Berlin
S. 179: Institut für Zeitungsforschung, Dortmund
S. 182: Verlagsarchiv
S. 184: Der Spiegel, Hamburg
S. 193: Globus Infografik, Hamburg
S. 195: CCC-Cartoon-Caricature-Contor, München
S. 198: Ullstein-Bild, Berlin
S. 200: Verlagsarchiv
S. 202: Deutsche Presse-Agentur, Frankfurt am Main
S. 203: Verlagsarchiv
S. 206: Verlagsarchiv
S. 208: Focus, Hamburg
S. 209: Preußischer Kulturbesitz, Berlin
S. 211: Verlagsarchiv
S. 212: Verlagsarchiv
S. 214: Institut für Zeitungsforschung, Dortmund
S. 216: Deutsche Presse-Agentur, Frankfurt am Main
S. 219: Deutsche Presse-Agentur, Frankfurt am Main
S. 222: Erich Schmidt Verlag, Berlin
S. 224: Verlagsarchiv
S. 228: Globus Infografik, Hamburg
S. 230: Süddeutscher Verlag Bilderdienst/AP, München
S. 234: Reuters, Berlin
S. 235: Verlagsarchiv
S. 236: Verlagsarchiv
S. 238: Sebastião Salgado
S. 241: Verlagsarchiv
S. 243: Verlagsarchiv

Trotz entsprechender Bemühungen ist es uns nicht in allen Fällen gelungen, den Rechtsinhaber ausfindig zu machen. Gegen Nachweis der Rechte zahlt der Verlag für die Abdruckerlaubnis die gesetzlich geschuldete Vergütung.

Die Bundestagswahlergebnisse von 1949–2005

	1. Bundestag (14.8.1949)			2. Bundestag (6.9.1953)			3. Bundestag (15.9.1957)			
Wahlberechtigte Abgegebene Stimmen Wahlbeteiligung	Millionen 31,208	Millionen 24,496	% 78,5	Millionen 33,202	Millionen 28,480	% 86,0	Millionen 35,401	Millionen 31,073	% 87,8	Milli nen 37,44
Stimmenzahl Stimmenanteil Zahl der Mandate	Millionen	%	402	Millionen	%	487	Millionen	%	497	Milli nen
CDU/ CSU	7,359	31,0	139	12,444	45,2	243	15,008	50,2	270	14,29
SPD	6,935	29,2	131	7,945	28,8	151	9,496	31,8	169	11,42
FDP	2,830	11,9	52	2,629	9,5	48	2,307	7,7	41	4,02
Kommunistische Partei Deutschlands	1,362	5,7	15	0,608	2,2	–	–	–	–	–
Bayernpartei	0,968	4,2	17	0,466	1,7	–	–	–	–	–
Deutsche Partei	0,940	4,0	17	0,896	3,3	15	1,007	3,4	17	–
Zentrum	0,728	3,1	10	0,217	0,8	3	–	–	–	–
Wirtschaftlicher Aufbauverein	0,682	2,9	12	–	–	–	–	–	–	–
Deutsche Reichspartei	0,429	1,8	5	0,296	1,1	–	0,309	1,0	–	0,26
Südschleswiger Wählerbund	0,075	0,3	1	–	–	–	–	–	–	–
Block der Heimatvertriebenen und Entrechteten/ Gesamtdeutscher Block	–	–	–	1,617	5,9	27	1,374	4,6	–	0,87
Deutsche Friedensunion	–	–	–	–	–	–	–	–	–	0,61
Nationaldemokratische Partei Deutschlands	–	–	–	–	–	–	–	–	–	–
Parteilose	1,142	4,8	3	–	–	–	–	–	–	–
Sonstige	0,265	1,1	–	0,434	1,7	–	0,441	1,5	–	0,05

	9. Bundestag (5.10.1980)			10. Bundestag (6.3.1983)			11. Bundestag (25.1.1987)			1.
Wahlberechtigte Abgegebene Stimmen Wahlbeteiligung	Millionen 43,232	Millionen 38,292	% 88,6	Millionen 44,089	Millionen 39,280	% 89,1	Millionen 45,328	Millionen 38,225	% 84,3	Milli nen 60,43
Stimmenzahl Stimmenanteil Zahl der Mandate	Millionen	%	497	Millionen	%	498	Millionen	%	497	Milli nen
CDU/ CSU	16,898	44,5	226	18,998	48,8	244	16,762	44,3	223	20,35
SPD	16,261	42,9	218	14,866	38,2	193	14,026	37,0	186	15,54
FDP	4,031	10,6	53	2,707	7,0	34	3,441	9,1	46	5,12
Die Grünen	0,570	1,5	–	2,167	5,6	27	3,126	8,3	42	1,78
Bündnis 90/Grüne	–	–	–	–	–	–	–	–	–	0,55
Partei des Demokratischen Sozialismus/ Linke Liste	–	–	–	–	–	–	–	–	–	1,13
Republikaner	–	–	–	–	–	–	–	–	–	0,98
Sonstige	0,180	0,5	–	0,230	0,4	–	0,513	1,3	–	1,54

[1] nur Wahlgebiet West
[2] nur Wahlgebiet Ost